D1582959

afgeschreven

Een huis in de hemel

* The next part of my day is the time from my afternoon prayer at about 4 until the dinnertime prayer at 6. This stretch I usually find manageable. I almost always read. I have read the incredible autobiography of Nelson Mandela countless times and it never fails to move and inspire me. I have read two short books by Ernest Hemingway dozens of times. At first his writing was confusing to me. Now I know the books by heart and especially love The Green Hills of Africa. The only other novel available to read is the beautiful book 'A Thousand Splendid Suns'. I had read it before, at the airport in Paris. The mother and daughter story brings me to tears and I miss you. I also spend many days reading and trying to understand The Quran. Some days during this part of the day I get a 'lesson' which is learning the recitation of a surah (a chapter of the Quran in Arabic. If my teacher is one who speaks English I also ask questions about Islam. A handful of times I have given English lessons to one of the boys. I really enjoy that. It's the only real interaction I have had in about 10 months that doesn't involve pleading for my life and begging to be freed. At 5 o'clock most days the boy who cooks brings a big kettle of tea into my room and pours me a cup. I wait anxiously for that tea because by that time, every day, I am starving, having had nothing for 8 or 9 hrs and the tea, the sugar, hold me until we eat dinner. I take my tea, put my book down and while I enjoy the sweetness I always feel better. * When the sun starts to go down and my room gets dark I knock on the floor with a plastic bottle and ask to use the toilet to wash for prayer. This is the best time to look outside the bathroom window as it faces west and sometimes I can see a colorful sunset or at least a pretty, dusty pink in the sky. Often on Monday's and Thursday's I fast and on those days I wait for the 'azan' (the call to pray) so I can break my fast. Today is Thursday and I am fasting. At 6, one of the boys will bring me 5 somosa's and tea if any is leftover. When I hear the azan I eat. On fasting days hunger can be painful. It's been 24 hrs since I have ate anything. After prayer dinner will come. These days dinner is 2 small pieces of boiled meat in broth and three dense pieces of bread. Usually I also get one very ripe banana. I never fail to be dismayed at dinnertime missing eating fruit and vegtables but after eating the bread I feel full and then I can stop obsessing about food until the next day. After dinner I lay down and continue my daydreaming until the next prayer around 8. But this time is not easy. It is during this time that phone calls happen that we move houses and much worse. So I try to calm myself with my thoughts. I use the toilet and wash one last time for the day, pray and then prepare for bed. I comb my hair, I put cream around my eyes and on my forehead. I brush my teeth, put cotton in my ears. I brush out the sand and dirt of my mat, fix my mosquito net and lay down. I don't relax until the sounds of the boys begin to quiet. My initial sleep is disturbed by soliders looking in my room, shining a bright flashlight on me. They stop doing that after an hour or so and then, if I'm lucky I fall asleep. If I sleep my dreams are incredibly vivid, like I've never had before. If I can't sleep I am miserable, afraid and nervous. And there it is mommy. My day.
* Friday. After laying down after dinner last night a boy came and told me to pack my things. No explanation of where we were going but I knew it was back to Mogadishu. More then six months ago they took us about 10 hrs away. Six weeks ago we travelled back about 6 hrs to the house I was writing to you at. Suddenly I felt very optimistic again. My heart was hammering in my chest and my hands shaking as I put my things into two plastic bags. My reaction kept swinging back to fear and panic. Moving at night with them is very frightening. Within 5 minutes I was packed. I was told to pray, which I did and then I was led outside to the vehicle. Scared as I was I still noticed how good the breeze felt on my face. It was the first time in about 50 days I had been outside at all. I was told to get into the back of the SUV and sat down on a mat. They filled the space of the hatchback all around me with bags and then another solider squeezed in. I have never been claustrophobic but I felt panicy. I couldn't move my legs at all. Half an hour later the remaining five of them and Brennan sat on the seats and we drove off. Outside of Mogadishu there are no real 'roads' in Sumalia, rather deep but deep ruts in the sand. There are no words to describe the discomfort.

ctangular hole in the cement as a toilet. IA There is no sink, no
ater. We use muddy water they pull from a well into an old
otor oil jug. Half asleep, I wash for prayer and shuffle back
my room. I pray, crawl under the mosquito net that surrounds
y mat on the floor and try to fall back asleep. Most days, like
day I can't sleep. The anxiety I feel makes my stomach do
mersaults. So I use my imagination to take me out of here.
uddenly I am at home again, waking up in my own bed, getting
p and putting coffee on. I pass the morning this way, here only
body. At some point someone will come into my room and open my
ndow, which has two heavy metal shutters across it that are
cked at night and keep all light out. Some days one shutter is opened
nly a few inches and it stays dark in my room. Too dark to read or
rite, so I spend those days laying with my eyes closed, escaping to
nny places in my mind. Most days one shutter is opened halfway,
nough that I can see. The day I last spoke to you and it seemed this
as all about to be over the soliders opened both so shutters
l the way and for the first time in over a year I spent a day
joying light. Now, of course, it has reversed again. Breakfast is
rought in to me and put on the floor. It's almost always the exact
ame thing, too 3 bite size pieces of boiled meat in broth and 3
ieces of a thick heavy pancake like bread. Most days I get
cup of dark, very sweet tea. We do not eat again until the
vening. After eating I lay down and I coach myself, telling saying
is could be almost over, to just get through this one day. I have
focus one on only this day, to make it past today. Then I pick
omething to daydream about for the day. Sometimes it will be
ny wedding. Or being pregnant. Going to University. Opening a
otel in India with you. Hiking in Stanly Park. And then it
egins, my mind flies far, far away and I stay in my happy
lace until it's time to pray again, around 1. The distractions
this house do pull me back sometimes. It is incredibly noisy here.
he shouts, the chanting, the banging of doors are all a part of my
fe that I cannot wait to be gone. This morning my daydream
egan with taking a candy making course with you. But by
riting to you I am altering my routine, and it feels strange
ctually, to be doing something for once. My day is divided by my 5 prayers
fter the long, difficult stretch between my morning and noon prayer I have
e 3 or so hours until my afternoon prayer. When washing the noon prayer I
sh my body and every few days my hair. It's one of the best parts of my
y. I can't take more than 10 minutes but I use my time to have a good
at the sky. It brightens my spirits every day. The window looks out into a large
d surrounded by a high stone fence. There are two rusty broken trucks
a sea of tall green wheat. There is a row of scraggly trees on the
r side of the fence. I have watched the wheat grow. When we came to this
e six weeks ago there was only sand in the yard. But it has been raining and
weeds grew quickly. Today a white butterfly flew among them. After I
sh washing and praying I sit back down. Now I sometimes play
doku. I may read. Or, these days I go back to my daydream. I'm
ays hungry by this time and my thoughts, my daydreams are usually about
ing and eating. Very often, with you. Usually the boys sleep now but it's still not
t. There is always the chanting. I find it irritating. I try to block it by putting
on from a sanitary napkin in my ears. It helps to blunt the noise a bit.

Amanda Lindhout
en Sara Corbett

Een huis in de hemel

Een memoir

Vertaald door
Karin Pijl en Lidy Pol

Ambo|Anthos
Amsterdam

Dit verhaal is non-fictie. Voor een zo accuraat mogelijke weergave hebben we geput uit een aantal bronnen, waaronder dagboeken, correspondentie, mediaverslagen, interviews en transcripties van opgenomen gesprekken en andere communicatie met rechercheurs, onderhandelaars en ontvoerders. Het is ook een memoir, wat wil zeggen dat het verhaal een weergave is van Amanda's herinneringen en interpretaties van de gebeurtenissen. Dialogen zijn vanuit de herinnering gecreëerd. De namen van een aantal minder belangrijke personages zijn veranderd om hun privacy te waarborgen en ten behoeve van de helderheid zijn tijdlijnen verkort of details weggelaten. De passages uit de Koran komen uit de vertaling van Abdullah Ali Yusuf. Wanneer er naar dollars wordt verwezen, wordt de Amerikaanse munteenheid bedoeld, tenzij anders aangegeven.

De Nederlandse citaten uit de Koran zijn afkomstig uit *De Koran. Een weergave van de betekenis van de Arabische tekst in het Nederlands*, door Fred Leemhuis. Het Wereldvenster, Houten 1989.

Eerste druk maart 2014
Tweede druk juli 2014

ISBN 978 90 472 0217 2
© 2013 Amanda Lindhout en Sara Corbett
© 2014 Nederlandse vertaling Ambo|Anthos *uitgevers*,
Amsterdam en Karin E. Pijl en Lidy Pol
Oorspronkelijke titel *A House in the Sky*
Oorspronkelijke uitgever Scribner
Omslagontwerp Janine Jansen
Omslagillustratie © Jennifer Heuer
Foto auteur © Carey Nash/www.careynash.com

Verspreiding voor België:
Veen Bosch & Keuning uitgevers n.v., Antwerpen

Voor mijn moeder en twee vaders
&
Katherine Porterfield

In het afgebrande huis ontbijt ik.
U begrijpt: er is geen huis, er is geen ontbijt,
en toch ben ik hier.

(Margaret Atwood, uit: *Morning in the Burned House*)

Proloog

We gaven ze een naam, de huizen waarin ze ons verstopten. In sommige zaten we maanden achter elkaar, in andere slechts enkele dagen of een paar uur. Zo had je het Bommenmakershuis en het Elektrische Huis. Verder nog het Ontsnappingshuis, een laag betonnen gebouw van waaruit we soms vlakbij geweerschoten hoorden of een moeder die voor haar kindje zong, haar stem zacht en melodieus. Nadat we uit het Ontsnappingshuis waren gevlucht, werden we in allerijl overgebracht naar het Verwaarloosde Huis en opgesloten in een slaapkamer met een gebloemde sprei en een houten dressoir met keurig gesorteerde rijtjes haarsprays en -gels. Het was duidelijk een plek waar we niet gewenst waren, aan de boze, uitgebuite vrouw te horen die in de keuken tekeerging.

Wanneer we van het ene naar het andere huis werden verplaatst, gebeurde dat altijd in een gespannen zwijgen, meestal in de stilste uren van de nacht. Op de achterbank van een Suzuki-stationcar scheurden we over verharde wegen en draaiden mulle zandweggetjes op, door de woestijn, langs eenzame acaciabomen en donkere dorpen, zonder ooit enig idee te hebben waar we waren. We kwamen langs moskeeën en met lichtjes versierde avondmarkten, mannen met kamelen en groepjes luidruchtige jongens, sommigen met machinegeweren, die zich rond een vuur langs de kant van de weg hadden geschaard. Als iemand naar ons had gekeken, zouden we het niet eens hebben gemerkt: we moesten een sjaal om ons hoofd dragen en net als onze ontvoerders ons gezicht bedekken, waardoor onmogelijk te zien was wie of wat we waren.

De meeste huizen die ze voor ons uitzochten, waren verlaten gebouwen in verafgelegen dorpen, waar we – Nigel en ik, en de acht jongemannen en de commandant van middelbare leeftijd die ons bewaakten – allemaal onzichtbaar zouden blijven. De locaties bevonden zich stuk voor stuk achter afgesloten hekken en waren omgeven door hoge muren van beton of golfplaten. Wanneer we aankwamen bij een nieuw huis rammelde de commandant met zijn sleutelbos. De jongens, zoals we ze noemden, haastten zich vervolgens met hun geweren naar binnen, op zoek naar ruimtes om ons in op te sluiten. Daarna namen ze allemaal een strategische positie in om te rusten, bidden, plassen en eten. Soms gingen ze een potje worstelen in de tuin.

Je had Hassam, een van de marktjongens, en Jamal, die zwaar naar aftershave rook en het alsmaar had over het meisje met wie hij wilde trouwen, en Abdullah, die als enig doel had zichzelf op te blazen. Dan waren er nog Yusuf en Yahya, en de jonge Mohammed. En Adam, die mijn moeder in Canada belde en haar terroriseerde met zijn dreigementen. De oude Mohammed ging over het geld; hem hadden we de bijnaam Donald Trump gegeven. De man die we Skids noemden, reed op een avond met mij de woestijn in en keek onbewogen toe terwijl een andere man een gekarteld mes op mijn keel zette. En dan was er nog Romeo, die was toegelaten tot een hogeschool in New York, maar eerst een poging ondernam mij tot zijn vrouw te maken.

Vijf keer per dag bogen we ons voorover op de grond voor het gebed. Ieder van ons hield vast aan een geheim ideaal, een soort visioen van het paradijs dat ver buiten ons bereik leek. Soms vroeg ik me af of het gemakkelijker zou zijn geweest als Nigel en ik in het verleden geen liefdesrelatie hadden gehad, als we gewoon twee samenwerkende vreemden waren geweest. Ik kende het huis waarin hij woonde, het bed waarin hij had geslapen, het gezicht van zijn zus, zijn vrienden thuis. Ik wist zo'n beetje waarnaar hij verlangde, waardoor ik alles dubbel zo sterk ervoer.

Als het geweervuur en de mortieraanvallen van de strijdende milities om ons heen te hevig werden, te dichtbij kwamen, laadden de jongens ons weer achter in de stationcar, pleegden een paar telefoontjes en brachten ons opnieuw naar een ander huis.

In sommige van de huizen waren nog stille getuigen van het gezin dat er ooit had gewoond: speelgoed in een hoek, een oude pan, een opgerold muf tapijt. Je had het Duistere Huis, waar zich de gruwelijkste dingen hadden afgespeeld, het Boshuis, dat verafgelegen op het platteland leek te staan, en het Positieve Huis, bijna een herenhuis, waar het heel even leek of er verbetering zou komen in onze situatie.

Op een gegeven moment werden we overgebracht naar een appartement op de eerste verdieping in het centrum van een zuidelijke stad, waar we auto's hoorden claxonneren en muezzins die opriepen tot het gebed. We roken aan het spit geroosterd geitenvlees van straatverkopers en hoorden pratende vrouwen die de winkel recht onder ons in- en uitgingen. Nigel, die een baard had gekregen en broodmager was geworden, kon vanuit zijn kamer een glimp opvangen van de Indische Oceaan, een zeegroene reep in de verte. De nabijheid van het water, de winkelende mensen en de auto's vormden zowel een troost als een kwelling. Als we er op een of andere manier in zouden slagen te vluchten, was het niet zeker dat we hulp zouden krijgen; we zouden evengoed opnieuw in handen kunnen vallen van iemand die ons, net als onze ontvoerders, niet alleen als vijanden zag, maar als vijanden die geld opleverden.

We waren onderdeel van een uitzichtloze, wereldwijde afpersingszaak. Van een heilige oorlog. Van een veel groter probleem. Ik nam mezelf voor een aantal dingen te doen als ik vrijkwam. *Mama meenemen op reis. Iets goeds doen voor andere mensen. Excuses aanbieden. De liefde vinden.*

We waren dichtbij en tegelijk onbereikbaar, afgesloten van de wereld. En het was hier dat ik uiteindelijk ging geloven dat ik dit

13

verhaal nooit zou navertellen, dat ik zou verdwijnen, als een draai-kolk in een plotseling droogvallende rivier. Ik raakte ervan over-tuigd dat we, verborgen in Somalië, op deze geheime, uitgestor-ven plek, nooit gevonden zouden worden.

1

Mijn wereld

Als kind had ik vertrouwen in wat ik over de wereld wist. Hij was niet lelijk of gevaarlijk. Hij was vreemd en boeiend en zo mooi dat je hem zou willen inlijsten. Hij kwam tot me via foto's en onder gouden omslagen, in een stapel tijdschriften, oude uitgaven van National Geographic die voor vijfentwintig cent per stuk in een kringloopwinkel even verderop in de straat waren gekocht. Ik bewaarde ze op een stapel op het nachtkastje naast mijn stapelbed. Als ik ze nodig had, als het in het appartement waarin we woonden te lawaaierig werd, pakte ik ze. De wereld kwam in golven en flitsen, als een zilverkleurige vloed die over een promenade in Havana of de glinsterende sneeuwvelden van de Annapurna sloeg. De wereld was een pygmeeënstam van boogschutters in Congo, en de groene configuratie van de theetuinen in Kyoto. Hij was een catamaran met een geel zeil op een ruige Noordelijke IJszee.

Ik was negen jaar en woonde in het stadje Sylvan Lake, vernoemd naar het gelijknamige meer. Het meer was negenenhalve kilometer lang, een pleistocene gleuf in de uitgestrekte bruine prairie van Alberta, Canada – ten noorden van de skyline van Calgary, ten zuiden van de booreilanden rond Edmonton, zo'n zestienhonderd kilometer ten oosten van de Rocky Mountains, een typische tussenplaats. In juli en augustus kwamen de toeristen. Ze dobberden rond op het kalme oppervlak van het meer en gooiden hengels uit vanaf de steigers van hun cottages. In het centrum

15

was een jachthaven met een vuurtoren en een klein pretpark waar vakantiegangers kaartjes kochten om van een reusachtige, kronkelende waterglijbaan te gaan of door een doolhof van glanzend geverfd triplex te rennen. De hele zomer hoorde je door de stad de geluiden van lachende kinderen en het geronk van motorboten.

We waren nieuw in Sylvan Lake. Mijn moeder, die een paar jaar eerder van mijn vader was gescheiden, was hier met mijn twee broers en mij naartoe verhuisd vanuit Red Deer, het stadje waar we altijd hadden gewoond, vijftien minuten verderop. Russell, haar vriend, was met ons meegekomen, evenals zijn jongere broer Stevie. Zijn ooms en neven en andere broers en achterneven kwamen vaak bij ons voor betaaldagfeesten en verbleven dan dagenlang in de woonkamer van ons appartement. Ik herinner me hun slapende gezichten, hun dunne bruine armen die over de leuningen van hun stoel hingen. Mijn moeder noemde Russell en zijn familie 'inheems', maar in de stad noemden de mensen hen indianen.

Het complex waarin we woonden telde vier appartementen. Het was voorzien van wit pleisterwerk, een schuin dak en donkere houten balkons. De verzonken ramen van ons souterrainappartement waren klein en smal en lieten vrijwel geen daglicht binnen. Buiten op het parkeerterrein met grind stond een groene openbare afvalcontainer. Mijn moeder, die hield van alles wat vrolijk gekleurd en tropisch was, had een groenblauw douchegordijn opgehangen in onze nieuwe badkamer en een sprei met een even rijkgekleurd dessin over haar bed gedrapeerd. Haar hometrainer had ze in de woonkamer naast onze oude bruine bank gezet.

Mensen keken altijd naar mijn moeder. Ze was lang en slank en had opvallende jukbeenderen en donker gepermanent haar dat ze altijd opstak. Ze had heldere bruine ogen die iets kwetsbaars uitstraalden, verrieden dat ze het type persoon was dat zich gemakkelijk tot dingen liet overhalen. Vijf dagen per week reed ze in een witte jurk met rode zoom terug naar Red Deer om bij Food City de kassa te bedienen. Ze kwam thuis met hele dozen merkloze sappakken, met korting gekocht, die we in de vriezer bewaarden en na schooltijd leeg lepelden. Soms kwam ze thuis met restanten van de bakkerij, Deens gebak en roomsoezen die na een dag in de vitrine plakkerig waren geworden. Andere keren nam ze huurvideo's mee die we nooit terugbrachten.

Russell werkte alleen af en toe. Dan schreef hij zich voor een paar weken of soms voor een paar maanden in als contractarbeider bij een boomkwekerij die High Tree heette. Als boomsnoeier verwijderde hij dan takken in de buurt van elektriciteitskabels langs smalle wegen. Hij was zo mager als een lat en droeg zijn donkere haar lang en uitgewaaierd over zijn schouders. Als hij niet werkte, kleedde hij zich in dunne zijden overhemden in paars en turquoise. Op zijn linkerbovenarm zat een zelfgemaakte tatoeage, een blauwomrande vogel met brede vleugels, misschien een adelaar of feniks. De contouren waren intussen vervaagd en de details van de vogel lagen nu als een waas op zijn huid, als iets wat eerder thuishoorde op het lichaam van een veel oudere man. Hij was eenentwintig, mijn moeder tweeëndertig.

We kenden Russell al jaren voordat hij de vriend van mijn moeder werd. Sinds zijn dertiende waren onze families door een combinatie van pech en christelijke liefdadigheid met elkaar verbonden. Hij was opgegroeid in een reservaat, het Sunchild First Nation Reserve. Zijn vader was al vroeg uit beeld verdwenen, zijn moeder omgekomen bij een auto-ongeluk. De ouders van mijn moeder, die ongeveer op een uur rijden van het reservaat woonden, organiseerden namens de pinkstergemeente een zomerkamp voor indianenkinderen en namen Russell en zijn vier jongere broertjes uiteindelijk als pleegkinderen op. Mijn moeder en haar broertjes en zusjes waren op dat moment al lang het huis uit; dankzij de inheemse kinderen kregen mijn grootouders een tweede kans als ouders.

Mijn grootvader was lasser, en mijn grootmoeder verkocht Tupperware – meer dan wie dan ook in Alberta, met regionale verkooprecords en een busje van de zaak als bewijs. Jarenlang troonden ze Russell en de andere jongens mee naar de kerk en sleepten hen door de middelbare school. Ze brachten hen naar atletiek- en hockeywedstrijden en weeflessen in het Native Friendship Center.

Als de jongens met elkaar op de vuist gingen, zuchtte mijn grootmoeder en zei hun dat ze zich buiten maar moesten uitleven. Ze vergaf hen als ze geld van haar stalen en als ze haar uitscholden. De jongens werden tieners en daarna jongemannen. Eentje ging studeren; de rest eindigde ergens tussen het reservaat en Red Deer. Waar niemand op had gerekend, wat zelfs Jezus zelf misschien nooit had voorzien, is dat mijn moeder – met haar drie kleine kinderen en vastgelopen huwelijk met mijn vader – ergens tussendoor, tijdens bezoekjes aan haar ouders of feestmaaltijden op de boerderij, voor Russell zou vallen.

'Russ' noemde ze hem. Ze deed de was voor hem en kuste hem graag in het openbaar. Zo nu en dan kocht hij rozen voor haar. In mijn vroege jeugd beschouwde ik hem als een verre neef, maar nu was Russell, nadat hij rechtstreeks van het huis van mijn grootouders in dat van mij was getrokken, iets anders, een kruising tussen een kind en een volwassene, tussen een familielid en een buitenstaander. Hij deed kickboksoefeningen in onze woonkamer en at chips op de bank. Af en toe kocht hij knuffelbeesten voor mij en mijn broertje Nathaniel.

'Een bijzonder gezin,' noemde mijn grootmoeder ons. Mijn oudere broer Mark omschreef het anders: 'Een bijzonder verklóót gezin.'

Ik ben een paar keer bij Russells familie op bezoek geweest in het Sunchild-reservaat, altijd onder luid protest van mijn vader, die het er gevaarlijk vond maar niets meer te zeggen had. Russells neven woonden in kleine, identieke huizen aan zandwegen. Tijdens onze bezoekjes aten we *bannock*, zoet, stevig brood dat in olie was gebakken of gefrituurd. We speelden met kinderen die nooit naar school gingen en blikjes bier uit bruine papieren zakken dronken. Voor zover ik me kan herinneren, hadden alle huizen gaten in de muren, die er met de vuist in waren geslagen. Ik herkende ze want bij ons thuis belandde Russells vuist ook weleens in de muren.

18

Mijn moeders relatie met Russell zou je hebben kunnen zien als een dikke vinger naar alle blanke kinderen met wie ze in Red Deer op de middelbare school had gezeten, van wie de meesten altijd in de stad gebleven waren. Mijn moeder was op haar zestiende uit huis gegaan en op haar twintigste van Mark in verwachting geraakt. Russell gaf haar een vreemd nieuw cachet. Hij was jong, niet onknap en kwam van een plek die mensen als wild en ongewoon beschouwden, maar ook als vies en arm. Mijn moeder droeg kralen oorbellen en reed door de stad in een kleine witte hatchback met aan haar achteruitkijkspiegel een dromenvanger met veertjes.

Dan had je nog mijn vader – haar grote liefde in de tijd dat ze begin twintig was, de man die op de verloskamerfoto's haar baby's in zijn armen hield – die kortgeleden had verkondigd homo te zijn. Een gespierde, jonge vent die Perry heette, met een brede glimlach en een keurig getrimde baard, was bij hem ingetrokken. Als we bij hen op bezoek gingen, nam Perry ons mee naar het zwembad terwijl mijn vader, die in zijn leven nooit had gekookt, een soort vrijgezellenmaaltijd bereidde. Dan rolde hij een plakje ham op, stak er een tandenstoker in en legde er blokjes kaas en stukjes selderij omheen, met een plak brood als bijgerecht. Vervolgens zette hij de borden tevreden op tafel: alle groepen voedsel keurig vertegenwoordigd.

Mijn vader was bezig een nieuw leven op te opbouwen. Hij organiseerde etentjes met Perry en deed een opleiding tot rehabilitatiemedewerker om met geestelijk gehandicapten te kunnen werken. Mijn moeder was intussen aan haar eigen wederopstanding bezig. Ze las zelfhulpboeken en keek via de kabel naar herhalingen van Oprah.

's Avonds schonk Russell moutwhisky uit een grote fles in een hoge plastic beker. Mijn moeder zat dan met haar voeten op zijn schoot op onze bank voor de televisie. Meer dan eens wees hij op het scherm naar een knappe agent of jonge vader met keurig kapsel. Dan zei hij: 'Je vindt die vent er zeker goed uitzien, hè Lori?'

Het was een ritueel dat we maar al te goed kenden.

19

'Ik durf te wedden,' ging Russell dan langzaam verder terwijl hij naar mijn moeder keek, 'dat je zou willen dat je zo'n vriendje had.'

Een stilte. Het gezicht van de man op tv leek in één ogenblik te smelten en zich te hervormen tot iets agressiefs en boosaardigs.

'Ja toch, Lori? Dat zou je zeker wel willen, hè?'

Mijn moeder reageerde behoedzaam. Hij had haar botten al eens gebroken. Ooit had hij haar zo zwaar toegetakeld dat ze dagenlang in het ziekenhuis had gelegen. Terwijl de rest van ons hardnekkig naar de televisie staarde en de sfeer in de kamer steeds grimmiger werd, reikte ze naar Russells arm en kneep er even in.

'Nee schatje,' zei ze dan. 'Absoluut niet.'

Mark was dertien en stond aan het begin van veel nieuwe dingen. Hij had een slordig kapsel, blauwe ogen en droeg een vaal spijkerjasje dat hij zelden uitdeed. Hij was erg op zichzelf, zwierf graag rond en was de trotse eigenaar van een katapult van hard plastic. Nathaniel was intussen zes en had een gezwel bij zijn rechterooglid, waardoor hij er onheilspellend uitzag. Mijn moeder en Russell waren stapeldol op hem en noemden hem 'Bud' of 'Kleine Buddy'. 's Nachts sliep hij in het stapelbed onder me, zijn arm om een knuffelkonijn geklemd.

Ik hobbelde altijd achter Mark aan en volgde hem als een opblaasbootje een motorboot.

'Moet je opletten,' zei hij op een dag toen we na schooltijd voor de groene afvalcontainer voor ons appartementencomplex stonden. Dit was enkele weken nadat we naar Sylvan Lake waren verhuisd, op een warme middag in de vroege herfst. Ik zat in groep vier en Mark was net begonnen op de middelbare school. We hadden geen van twee veel vriendjes. Mark zette zijn handen op de rand van de afvalcontainer, duwde zichzelf omhoog, slingerde een been over de rand en sprong erin. Enkele seconden later kwam hij met een rood hoofd weer tevoorschijn met in zijn hand een leeg bierflesje. Hij zwaaide ermee naar me. 'Kom op, Amanda,' zei hij. 'Er ligt hier geld.'

20

Onze afvalcontainer diende als open vergaarbak voor het vuilnis van de hele buurt en werd elke woensdag door de gemeente geleegd. Voor mijn broer was het een soort buitenzwembad. De wanden aan de binnenkant voelden zelfs op de kilste oktoberdagen zacht en vochtig als oude bladeren aan en het rook er naar zure melk. Met z'n tweeën lieten we ons tussen opgehoopte zakken glijden, die vettig waren van gelekte vloeistoffen en los afval. Onze stemmen weergalmden tegen de wanden. Mark trok dichtgeknoopte vuilniszakken open, gooide blikjes en flessen op de grasstrook voor het appartement en zocht naar muntstukken, oude lipsticks, pillendoosjes en Magic Markers, waarvan hij de meeste in zijn achterzak stak of naar mij gooide. Een keer hield hij een pluizige roze sweater omhoog, precies mijn maat, en trok een verontwaardigd gezicht. 'Jezus, wat mankeert de mensen toch?'

We stopten de flessen in plastic boodschappentassen en brachten die, stinkend naar afval en bier, naar de flessenopslag in de stad. Twintig blikjes leverden één dollar op. In één tas pasten doorgaans vijftien blikjes. Eén tas * vijftien blikjes * vijf cent = vijfenzeventig cent. Anderhalve dollar voor twee tassen; drie dollar voor vier. Het totaalbedrag deelden we door twee. Daar kon geen wiskundeles tegenop. Het grote geld verdienden we met 'kanjers' of 'flinke jongens' – termen die we van Russell hadden geleerd –, grote drankflessen van anderhalve liter die bij de flessenopslag al gauw twee dollar opleverden. Dat waren de goudmijntjes.

Na verloop van tijd breidden Mark en ik ons terrein uit naar een paar straten ten noorden en zuiden van de onze, naar de doodlopende straten waar gezinnen in bungalows woonden in plaats van in appartementen en waar we met regelmaat vijf of zes afvalcontainers in doken. Betere huizen betekenden vrijwel altijd beter afval.

Het zal je verbazen wat mensen zoal weggooien, zelfs arme sloebers. Een pop met één arm of een videoband van een prima film waar helemaal niets mis mee is. Ik herinner me nog dat ik een lege portefeuille vond van bruin leer met een verfijnde goudkleurige sluiting. Een andere keer vond ik een smetteloos witte zakdoek met lachende tekenfilmfiguurtjes erop geborduurd. Beide heb ik nog jaren bewaard, de zakdoek keurig opgevouwen in de portefeuille, een herinnering aan alles wat mooi was en nog ontdekt moest worden.

Ik joeg al mijn flessengeld er meestal meteen doorheen in de kringloopwinkel bij het meer. In deze schaarsverlichte, rommelige winkel verkocht men tweedehandskleren, allerhande porseleinen prullaria en leesvoer dat was achtergelaten door de zomertoeristen – dikke thrillers van Tom Clancy en alles van Danielle Steel. De *National Geographics* lagen opgestapeld op een plank in een verre hoek, met de gele ruggen keurig naar buiten.

Aangetrokken door de afbeeldingen op de omslagen nam ik er zoveel mee naar huis als ik me kon veroorloven. Ik griste de bemoste tempels van Angkor mee en de van as ontdane skeletten op de Vesuvius. Als op de cover stond: ZIJN DE ZWITSERSE BOSSEN IN GEVAAR?, dan móést ik het antwoord weten. Overigens snuffelde ik net zoveel tussen de Archie-strips die in een andere hoek van de winkel nieuw werden verkocht en waarin ik Veronica's nauwsluitende kleren bestudeerde en Betty's elegante paardenstaart, de chagrijnige miljonairsdochter versus de lieve, serieuze doorzetter. Ze spraken een taal die ik nog maar net begon te begrijpen.

Ik bewaarde de Archies in een lade, maar legde de *National Geographics* op een tafel in mijn slaapkamer. Tegen de tijd dat het Thanksgiving was, had ik er al een stuk of vijfentwintig. Soms legde ik ze als een waaier uit, zoals ik dat op de salontafels in de huizen van rijke kinderen van mijn oude school had gezien. Mijn oom Tom – de broer van mijn vader en de meest vermogende persoon in onze familie – had er een abonnement op. 's Avonds, in het bovenste bed van het stapelbed in Sylvan Lake, nam ik de tijdschriften pagina voor pagina door, vol ontzag voor wat ze me over de wereld vertelden, zoals over Hongaarse cowboys en Oostenrijkse nonnen en Parijse vrouwen die haarlak in hun haar spoten voordat ze 's avonds uitgingen. In China karnde een vrouwelijke nomade jakyoghurt tot jakboter. In Jordanië woonden Palestijnse kinderen in aardappelkleurige tenten. En ergens in de bergen van de Balkan leefde een beer die met een zigeuner danste.

De wereld zoog de bedomptheid uit het tapijt in ons souterrainappartement, ontdeed het trottoir buiten van ijs en trok het grijs uit de lucht boven de vlakten. Toen een meisje op school, Erica heette ze, door de gang riep dat ik een vies kind was, haalde ik mijn schouders op alsof het me niet uitmaakte. Ik zou later verder gaan, ver weg van mijn school en straat, en van meisjes die Erica heetten.

Op een avond vlak voordat ik op school naar groep vijf zou gaan, liepen Carrie Crowfoot en ik door de stad. Carrie was een prachtig Blackfoot-meisje, een jaar ouder dan ik en een van de weinige vrienden die ik had. Ze had lang zwart haar, amandelvormige ogen en lange wimpers. Ze was verre familie van Russell en met haar moeder en broers van het Sunchild-reservaat naar Sylvan Lake verhuisd. Ze woonde even voorbij de kringloopwinkel en ging nooit naar school.

Ze was tien jaar en had geen geld, maar toch wist Carrie zich van een onbeschaamd soort van glamour te bedienen. Ze was brutaal tegen de neerbuigende winkelier die ons kauwgom voor vijf cent per stuk verkocht en schepte tegen mij op over diverse kinderen die ze in elkaar had geslagen toen ze nog in het reservaat woonde. Bij mij thuis keek ze nooit op van ons sjofele meubilair of Russells neven die dronken in onze stoelen hingen. Ik vond het fijn als ze zei dat ze de verpulverde droge noedels die ik haar voorzette als avondeten 'verrukkelijk' vond en dat ze me kortgeleden had verteld wat pijpen was.

We slenterden over Lakeshore Drive in de richting van het pretpark. Boven het water was een koele wind opgestoken. Het was begin september. Het toeristenseizoen was zo goed als voorbij. De trottoirs waren leeg; een paar auto's denderden voorbij. Carrie klaagde vaak over hoe saai Sylvan Lake was en dat ze terug wilde naar Sunchild. Ze was jaloers dat ik in de weekenden bij mijn vader in Red Deer mocht logeren. Ik had haar kunnen vertellen dat het niets was om jaloers op te zijn, maar de waarheid was dat ik de dagen aftelde. Mijn vaders huis had luxe tapijt en dikke muren. Ik had een eigen slaapkamer met een bruine geplooide sprei, een cassetterecorder met New Kids on the Block-bandjes, een verzameling nieuwe pockets en hele seizoenen van de series *Baby-sitters Club* en *Sweet Valley Twins*. Ik zei er niets over tegen Carrie.

In de jachthaven dobberden speedboten naast elkaar op hun aanlegplaatsen. Het pretpark lag er uitgestorven bij. De waterglijbaan was drooggelegd en oogde in de roze schemering als een skelet.

'Weleens gezien wat daarachter zit?' vroeg Carrie. Ze schopte met haar voet tegen een kassahokje met gesloten luiken. Ik schudde mijn hoofd.

Binnen drie tellen had ze zich via een vuilnisbak omhooggetrokken en zat ze met gespreide benen op de hoge muur van Crazy Maze, die als een veehek om één deel van het park zigzagde. Ineens verdween ze erachter. Ik hoorde haar gympies de grond raken en daarna een lach.

Ik was eigenlijk altijd bang. Bang voor het donker, bang voor vreemden, bang om iets te breken en bang voor artsen. Ik was beducht voor de politie, die soms op de stoep stond als Russells groep te luidruchtig was. Ik had hoogtevrees. Ik durfde geen beslissingen te nemen. Ik hield niet van honden. Ik was extreem bang om bespot te worden. Ik wist wat er zou gebeuren: omdat ik niet wilde dat Carrie me zou uitlachen, zou ik op de muur klimmen, duizelig worden, naar beneden vallen en een paar botten breken. De politie zou komen – allemaal vreemden – en hun honden meenemen. Natuurlijk zou dit allemaal in het donker plaatsvinden, en dan zou ik langs een arts moeten.

En dat was de reden waarom ik me bijna had omgedraaid en was weggerend. Maar de weg naar huis was nu ook donker, en ik hoorde Carrie daar achter die muur in het pretpark. Ik ging op de vuilnisbak staan en hees mezelf op de muur. Toen sprong ik.

Terwijl ik neerkwam, rende Carrie weg. In het vage licht leken haar haren te glinsteren. De binnenmuren waren beschilderd met

24

felle, amateuristische tekeningen van clowns en cowboys en achterlijke monsters – wat er maar voor nodig was om het plezier en de milde angst van de toeristenkinderen te versterken.

Carrie Crowfoot en ik zouden nog maar zes maanden vriendinnen zijn. Haar moeder zou het gezin ergens dat voorjaar mee terugnemen naar het Sunchild-reservaat. Ik zou meer interesse krijgen in de kinderen van school en in school zelf en werd zelfs geselecteerd voor een speciale studiegroep voor vergevorderde leerlingen. Carrie zou een buitenstaander blijven, niet geïnteresseerd in school en klaarblijkelijk ook niet verplicht te gaan. Een paar jaar later, bij het verlaten van de middelbare school, vernam ik van mijn oma dat Carrie een kind had gekregen. Daarna zou ik niet veel meer horen over haar, want uiteindelijk zou mijn familie alle banden verbreken, die met Russell en Carrie en met vrijwel iedereen die we toen kenden.

Maar die avond in het doolhof van het pretpark was het voor mij onmogelijk haar niet te volgen. We waren snel, zigzagden hoeken om en kwamen gierend tot stilstand als we op een doodlopend stuk waren beland. Als ik eraan terugdenk, kan ik me voorstellen dat we tijdens het rennen hebben gegild, in een roes van desoriëntatie. Maar in werkelijkheid waren we stil en een en al ernst. De enige geluiden waren die van onze gympen en het geritsel van onze jassen. Carries haren zweefden achter haar aan terwijl ze voortsnelde, zijweggetjes insloeg en een fractie van een seconde nadacht over welke kant ze nu weer op zou gaan. Maar uiteindelijk stonden we onszelf toe te ontspannen en ons duizelig te voelen, te vergeten dat het donker was en dat we ons op verboden terrein bevonden, alles te vergeten wat ons bang maakte of achtervolgde, verloren in het speelland waar we nooit eerder waren geweest.

High Tree, het bomenbedrijf waar Russell werkte, organiseerde een groot vakantiefeest in een restaurant in Red Deer. Mijn moeder was er al weken mee bezig. Na haar werk in de supermarkt ging ze steevast op jurkenjacht in de Parkland Mall, waar ze driftig tussen de uitverkooprekken zocht. Thuis verkondigde ze dat ze op dieet was.

In een hoek van de woonkamer zetten we een kerstboom op, een ruig exemplaar dat mijn moeder van een verkoper op de parkeerplaats bij Food City had gekocht. Ze ging naar het Christmas Bureau in Red Deer, vulde een formulier in waarop ze aangaf dat ze drie kinderen had en zeven dollar per uur verdiende, en haalde gratis cadeautjes af. Ze waren verzameld en ingepakt door vrijwilligers en versierd met kleurige krullende lintjes. Ik wist welke twee cadeautjes onder de boom voor mij waren, want er stond op: MEISJE, 9 JAAR.

Een paar dagen voor het feest had mijn moeder een nieuw permanentje. Ze had een jurk gevonden, die nu in de kast op haar slaapkamer hing. Hij was zwart en glinsterend en ik had hem al vaak aangeraakt.

Nu was het vrijdagavond. Russell had gedoucht, een zwarte broek aangetrokken en een overhemd dat hij keurig tot aan zijn hals had dichtgeknoopt. Hij schonk een beetje moutwhisky in en ging op de bank zitten, waar hij een kronkelende Nathaniel op zijn schoot trok. Stevie, Russells zeventienjarige broertje, zou oppassen. We wachtten op mijn moeder.

Vanuit de slaapkamer klonk de föhn. Mark en Stevie stopten cassettebandjes in onze geluidsinstallatie en spoelden die door naar de liedjes die ze leuk vonden, terwijl ik op de grond mijn wiskundehuiswerk maakte. Nathaniel was met zijn knuffel in de hand naar de televisie gelopen en had zijn neus tegen het scherm gedrukt in de hoop iets boven het lawaai uit te horen.

Russell schonk een tweede glas in en daarna een derde. Hij sloeg een been over het andere en begon opgewekt te zingen: 'Loooori. Loooooriiiii.'

Toen ze door de gang kwam aanlopen, draaiden we ons allemaal om. Haar zwarte jurk was kort van voren en lang van achteren, met ruches die over de vloer sleepten. Haar slanke benen schitterden terwijl ze liep. Ze droeg nieuwe schoenen.

Alsof hij een filmscript volgde kwam Russell overeind. Mijn

moeder bloosde, haar ogen stonden helder en haar lippen waren rood gestift. Haar bleke huid stak roomkleurig af tegen de zwarte jurk, die zo strak en glanzend was dat hij op haar lichaam geschilderd leek. Wij kinderen hielden onze adem in, in afwachting van wat Russell zou zeggen.

'Wel verdomd,' was wat hij zei. 'Je ziet er fantastisch uit.'

Mijn moeder zag er inderdaad uit als een filmster. Ze glimlachte en stak een hand naar Russell uit. Ze kuste ons op de wangen om ons welterusten te wensen. We juichten, zoals ik het me herinner, we schreeuwden letterlijk van opwinding over de geweldige tijd die ze zouden hebben.

Russell zette zijn glas neer, ging op zoek naar mijn moeders chique jas, een slecht passende nertsmantel die ze van mijn overgrootmoeder had geërfd, en daarna troonde hij haar mee de deur uit.

Die avond keken we films uit onze videocollectie. We keken naar *Three Men and a Baby* en daarna naar de nieuwe *Batman*. Ik maakte popcorn en deelde die in kommetjes uit. Ergens in Red Deer was mijn moeder met Russell aan het dansen. Ik stelde me een ballroomtafereel voor met glinsterende hanglampen en bolle glazen champagne. Ik zat regelmatig te knikkebollen, totdat ik vrij laat met een ruk wakker werd. Het televisiescherm was donker, het appartement stil. Ik maakte Nathaniel wakker, die op de vloer lag, leidde hem naar onze gezamenlijke slaapkamer en duwde zijn slaperige lijfje op het bed. Ik klom boven in mijn stapelbed, nog steeds enigszins genietend van het vakantiegevoel, en ging nu echt slapen.

Wat er vervolgens gebeurde, had iets surrealistisch. Dat was altijd zo, al was het alleen al omdat deze dingen – als ze gebeurden – vrijwel altijd midden in de nacht plaatsvonden. Mijn moeders gegil drong mijn slapende geest binnen en ontdeed mijn dromen geleidelijk van hun decors, totdat ik me niet meer aan de bewusteloosheid kon vasthouden en klaarwakker was.

Er viel iets in de woonkamer. Er was een gil. Toen een grom. Ik kende de geluiden. Ze vocht terug. Soms zaten er de volgende ochtend krassen in zijn nek. De woorden stroomden uit Russells mond, zijn stem was verheven, hysterisch. Hij zou haar de ogen uitsteken, er zou zoveel bloed op de grond liggen dat niemand zou weten wie ze was. 'Kutwijf,' hoorde ik hem zeggen. Daarna volgde een enorme dreun die ik eveneens kon plaatsen: de bank werd omgeduwd.

Ik hoorde mijn moeder van de keuken naar de woonkamer en door de gang rennen. Ik hoorde haar voor onze deur hijgen voordat hij haar te pakken kreeg en haar ertegenaan smeet. Ik hoorde ook hem naar lucht happen. In het stapelbed onder me begon Nathaniel te huilen.

'Ben je bang?' fluisterde ik terwijl ik naar het donkere plafond staarde.

Het was een onredelijke vraag. Hij was zes jaar.

We hadden het een keer geprobeerd te stoppen. Toen waren we onze kamer uit gehold en gaan schreeuwen, maar het had er alleen maar toe geleid dat ze met z'n tweeën, hun ogen duister en wild, naar hun slaapkamer waren gerend en de deur hadden dichtgesmeten. Als mijn moeder al hulp van ons wilde, liet ze dat niet merken. Soms hoorde ik Stevie in de gang 'Hé, rustig aan,' tegen zijn broer zeggen. 'Kom op, Russ.' Maar ook hij werd gedwee van de aanblik van hun razernij. Uiteindelijk belde een buurman de politie.

Een paar keer was mijn moeder naar de vrouwenopvang in Red Deer gegaan. Ze had mijn grootmoeder en grootvader beloofd dat ze bij Russell weg zou gaan, maar binnen de kortste keren waren ze weer samen. De vrouwenopvang was voorzien van glimmende linoleumvloeren en er waren veel kinderen en bergen mooi speelgoed om mee te spelen. Ik herinner me dat mijn vader er ontmoedigd uitzag als hij ons daar kwam ophalen.

De ruzie na het vakantiefeest was vrij snel ten einde en mijn moeder en Russell vielen weer in elkaars armen. Mijn popcorn lag verspreid door de woonkamer, het draagstel van de bank was gebroken en er zat een nieuw gat in de muur. Ik wist hoe deze dingen

28

gingen. De volgende ochtend zou Russell huilen en ons allemaal zijn excuses aanbieden. Een paar weken lang zou hij berouwvol zijn. Dan zat hij in de woonkamer met gebogen hoofd tegen God te praten en maakte gebruik van taal die we uit de kerk van onze grootouders kenden – *lieve Heer, onze redder, Uw zoon zij gezegend in Uw naam, red mij alstublieft van Satan, laat mij Uw weg volgen, in naam van Jezus Christus, dank U en amen.* 's Avonds vertrok hij met veel bombarie naar bijeenkomsten van de Anonieme Alcoholisten. Mijn moeder had gedurende die weken meer macht. Ze commandeerde Russell, zei dat hij zijn kleren moest opruimen en stofzuigen.

Maar dan begon de naald op een onzichtbaar, inwendig meetinstrument weer te trillen en terug te kruipen naar rood. Het berouw ebde weg. Op een dag vertrok mijn moeder opgewekt van huis voor een kappersbezoek en kwam, naar Russells mening, te laat thuis. Hij had haar op de bank opgewacht en zijn stem klonk vlijmscherp. 'Waarom duurde dat zo lang, Lori?' En: 'Met wie had je afgesproken dat je er zo hoerig uitziet?' Ik zag mijn moeder verbleken terwijl het tot haar doordrong dat het spel uit was, dat hij spoedig – vanavond, misschien over drie weken – weer tegen haar tekeer zou gaan.

Ik kon niet zeggen dat ik het begreep. Dat zou ik nooit doen. Ik probeerde er alleen langs te glippen. Tegen de tijd dat de lichten uit waren en alle lichamen lagen te rusten, was ik weg, gelanceerd. Mijn geest zweefde van onder het beddengoed de trap op, ver weg, over de zijdeachtige woestijnen en schuimende zeewateren van mijn *National Geographic*-verzameling, door bossen vol groenogige nachtdieren en tempels hoog op de heuvels. Ik stelde me orchideeën, zee-egels, lamantijnen en chimpansees voor. Ik zag Saudi-Arabische meisjes op een schommel en cellen die onder een microscoop bewogen, allemaal hun eigen wachtende wonder. Ik zag panda's, maki's en futen. Ik zag Sixtijnse engelen en Masaikrijgers. Mijn wereld, daar was ik vrij zeker van, was ergens anders.

2

De Drink

Toen ik negentien was, verhuisde ik naar Calgary. Voor elk kind uit Centraal-Alberta was Calgary de grote stad, een baken van mogelijkheden, omringd door drukke snelwegen, met glazen torenflats die als een woud op de vlakten verrezen. Het is ook een oliestad, een centrum van hoog- en laagconjunctuur voor aandelenhandelaren en grote energiebazen die de overvloedige oliereserves onder de grond naar boven haalden en exploiteerden. Ik kwam daar in 2000, een tijd waarin het daar heel goed ging. De olieprijzen stonden op het punt te verdubbelen en voor het einde van het jaar te verdrievoudigen. Calgary liep over van rijkdom en nieuwbouw. Schitterende restaurants en winkels openden in rap tempo hun deuren.

Mijn vriendje Jamie verhuisde met me mee. Hij was een jaar ouder dan ik en opgegroeid op een boerderij ten zuiden van Red Deer. We waren ongeveer acht maanden samen. Hij had donkere ogen en bruin haar en was op een Johnny Depp-achtige manier knap, met smalle schouders en sterke handen die van hem een uitstekende timmerman hadden gemaakt. Met z'n tweeën struinden we graag kringloopwinkels af en stelden spannende outfits samen. Jamie kleedde zich in cowboyoverhemden met gemarmerde paarlemoeren knopen. Ik droeg alles wat van lovertjes voorzien was, samen met de grootste oorbellen die ik kon vinden. Jamie kon alle muziekinstrumenten bespelen, van harmonica en bongo's tot viool. Op zijn gitaar tokkelde hij liefdesliedjes. Als hij geld nodig had werkte hij in de bouw, maar verder bracht hij hele dagen door met tekenen of muziek maken. Ik was smoorverliefd op hem.

Ik dacht dat Jamie in Calgary een cd zou kunnen opnemen, misschien een soort van platencontract kon krijgen. Ook voor mij zou de stad een nieuw platform zijn – hoewel ik niet precies wist waarvoor. We vonden een tweekamerappartement in een smerige hoogbouwflat in het centrum. Ons bed bestond uit een matras op de grond. Jamie verfde de badkamermuren geel. Ik hing schilderijen op en zette kamerplanten in de vensterbank. Mijn leven voelde meteen stedelijk, volwassen. Maar de stad was duur. Ik vond een baantje als verkoopster in een kledingzaak, een ander filiaal van de keten waarvoor ik in mijn middelbareschooltijd had gewerkt. Jamie vond werk als afwashulp bij Joey Tomato's, een trendy restaurant in de Eau Claire Market, terwijl hij naar een baan in de bouw zocht. Samen konden we net de huur betalen.

Op een bijtend koude middag niet lang nadat we in Calgary waren komen wonen, trok ik mijn winterjas aan – een vintage bruin leren jack met een reusachtige bontkraag – en ging met een map met cv's onder de arm op pad. Ik wilde mijn geluk beproeven als serveerster. Ik had nog nooit in een restaurant gewerkt, maar toen ik de meisjes zag die bij Joey Tomato's werkten, liep ik zowel over van jaloezie als ontzag. Ze paradeerden op hoge hakken rond. Jamie vertelde me dat ze veel geld verdienden.

De eerste zaak waar ik naar binnen liep, vooral omdat ik het koud had, was een leuk uitziend Japans restaurant met een glimmende zwarte sushibar en hanglampen die eruitzagen als lantaarns. De lunch was net voorbij, dus het was rustig. Uit de stereo klonk zacht technomuziek, terwijl een paar opvallend mooie serveersters de tafels dekten voor het diner. In een hoek achter in de zaak had een man of zes een soort zakenlunch; hun dossiers lagen verspreid voor hen op tafel. Schaapachtig gaf ik mijn cv aan de elegante Japanse gastvrouw en stamelde een paar woorden over dat ik net

31

in de stad was komen wonen. Ik bedankte haar en draaide me om naar de deur. Het was duidelijk dat ik hier niet paste.

'Hé, wacht even,' riep iemand.

Een van de mannen aan de tafel in de hoek volgde me naar de uitgang. Hij leek achter in de twintig en had donker haar, uitstekende jukbeenderen en een scherpe kaaklijn. Hij had iets weg van een superheld uit een stripboek. 'Zoek je een baan?' vroeg hij.

'Eh ja,' antwoordde ik.

'Geregeld,' zei hij. 'Je hebt er een.'

Zijn naam was Rob Swiderski, de manager van nachtclub De Drink die een paar straten verderop zat en van dezelfde eigenaar was als het Japanse restaurant. Ik kon er cocktailserveerster worden.

Ik stond een beetje in dubio. Natuurlijk voelde ik me gevleid. Ik had over De Drink gehoord van vrienden in Red Deer, die soms naar de stad gingen om te feesten. Het moest er trendy en duur zijn. Maar ik wilde maaltijden serveren, geen drankjes. Om een of andere reden vond ik dat respectabeler klinken.

Toen ik bedankte, lachte Rob. 'Als je werk zoekt, wil je geld verdienen, toch?' zei hij. 'Probeer het een weekje, draai desnoods één dienst. Als je het niets vindt, neem je weer ontslag.'

Ik liep terug de kou in, nadat ik had afgesproken de volgende avond te zullen komen. Hij had niet eens naar mijn cv gevraagd.

De Drink zat op de hoek van een straat en bestond uit een restaurant met vijf bars, waar veertig verschillende soorten martini's werden geschonken. Aan de hoge plafonds hingen kroonluchters, verlicht als gesternten. In het midden van de ruimte lag een hardhouten dansvloer en een trapje leidde naar een vipgedeelte dat was afgezet met fluwelen koorden. Er werkten ongeveer twintig serveersters tegelijkertijd, stuk voor stuk knappe meisjes. Ze droegen hoge hakken en designerjurkjes en hielden kleine ronde dienbladen omhoog. Een paar stelden zich voor, maar de meesten keurden me geen blik waardig. Ik zou er al snel achter komen dat het een komen en gaan was van nieuwe meisjes. Sommigen lukte

32

het niet het dienblad recht te houden en anderen wisten er niet in te slagen het juiste imago voor de club hoog te houden, dat – zoals Rob iedereen tijdens de wekelijkse bijeenkomsten telkens weer inprentte – 'elegant-sexy' was. Zag je er goedkoop uit, dan kon je gaan.

Onder Robs leiding was De Drink uitgegroeid tot de hipste club van de stad. Voor het bedrijfsleven in Calgary was er een *afterwork happy hour*, dat naarmate de avond vorderde, meer weg had van een glamourvolle, exclusieve locatie om mensen op te pikken. Hier verzamelden spelers van de National Hockey League zich na hun wedstrijden, rondtoerende rocksterren trokken er na hun concerten naartoe en oliebaronnen pronkten er met hun rijkdom. In de weekenden stonden er rijen van vijf mensen dik tot om de hoek.

Op mijn eerste avond werkte ik van tien uur 's avonds tot twee uur 's nachts. Ik droeg hoge hakken, grote gouden oorbellen en de mooiste jurk die ik had. Ik kreeg een dienblad en een paar instructies voor het opnemen van de bestellingen en het uitprinten van de rekening. Daarna werd me een rustige sectie achter in de zaak toegewezen. De daaropvolgende paar uur liep ik heen en weer met koude martini's en tuimelglazen moutwhisky. Ik had een stuk of vier, vijf tafels, waar de klanten – de meesten van hen zakenlieden – me beleefd bedankten en hun creditcards aangaven. Aan het einde van de dienst liet een meisje dat Kate heette me zien hoe ik via de computer mijn tipgeld kon innen. Ik had in vier uur tijd vijftig dollar verdiend, boven op mijn salaris, en was dolblij. Hoewel Jamie, die niets van bars moest weten, kwaad was geweest toen ik hem vertelde dat ik een baan als cocktailserveerster had aangenomen, verwachtte ik dat hij nu in elk geval zou erkennen dat geld gewoon geld was, en dat dit goed verdiend was.

'En, hoe is het gegaan?' vroeg Kate terwijl ze over mijn schouder keek. Toen ze mijn totaalbedrag zag, huiverde ze. 'O,' zei ze. 'Schandalig.'

Ik had geen idee waar ze het over had.

33

Naar mijn maatstaven werd ik van werken in De Drink rijk. Toen ik me voor mijn tweede dienst meldde, kreeg ik weer een rustige sectie achter in de club toegewezen, maar al snel arriveerde er een groep luidruchtige aandelenhandelaren die flessen Cristal van driehonderd dollar per stuk bestelden. Enkele uren later ging ik naar huis met vijfhonderd dollar aan fooi. Een paar maanden handelde ik grotere secties en drukkere avonden af. Ik kocht mooie schoenen en elegante cocktailjurkjes. Op een goede avond kon ik zevenhonderd dollar verdienen, op een uitzonderlijke zelfs duizend. Ik bewaarde de rolletjes geld in een pot in onze keukenkast, totdat het er zoveel waren dat ik de biljetten in de vrieskast legde. Toen een collega me vertelde dat de vriezer de eerste plek was waar inbrekers naar geld zochten, besloot ik het voortaan toch maar naar de bank te brengen.

Ik raakte bevriend met de andere meisjes en leerde hoe ik behendig voorstellen van dronkenlappen kon ontduiken en met een beetje gedienstigheid en een glimlach een goede fooi kon uitlokken. Ik trok vooral op met Priscilla, die legendarisch veel verdiende bij De Drink en haar tipgeld gebruikte voor lange, exotische vakanties. Toen ik haar leerde kennen, was ze net teruggekeerd uit Thailand, wat mij een onvoorstelbaar ver oord leek. Priscilla liet me zien hoe ik vaste klanten kon krijgen – goede klanten die hun drankjes zeker bij mij zouden bestellen – door hun vipbehandelingen te geven, bordjes 'gereserveerd' op hun tafel te zetten en hun drankjes niet in de gebruikelijke plastic bekers te serveren, maar in glazen uit de bar boven.

Een tijd lang genoot ik alleen maar van de vrijheid die het hebben van geld met zich meebracht. Ik nam ontslag als verkoopster in de kledingzaak. Jamie was als dagloner op de vele bouwlocaties in de stad gaan werken, hoewel hij steeds vaker thuisbleef om tijdens mijn vrije uren bij me te zijn. Soms had hij een optredentje tijdens een openpodiumavond in het café vlak bij ons appartement, altijd voor een enthousiast publiek.

Hij deed niet meer moeilijk over mijn werk in De Drink, maar kwam me daar nooit opzoeken. Ik kookte altijd vroeg voor ons tweeën en bracht vervolgens bijna een uur voor de spiegel door terwijl Jamie in een andere kamer een boek zat te lezen of muziek maakte. Voor mij was me klaarmaken om te gaan werken bijna zoiets als me klaarmaken om het podium op te gaan. Ik had een kast vol zwarte jurken, een wereld aan make-up. De hele act was intussen simpel: je trok je hoogste hakken aan, stak je haar op, verfde je ogen en lippen. Je moest er niet mooi uitzien, maar betoverend, zodanig dat mannen naar je verlangden en andere vrouwen jaloers werden, zelfs al was het alleen maar flirterig toneelspel. Sommige meisjes bij De Drink hadden een paar maanden aan fooien geïncasseerd en hun borsten laten vergroten als zakelijke investering. Ik koos voor de oude serveersterstruc die ik in de kleedkamer van De Drink had geleerd: ik trok een push-up-bh aan over een voorgevormde bh. Het voelde enigszins of er een ijzeren staaf aan mijn borst vastzat, maar het diende zijn doel.

Terwijl sommigen van mijn vriendinnen bij De Drink na het werk naar after-hoursclubs gingen, toog ik naar huis om me tegen een slapende Jamie aan te nestelen. Hij en ik hadden een rustige routine ontwikkeld. 's Ochtends maakten we een wandeling langs de kronkelende Bow River. Als hij niet hoefde te werken, genoten we van dure lunches. Ik vond een boekwinkel, de Wee Book Inn, vlak bij ons appartement en kocht stapels pockets. Voor het eerst van mijn leven had ik echt geld op de bank, genoeg om een jaar collegegeld te betalen. Ik was net negentien geworden. Ik wist dat ik eigenlijk een stapel studieboeken zou moeten willen en een gedegen carrièreplan zou moeten hebben, maar dat interesseerde me niet. Ik was bang dat als ik ging studeren, ik in hetzelfde keurslijf zou belanden als die jonge twintigers die 's ochtends in hun keurige pakken door onze straat sjeesden naar hun baantjes in de wolkenkrabbers om aan het einde van hun werkdag weer op te duiken in De Drink, waar ze alsof ze vijftigers waren neerploften in de lederen stoelen en verzuchtten: 'Jezus, wat een klotedag. Doe mij maar een gin-limoencocktail, zonder ijs.'

Thuis was mijn moeders laatste vriendje – een wrede vent die Eddie heette en met wie ze in Red Deer had gewoond – de bak in gedraaid voor afpersing. Mijn broers en ik waren het erover eens dat het een goede ontwikkeling was. Ze had Russell gedumpt toen ik twaalf was, maar viel nog altijd voor labiele kerels. Het gevolg was dat ik het grootste deel van mijn middelbareschooltijd bij papa en Perry woonde, in een huis dat ze in Sylvan Lake hadden gekocht. Mark was bij vrienden ingetrokken en Nathaniel bij onze moeder gebleven. We hielden allemaal van haar, maar telkens als er een man in beeld kwam, maakten we ons zorgen.

Mijn moeder was begin veertig en haar donkere haar vertoonde nog geen grijs. Nadat Eddie was vertrokken, nam ik om de zoveel weken de bus vanuit Calgary om met haar te eten. Ze was naar een schattig huisje in Red Deer verhuisd en had een goede baan gevonden bij een katholieke welzijnsinstelling als hulp in een tehuis voor probleemjongeren. Ze was zelfhulpboeken gaan lezen om te leren mediteren. Ze sprak over geld sparen om te gaan reizen. Alles wat ze zei, was vervuld van de taal van een nieuw begin.

Ik grapte altijd met Jamie dat mijn jeugd geknipt leek voor *The Jerry Springer Show* – niet één aflevering, maar een heel seizoen. Mijn moeder had iets met foute mannen. Mijn vader was een van de weinige mensen in de stad die openlijk homoseksueel waren. Mijn grootouders baden vurig tot Jezus en lieten zelfs de Heilige Geest via hen spreken als de gelegenheid daarom vroeg. Mijn broers worstelden met drugs. Ook ik had mijn problemen. Ik hongerde mezelf vaak uit om slank te blijven en was obsessief bezig met calorieën tellen. Ik verdeelde mijn eten in twee of vier porties en at daar dan de helft van. Wanneer ik dagenlang geen echte maaltijd had gehad propte ik me vol met alles wat maar voorhanden was, waarna ik mezelf dwong om over te geven. Ook dit kwam rechtstreeks uit het handboek voor verstoorde gezinnen.

Toch deden we ons best. Het jaar dat Eddie naar de gevangenis werd gestuurd, belde mijn vader mijn moeder op en nodigde haar aarzelend uit om kerst met ons te komen vieren. Ze waren milder naar elkaar toe geworden, mijn ouders, na jaren van gedwongen

36

communicatie over schoolroosters en welk kind nieuwe schoenen nodig had. Bovendien waren Perry en mijn vader zo gesetteld als een getrouwd stel, meer nog dan mijn moeder ooit met een van haar mannen was geweest. Langzaamaan was ze dit gaan waarderen.

Op kerstochtend liep mama door papa en Perry's voordeur met zijn opzichtig versierde kerstkrans met lint van rood fluweel. Ze glimlachte naar mij en mijn broers en verontschuldigde zich uitvoerig dat ze zich geen cadeautjes had kunnen veroorloven. Wat ze wel had meegebracht was een stapel zorgvuldig geschreven brieven, afgedrukt op printpapier, met kleurrijke kerstverlichting langs de randen. Een voor ieder van ons, inclusief papa en Perry. Ik vouwde mijn brief open en las hem langzaam. In de brief beschreef ze een paar van haar mooiste herinneringen, heldere en gelukkige momenten, zoals die keer dat we met z'n tweeën voor de spiegel in het souterrainappartement in Sylvan Lake zaten te tutten en ons haar toupeerden. Ze beschreef haar liefde voor mij en haar hoop dat ik altijd voorspoed zou kennen en grote avonturen zou beleven. Ik weet niet wat ze in de andere brieven had geschreven. Wat ik wel weet is dat we allemaal stil waren en vochtige ogen hadden.

Daarna vierden we elke Kerstmis samen. We zouden nooit een echt hecht gezin worden, maar op een bepaalde, intense manier hielden we toch van elkaar.

3

Ergens heen gaan

'Jamie,' zei ik, 'laten we ergens heen gaan.' We lagen op een latezomeravond, ongeveer negen maanden nadat we naar Calgary waren verhuisd, op een kleed bij de rivier. Ik was moe en ongedurig. In de Zondagkrant had ik de reisadvertenties bestudeerd – voor achthonderd dollar de wereld rond, korrelige foto's van palmbomen in verre landen, speciale reispakketten en vluchten naar steden waarvan ik nog nooit had gehoord.

Jamie lag op zijn rug en keek naar de zomerwolken die voorbij dreven. Ik bewonderde zijn licht gekromde neus, gladde huid en honingbruine ogen. Hij was onverstoorbaar en bij tijden zelfs een raadsel voor me. Zijn gewoonte om in platenwinkels en kringloopwinkels rond te hangen, zijn tijd op een doelloze manier door te brengen of weken niet te werken, maakten me ongeduldig.

'Waar wil je dan naartoe?' vroeg hij.

'Maakt me niet uit,' zei ik tegen hem. 'Echt waar, het maakt me niet uit. Laten we gewoon iets plannen, ergens heen gaan.'

En dit is waarom ik zoveel van Jamie hield: langzaam gleed er een glimlach op zijn gezicht en daarna pakten zijn lange vingers liefdevol mijn schouders vast. 'Doen we,' zei hij. 'Maakt niet uit waarheen.'

De volgende dag zat ik in de Wee Book Inn in oude *National Geographics* te neuzen. Eigenlijk wilde ik graag naar Afrika, maar dat leek me niet echt iets voor beginners. De enige plek in het buitenland waar ik ooit was geweest, was Disneyland, als kind een keer met mijn vader en een keer met mijn moeder. Jamie was nog nooit buiten Canada geweest. Ik pakte een flinke stapel tijdschriften van de plank, ging op de grond zitten en zocht naar een bestemming.

Jeruzalem? Tibet? Berlijn? Het grappige aan National Geographic was dat het magazine elke keer in wezen hetzelfde elementaire verhaal vertelde – het schetste plekken die verloren waren gegaan of nog niet verkend waren, mystiek of wild. 'Jij bent hier', leek het te zeggen, 'en wij zijn daar'. Het was niet honend bedoeld, eerder als vlaggetje voor de thuisblijvers. Het hebben van het magazine was een teken van respect voor de uiterste grenzen van de wereld, zijn roofdieren en prooi. Het stelde je in staat te zeggen: 'Ik zie dat het er allemaal is, en nu blijf ik waar ik ben, dank je wel.'

Voor mij was het ook een provocatie. Er was een artikel over Bolivia en de Madidi, een klein nationaal park in het bovenste deel van het Amazonebekken, waar papegaaien tussen de mahoniebomen vlogen. In een ander verhaal vond ik foto's van watervallen in de bossen van Paraguay, gehuld in witte mist. Ik diepte een oud exemplaar op dat ik als kind had gehad met een verhaal over een magisch, ogenschijnlijk geplaveid plateau ergens in Venezuela dat de Roraima heette, met kwartskristallen bezaaid was en boven de wolken uitstak. De namen alleen al leken geweldig en verzonnen. Ze klonken als poëzie in mijn hoofd terwijl ik naar huis liep en deleteten de lompe lettergrepen van de plaats waar ik woonde en de plaatsen waar ik vandaan kwam. Madidi. Venezuela. Paraguay. Beslissen waar we heen zouden gaan leek eenvoudig. Geen stad, geen land, geen specifieke kust. Alleen een continent: Zuid-Amerika.

In de buurt van De Drink zat een reisbureau dat de Adventure Travel Company heette. Achter de computers zaten twee vrouwen omringd met rekken vol glanzende vakantiebrochures. De goedkoopste tickets die we vanuit Calgary konden krijgen waren naar

39

Caracas, de hoofdstad van Venezuela. Het was intussen begin september 2001. Ik boekte twee stoelen voor een reis in januari, met een retourvlucht zes maanden later, en betaalde contant.

Het was geregeld, het ging gebeuren. De reis werd ons leidende principe. Jamie en ik begonnen onze zinnen als volgt: 'Als we straks weggaan', 'Nu de reis dichterbij komt...' In de tweedehandsboekwinkel kocht ik een *Lonely Planet*-reisgids voor Zuid-Amerika, zo dik als een bijbel, vijf jaar oud en al helemaal beduimeld. Jamie en ik namen hem minutieus door. We stelden ons voor dat we door dichte oerwouden trokken en in nauw contact kwamen met de Maya's op weg naar de besneeuwde toppen onder een verblindende zon.

We lazen het deel over insecten, slangen en vleesetende vliegen die zich in je benen ingroeven en pythons die aan takken bungelden en lieten ons erdoor van streek maken. We lazen het deel met de titel 'Gevaren en ergernissen', waarin stond dat we konden worden beroofd of aangevallen of ertoe overgehaald al ons geld aan een weeshuis te schenken dat geen weeshuis was. We lazen waarschuwingen over malaria en zwendelaars en snelwegdieven. We lieten ons overstelpen door de bezorgdheid van onze ouders over auto-ongelukken en fatale koortsaanvallen. We bereidden ons voor op het ergste – of op wat ons in onze onschuld het ergste leek –, omdat het een noodzakelijk onderdeel van onze voorbereiding leek te zijn: het erkennen van de intrinsieke gok.

Tegen de tijd dat Jamie en ik op een ijskoude ochtend in januari 2002 naar Zuid-Amerika vertrokken, waren de gevaren van de wereld overduidelijk geworden. Op 11 september hadden duizenden mensen de dood gevonden. Er waren dreigingen met antrax geweest en valse bommeldingen en mensen die op de televisie spraken over een jihadistische onderwereld en de as van het kwaad. Vlak voor Kerstmis was een terrorist in Parijs aan boord gegaan van een vliegtuig en had tevergeefs geprobeerd zijn schoen in brand te steken. Toen *Wall Street Journal*-verslaggever Daniel Pearl een paar weken later in Pakistan een interview wilde afnemen om meer te weten te komen over de financiering van de man met de schoenbom, werd hij ontvoerd en enkele weken later onthoofd. Als het op gevaar aankwam, was dat wat eerder volslagen irreëel had geleken in een tijdspanne van enkele maanden zeer wel mogelijk geworden.

Desondanks gingen we. We waren van plan van Venezuela naar Brazilië te reizen en daarna door naar Paraguay. Terwijl ons vliegtuig op het asfalt van de luchthaven van Calgary van ijs werd ontdaan, probeerde ik alle gedachten aan dood en verderf van me af te duwen. Zuid-Amerika was niet het Midden-Oosten, zei ik tegen mezelf. Het was zelfs niet Amerika. We hadden onze kleding samengedrukt, opgerold en tot een compacte baksteen samengeperst om plaats te maken voor wat wij als noodzakelijke attributen hadden beschouwd: extra flessen muggenspray en zonnebrandcrème, wasmiddel, antischimmelspray voor onze schoenen, een reusachtige knijpfles ketchup en zakjes zout en peper die we maandenlang uit fastfoodrestaurants hadden meegenomen.

Toen ik voor vertrek bij mijn grootmoeder langsging, gaf ze me een flinke fles antibacteriële handzeep en een paar Tupperwarespulletjes die ik, hoe onwaarschijnlijk ook, toch nog in mijn bagage wist te proppen. Bij wijze van afscheid uitte ze met opgewekte stem haar afkeuring over mijn reisplannen en mijn voorkeur voor korte rokken en hoge hakken. 'Je beseft toch wel dat je daar niet van die, je weet wel, modéllenkleding aan kunt die je zo graag draagt,' zei ze terwijl ik haar een kus op haar wang gaf.

Vanuit zijn ligstoel in hun woonkamer, met de oude piano en grootmoeder Jeans verzameling keramische paarse rozen, voegde mijn grootvader eraan toe: 'En vergeet niet dat als je je in de nesten werkt, wij geen geld hebben om je daar weg te halen.'

Ik liet deze opmerking meteen langs me heen gaan.

4

Een kleine waarheid bekrachtigd

Caracas 's avonds laat. Het leek maar een beetje op de oerwoudstad die ik me had voorgesteld. Onze taxichauffeur sprak Engels en wees historische plekken aan. Van de meeste gebouwen waren de luiken gesloten voor de nacht. Er stonden grote palmbomen waarvan de geveerde bladeren zwaar over de brede boulevards hingen. De stad oogde kalm, lommerrijk en exotisch.

Dit zou een moment kunnen zijn geweest om me tegen Jamie aan te nestelen of zijn hand te kussen en iets te zeggen over hoe geweldig ik me voelde nu ik in één dag met hem naar deze andere hoek van de aarde was gereisd, van de verdovende kou in Canada naar de plakkerige hitte van een andere hemisfeer. Maar dat deed ik allemaal niet. Het was niet zo'n moment. Ergens was ik bang geworden om wat we hadden gedaan.

De volgende ochtend werden we wakker in een driesterrenhotel dat onze reisagent voor ons had geboekt en dat duurder was dan alle andere locaties waar we zouden verblijven. Ik trok de gordijnen open en ving mijn eerste glimp op van de ontwakende stad. Voor ons raam stond een groot Pepsi-reclamebord. In de verte zag ik wolkenkrabbers en overvliegende jets. Op straat, diverse verdiepingen lager, zaten mensen in hun auto's wezenloos voor zich uit te staren terwijl ze voor de verkeerslichten wachtten. Het was op een vreemde en deprimerende manier vertrouwd. Er waren geen ezelkarren, geen papegaaien, geen panfluiters of charmante oude dametjes met blouses met ruches en kantwerk op hun hoofd. Alleen de lucht voelde buitenlands – drukkend en vochtig.

Ik duwde het raam open en keek naar beneden. Op het trottoir verkochten mannen met bruin verweerde gezichten en baseball-petjes op fruit uit houten kratten: bergen opgestapelde sinaas-appels, perziken, papaja's en diverse vruchten die ik niet kende. 'Jamie, kom eens kijken,' zei ik.

Terwijl hij over mijn schouder keek, zei hij: 'Zullen we wat ko-pen?' Jamie had altijd honger.

Ik dacht terug aan wat er in de gids werd gezegd over fruit en groenten, dat alles gewassen en geschild moest worden. Ik was op dat moment bang voor bacteriën, zoals ik ook bang was voor ter-roristen en bandieten, en alleen zijn. Ik was van plan om in heel Zuid-Amerika alleen maar gekookte rijst en bonen te eten en vaak mijn handen te wassen. En verder hadden we onze ketchup.

'Laten we dat maar niet doen.'

Hier volgt een lesje dat we al snel leerden: je reisgids – vooral een die vijf jaar oud is – schiet op een gegeven moment tekort. Terwijl de Hiltons en Sheratons van de wereld met hun ontbijtbuffetten en mariachibands op vrijdagavond bij het zwembad er waar-schijnlijk altijd zullen zijn, is het in de *strata* waar je voor acht dol-lar per nacht een kamer kunt huren, een komen en gaan van de Hostel Hermano's en Posada Guamanchi's. De *doña* die ooit 's ochtends *churros* met mangoreepjes en hete koffie voor gasten serveerde, vertrekt voor onbepaalde tijd voor een bezoek aan haar kleinkinderen. De oudere man die een 'brandschoon en gast-vriendelijk' pension vlak bij het busstation runt, draagt het over aan zijn zoon, die zich minder zorgen maakt over spinnen en kak-kerlakken en kruipende doucheschimmels en zich laat op de avond focust op sjansen met alle gebruinde rugzaktoeristes die, zonder een update in de reisgids, uiteindelijk toch naar een ande-re locatie verwezen moeten worden.

Tijdens onze eerste weken in Venezuela liepen Jamie en ik kilo-meters lang vastgesnoerd in onze rugzakken, op zoek naar geld-

43

wisselaars die een lage rente hanteerden en tweesterren-*posadas*, die haastig bleken omgebouwd tot massagesalons of motorfiets-reparatieshops. We wachtten in de verzengende hitte bij een bushalte langs de grote weg om er uren later, al ruziënd en roodverbrand, achter te komen dat de bus naar Caripe niet meer op dinsdagmiddag maar op vrijdagochtend reed.

Na een tijdje ontdekten we dat we voor de meest nauwkeurige informatie bij medereizigers moesten zijn, de Britten en Duitsers en Denen met hun eigen gezwelvormige rugzakken en uiteenlopende verhalen over ongemakken en kuren, die ze graag vertelden onder het genot van kannen koud bier. We sloegen vliegen weg en wisselden informatie uit. Ana uit Portugal wist een goed adres om je was te laten doen. De Australiër Brad was net terug van een extatische reis naar Angel Falls en raadde iedereen aan zijn gids in te huren.

Je ergens druk om maken, kostte te veel energie. Een bus die nooit kwam, een plafondventilator die het niet deed, een Zweeds meisje dat ons overhaalde om met haar en negen andere rugzaktoeristen op een boot mee te gaan naar Trinidad – met als gevolg dat we zeeziek en ellendig op het verraderlijk schommelende dek eindigden. Uiteindelijk besefte ik dat ik er toch weinig aan kon doen. Reizen was goed voor mijn angstige ziel. Dat wil niet zeggen dat ik volledig ontspannen was. Toen we in Port of Spain, Trinidad, aan land gingen, in het zwarte duister van de vroege ochtend, onder het braaksel en achtervolgd door het geweld van de oceaan, sloegen de havenautoriteiten onze kapitein op de steiger meteen in de boeien en voerden de rest van ons af naar een detentiecentrum omdat we geen visum hadden. Op dat moment barstte ik in huilen uit.

Maar het reizen maakte me ontspannen op een manier die ik nog nooit had ervaren. Om te beginnen nam ik een relaxtere houding aan tegenover het eten van fruit. Het aanbod was te groot en was op praktisch elke hoek aanwezig. We aten vlezige bananen en zoete groene guaves. We staken het Zwitserse zakmes in de dikke schil van verse meloenen en gebruikten het om de zoete pulp uit

44

geel zuurzakfruit te scheppen en direct in onze mond te laten glijden. Langzaamaan ontdeden we onze rugzakken van inhoud en gewicht. We deelden de Tupperware-spullen uit aan dorpelingen, lieten grootmoeder Jeans fles antibacteriële handzeep achter in een vies hostel en schonken een berg kleren aan een weeshuis.

Jamies donkere haar werd koperkleurig en zongebleekt, zijn huid bruin en zacht van het dagenlang buiten zijn. Ook ik kreeg een kleurtje en voelde me soepeltjes, alsof ik voor warme lucht was geboren. Door de zon kreeg ik de sproeten terug die ik als kind had gehad. Jamie en ik selecteerden de mooiste ansichtkaarten die we maar konden vinden en stuurden die naar huis met boodschappen die de loftrompet staken over de pracht van alles. Op Margarita Island, voor de noordkust van Venezuela, troffen we brede witte stranden en hoge palmbomen die heen en weer zwaaiden in de zeebries. We zetten onze gele tweepersoonstent een week op in de achtertuin van een budgethotel en sloten een deal met de manager: we mochten gebruikmaken van de sanitaire voorzieningen en betaalden dan minder dan de helft van de normale kamerhuur. Met het geld dat we uitspaarden, aten we tijdens de lunch sandwiches met haaienvlees en dronken we goedkope rum.

We sloten vriendschap met het lokale meisje van de receptie, dat elke middag onze huur inde, onze paspoorten in de hotelkluis bewaarde en ons flessen water verkocht evenals goudbruine *empanadas* gevuld met pittige kaas die ze in een papieren zak uit haar dorp had meegenomen. Ze was een jaar of twintig, net als ik, en heette Peggy. Ze had ronde wangen en een verlegen glimlach en droeg laag uitgesneden topjes en lange rokken. Ze sprak gebrekkig maar gevarieerd Engels. Het dorp waar ze woonde was zo'n tien kilometer verderop. 'Waarom gaan jullie niet een keer mee?' zei Peggy op een avond terwijl ik met mijn tandenborstel en contactlensdoosje door de lobby liep. 'Dan kunnen jullie mijn familie ontmoeten. We zullen eten voor jullie koken.'

Achteraf gezien was het een kleine inspanning – een taxi nemen naar Peggy's woonplaats, haar uitgebreide familie van *tíos* en *tías*

45

en kleine broertjes en nichten en neven op blote voeten ontmoeten, haar ons het nabijgelegen strand laten zien, vijf minuten lopen over een pad door het kreupelhout, waar we gratis onze tent konden opzetten. Maar op dat moment voelde het als iets groots. Het strand had de vorm van een prachtige halvemaan. Het had wit zand, was omzoomd door gebogen palmbomen en lag aan de mond van een verborgen grot. Er waren geen sporen van mensen – geen bierdoppen in het zand, geen jachten voor de kust. Peggy bracht ons voor het avondeten een portie kleffe empanadas en stukjes ananas, en terwijl de hemel paars kleurde en er een avondbriesje opstak, liet ze ons achter. Het was griezelig en spannend tegelijk. Jamie en ik waadden rond in het warme water en keken naar scholen kleine blauwachtige vissen die door het ondiepe water schoten. Als we van ver boven ons omlaag hadden kunnen kijken, zouden we onszelf nauwelijks hebben herkend: een jonge vrouw en man in een goddelijk paradijs, zonder enig doel, volmaakt gelukkig en zielsalleen.

Het kwam bij me op dat we tevens onvindbaar zouden zijn, dat we zonder erbij stil te staan buiten de gebaande reizigerspaden waren getreden. Het dorp van Peggy stond niet vermeld in de reisgids. We hadden niemand verteld waar we naartoe gingen. Mijn vreugde loste snel op, mijn gedachten volgden het spoor van onze onvermijdbare verdwijning. De politie zou zijn weg vinden naar het hotel dat we hadden verlaten en naar onze taxichauffeur. De taxichauffeur zou hen naar het dorp leiden. De dorpelingen zouden hen naar Peggy verwijzen, en zij zou met hen naar het strand lopen. Daar zouden ze in het zand onze half vergane lichamen aantreffen – en onze aan flarden gescheurde tent –, door de bliksem getroffen of in de sterke onderstroom verdronken en vervolgens weer aangespoeld. Maar waarschijnlijk zouden het overvallers zijn geweest, slim genoeg om ons eerst van het strand af te leiden voordat ze ons beroofden en doodden en onze lichamen begroeven op een plek waar ze nooit gevonden zouden worden.

Die nacht viel ik verlamd van angst en onzekerheid in slaap. Ik klampte me vast aan Jamie en elke keer dat de wind de bomen deed zwenken of er vanuit het bos gekwaak van een kikker klonk, schoot ik overeind. Zo moesten ontdekkingsreizigers nieuw land in zicht hebben ervaren: een hevig gevoel tussen opgetogenheid en doodsangst in.

We werden vroeg wakker van de brandende zon op onze tent. Binnen was het heet en verstikkend. Jamie kuste mijn voorhoofd.

We hadden het natuurlijk overleefd.

Er begon zich iets te ontvouwen terwijl een lange busrit tot een tweede en derde leidde en we steeds dieper in Venezuela doordrongen, in navolging van een vaag plan dat echter geen reisschema was. Het effect was bedwelmend. Ik keek naar het landschap dat voorbij stroomde in een wirwar van struikgewassen en dichtbegroeide tropische bossen, af en toe onderbroken door een scharlakenrode papegaai of een dorpje dat in de buurt van een cacaoplantage was gebouwd.

De laatste bus zette ons af in een stadje dat Santa Elena de Uairén heette, vlak bij de grens met Brazilië. We vonden een hostel en sliepen onder een klamboe in een kamer die in een afschrikwekkende kleur turquoise was geverfd. De volgende ochtend huurden we, na wat afdingen, een Pemón-indiaanse gids in en trokken naar de heuvels aan de voet van het gebergte.

Na twee volle dagen vrijwel steil omhooglopen over een kronkelig pad, zag ik waarvoor ik was gekomen: het uitzicht vanaf de top van de Roraima, die niet zozeer een berg was als wel een verbijsterend groot plateau, een winderige zandsteenplaat van veertien kilometer lang, zo breed en hoog dat het zijn eigen weer creëerde. De steile wanden waren ruim duizend meter hoog en erlangs stroomden witte watervallen naar het grasland beneden. Vijf maanden lang hadden we met de Roraima aan de salontafel in ons kleine appartement in Calgary gezeten, zijn taartpuntige vorm op de omslag van ons mooiste exemplaar van *National Geographic*. En nu waren de rollen omgedraaid. We waren fantasiefiguren die rond klauterden op een driedimensionaal geworden foto. Hier zagen we de duizenden rozige kwartskristallen ver-

47

spreid over de hellingen van een dal, evenals de edelsteenkleurige kolibries en de kleine prehistorisch ogende zwarte kikkers waarover we ons op de foto's hadden verwonderd.

'Geloof jij wat je ziet?' hoorde ik mezelf telkens weer tegen Jamie zeggen. 'Echt geloven? Ik niet.'

We zaten met z'n tweeën op de rotsige rand van het plateau, onze voeten bungelend boven de afgrond, en zeiden niets. Onder ons kronkelden wolken zich tot kuiven en hoog opgekamde kapsels en ze vormden een spookachtige witte grenslijn die ons afsneed van alles wat eronder lag. Het was alsof we op de rand van een heksenketel zaten of op de voorsteven van een groot schip midden op een bovenaardse oceaan. Ik had deze plek in het magazine gezien en nu waren we erin opgenomen. Een kleine waarheid was bekrachtigd. Meer had ik niet nodig om verder te gaan.

5

Een knipbeurt aan een meer

Onderweg van de Roraima naar beneden struikelde Jamie en brak zijn voet, waardoor we onze grote Zuid-Amerikatoer moesten afbreken. Er was geen sprake van dat ik zonder hem verder zou gaan. We waren twee kwetsbare stadskinderen, beiden bang om in ons eentje een stap te zetten. Vermoeid vlogen we terug naar Canada. We bleven nog een jaar samen en maakten nog een tweede rugzakreis, dit keer door Zuidoost-Azië, maar op een of andere manier voelde het of het einde van onze relatie voorzien was. We waren beiden rusteloos en beseften dat we op te jonge leeftijd serieus waren geworden met elkaar. Het was een pijnlijke, langzame breuk. Toen Jamie op een lenteavond in 2003 uiteindelijk ons huis uit stormde en zei dat hij voorgoed vertrok, was ik vooral opgelucht.

Ik probeerde mezelf bezig te houden. Ik vond een nieuwe baan in een restaurant dat Ceili's heette, een chique ontmoetingsplek voor zakenlieden die was ingericht als Ierse pub, met een plankenvloer waarop levendig werd gedanst en zeemansliederen werden gezongen. Ik verdiende er beter dan in De Drink. Vastbesloten te sparen voor nog meer reizen draaide ik zoveel mogelijk dubbele diensten.

Voor het eerst van mijn leven woonde ik alleen. Ik huurde een klein, eenvoudig appartement in het centrum van Calgary. Tussen mijn diensten door ging ik vaak naar de Wee Book Inn, waar ik reisverhalen en oude tijdschriften kocht en nieuwe plannen maakte. Ik kocht een *Lonely Planet*-gids voor Midden-Amerika – een gloednieuwe, herziene versie – en nam hem mee naar het restaurant om er tijdens mijn pauzes in te lezen.

Op het werk was ik bevriend geraakt met een meisje van Vancouver Island, Kelly Barker. Ze was klein en tenger en had een opgeruimd karakter en felgroene ogen waardoor ze op straat veel bekijks had. Ze had een uitbundige, vibrerende lach, zwarte haren die golvend over haar schouders vielen en leek nooit moe te worden. Ze kreeg de meeste fooi van iedereen. Op een vrijdagmiddag in de zomer zaten we te lunchen in Earls. In ons restaurant was het rustig geweest en dat was het in Earls ook. We bestelden een artisjokkendip en 'high tea' – smerige Long Island-ijsthee in een hoog glas. Ik pakte de *Lonely Planet* uit mijn tas om haar foto's van Costa Rica te laten zien, mijn volgende bestemming. Kelly had met haar familie door Europa gereisd en was als uitwisselingsstudent in Mexico geweest, maar had nooit met een rugzak rondgetrokken.

'Misschien moet ik met je meegaan,' zei ze.

'Natuurlijk!' zei ik.

We berekenden hoeveel tipgeld we nodig hadden om de reis te financieren en hoe lang we erover zouden doen om het te verdienen. We begonnen met het plannen van een drieweekse reis, maar drie cocktails later besloten we dat we minstens zes weken nodig zouden hebben. Vervolgens las ik beschrijvingen van Guatemala voor. Kelly trok haar schoenen uit en luisterde terwijl ze met haar rietje speelde. 'Er zijn hangbruggen over een waterval,' zei ik, terwijl ik de pagina's omsloeg. 'Een vlindertuin en een koffieplantage... O, en ook een spiritueel centrum waar je kunt leren mediteren en zo.'

'Ja,' zei Kelly op alles. 'Uh-huh, yep, en er zijn vast ook leuke jongens in Guatemala.'

Tegen de tijd dat de rekening werd gebracht, hadden we de einddatum voor onze reis geschrapt. We zouden naar Costa Rica vliegen, door Guatemala en Nicaragua trekken en vervolgens op het vliegtuig naar St. Thomas stappen, waar we volgens Kelly vast

50

en zeker een baantje in een resort zouden vinden als serveerster op het strand. En daarna zouden we wel verder zien.

Vlak voor sluitingstijd vielen we de Adventure Travel Company binnen, vrolijk en stomdronken en gedreven alles te regelen voordat we ons zouden bedenken. Met een serieus gezicht plantte ik mijn ellebogen op de balie. 'We willen graag twee tickets naar Costa Rica met vertrek over zes weken,' verkondigde ik. Kelly stond met een scheve glimlach naast me. De reisagente was maar een paar jaar ouder dan wij, maar droeg een blazer en had een net kapsel. Ze keek van mij naar Kelly en weer terug, alsof ze contact probeerde te maken met onze moeders.

'Alsjeblieft,' zei ik. 'We zijn bloedserieus.'

Kelly had gelijk. Er waren leuke jongens in Guatemala. Ongeveer vijf weken nadat we aan onze reis waren begonnen, hadden we Panama, Costa Rica, Nicaragua en Honduras al doorkruist en reden we vanuit Guatemala-Stad urenlang in een *chicken bus*, een oude Amerikaanse schoolbus die je overal in Midden-Amerika ziet rond hobbelen, overgeschilderd in carnavalskleuren en met rekken op het dak waarop bagage en soms zelfs vee gevaarlijk waren opgestapeld. We stapten uit in de ijskoude Maya-stad Todos Santos en daar, in een vochtig restaurantje met laag plafond en gele muren, stuitten we op Dan Hanmer en Richie Butterwick.

Ja, zo heetten ze echt, als twee personages uit mijn oude Archie & Veronica-strips, als twee jongens in Amerikaanse *college sweaters*, alleen waren zij Brits. Dan Hanmer had rossig haar en blauwe ogen en studeerde aan Oxford. Hij bracht een semester in Guatemala door om Spaans te studeren. Richie Butterwick was een rechtenstudent. Beiden hadden de gezonde gloed van reizigers maar zonder het onverzorgde, ongeschoren, kralenarmband-uiterlijk waardoor veel mannen, zo hadden Kelly en ik besloten, er als trollen uitzagen. Ze spraken met een chic upperclass-accent. Ze lachten en bestookten ons met vragen terwijl wij onze reisverhalen met gepaste uitgelatenheid en charme uit de doeken deden – dat we in Honduras ons duikbrevet hadden gehaald, op het strand

51

van Panama door zandvliegen waren belaagd en boven op een vulkaan in Nicaragua een hevige storm hadden getrotseerd.

De daaropvolgende dagen gingen we overal met z'n vieren heen. We reden mee in de laadbak van pick-ups van Maya-boeren, keken naar de paardenraces tijdens het jaarlijkse All Saints' Day-festival, en trokken naar heetwaterbronnen op een helling tussen roze Chinese rozen. Richie Butterwick en Dan Hanmer zaten vol humor, en ze staken galant een hand uit om ons achter in de laadbak te trekken.

's Nachts in het pension in bed hadden Kelly en ik dolle pret. We spraken de namen van de jongens met een Brits accent uit en voegden er 'Well then!' en 'Cheerio' aan toe. Het waren echt aardige jongens, die veel interessants te vertellen hadden. Er gebeurde ook iets spannends. Nadat we met z'n vieren een chicken bus naar Lake Atitlán hadden genomen, waar we de overgroeide veranda van een klein vegetarisch café waren opgelopen en kommen zwartebonensoep met bergen zoute guacamole hadden besteld, en waar Richie Butterwick en ik als oude maatjes samen bier waren blijven zuipen, hadden Kelly en Dan Hanmer elkaar diep in de ogen gekeken.

'Ben jij verliefd op Dan Hanmer?' vroeg ik haar toen we op een avond in de hangmatten voor onze kamer lagen. Kelly en ik hadden tijdens het reizen altijd kuis geleefd, we hadden met mannelijke reizigers geflirt zonder ooit verder te gaan. Ik plaagde haar, en zijn naam was gewoon zo grappig om hardop te zeggen. We zouden het nog jaren over Dan Hanmer hebben, en dan was hij altijd 'Dan Hanmer', nooit gewoon 'Dan' of 'die jongen in Guatemala'.

'Ik ben absolúút niet verliefd op Dan Hanmer,' zei Kelly op een volslagen niet-overtuigende manier. 'Geen vragen meer.'

Lake Atitlán was een hypnotiserend glinsterende, blauwzwarte poel tussen drie groene vulkanische bergen in, met riet langs de waterkant en hangende nevel en allerlei soorten huwelijksreizigers en hippies die in mooie pensionnetjes langs de oever logeerden. Het dorp waarin we verbleven was een newage-enclave, met

52

een meditatiecentrum waar je lessen kon volgen in watermassage en filosofie. Er hingen posters met advertenties voor yoga bij zonsopgang en goedkope Indiase hoofdmassages en er waren tweedehandsboekwinkels met beduimelde exemplaren van Kerouac en de Kama Sutra.

Iedereen die we tegenkwamen, zei hetzelfde: ze waren van plan geweest drie of tien dagen te blijven, maar gingen nu al hun derde week in. Het was een soort insigne dat je droeg: hoe meer tijd je aan de oevers van Lake Atitlán doorbracht, hoe meer alledaagse verplichtingen – de vliegtickets naar huis, de huur van appartementen ver weg, relaties met mensen op afstand – er van je af gleden. En zo leefde je, zoals de mensen van het meditatiecentrum zouden zeggen, in het moment: niet terugdenken, niet vooruitdenken. Er alleen maar vredig zíjn. En dat was een behoorlijk goed excuus om te doen wat je maar wilde.

Dan Hanmer liep nu voortdurend hand in hand met Kelly.

Intussen dronken Richie Butterwick en ik veel bier en deelden af en toe het bed. We wisten allebei dat het niet verder zou gaan en dat we er alleen maar de tijd mee doodden. Het vliegtuig zou hem over een paar dagen terugbrengen naar Engeland, naar het advocatenbestaan dat hij vanaf dan zou gaan leiden. Nadat we hem op het busstation in San Pedro hadden uitgezwaaid, liet ik Kelly en Dan Hanmer achter voor hun eigen periode van niet achteruit-/ niet vooruitkijken en trok verder naar een ander dorp aan het meer om me weer aan te sluiten bij een Amerikaans meisje dat we eerder hadden ontmoet. Over achtenveertig uur zou ook Dan Hanmer naar huis gaan.

Een van de beste dingen die je over de wereld kunt geloven, is dat er altijd, hoe dan ook, iemand is die de moeite waard is om naar te verlangen. Twee dagen later, toen ik met een watertaxi terugging naar San Pedro om Kelly op te halen, trof ik haar snikkend aan op de stenen trappen die van de waterkant naar het stadje liepen. Ze was inderdaad, heel even althans, verliefd geworden op Dan Hanmer, en nu was Dan Hanmer weg.

53

'O kom op,' zei ik, terwijl ik mijn armen om haar heen sloeg en haar ons universele wondermiddel, in elk geval van dat moment, aanbood. 'We gaan een paar biertjes drinken.'

Ze pruilde tijdens de twintig minuten durende bootreis terug naar het dorp en snikte af en toe terwijl we aan een late lunch zaten in het restaurant van ons pension aan het meer. We aten samen met mijn Amerikaanse vriendin, een fanatieke yogabeoefenaarster met sproeten die Sarah heette. Sarah en ik zetten Kelly een nieuwe bruine fles Gallo-bier voor zodra ze weer wazig begon te kijken. We noemden Dan Hanmers naam niet, maar praatten wel over hem. 'Hij luisterde naar Bob Marley op zijn discman,' zei Kelly weemoedig, alsof dit het meest romantische was wat ze ooit in haar hele leven had meegemaakt. Ze huilde, waarna ze begon te gniffelen. Of ze gniffelde en begon vervolgens te huilen. Dan zuchtten we alle drie. Dan Hanmer was nu al een legende, voor alles wat hij was en waar hij voor stond.

Laat in de middag slenterden we naar de gammele houten steiger en luisterden naar het spelende water en het rustige gezoem van vissersboten die op weg waren naar huis. Kelly's mooie gezicht was gezwollen van al het huilen, maar ze leek er eindelijk klaar mee te zijn. Sarah en ik lagen op de steiger en overlegden of we langer in het stadje zouden blijven om in het meditatiecentrum een driedaagse cursus 'helder dromen' te volgen toen Kelly's stem ons gesprek abrupt onderbrak. 'Ik wil dat je mijn haar afknipt.'

Sarah en ik draaiden ons naar haar om. 'Wat?'

Kelly haalde haar hand door haar haren, hield ze vast en liet ze toen vallen – alsof niet elke vrouw jaloers was op die lange bos tot aan haar kont, alsof het niet een glanzend onderdeel van haar schoonheid was maar een oude vaatdoek. 'Ik wil dit weg hebben,' zei ze. 'Alles.'

'Dat meen je niet,' zei ik. 'Je bent gek.'

Ze glimlachte alleen maar. Ik herkende het ontstekingspunt, een nieuwe vlam die langs een kant van Kelly omhoogliep. We keken elkaar een halve minuut strak aan voordat ik mijn schouders ophaalde. 'Geef mij er niet de schuld van als je het vreselijk vindt.'

Dit was wat ik me zou herinneren, hier zou ik vijf jaar later naar terugverlangen wanneer ik in mijn eentje opgesloten zat in een door ratten geteisterde kamer in Somalië, wanneer ik pijn had en half uitgehongerd was en mijn vorige leven een verzonnen verhaal leek. Deze warme, vroege avond aan een glinsterend, satijnen meer in Guatemala zou voelen als een koortsdroom. Ik zou ernaar teruggrijpen, proberen de kleine details met een lasso te vangen en naar me toe te trekken. Kelly en Sarah met hun benen over de rand van de steiger, hun gezichten oranje in de zonsondergang. Ik die op blote voeten naar de lobby van het pension rende, een houten stoel en een botte kantoorschaar uit een la achter de balie meenam en Kelly nog een laatste keer vroeg of ze het zeker wist. Ik had nooit kunnen bedenken dat de herinnering aan die knipbeurt later zo belangrijk zou worden; het was onvoorstelbaar gezien het feit dat een van mijn ontvoerders me zo hard had geslagen dat hij diverse tanden had gebroken. De schim van Dan Hanmer en de half ontloken, voor altijd perfecte liefdesaffaire en de eerste lokken van Kelly's donkere haren die neervielen op de steiger. De bergen die als groene gordijnen achter het sprankelende meer kronkelden. We lachten op dat moment harder dan we in al die drie maanden van onze reis hadden gedaan. Kelly die op de stoel zat en ik die worstelde om de ene dikke lok na de andere af te knippen. Sarah – die we na die week nooit meer zouden zien – huilend van het lachen met haar hand op haar buik. En Kelly die niet langer verdrietig was en die met een opgeknipte, gekartelde bob nog steeds mooi was, naar beneden reikte en haar afgeknipte haren het grote meer in zwiepte.

55

6

Hallo madame

Volgens mijn berekening zou ik drie of vier maanden lang martini's aan nachtclubbezoekers in Calgary moeten serveren om een vliegticket te kunnen kopen en vier of vijf maanden te reizen – zes als ik een extra strak budget zou aanhouden.

'Wat doe je?' vroegen mensen me terloops, zoals mensen dat doen: nieuwe vrienden, de tandarts, de vrouw naast me tijdens de bruiloft van een vriend. 'Wat zijn je plannen?' was wat mensen die in de bar kwamen vaker vroegen, er terecht van uitgaande dat vrijwel iedereen die daar werkte andere aspiraties had.

'Ik ben reiziger,' antwoordde ik dan. 'Ik wil de wereld zien.' Zo simpel voelde het ook.

Ik was twee keer op reis geweest, eerst naar Latijns-Amerika, toen naar Zuidoost-Azië, en vastbesloten vaker te gaan. Reizen gaf me iets om over te praten, iets om te zíjn. Dat ik net terug was uit Nicaragua of erover dacht om naar Ethiopië te gaan leek, in de ogen van de mensen die ik op mijn werk ontmoette, van alles teniet te doen: dat ik niet had gestudeerd, bijvoorbeeld, of te laat was met het serveren van een rondje *dirty mojitos* bij tafel negen. Ik kon er ook mijn verleden mee uitwissen en hoefde geen vragen te beantwoorden over waar ik was opgegroeid en wie mijn ouders waren. Onder reizigers betekende praten over het verleden meestal praten over het zeer nabije verleden. De vervaldatum voor oude ervaringen kwam snel. Wat er het meest toe deed, was waar je vervólgens naartoe zou gaan.

Aan het einde van de herfst van 2004, toen ik drieëntwintig was, bracht ik een maand met mijn moeder in Thailand door. We zwierven over stranden en langs boeddhistische tempels, aten curry's en mango's, en sliepen in driesterrenhotels in plaats van in mijn gebruikelijke budgethostels voor rugzaktoeristen. Mijn moeder was een verrassend ontspannen reiziger. Voor het eerst konden we echt met elkaar lachen en vervelende dingen uit het verleden uitpraten. Toen ze naar huis vloog, reisde ik door naar Birma, waar ik me – nog steeds niet op mijn gemak in mijn eentje – meteen aansloot bij een groep rondreizende geologen die in de oerwouden veldonderzoek deden. Van daaruit ging ik naar Bangladesh, deels omdat de vlucht goedkoop was en deels omdat het op weg was naar India, waar ik daarna heen wilde. Ik had besloten dat ik beter moest worden in onafhankelijk zijn. In Bangladesh kende ik niemand. Ik kende ook niemand die ooit in Bangladesh was geweest. Het voelde als de juiste volgende bestemming.

Bangladesh is een van de dichtstbevolkte landen ter wereld, en Dhaka, waar ik in januari 2005 landde, is de stad met het grootste inwoneraantal. Toen ik uit het luchthavengebouw de drukkende middaghitte in liep zag ik alleen maar mensen. Een paar honderd stonden er tegen de zwarte ijzeren hekken gedrukt die de luchthaven van het parkeerterrein scheidden – taxichauffeurs, riksjabestuurders, onofficiële bagagekruiers, vrouwen in felle sari's met kleine kinderen aan de hand, grote families die op een familielid stonden te wachten.

'Hallo madame!' riep een man, zo te zien een verwachtingsvolle taxichauffeur. Toen nog een – 'Hallo! Hallo madame?' – en daarna nog meer – 'USA? Den-a-mark? Where from? Hotel? Hotel?'

Tijdens de vlucht had ik een man leren kennen die Martin heette, een Duitser van middelbare leeftijd, ongeveer zo oud als mijn vader, die voor een elektronicabedrijf werkte en regelmatig voor zaken in Dhaka was. 'Reis je alleen?' vroeg hij met opgetrokken wenkbrauwen. 'Dat wordt nog interessant.'

Martin had me verzekerd dat een taxirit naar de oude stad, naar het twaalf-dollar-per-nachthotel dat ik in mijn Lonely Planet had uitgezocht, drie uur in beslag zou nemen en dat de chauffeur me veel te veel zou laten betalen op grond van mijn blanke huid en sekse. 'Ze brengen je sowieso nooit naar waar je heen wilt,' zei hij. 'Je eindigt in het hotel van hun neef.'

Er stond een chauffeur achter het hek op hem te wachten, zijn witte busje met airco stond vlakbij. Toen ik bij de bagageband wegliep en één blik op de taxichauffeurs wierp die uit alle macht probeerden onze aandacht te trekken, besloot ik dat het oké was – een kleine afwijking van mijn voornemen om in Bangladesh onafhankelijk te zijn – om een lift in Martins auto te accepteren.

In twee uur tijd kropen we door het verkeer in Dhaka naar het oude deel van de stad, langs de noordoever van de Buriganga, die druk bevaren werd door trage vrachtschepen en veermannen die zich in zeer smalle kano's op het bruine water voortbewogen. De zon ging al onder. De straten werden steeds smaller en de kruispunten ertussenin vormden een wirwar van duizenden krioelende fietsriksja's, claxonnerende voertuigen en dwalende voetgangers. Nadat Martins chauffeur het busje naar een hoek vlak bij het hotel van mijn keuze had weten te manoeuvreren, stapte ik uit, hees mijn rugzak op mijn schouders en schudde beide mannen opgewekt de hand.

Het lawaai om ons heen was oorverdovend, een kakofonie van fietsbellen en loeiende claxons, mensen die naar elkaar schreeuwden en een soort van schrille sirene die door alles heen sneed. Martin zag er zweterig uit in zijn keurig gestreken overhemd. Hij moest naar me schreeuwen wilde ik hem kunnen horen. 'Wil je niet liever gewoon in het Sheraton logeren?' vroeg hij.

Ik wuifde zijn voorstel weg alsof ik al honderden keren op deze hoek had gestaan. 'Nee, nee, dit is prima!'

Martin drukte me zijn visitekaartje in de hand. 'Nou oké, bel me als je iets nodig hebt.'

Daarna reden ze weg en bleef ik alleen achter.

Maar alleen was ik allerminst. Alle hoofden in de straat leken

58

ineens in mijn richting te draaien. Terwijl ik de vijf meter naar het uithangbord van mijn hotel aflegde, bleven voetgangers staan en staarden me aan. Een man met een bolle buik liep achter me en riep: 'English? Hello? Hello, hello, hello?'

Ik dook het hotel in en klom een smalle trap op naar een kleine lobby op de eerste etage. Achter een formica bureau zaten twee mannen met witte islamitische gebedsmutsen op naar een voetbalwedstrijd te kijken op een kleine televisie in de hoek. De gids vermeldde dat dit een goedkoop hotel was waar men Engels sprak en dat voorzien was van schone westerse toiletten.

'Hallo,' zei ik. 'Een eenpersoonskamer, alstublieft.' Ik pakte mijn portefeuille en paspoort.

De oudste van de twee staarde me lang aan. Hij had diepliggende bruine ogen die schuilgingen achter een montuurloze bril en een dunne grijze baard. 'Voor u?' zei hij.

'Voor mij.'

'Waar is uw man?'

'Die heb ik niet.'

De man hield zijn hoofd schuin. 'Waar is dan uw vader?'

Ik had jonge vrouwelijke reizigers ontmoet die nep-trouwringen droegen en deden alsof ze ergens een echtgenoot hadden, in een poging dit soort mannen af te weren. Die vonden dat een ongetrouwde vrouw die niet deugdzaam thuis zat terwijl haar vader over de bruidsprijs onderhandelde, op een of andere manier onteerd was en dus ofwel een prostituee ofwel een heks. Ik had dit altijd irritant gevonden. Ik vond dat die houding van mannen tegenover vrouwen als ik nergens op sloeg en dat een nep-ring de zaak geen goed deed. Ik droeg een paar ringen aan mijn rechterhand – goedkope, grote exemplaren van zilver en bergkristal die ik op het strand in Thailand had gekocht –, maar weigerde die in te zetten.

'Mijn vader is thuis in Canada,' antwoordde ik een beetje fel, 'en ik wil een kamer, alstublieft.'

Intussen had de tweede man zich losgemaakt van de voetbalwedstrijd op tv en schudde nu langzaam en zwijgend zijn hoofd, alsof alleen al de gedachte volslagen idioot was. De oudere man leunde achterover in zijn stoel. 'Wat doet u hier?' zei hij. 'Ik begrijp het niet. Weet uw vader dat u hier bent?' Hij hief zogenaamd hulpeloos zijn handen in de lucht, alsof hij wilde zeggen dat het niet zijn schuld was dat mijn vader me uit het oog was verloren. Ik vertelde maar niet dat mijn vader met zijn homovriend thuiszat en dat ik in Bangladesh op vakantie was dankzij geld dat ik verdiend had met het serveren van alcohol aan ongetrouwde jongeren die 's avonds uitgingen en voornamelijk op zoek waren naar seks. Maar verleidelijk was het wel.

In plaats daarvan probeerde ik nog steeds een kamer te bemachtigen. 'Ik val niemand lastig. Mijn geld is even goed als het geld van een man. Wat is het probleem?' Tegelijkertijd bestudeerde ik de kaart met hotels in mijn *Lonely Planet* en zag tot mijn opluchting dat er enkele straten verderop nog een aanbevolen hotel zat. Ik gaf toe aan de onvermijdelijke nederlaag en liep de trap af op weg naar mijn volgende mogelijke rustplaats.

Het oude Dhaka rook naar dieseluitlaatgassen en vis. Claxons toeterden en riksjabellen rinkelden terwijl ik het hotel uit liep. Het was nu vroeg in de avond. De man met de ronde buik kwam vrijwel meteen weer tevoorschijn en hervatte zijn spreekkoor. 'Hello? Hello? How are you? Madame?' Binnen enkele minuten was ik omringd door een werveling van nieuwsgierige toeschouwers, een zich snel vertakkende groep van voornamelijk mannen.

Een man met een keurig getrimde baard en kortgeschoren haar had zich met wat geduw en getrek een weg gebaand naar de kleine ruimte waarin ik stond, het oog van de orkaan. Hij droeg een wit gebedsmutsje, maar terwijl de mannen in het hotel loszittende Arabische overhemden hadden gedragen met om hun middel Aziatisch uitziende *lungi*, was hij gekleed in een spijkerbroek en een overhemd met korte mouwen.

'Pardon, pardon,' zei hij overgedienstig, 'wat is uw goede naam?' De menigte leunde naar voren om te luisteren.

'Nou, mijn goede naam is Amanda!' zei ik terug. Ik vond het grappig en verhief mijn stem boven het lawaai uit. 'Ik kom uit Canada.'

60

'Kan ik u helpen?'

'Ik wees naar de kaart en draaide de gids om zodat hij hem kon bekijken. 'Volgens mij zit het daar, toch?'

'Ah,' zei de man die het boek van me aannam en het bestudeerde. Iemand uit de menigte bood advies in het Bengalees. Nog meer mensen bemoeiden zich ermee. De *Lonely Planet* werd enthousiast doorgegeven totdat er overeenstemming leek te zijn bereikt en we met de hele groep door de straat liepen.

De vriendelijke man met de snor stelde zich voor als Mr Sen en hij liep achter me aan het hotel in. Weer een smalle trap naar boven, weer een kleine lobby met een formica bureau, maar deze keer stond er ook een bank met daarop drie donkerharige jongemannen die eruitzagen alsof ze een dutje hadden gedaan. Een vierde zat achter het bureau.

Ik vroeg om een kamer.

De man achter het bureau wees naar mijn nieuwe vriend. 'Is dat uw man?'

Ik zuchtte. 'Nee, ik heb een kamer nodig voor mij alleen.'

Mr Sen sprong ertussen, sprak snel Bengalees terwijl de man achter de balie met zijn handen wuifde om aan te geven dat hij totaal geen interesse had in het verhuren van een kamer aan mij. Mr Sen wendde zich tot mij. 'Hij zegt dat als u hier een man hebt er geen probleem is.' Hij keek me met een zenuwachtige glimlach aan. 'Hebt u misschien een broer bij u?'

Ik voelde me benauwd op mijn borst en er begon zich een kleine kern van angst te vormen. 'Nee, geen broer. Alleen ik, en ik heb een slaapplaats nodig.'

Mr Sen glimlachte weer. 'Geen probleem, geen probleem,' zei hij en voegde eraan toe: 'U kunt meekomen naar mijn huis. Mijn moeder zal u verwelkomen.'

'Nee, ik kan niet met u mee naar huis. Ik wil een hotelkamer.' Ik glimlachte en hoopte dat ik hem niet beledigde. 'Alstublieft,' zei ik. 'Ik ben moe.'

We liepen een paar straten verder naar het volgende hotel dat in de gids stond – ik en een entourage van wel veertig Bengalese man-

61

nen, geleid door Mr Sen. Vrijwel iedereen in de groep leek het met iemand anders over mijn hachelijke situatie te hebben en er werd naar mensen geroepen die we in het schemerduister passeerden. Er was een vrouw die boven een open vuur chilipepers bakte en die in zakken verkocht aan mensen die op weg waren naar huis, voor de avondcurry. De geur knaagde aan me; ik had sinds die ochtend niet meer gegeten.

Bij het derde hotel nam de oudere man achter de balie me van top tot teen op en vroeg toen naar mijn man. Stilletjes begon ik in paniek te raken. Dit was geen grap. Deze mensen keken naar me – met mijn onschuldige paardenstaart en spijkerbroek en versleten blauwe rugzak, met mijn grote ronde oorbellen en overdreven glimlach – en zagen echt een soort van dreiging.

Helemaal naïef was ik niet. Ik begreep de neteligheid van de situatie, in elk geval een beetje. Ik wist dat deze cultuur gebaseerd was op eerbaarheid en trouw aan de conservatieve islam. De meeste vrouwen op straat droegen hoofddoekjes. Sommigen hielden hun gezicht volledig verborgen. Ik had gelezen over *purdah*, de praktijk van het verbergen van het gezicht en lichaam van de vrouw voor het publieke oog. Ik was me ervan bewust hoe ontzettend buitenlands ik overkwam.

'Na, na, na,' zei de baliemedewerker terwijl hij nadrukkelijk met zijn vinger zwaaide toen Mr Sen een discussie aanging in het Bengalees. Hun woorden dreunden langs me heen als het geruis van een telegraafkabel, totdat de man die zichzelf ongevraagd tot mijn beschermheer had opgeworpen zich tot mij richtte.

'Ziet u,' zei hij kalm. 'Het is gewoon niet mogelijk om hier te blijven.' Met een verslagen stem voegde hij eraan toe: 'Het spijt me.'

Omdat ik niet wist wat ik anders moest doen, sleepte ik mijn rugzak naar de zwarte vinylen bank in de lobby en plofte erop neer. 'Dan slaap ik hier wel,' hoorde ik mezelf zeggen, verbaasd over de kracht in mijn stem. Ik staarde de witharige hotelhouder recht in de ogen. Hij keek weg. Terwijl ik tegen mijn tranen vocht, sloeg ik mijn armen over elkaar en probeerde vervaarlijk over te komen. 'Ik ga niet weg,' zei ik.

De hotelhouder keek onzeker naar Mr Sen voor een vertaling.

Er volgde een rustig gesprek. De man achter het bureau leek zijn opties af te wegen. Een paar minuten later gebaarde hij schoorvoetend naar me dat ik naar voren moest komen en mijn paspoort moest geven. Zijn ogen bleven naar beneden gericht. Haastig werd er een notitie gemaakt in het gastenregister. Voorts werd er een kleine koperen sleutel tevoorschijn gehaald en aan een magere jongen met een geborduurd petje gegeven die bij de trap stond te wachten, kennelijk met verse instructies me naar een kamer te begeleiden.

De wapenstilstand voelde ongemakkelijk. De vijand was binnen. Ik bedankte Mr Sen hartelijk en besloot zijn reputatie niet verder te beschadigen door hem de hand te schudden. Ik maakte een opgelaten buiging in de richting van de man achter het bureau en liep zonder iets te zeggen dankbaar achter de jongen met de sleutel aan naar boven.

Toen ik eenmaal aan Dhaka gewend was, vond ik het opwindend. Ik kocht een dunne zwarte hoofddoek en drapeerde hem losjes over mijn haar, zoals veel Bengalese vrouwen deden. Ik raakte eraan gewend om de enige westerling op straat te zijn, de enige vrouw in een restaurant. Ik wandelde door de hindoeïstische marktstraat, waar wierookslierten hingen en sieradenverkopers zilver in kraampjes smeedden. Ik ging een van de moskeeën met hoge koepels binnen waar rijen knielende, prevelende mannen geconcentreerd met hun voorhoofd de grond aanraakten onder een gewelf van eierschaalmozaïek.

De islam is in Dhaka overal. Op de spiegel in mijn kamer zat een kleine pijlvormige sticker die me behulpzaam de richting van Mekka wees. Vijf keer per dag scandeerden de muezzins en begonnen de gebeden. Die momenten waren vreemd genoeg zowel privé als publiek. De mannen in mijn hotellobby, gasten en personeelsleden, vormden een rij en bogen gelijktijdig voorover, zich niet bewust van of verstoord door mijn aanwezigheid. Mensen, voornamelijk mannen, baden buiten op straat, voor de mos-

63

keeën, die vaak te klein waren voor iedereen, vooral op vrijdag, de islamitische heilige dag. Ik vond het prachtig. Het herhaaldelijke knielen, de vele rijen mensen die zich aan God onderwierpen. Na het knielen verrichtten ze smeekbeden waarbij ze hun tot kom gevormde handen voor hun gezicht hielden. Tot slot maakten ze met een gefluister een einde aan hun gebeden. Het was heel vreemd voor me, een religie die zoveel van zijn gelovigen verlangde en deze demonstratie van toewijding om de zoveel uur.

Als reiziger ontwikkelde ik een bepaalde scherpheid die me jaren later van pas zou komen – het vaststellen en handhaven van de grens tussen de gastvrijheid en openheid die rugzaktoeristen zowel dienden als hen tot een gemakkelijke prooi maakten en een agressievere manier om mijn eigen krachten te gebruiken. Als je de taal niet sprak of culturele signalen niet wist op te pikken, viel het soms niet mee om gelegenheid van gevaar te onderscheiden. Je moest altijd twee stappen vooruitdenken. Ik geloof dat ik hier over het algemeen goed in was. In mijn jeugd had ik vaak genoeg geprobeerd hints op te vangen en om te gaan met onzekerheid. Onzekerheid was me beslist niet vreemd.

Op een avond hoorde ik vanuit mijn hotelkamer geritsel in de gang en een onregelmatige mannelijke ademhaling. Toen ik opstond om op onderzoek uit te gaan, ontdekte ik tot mijn ontzetting dat er een man met zijn wang tegen de vloer gedrukt in de gang lag. Hij probeerde door de kier onder mijn deur door te kijken. Mijn eerste ingeving was te gaan gillen, maar ik bedacht me snel. De schuld van de beroering die dat zou veroorzaken zou hoe dan ook bij mij komen te liggen. Zodra er zich een probleem voordeed, zou ik eruit geschopt worden en gedwongen zijn opnieuw een vernederende zoektocht naar een hotelkamer te ondernemen.

Ik deed wat ik altijd deed als ik bang was. Ik concentreerde me op mijn ademhaling, negeerde de tinteling van ongerustheid en probeerde weer tot mezelf te komen. Kalm, kalm, kalm, dacht ik. Vervolgens keek ik of de deur goed op slot zat, zette een stoel uit het zicht van de deuropening en ging zitten wachten totdat hij verveeld zou vertrekken.

Een paar dagen later, toen ik naar de rand van de stad was gelopen, hield ik een autoriksja aan en vroeg de chauffeur me terug te brengen naar mijn hotel in het oude Dhaka. 'Geen probleem!' zei hij terwijl ik instapte. Hij was jong, van mijn leeftijd schatte ik, en ik was zo moe dat ik me pas na vijftien minuten realiseerde dat hij niet naar de dichtbebouwde stad was gereden maar naar een buitenring van Dhaka en dat we nu met z'n tweeën over een soort landweg hobbelden terwijl de avond al begon te vallen. De hoge gebouwen van de stad hadden plaatsgemaakt voor bouwvallige hutten en eetkraampjes langs de weg.

'Wacht, pardon, waar brengt u me heen?' vroeg ik.

De chauffeur keek niet achterom. Hij wuifde met zijn hand. 'Geen probleem,' zei hij. 'Er is geen probleem, madame.'

In Bangladesh leek er nooit een probleem te zijn. Tenminste, dat was wat iedereen zei.

Ik sprak een beetje luider. 'Ik denk dat u de verkeerde kant op gaat. Brengt u mij alstublieft naar het hotel. In de stad. De stád.'

'Geen probleem, geen probleem,' zei de chauffeur. Hij leek nu te versnellen.

We reden nog een paar minuten door en ik kreeg kriebels in mijn nek. Was dit een kortere route? Werd ik ontvoerd? Zou ik vermoord worden en orgaan voor orgaan verkocht op de zwarte medische markt, overeenkomstig het huidige horrorscenario van de hedendaagse rugzaktoerist? Wat moest ik doen?

Wat er vervolgens gebeurde verraste zelfs mij.

Vanaf de achterbank gilde ik: 'Je moet omdraaien!'

Om mijn woorden kracht bij te zetten, leunde ik naar voren en sloeg zo hard als ik kon met mijn vuist tegen de zijkant van zijn hoofd. De bergkristallen van mijn goedkope Thaise ringen sneden diep in zijn slaap.

Ik had nog nooit van mijn leven iemand een mep verkocht.

Verbijsterd ging de chauffeur langzamer rijden en bracht zijn hand naar zijn bloedende slaap. Daarna zag ik hem naar het bloed op zijn hand kijken.

Ik voelde mijn hartslag in mijn knokkels. Er gonsde een nieuwe

65

paranoia. Het was duidelijk dat ik een grens had overschreden. De man zou me nu beslist iets aandoen.

Maar ik vergiste me. Zonder iets te zeggen maakte de chauffeur een langzame U-bocht en begon aan een lange, stille rit terug naar het oude Dhaka, waar de straatverlichting en de drukke trottoirs me een vreemd gevoel van relatieve vertroosting boden. Op de hoek van mijn hotel klom ik uit de riksja en werd overspoeld door een mengeling van woede en opluchting. De jongeman keek me schaapachtig aan. Hij had een diepe snee boven zijn rechterjukbeen. Het was onduidelijk wat hij van plan was geweest, waar hij me naartoe had willen brengen en waarom. Maar hoe dan ook schaamde hij zich ervoor.

'Het spijt me,' zei hij tot twee keer toe. Hij boog zijn hoofd en ik draaide me om. Ik gaf hem geen geld en hij vroeg er ook niet naar.

7

De regel van nabijheid

Ik had de smaak nu echt te pakken.

Na drie maanden Azië leerde ik mijn weg te vinden in de getto's voor rugzaktoeristen – de chaotische, kruisende wegen voor wereldreizigers die je in bijna elke grote stad aantreft, de straten vol goedkope, maar niet al te smerige hotels, met straatverkopers die gesmokkelde dvd's, tweedehandsromans en -gidsen, slippers, goedkope tassen en nep-Gucci-zonnebrillen verkochten en van die ruimvallende, katoenen harembroeken die rugzaktoeristen aanschaffen om comfortabel in nachttreinen te reizen maar die ze uiteindelijk overál dragen. Voor hen die platzak zijn, zijn er de kantoren van de Western Union. Voor de zieke en angstige reizigers zijn er apotheken die goedkope antibiotica en doordrukstrips met merkloze valium verkopen. En voor de mensen die geen plan hebben, zijn er reisbureaus die vanuit kiosken werken met reclameborden die je erop wijzen dat je voor tweehonderd dollar naar Phuket, Angkor Wat of Mysore kunt.

Ik reisde afwisselend met de bus en de trein van Bangladesh naar India en kwam ergens in februari aan in Calcutta, waar ik een kamer vond in het pension van het Leger des Heils, in het centrum van het rugzaktoeristengetto. India leek na Bangladesh gebruiksvriendelijker, maar niet minder druk. Op straat liepen kinderen achter me aan en riepen: 'Tante, tante!', hun handpalmen uitgestrekt om kleingeld te vangen. Mannen liepen rakelings langs me

67

en mompelden: '*Ganja? Ganja?* Hasj? Roken?' Ik bracht er ongeveer twee weken door en deed vrijwilligerswerk in een van de liefdadigheidsinstellingen van Moeder Teresa. Ik draaide ochtenddiensten op de vrouwenvleugel van het Kalighat Home for the Sick and Dying Destitutes, bracht thee rond en sponsde patiënten af die leden aan tuberculose, malaria, dysenterie, aids en kanker of soms een combinatie van deze ziekten. De tekenen ervan waren aanvankelijk schokkend, zelfs misselijkmakend, maar langzaamaan begon ik te ontspannen. Ik zou nooit zo vroom worden als de zusters die daar werkten, maar deed er alles aan om te helpen.

Ook aan het alleen-zijn raakte ik gewend. Wat me ooit zou hebben overweldigd, deed dat nu niet meer. Ik kon busschema's lezen, raakte wegwijs in de verschillende klassen van de treinkaartjes, kon indien nodig om hulp vragen, en in een restaurant zitten en in mijn eentje een maaltijd nuttigen zonder me ongemakkelijk te voelen. Ik leerde de gelegenheden die zich voordeden aan te grijpen.

Hoewel mijn moeder niet snel bezorgd is, wilde ze wel weten waar ik ongeveer zat. Terwijl ik in India rondreisde, stuurde ze me bemoedigende e-mails. Ze drukte haar liefde voor me uit. Ik schreef soortgelijke dingen terug en stuurde die vaak door naar mijn vader en Perry. Verder schreef ik over de dingen die me het meest verbaasden: de honingkleurige kamelen die rond Agra kuierden, de geestdriftige slangenbezweerders op de oevertrappen in Varanasi of de Indiase vrouwen in hun fleurige sari's. Ik gebruikte veel uitroeptekens om te illustreren hoe geweldig het allemaal was. 'Morgen,' schreef ik aan mijn ouders vanuit een internetcafé in Agra, 'ga ik naar een andere stad, Jodhpur. Het is een stad in de woestijn die de Blue City genoemd wordt omdat alle gebouwen blauw geverfd zijn! Ik heb echt DE TIJD VAN MIJN LEVEN!'

En dat was ook zo. Ik leerde mensen kennen vanuit de hele wereld – verpleegkundigen uit Australië, Israëlische tieners die militair verlof hadden –, reisde een paar dagen of een week met hen mee en trok vervolgens weer in mijn eentje verder. Op een dag, tij-

68

dens een busrit in Calcutta, raakte ik aan de praat met een landgenoot – een blonde Canadees van begin dertig, het zogenaamde surfertype, met schitterende blauwe ogen – en het eindigde ermee dat we een kortstondige liefdesrelatie kregen die enkele maanden zou duren. Jonathan, heette hij. Hij had een zwarte canvas rugzak bij zich en een gitaar.

Ik had een zwak voor jongens die gitaar speelden. Sinds mijn breuk met Jamie was ik wat mannen betreft op mijn hoede geweest. Ik wilde niet in een aanhoudende carrousel van reizigersromances belanden. Maar voor veel rugzaktoeristen leek seks onderweg er gewoon bij te horen. De pullen bier in de warme lucht, de voorbijgaande maanden zonder kappersbezoek of een goede scheerbeurt, het opschepperige gekeuvel en de versufte uren achter de ramen van een bus leenden zich er goed voor om over seks niet te moeilijk te doen. De opties waren bijna te aanlokkelijk om er niet aan toe te geven. Ik had Chilenen met Denen gezien, oude mannen met jonge vrouwen, oudere vrouwen met jongere mannen, mannen met mannen, vrouwen met vrouwen, en zo nu en dan zag ik een beschonken triootje van verschillende nationaliteiten tussen de tamarindebomen door terug naar iemands kamer sluipen.

Ik had er niets op tegen, maar was er zelf niet zelfverzekerd genoeg voor. Als ik ook maar even iets met iemand had, eindigde het er vrijwel altijd mee dat ik me té gebonden en extra kwetsbaar voelde. Ik had graag meer op andere meisjes van mijn leeftijd geleken – even een leuke nacht beleven en dan weer verder – maar zo gemakkelijk was dat niet. Jonathan, die extravert was en nergens serieus over was, leerde me minder zwaar op de hand te zijn. Ik had het leuk met hem en vroeg me niet een keer af of ik misschien verliefd aan het worden was. We waren beiden zo verknocht aan alleen reizen dat we elkaar slechts om de zoveel weken zagen nadat we per e-mail hadden afgesproken elkaar een paar dagen in een of andere stad te ontmoeten, waarna we weer alleen verder reisden.

Mensen vroegen vaak aan me: 'Het is zeker wel zwaar om als vrouw alleen te reizen?' Maar ik vond het juist gemakkelijker.

69

Daar was ik van overtuigd. Als je rondliep met een glimlach op je gezicht, als je mensen liet zien dat je blij was ergens te zijn, werd je meestal hartelijk ontvangen. Oplichters trokken zich gemakkelijk terug, tuktukchauffeurs en bedelaars drongen zich minder op en werden menselijker, misschien zelfs een beetje beschermend.

Ik liet me nergens door weerhouden. Ik reisde met de trein naar Varanasi, een heilige stad voor hindoes, die geloven dat het een rechtstreeks portaal naar de hemel is. Pelgrims stonden tot aan hun middel in het grijsgroene water van de Ganges en wasten er hun lichaam, kleding, vieze borden en koeien, terwijl er op de oever lijken werden verbrand op de rituele verbrandingsplaatsen. Ik ging naar Delhi, Mysore, Pushkar. Ik leerde in treinen te slapen en zonder aarzeling gebruik te maken van de toiletten met gaten die rechtstreeks op het voorbijrazende spoor eronder loosden. Ik bezocht de zuidelijke stranden van Kerala, waar de Indische Oceaan schuimkragen achterliet op de lange stroken wit zand.

De regel van nabijheid: als je eenmaal ergens bent, is het onmogelijk niet te kijken naar wat er verder nog is. Klim je naar de top van een berg, dan zie je de hele keten. Ben je in Cambodja, dan weerhoudt niets je er meer van naar Maleisië door te reizen. En van Maleisië is het een kleine sprong naar Indonesië, en vandaar weer verder. Een tijd lang was de wereld voor mij een klimrek. Ik slingerde van de ene plek naar de andere, soms achteruit, soms vooruit, en profiteerde van mijn eigen stuwkracht, in de wetenschap dat op een gegeven moment mijn armen – of om preciezer te zijn, mijn slinkende banksaldo, waartoe ik toegang had via buitenlandse pinautomaten – het niet meer zouden houden en ik op de grond zou vallen.

Pakistan lag naast India. Dat viel niet te ontkennen.

Er waren genoeg redenen om Pakistan te mijden. Als je het nieuws las of luisterde naar mensen die moraliseerden over de staat waarin de wereld verkeerde, was Pakistan één groot probleem. Bommen in bussen, onthoofde lichamen in sloten, landmijnen, ontvoeringen. Al Qaida was in Pakistan, Bin Laden was in

Pakistan, de taliban waren in Pakistan. Het leek of niemand daar te vertrouwen was.

Toch gingen er mensen naartoe. Ik had in India reizigers ontmoet die er waren geweest. En mensen ontmoet die mensen kenden die een week eerder een jongen zeiden te hebben ontmoet die zojuist vanuit Lahore de grens over was gestoken of die een vriend hadden die er een halfjaar eerder was geweest. De verhalen over Pakistan waren in deze context altijd positief, een interessant basloopje dat onder een bekender lied speelde. Het was er verbazingwekkend, ongerept. Het eten was verrukkelijk, de mensen vriendelijk en gastvrij. De koppen in de kranten waren koppen, lelijk en beangstigend zoals overal. Het land zelf zou iets heel anders zijn.

Ik stuurde mijn moeder een e-mail en vertelde haar dat ik in Pakistan ging rondreizen. In Delhi had ik een visum geregeld. Ik was nu in de uiterst noordelijke Indiase stad Amritsar, zevenentwintig kilometer van de grens met Pakistan.

Haar reactie kwam snel en was emotioneel. Ze wilde niet dat ik ging en probeerde op mijn geweten te spelen. 'Ik zou je nooit willen veranderen, Amanda, niemand in de familie zou dat willen,' schreef ze. 'Maar ik wil je vragen om de rollen eens om te draaien en aan ons en onze gevoelens te denken voordat je gaat... ik word letterlijk misselijk als ik denk aan het gevaar dat je daar loopt.' Vervolgens vergeleek ze mijn reisplannen met seks zonder condoom. Met andere woorden: ze vond me roekeloos.

Ik las haar e-mail nog een keer en dacht erover na. Ik probeerde de rollen om te draaien, maar het werkte niet. Mijn moeder en ik waren hechter dan we ooit waren geweest, en toch flitsten er beelden van Russell, zijn familieleden met hun wellustige blikken en zijn vele flessen sterkedrank door mijn hoofd. Het gevaar van die plek hing als damp in de lucht. We waren toen ook niet veilig geweest. Waar haalde ze het recht vandaan om zich hier nu ineens druk over te maken?

71

In Pakistan voelde ik me als een vogel op een tak – neergestreken en vederlicht. Lahore, waar de bus me vanuit Noord-India afzette, was een bruisende, moderne stad. Met een Dunkin' Donuts en Kentucky Fried Chicken vlak bij mijn goedkope hotel was het vertrouwder en minder exotisch dan de meeste steden die ik in India had bezocht. Ik wiste meteen alle angsten uit en deed alle waarschuwingen af als westerse paranoia. Ik liet de onenigheid met mijn moeder stilletjes een paar dagen sudderen. Mensen die grote delen van de wereld afschreven als onveilig, instabiel en onvriendelijk waren juist roekeloos, vond ik. Ze hoefden er alleen maar heen te gaan om met eigen ogen te zien hoe het was.

In mijn hotel in Lahore, waarvoor ik drie dollar per nacht betaalde, was het 'Sufi-avond'. De hotelmanager dreef een aantal van ons reizigers in een busje dat ons naar een moskee zou brengen. Daar, op een open binnenplaats vol insecten, sloegen mannen op trommels die zo groot waren als olievaten, terwijl anderen hun lichaam bewogen en zichzelf in een staat van spirituele extase sloegen. De trommelaars scandeerden: 'La Ilaha Illa Allah!' De hotelmanager vertaalde: 'Allah is de enige god.'

Intussen negeerde ik mijn moeders e-mails. Terecht of onterecht strafte ik haar voor het feit dat ze me grenzen had willen opleggen. Ik liet haar in haar zorgen gaarkoken terwijl ik een tweedaagse busreis van Lahore naar Gilgit maakte, dat in het Hunzadal in het noorden van Pakistan lag, waar ik Jonathan trof zodat we samen naar de Karakoram Highway konden reizen, een smalle asfaltweg door een aantal van de hoogste bergen ter wereld die de verbinding vormde tussen Pakistan en China.

Zoals de Lonely Planet voorschreef, hielden we op de snelweg een vrachtwagen aan die in noordelijke richting reed, een jingle truck – een transportcombinatie die je in Midden-Azië veel ziet, met kettingen en bellen bungelend aan de bumpers om dieren op de weg te verjagen. De chauffeur minderde vaart en kwam tot stilstand. Er stapte een glimlachende man met snor uit, gekleed in een zandkleurig vest op een witte shalwar kameez, die gebaarde dat we via de metalen ladder naar de open laadbak boven de cabine konden klimmen.

Opnieuw werd er een dagdroom verwezenlijkt – pagina's uit mijn reisgids, uit de tijdschriften die tot leven kwamen.

Een week lang liftten Jonathan en ik mee op diverse jingle trucks, roetsjten door de bergen naar de Chinese grens en hielden halt in kleine dorpjes om te eten en te rusten. Er waren zoveel vrachtwagens en zoveel chauffeurs die graag wilden ervaren hoe het was om buitenlandse lifters in de ruimte boven hun cabine mee te nemen dat we kieskeurig werden en alleen de opzichtigste, overdadig versierde voertuigen aanhielden. De trucks hadden een gewatteerd, met lovertjes versierd interieur en waren handgeschilderd in de carnavalskleuren oranje, blauw, groen en rood. Op de grotere panelen stonden levendige, gedetailleerde muurschilderingen afgebeeld van hoopvolle zaken – vredige landschappen, mooie vrouwen, verzen uit de Koran en scherpomlijnde ogen zonder wimpers, bedoeld om het kwaad af te weren.

De chauffeurs, meestal twee per vrachtwagen, onderhielden hun voertuigen alsof het kinderen waren. Ze staken ons kussentjes toe vanuit het raam zodat we comfortabeler zouden zitten. Ze gaven ons sigaretten, snoep en ontelbare abrikozen aan. Als we aanboden hun te betalen, weigerden ze meestal. We communiceerden via gebaren en gebroken Urdu en Engels en stopten bij kraampjes langs de weg om vette kip-*karai* te kopen, die zo pikant was dat mijn ogen ervan traanden. We zwenkten uit om geiten- en jakkuddes, tegemoetkomende trucks en rotsen ter grootte van tractors te vermijden. De rotsen waren van de spitse bergen gerold en op de weg beland. Ongeveer vijf maanden nadat Jonathan en ik over de Karakoram Highway hadden gereden, werd dit deel van Pakistan getroffen door de grootste aardbeving in een eeuw tijd. Hele dorpen werden platgewalst en er vonden reusachtige landverschuivingen plaats, waardoor zo'n tachtigduizend mensen de dood vonden.

Het was niet dat we ons niet bewust waren van de diverse gevaren op de weg. We hadden de over de kop geslagen Suzuki's gezien, de kapotte vangrails en de kleine stenen piramides die waren bedoeld om iemands dood te gedenken. De mogelijkheid van

73

rampspoed was elke dag aanwezig, maar kwam nooit dichterbij. Kinderen renden soms achter ons aan en bekogelden ons met stenen, maar we hadden geen idee of ze dat uit woede of speelsheid deden. Jonathan en ik waren monter omdat het gemakkelijk was om monter te zijn: een goede dag bekrachtigde het idee dat de volgende ook goed zou zijn.

In gedachten had ik al half een e-mail naar huis opgesteld, waarin ik opgewonden over het avontuur zou vertellen. Ik zou deze kleine triomf, die ze me uit het hoofd had willen praten, mooi verpakken. Toen ik ongeveer een week later afscheid had genomen van Jonathan en in de stad Peshawar in het uiterste westen van Pakistan in een restaurant zat met in de hoek een oude computer met inbelverbinding, besloot ik hem te typen. Ik was nog steeds onder de indruk van de snelweg en de bergen en het feit dat niemand wist waar ik was.

Wat ik uiteindelijk naar zowel mijn moeder als mijn vader stuurde, was een grote, overdadig versierde jingle truck van een e-mail, met als onderwerp: 'Ik hou van Pakistan!!!' Ik verhaalde over het heerlijke eten bij de straatkraampjes, dat ik in mijn eentje door marktsteegjes had gedwaald in een zee van mensen – vriendelijke mensen, benadrukte ik, opener en warmer dan in India. Halverwege mijn bericht kondigde ik aan dat ik de volgende dag een visum zou aanvragen voor een bezoek aan Afghanistan, nog zo'n bestemming die beter en aangenamer zou zijn dan de krantenkoppen over troepenbewegingen, zelfmoordacties en de voortdurende zoektocht naar Osama Bin Laden deden vermoeden. Met de bus was het één dag reizen. Ik beëindigde de e-mail met de woorden dat ik van mijn leven nog nooit zo gelukkig was geweest.

Het was een bewuste sneer, en voor het geval iemand mijn punt zou missen had ik hem laten volgen door vier uitroeptekens.

74

8

Bemoei je niet met Afghanistan

Net toen ik op het punt stond naar Afghanistan te vertrekken, verdween er in Kabul een vrouw. Het ging om een tweeëndertigjarige Italiaanse hulpverleenster die daar al een paar jaar woonde. Ik had het verhaal gelezen in een Pakistaans-Engelse krant die ik toevallig had gekocht terwijl ik op de winkelpromenade van Peshawar liep. Het artikel was klein en stond niet op de voorpagina, maar het was er wel. Clementina Cantoni heette ze. Op een avond was ze in het centrum van de stad door vier gewapende mannen uit haar auto getrokken en in een ander voertuig gezet, dat snel was weggescheurd. Niemand scheen verder iets te weten.

Ik ging terug naar de armoedige slaapzaal in mijn pension, die ik deelde met ongeveer tien andere reizigers, en bestudeerde het nieuwste visum in mijn paspoort. Het was voorzien van een officiële stempel in paarse inkt die aan de randen ietwat vervaagd was. De personalia – datum, mijn paspoortnummer en mijn nationaliteit – waren met een zwarte pen ingevuld door een medewerker van het consulaat. 'Mrs Amanda' had toestemming om een maand vrij door Afghanistan te reizen.

Er gingen wel degelijk toeristen naar Afghanistan. Ik had een ouder Brits echtpaar in een camper ontmoet dat zonder probleem door het land had gereisd. Ze hadden ingecheckt in mijn pension, waren op een bank in de gemeenschappelijke ruimte neergeploft te midden van veelkleurige, hasj rokende rugzaktoeristen en had-

75

den lyrisch gesproken over de Blauwe Moskee in Mazar-i-Sharif en de bloeiende heuvels van Panjshir. Het was precies wat ik wilde – die dingen zien, opnieuw een horde nemen –, maar het verhaal van de ontvoering knaagde aan me. Het was alsof er een onzichtbare tak aan mijn kraag was blijven haken. Ik voelde angst, maar ook iets anders, iets wat ontbrak – een plotselinge afwezigheid van innerlijke overtuiging. Twijfel, terwijl ik er niet aan gewend was twijfels te hebben. Mijn oma zou er het etiket 'een broodnodige aanval van goed verstand' op hebben geplakt, maar in mijn beleving was dat codetaal voor angst voor nieuwe dingen.

Ik gaf mezelf een week de tijd om mijn opties te overwegen. Ik verliet Peshawar en reisde in de tegenovergestelde richting van Afghanistan, maakte een paar lange busritten door Pakistan in de richting van India en besloot de bergen van Ladakh te gaan bezichtigen. Over een paar weken zou ik vanuit Delhi terugvliegen naar huis en mijn leven als serveerster weer oppakken. Het was nu al een vervelend vooruitzicht. Tijdens een rit met een nachtbus vond ik een zitplaats bij het raam. Ik stapelde mijn bezittingen hoog naast me op zodat er niemand naast me zou komen zitten. De keren dat ik in de bus in slaap was gevallen, had ik te veel mannenvingers op mijn lichaam gevoeld.

Zo'n zeven uur lang zat ik onder een leeslamp met een boek open in mijn schoot. Ik keek naar het Indiase landschap dat in het donker voorbijgleed. Ik ontwaarde vrachtwagens, bomen, de contouren van dorpen en bergen. Ik las en dommelde weg. Toen het licht werd, maakten we bij een complex langs de weg een sanitaire stop en dronken we een kop thee, waarna de reis weer werd hervat. Daarna volgden er nog meer vrachtwagens, bomen, dorpen. Mijn hoofd deed pijn en mijn maag rammelde na zo lang stilzitten en zo weinig eten. Zo nu en dan ving ik een glimp op van een grijze rivier, een fabriek met een rokende schoorsteen, een boer met een os die een veld bewerkte.

Ik verafschuwde mezelf dat ik niet naar Afghanistan was gegaan, dat ik me had teruggetrokken. Een paar jaar eerder had ik mezelf boven op de Roraima plechtig beloofd dat ik altijd vooruit zou reizen, wat er ook gebeurde. Elke grens die ik sindsdien was overgestoken, was een openbaring geweest. Het was beter dan school. Het was beter dan de kerk.

Het boek dat ik op dat moment aan het lezen was, heette *De kracht van het Nu*, van Eckhart Tolle. Ik had het door heel India en Pakistan meegesleept zonder er ooit aan te beginnen. Altijd had ik een ander boek gehad dat ik liever wilde lezen. In Calgary hadden vrienden het boek aan elkaar doorgegeven. Ze stonden op een punt in hun leven waarop grote beslissingen moesten worden genomen, zoals wel of niet trouwen, een huis kopen, een bepaalde baan accepteren. Tolle stelde zich op het standpunt dat niets belangrijker was dan het Nu. Als je je volledig op het Nu concentreerde, vielen dingen als verdriet, schuldgevoel en zorgen allemaal weg en kon je luisteren naar je ware zelf. En je ware zelf zou je vertellen wat je moest doen.

Tegen de tijd dat mijn bus de Indiase stad Jammu binnenreed, de volgende middag, las ik het boek uit. Mijn ware zelf had nu volledig de regie en blafte mijn andere zelf af om het feit dat het doodsbang van Afghanistan was weggespurt.

Ik sprak een busstationmedewerker aan, kreeg geld terug voor de rest van mijn ticket en gebruikte dat om een nieuw te kopen. Via dezelfde route reisde ik meteen terug naar Peshawar, naar de grens met Afghanistan. Terwijl ik op de volgende bus wachtte, flitste het lot van de Italiaanse vrouw door mijn hoofd en ik huiverde. Maar ik was haar niet, en zij niet mij. Clementina Cantoni had pech gehad, besloot ik. Met mij zou het goed komen.

Op een hete dag begin juni reed ik Kabul binnen, nadat ik voor twintig dollar met een busje de Khyber Pass was overgestoken. In de stad hing een aparte geur, niet de mengeling van afval, rioolbuizen en smog van andere Aziatische steden; Kabul leek de locatie te zijn van een of andere omvangrijke, onzichtbare vuilverbranding. Het stonk er naar kerosine en rokend hout met een ondertoon van iets scherpers, zoals smeltend plastic. Mijn rugzak en kleren zouden nog weken naar Kabul ruiken, lang nadat ik het land had verlaten en ondanks diverse wasbeurten.

Het was een mooie, verwoeste stad. Bewapende militaire voertuigen kropen als reptielen door de straten, langs wankele ezelkarren en fietsers. Geamputeerden, slachtoffers van de Russische oorlog, bedelden op de markten. Vrouwen liepen in boerka's over straat en zagen eruit als reusachtige badmintonshuttles of dolende blauwe spoken. Mannen met *keffiyeh*-sjaals verkochten telefoonkaarten onder parasols, naast winkels waarin schoenen en westerse pakken werden verkocht en kiosken met Chinese elektronica. De oudere buurten, die in de rotsige, bruinrode heuvels met uitzicht op de stad waren gebouwd, met hun half ingestorte, lemen bouwwerken met platte daken, zagen eruit als nederzettingen uit het Oude Testament, terwijl er hijskranen boven de grijze betonnen gebouwen uit het Sovjettijdperk hingen die met een stroom aan buitenlandse hulp werden gerenoveerd.

Ik had samen gereisd met Amanuddin, een vriendelijke tapijtverkoper van middelbare leeftijd die ik in Peshawar had leren kennen, en een van zijn jongste zoons. Amanuddin was tientallen jaren geleden naar Pakistan geëmigreerd, maar als het even kon, keerde hij terug naar Kabul om zijn familie te bezoeken. In Peshawar dronk ik bijna dagelijks een kopje thee met hem in zijn winkel. Hij had me fotoalbums laten zien van de tijd waarin hij als onderdeel van de Afghaanse moedjahedien tegen de Russen had gevochten. Hij had Kabul tot in detail beschreven, van de lawaaierige vogelmarkt in het centrum tot de prachtige rozentuinen van zijn moeder.

Vanaf het busstation waren we met z'n drieën met de taxi naar een wijk aan de rand van de stad gereden. We werden afgezet op een punt waar de straat overging in een smallere laan. Amanuddin had me een abaya van zijn vrouw geleend, een lange zwarte jurk die minder verstikkend was dan een boerka en in combinatie met een hoofddoek voor zedig kon doorgaan. De abaya was ongeveer vijftien centimeter te kort en ik was me er pijnlijk van bewust dat mijn spijkerbroek onder de zoom uitstak. Met onze bagage liepen we verder over een rotsachtig pad en sprongen over een kabbelende beek.

78

Voordat we bij het hek van de omheinde groep huizen van zijn familie aankwamen, stroomden Amanuddins familieleden al toe om ons te begroeten. Kinderen, vrouwen, mannen, tientallen van hen. De vrouwen kusten me drie keer op de wang. Amanuddins moeder, die een donkerblauwe boerka droeg, pakte mijn hand vast. Iedereen dromde rond Amanuddin en zijn zoon samen. Achter de muur stonden hun drie huizen, breed en laag, gemaakt van leem en hooi, en een klein buitentoilet dat door de hele familie werd gebruikt.

Na het avondeten bracht Amanuddins moeder me naar een kamer, waar een matje op de grond lag en een brandende kaars in de vensterbank stond. Ze installeerde me zonder iets te zeggen. Ze had haar boerka afgedaan en ik zag haar ingevallen wangen en haar grijze haar, dat ze in twee lange vlechten droeg. Op de vloer legde ze een stapel handgeweven wollen dekens neer die me tegen de nachtelijke kou moesten beschermen. Alle dekens waren voorzien van borduurwerk met kleurrijk garen en ze waren dikker en zwaarder dan ik gewend was. Ze verdween een paar minuten en kwam toen terug met een pot thee en een schotel met snoepjes op een zilverkleurig dienblad. Intussen was ik bij het raam gaan staan, ik blikte omhoog naar de weidse hemel en de vage maan en dacht: ongelooflijk, ik ben echt in Afghanistan. Mijn oog viel op dichte rozenstruiken langs de omheiningsmuren. De bloemen waren rood, robuust en volledig ontloken in het maanlicht, precies zoals Amanuddin ze had beschreven.

Op mijn zesde dag in Kabul werd Clementina Cantoni door haar ontvoerders vrijgelaten. Er werd niets gezegd over hoe men dit voor elkaar had gekregen – welke deal er eventueel was gesloten, welke concessies er wel of niet waren gedaan tijdens de drie weken dat ze gevangenzat. Een Afghaanse minister hield tegenover de media vol dat er geen losgeld was betaald en geen gevangenen waren vrijgelaten in ruil voor haar vrijheid. Voor het gebouw van de Italiaanse ambassade in Kabul zwaaide Cantoni lusteloos naar de televisiecamera's voordat ze naar binnen verdween om onder zware bewaking de nacht door te brengen. De volgende dag maakte ze dat ze wegkwam, vloog terug naar Italië en liet weinig los over wat er was gebeurd.

Op de dag van haar vrijlating – 9 juni 2005 – was ik totaal niet bezig met het gebeurde. Eigenlijk had ik überhaupt niet veel gedacht aan de ontvoerde Italiaanse sinds ik in Kabul was aangekomen. Ik ging in mijn eentje op pad en nam die dag een taxi naar een groothandelsmarkt vlak bij het centrum van de stad, die zich in alle richtingen verspreidde tot aan de oevers van de rivier, en vervolgens overging in een doolhof van kronkelige steegjes. Ik kocht een plastic beker met rozijnen en abrikozen vermengd met pistachenoten en met honing gezoet water en at het met een lepel op. Ik snuffelde in kleine winkels. In een ervan vond ik een doosje zeepjes. Op de verpakking stond een foto van een glimlachende vrouw, maar op alle wikkels was haar gezicht met een marker weggekrast. Het was een actie van de fundamentalistische islam, iets wat de taliban ooit hadden opgelegd en afgedwongen: wat door Allah is geschapen, mag niet door een mensenhand worden nagemaakt, dat is hetzelfde als voor God spelen. Amanuddin had het me uitgelegd: een auto of gebouw schilderen, fotograferen en afdrukken is prima, maar een persoon of dier niet. Afgoderij was een zonde. Het was de reden dat de taliban enkele jaren eerder in de stad Bamiyan een paar oude, grootse beelden van Boeddha hadden opgeblazen, wat tot wereldwijde protesten had geleid. Ik overwoog een van de zeepjes als souvenir te kopen, maar het uitgewiste gezicht van het Arabische model bezorgde me koude rillingen.

Weer buiten liep ik door de drukke onverharde straten, zigzagde tussen de winkelende mensen door en snuffelde tussen de goederen die lagen uitgestald op tafels en lakens – gedroogd fruit, piramides van gemalen kruiden, bergen polyester kleding. Ineens voelde ik dat er iets in mijn rug drukte, de kracht ervan was als elektrische spanning van een stroomdraad. Toen ik me omdraaide, nam de druk verder toe. Er stond een jongeman met verschrikte ogen tegen mijn schouder aan. Ik besefte dat er een vuurwapen

80

tegen mijn ribben was geduwd, een soort pistool.

De man zei heel duidelijk in mijn oor: 'Ik maak je dood. Geef me je geld.'

Het was voorbij voordat ik goed en wel besefte wat er gebeurde. Pas nadat ik de man mijn geld had gegeven – een portemonneetje dat ik in Rajasthan had gekocht met driehonderd dollar erin, de helft van het geld voor de rest van mijn reis – en de menigte hem weer had opgeslokt, begon ik over mijn hele lijf te trillen. Verstijfd van schrik, midden op de markt, met mannen die hun fietsen langs me duwden en vrouwen die haastig met gebogen en bedekt hoofd voorbijliepen, begon ik te huilen – maanden aan tranen, leek het wel, misschien zelfs jaren. Ik voelde me verloren en klein. Elk instinct leek me te hebben verlaten. Ik kon alleen maar huilen. Mijn hoofddoek en te korte abaya hadden me niet geholpen in de menigte op te gaan. Ik voelde me volledig te kijk staan als buitenlander, terwijl ik met lange uithalen huilde en er niet in slaagde me te bedwingen. Voor het eerst in tijden miste ik thuis. Ik miste mijn moeder. Ik wilde een vrouw zijn in een straat die ik kende, op een plek waar ik thuishoorde.

Er begon zich een menigte te verzamelen, mannen keken me vragend aan. Uiteindelijk schoot iemand een Afghaanse soldaat aan die een sympathieke taxichauffeur regelde om me daar weg te halen. Een paar dagen later gebruikte ik het grootste deel van het geld dat ik nog had om een buskaartje terug naar Pakistan te kopen. Van daaruit reisde ik, op een kleiner budget dan ooit, naar Delhi voor mijn vlucht naar huis.

Een week lang liep ik rond met een stervormige blauwe plek van het pistool op de zachte huid onder mijn ribben. Hij deed pijn, veranderde van kleur en vervaagde vervolgens heel langzaam. Maar de boodschap bleef duidelijk, als een voetnoot bij zeven maanden aaneengesloten vol enthousiasme reizen, alsof ik uiteindelijk een grens had bereikt: *Bemoei je niet met Afghanistan.* Desondanks flikkerde er nog steeds iets vanbinnen. Het waakvlammetje dat me al die tijd van brandstof had voorzien en zelfs nu niet was gedoofd. Iets dat zei: *Doe het wel.*

9

Het begin van een nieuwe zin

Ongeveer acht maanden later, in het voorjaar van 2006, zag ik Nigel Brennan voor het eerst – een magere jongen met een fleecejas, cargoshorts en bergschoenen, die in zijn eentje op een lege hotelveranda in Addis Abeba zat, de hoofdstad van Ethiopië. In de zomer en herfst had ik als serveerster in Calgary gewerkt en geld gespaard. Ik was nu vijf weken onderweg en zou zes maanden door Afrika en het Midden-Oosten trekken, mits ik zuinig aan zou doen.

Dit was mijn droomreis. Afrika zien was al een doel geweest sinds ik met reizen was begonnen. Intussen had ik al delen van Uganda en Kenia doorkruist, busreizen over uitgestrekte vlakten gemaakt en lange dagen alleen doorgebracht. Ik was met ontzag vervuld en geïntimideerd door wat ik had aanschouwd, door de zwetende menigten in de stad en de doornige laaglanden. Het was een heel ander landschap dan de rotsige grootsheid van Afghanistan of de weelderigheid van Zuid-Azië. Zelfs de lucht leek uniek voor Afrika – platter en breder, als blauw chroom dat over het land lag.

Tegen de tijd dat ik Addis Abeba bereikte, voelde ik me eenzaam. Het was bijna alsof Nigel op me had zitten wachten, hoewel hij gewoon een reiziger was die een rustig plekje had gevonden om een boek te lezen, op een doorgezakte bank op de veranda van eensterhotel Baro, ongeveer op hetzelfde moment dat mijn taxi kwam voorrijden. Ik voelde me meteen tot hem aangetrokken.

Ik schatte hem midden dertig en herkende de omslag van het boek dat hij aan het lezen was – een dikke reisverhaalpocket van Paul Theroux, *Dark Star Safari*, een ware hit onder rugzaktoeristen. Ik had het twee keer verslonden. De eerste regels luidden als volgt: 'Alle nieuws dat uit Afrika komt, is slecht. Daarom begon ik een verlangen te voelen daarheen te gaan...'

Terwijl ik met mijn rugzak langs Nigel naar de receptie liep, groette ik hem vriendelijk.

Hij keek naar me op. Blauwe ogen, een adelaarsneus en een knap, ongeschoren gezicht. 'O hoi,' zei hij, alsof ik hem had wakker gemaakt, waarna hij weer in zijn boek dook.

Bij de receptie van het Baro overhandigde ik mijn paspoort en kreeg voor tien dollar een kamer. Een paar extra-zuinige reizigers hadden tenten opgeslagen op het zonovergoten terrein voor de receptie. Mijn kamer had een vlekkerig tapijt, was schaars verlicht, had een dubbele matras en een kleine badkamer. Op een plank boven de wasbak lag een pakje Afrikaanse condooms – een gewoonte in een land dat zijn hiv-cijfers omlaag probeert te krijgen, in een hotel dat soms tevens dienstdeed als bordeel voor de lokale bevolking en bezocht werd door reizigers die vrijelijk met elkaar omgingen en jong, impulsief en avontuurlijk waren.

Ik duwde de condooms opzij, poetste mijn tanden, viste een pakje sigaretten uit mijn tas en liep terug naar buiten om kennis te maken met de jongen op de veranda.

Sigaretten zijn voor lowbudgetreizigers een universele ijsbreker. In zowat elke stad kun je ze op straat ruilen voor het wijzen van de weg of toiletgebruik. Onder reizigers vormen ze een excuus om te praten en te delen.

Ik plofte op de stoel naast Nigel neer en zwaaide met mijn pakje sigaretten. 'Heb je er bezwaar tegen als ik rook?' vroeg ik.

Hij haalde zijn schouders op. 'Ga je gang.' Uiteindelijk legde hij het boek weg en pakte zelf ook een sigaret.

Hij kwam uit Australië en woonde in Londen – fotograaf, zei

hij, pas in Ethiopië aangekomen om plaatjes te schieten voor de International Rescue Committee, ter promotie van hun hulpprogramma's. Hij reisde alleen. De komende drie maanden zou hij in Afrika zijn.

Het gesprek verliep gemoedelijk. Nigel had een gulle glimlach. We praatten een poosje over het boek van Theroux. Ik vroeg hem hoe hij in de fotografie was beland. Hij zei dat hij tijdens een reis naar India jaren eerder tot de ontdekking was gekomen dat hij enorm van fotograferen genoot en dat had hem ertoe aangezet opnieuw de schoolbanken in te duiken en een opleiding fotografie te volgen. Betaald worden om te reizen, om een vreemd landschap of gezicht vast te leggen, en dat dan aan te bieden aan mensen die nooit het lef zouden hebben het met eigen ogen te gaan bekijken – het kwam heel chic op me over. Nigel had smalle, gespierde kuiten, lachte veel en sprak met een zwaar Australisch accent. Hij kwam zelfverzekerd en succesvol over. Terloops merkte hij op dat hij een bespreking had gehad met iemand van de *London Times*.

Ik had jaren doorgebracht met het bestuderen van tijdschriften, kranten en reisgidsen, me gevoed met andermans impressies van de wereld terwijl ik die van mezelf verzamelde. Dat Nigel niet zomaar een fotograaf was, maar een fotograaf *die in Londen woonde*, zei voor mij alles. En het leek goed bij hem te passen, alsof hij precies het leven leidde dat hij voor ogen had gehad.

Het werd al laat. Ik stond op, rekte me uit en verkondigde dat ik, na de afstand die ik die dag had afgelegd, nodig moest gaan slapen. 'Ik zie je morgen wel, denk ik?' zei ik.

Nigel keek op zijn horloge. 'Nee, ik pak om zes uur de bus naar Harar.' Harar, wist ik van wat ik had gelezen, was een ommuurde stad in het oostelijke deel van Ethiopië, een islamitisch handelscentrum van oudsher, op ongeveer tien uur rijden. 'Maar goed, ik hoop dat je lekker slaapt,' zei hij. 'Succes met je reizen.' Hij pakte zijn boek weer op.

Ik slikte mijn teleurstelling weg. Hij had zelfs niet om mijn e-mailadres gevraagd. Misschien, zo dacht ik, was dit de scheidslijn tussen journalisten en rugzaktoeristen.

Terwijl ik terugliep naar mijn kale kamer voelde ik me verward. Hij had iets bij me losgemaakt, en hoewel het had geleken of hij zich ertegen verzette, wist ik bijna zeker dat ik hetzelfde bij hem had gedaan.

Rond negen uur de volgende ochtend werd ik wakker, stapte onder de douche en liep weer naar buiten, naar het terras. Ik zat net aan mijn tweede kop koffie toen Nigel bij mijn tafeltje stond. Hij droeg dezelfde kleding als de avond ervoor. In het daglicht zag hij er iets ouder uit. Als hij lachte, verschenen er kraaienpootjes.

'Hey doll,' zei hij. Alleen een Australiër kon wegkomen met die uiting van genegenheid. 'Ik ben weer terug.'

Zijn taxi was vast komen zitten in de chaos van de vroege verkeersdrukte. Hij had zijn bus naar Harar op vijf minuten na gemist. De volgende, zo vertelde hij me, ging pas over vierentwintig uur. Het voelde als een geluk bij een ongeluk. Terwijl Nigel een stoel bijtrok, knipte er iets in me aan.

We mochten elkaar graag, Nigel en ik. We brachten zijn extra dag in Addis samen door, bezochten de markt en flirtten luchtig met elkaar. 's Avonds dansten we in een nachtclub en dronken we tej, een zoete, krachtige honingwijn. Nigel was intelligent en interessant. Hij was opgegroeid op een verafgelegen boerderij in de buurt van Goondiwindi, Australië, en wist hoe hij schuren moest bouwen en schapen moest slachten. Hij gebruikte het woord piss vaker dan wie ik ooit ook maar had ontmoet. 'I'm just pissin' in yer pocket.' 'I took the piss out of him, didn't I?' 'Let's hit the piss.' 'What a piece of piss that was.' Hij verzekerde me dat zijn familie thuis precies zo sprak. Londen, beweerde hij, had iets van zijn ruwe kanten afgeslepen.

Terug in het hotel gingen we naar zijn kamer. Alles wees erop dat we zouden gaan zoenen. Ik was er klaar voor, verheugde me erop, maar in plaats daarvan flapte Nigel er een nieuwtje uit: hij had in Londen een vriendin.

Ik trok me terug. Vriendjes van andere vrouwen zoende ik niet. Het was überhaupt lang geleden dat ik iemand had gekust.

Ineens zaten we allebei te stamelen. 'Ik had er geen moment bij stilgestaan,' zei ik. 'Ik wist het niet.'

'Nee,' zei hij. 'Sorry, mijn schuld.' Hij voegde eraan toe: 'Het is ingewikkeld.'

Lange tijd zaten we samen op het bed naar de grond te staren.

Toen begon Nigel te praten. Zijn vriendin heette Jane en kwam ook uit Australië, vertelde hij. Ze waren al heel lang samen, een jaar of tien, en hadden elkaar op vrij jonge leeftijd leren kennen. Ze zaten midden in een pijnlijk, langzaam proces van afstand nemen van elkaar, zei hij. Vanwege haar werk waren ze in Londen beland. Dat ze ver van huis waren en samenwoonden, maakte het lastiger om zich uit de relatie los te maken. Het was triest, zei hij, maar het was echt over. De reis naar Afrika was de punt aan het einde van de zin.

Na die woorden gaf ik me gewonnen. Ik wilde het begin van een nieuwe zin zijn. Ik was van hem gecharmeerd. Hij was anders dan de rugzaktoeristen die ik normaal tegenkwam, een beetje vrijpostig maar ook oprecht. Ik vond het zelfs iets nobels hebben dat hij de waarheid over zijn aanstaande ex-vriendin had verteld. Er waren genoeg kerels die dat niet zouden doen. Ik geloofde in het lot en iets vertelde me dat Nigel en ik, ondanks onze individuele plannen en onze thuishavens op verschillende continenten, voor elkaar bestemd waren.

Die nacht zoenden we de sterren van de hemel. De volgende ochtend nam hij de vroege bus naar Harar. We beloofden elkaar zo snel mogelijk weer te zien.

De daaropvolgende zes weken verliepen als volgt: Nigel reisde en maakte foto's voor de hulporganisatie terwijl ik in mijn eentje op verkenning ging, zoals gepland. We spraken via e-mail af om een paar fijne dagen met elkaar door te brengen in een doorreisstadje, waarna we onze individuele reizen weer zouden voortzetten. Ik maakte een bloedhete tweedaagse busreis over de grens naar Sudan en bracht een week door in een rugzaktoeristenkamp van de Blue Nile Sailing Club in het hart van Khartoem. Ik raakte bevriend met een Sudanese zakenman die Ayad heette, die laat op

86

de middag vaak naar het kamp kwam en dan massa's kamperende buitenlanders meenam op zijn speedboot om de zonsondergang te bewonderen. Ook toonde hij ons het punt waar de Blauwe Nijl overging in de grotere Nijl, die in noordelijke richting naar Egypte stroomde. Ondanks het feit dat alcohol in Noord-Sudan verboden was, serveerde hij koud bier uit een koelbox in de achtersteven. Toen ik vroeg hoe hij daaraan kwam, riep Ayad, die een merkzonnebril droeg en op volle snelheid voer: 'Op de Nijl is alles verkrijgbaar!'

Op een gegeven moment bevond ik me zelfs helemaal op de grens van Ethiopië en Somaliland, een afgescheiden staat in het noordelijke deel van Somalië, die erin geslaagd was buiten de akelige burgeroorlog in het zuiden te blijven. Ik hoopte een paar dagen in Hargeisa door te brengen, een naar men zei mooie, gemoedelijke stad. Ik had ook nog een ander motief: zoals veel rugzaktoeristen was ik een landenteller. We streefden er allemaal naar ons aantal te vergroten. Het bijhouden van het aantal landen dat we hadden bezocht, was een manier om onszelf te meten. De meeste landentellers hielden hun aantal geheim totdat ze de dertig waren gepasseerd. Na vier jaar af en aan reizen had ik zesenveertig landen bezocht. Met een reisje over de grens zou ik op zevenenveertig uitkomen.

De geüniformeerde grenswachters – ieder met nonchalant een kalasjnikov over de schouder – keken me aan en schudden hun hoofd. 'Niet nu. Te gevaarlijk,' werd me verteld.

Met 'niet nu' bedoelden ze: niet zolang er wereldwijd moslims zijn die zich nerveus en geprovoceerd voelen. Een paar maanden eerder had een Deense krant een reeks satirische tekeningen van de profeet Mohammed geplaatst, tot grote woede van conservatieve moslims. Overal waren rellen uitgebroken en protesten geweest, van Nigeria tot Libanon.

Ik weet niet of een of andere hoogwaardigheidsbekleder in het islamitische Somaliland een formele uitspraak met betrekking tot buitenlanders had gedaan of dat het een instinctieve beslissing van de grenswachters in hun betonnen hok te midden van de kol-

87

kende stofwolken van Oost-Ethiopië was geweest, maar ik werd onmiddellijk gesommeerd terug te keren naar waar ik vandaan kwam, waarmee de teller op zesenveertig bleef steken. Iemand als ik toelaten had kennelijk geen enkel positief aspect.

Ondertussen had Nigel in Ethiopië de tijd van zijn leven. Als ik hem aan de telefoon had in perioden dat we elkaar niet zagen of zijn e-mails las in een internetcafé, voelde ik dat hij uit elke dag het uiterste poogde te halen. Ik herkende dat gevoel. Hij klonk uitbundig en vrij, zelfs als hij klaagde over de vermoeiend lange busreizen, de vliegen die in zijn neus kropen en de oneindige stroom bedelende kinderen. Als we elkaar zagen, genoten we van maaltijden van gehakte kool en kikkererwtenpuree op pannenkoekachtig *injera*-brood. We gooiden onze rugzakken in de hoek van groezelige hostelkamers en doken het bed in. Hij was sterk en intelligent en ik was dol op de goudkleurige haartjes op zijn armen.

Ik deed mijn best me niet druk te maken om zijn vriendin Jane. Als Nigel over haar sprak, bloosde hij. Soms als hij een verhaal over zijn verleden vertelde, wist ik dat hij haar erbuiten liet. Maar meestal sprak hij niet over haar. Hij sprak over mij.

Hij zou spoedig terugkeren naar Londen. Maar eerst maakten we samen nog een lange excursie naar de bruine woestijn in Noordwest-Ethiopië, over een legendarisch stuk land dat de Danakildepressie heette. Ik had er voorafgaand aan mijn reis een verhaal over gelezen in *National Geographic*, met als titel: 'The Cruelest Place on Earth'. De Danakil was ver verwijderd van alles en zinderend heet. In mijn *Lonely Planet* werd het gebied kort genoemd, maar instructies of aanmoedigingen om ernaartoe te gaan ontbraken. En dat maakte het op een of andere manier juist perfect.

We reisden met bussen totdat we aan de rand van de woestijn aankwamen in een marktdorp. Het werd bevolkt door een stam die de Afar heette – moslimnomaden die in hun onderhoud voorzagen door uit de vlakten aan een verre rand van de Danakil zout te bikken, het op kamelen te laden en vele kilometers in de verzen-

88

gende hitte te reizen om het aan handelaren te verkopen. De Afar-vrouwen droegen losse hoofddoeken, en velen hadden henna-tatoeages op hun gezicht: drie smalle lijnen of een paar druppels op hun wangen. De Afar-mannen stonden erom bekend dat ze hun vijanden castreerden.

We wilden de zoutmijnen graag zien. Nigel hoopte dat hij een aantal foto's van de mijnwerkers aan een tijdschrift zou kunnen verkopen. Ik wilde over onze ervaringen gaan schrijven, voor een reiswebsite of de lokale krant thuis. Na even rondvragen vonden Nigel en ik een gids – een kleine, dikke Afar-man met een gezicht gerimpeld als een walnoot en een lange grijze baard waarin hij roestkleurige hennaverf had gewreven. Rode Baard sprak geen Engels, maar zoals we overeenkwamen met een lokale man die dat wel deed, zou hij ons heen en weer naar de zoutvlakten bren-gen, een trektocht van ongeveer tien dagen. Er voegde zich nog een ernstige jongeman bij ons – de Kamelenfluisteraar noemden we hem – die in geen enkele taal iets zei, maar prachtige strakke jukbeenderen en een verlegen glimlach had en in onze kleine ka-ravaan toegewijd naast de vier kamelen liep: een voor iedere bui-tenlander, een voor Rode Baard en een voor de bagage. Elk dier sjouwde ook twee gele plastic jerrycans met klotsend water mee.

We reden achter Rode Baard op een pad dat ons eerst over lage heuvels van hard zand en struikgewas leidde en uiteindelijk uit-kwam op de afschilferende, grijze, uitgestrekte zoutvlakten. Bo-ven op onze kamelen zongen Nigel en ik liedjes, deden spelletjes en riepen over onze schouder domme verhalen uit onze kinder-tijd naar elkaar. Hij had zijn schooljaren op een internaat voor plattelandskinderen doorgebracht en had een hekel gehad aan al-le regels. Jaren daarna was hij nog kwaad geweest op zijn ouders, zei hij, dat ze hem daarnaartoe hadden gestuurd. Hij leerde me dingen die typisch Australisch zijn – waarom ze zo gek zijn op Vegemite en hoe je '*Why the fuck not, mate?*' roept, als een soort strijd-kreet voor het leven.

We dronken veel water uit onze flessen, lieten de zon onze schouders branden en gedroegen ons als uitgelaten middelbare scholieren op hun eerste afspraakje, alleen vond ons afspraakje plaats in een Ethiopische woestijn, in aanwezigheid van Rode Baard en de jonge Kamelenfluisteraar die stilletjes en ondoorgrondelijk al onze bewegingen volgden. De onuitgesproken veronderstelling was dat Nigel en ik getrouwd waren. Om die reden kon ik een hand op zijn wang leggen en kon hij mij een speels duwtje op mijn achterwerk geven als ik me na een pauze weer op de rug van mijn kameel hees.

Ik kwam wat meer over Nigel te weten. Hij was nog steeds een fotograaf uit Londen, alleen niet op de manier waarop ik het in eerste instantie had geïnterpreteerd, maar hij was bovenal een verwachtingsvolle jongeman aan het begin van zijn carrière, al was hij al vijfendertig. Hij zei dat hij meer met zijn fotografie wilde doen en dat het idee van oorlogscorrespondent hem aantrok. We spraken over Afghanistan, Sudan, Irak, Somalië, alle plekken ter wereld waar oorlogen woedden, alle plekken waar een fotojournalist zou willen zijn. Ik vertelde hem over de week die ik in Kabul had doorgebracht bij de familie van Amanuddin. Ondanks het feit dat ik er beroofd was, had ik het er intrigerend en mooi gevonden, een plek waar ik nog eens naar wilde terugkeren. Nigel leende me zijn camera – een loodzware zwarte Canon – en liet me ermee spelen. Ik probeerde de diverse instellingen uit en experimenteerde met wat er gebeurde als je de lenzen verwisselde. Hij liet me zien hoe je een landschapsfoto omlijst en hoe je het licht filtert van de zon als die hoog aan de hemel staat.

Tijdens onze tweede nacht verbleven we in een klein Afar-dorp, een tussenstation voor de kamelendrijvers die zout vervoerden. Rode Baard had een brede, dunne matras uit iemands houten hut gesleept en die voor ons in de openlucht gelegd. Boven de blauwe woestijn schitterden miljoenen sterren tot in het oneindige. Af en toe slingerden ze een flikkerende meteoor weg die razendsnel door de lucht vloog alvorens te ontvlammen. Wegkijken was onmogelijk; het voelde alsof we urenlang omhoog staarden. Net toen ik wegdommelde kneep Nigel in mijn hand. 'Weet je?' zei hij. 'Op dit moment zou ik nergens liever willen zijn dan hier.' Hij pauzeerde even en voegde eraan toe: 'En met niemand anders.'

Ik wist wat hij probeerde te zeggen en was er blij om.

De Danakildepressie is een surrealistisch, verzonken bassin, tientallen kilometers lang en breed, dat op sommige plekken ruim negentig meter onder de zeespiegel ligt. Het lijkt op een half opengekrabde korst op het aardoppervlak waarbij het binnenste van de aarde in de scheuren trekt. Naarmate we dieper in de depressie kwamen, zagen we spuwende spleten en borrelende poelen gele en blauwe zwavel die de lucht met hun stank vervuilden. Nigel en ik bekeken het aandachtig. We maakten foto's waarvan we zeker wisten dat ze prachtig en onvergetelijk waren, alles om maar vast te leggen dat het hele gebeuren echt was.

Ergens op de vierde dag stopte ik met zweten. Mijn dijbenen deden pijn van alle uren vastgeklemd zitten op de kameel. Mijn tong voelde zwaar. Mijn lippen waren gebarsten en pijnlijk. Zelfs de Afar-mannen, die in de woestijn waren opgegroeid, raakten oververhit. Tijdens een middagpauze vulde ik enigszins wankel mijn waterfles bij. Nigel en de Kamelenfluisteraar liepen een paar meter bij ons weg om te plassen. Rode Baard gaf twee kamelen tikken totdat ze neerknielden. Hij liet de zware zadels van hun rug glijden en zette ze op de grond, waarna hij er een doek van canvas tussen spande. Zijn inspanningen resulteerden in een lage provisorische tent die een kleine poel van schaduw bood waarin we alle vier wegkropen en snel, dicht opeengepakt, in een diepe slaap vielen, alsof we er zelf geen enkele zeggenschap over hadden.

Tegen de avond zat ik te rillen en was ik gedesoriënteerd. Het voelde of er ijs over mijn rug liep en ik was zo uitgedroogd dat ik zowat begon te ijlen. Na nog een paar uur op de kamelen hadden we op de zoutvlakte ons kamp opgeslagen. De kristallen staken als scheermesjes door onze stromatten. Nigel schonk water uit een fles recht in mijn keel. Ik zei iets tegen hem en zag dat hij fronste; ik kraamde onzin uit en verloor langzaam het bewustzijn. De hemel boven me begon te tollen. Later zou Nigel me vertellen dat hij ervan overtuigd was dat ik die nacht dood zou gaan, dat ze mijn lichaam op een kameel zouden moeten vastbinden om me daar weg te krijgen en dat de hele klotezooi zijn schuld zou zijn.

Maar zo ging het niet. De volgende ochtend vroeg deed ik mijn ogen open en kwam overeind. Ik voelde me beter en had alleen een beetje hoofdpijn. Ik schudde Nigel wakker. Zijn ogen werden groot.

'O, godzijdank,' zei hij terwijl hij over mijn haar streek. 'Wat heb jij ons verdomme laten schrikken, zeg!'

Hij leek enorm opgelucht. Ik vond het ontroerend.

Ik wist Nigel ervan te overtuigen dat er geen reden was om terug te keren en dat we verder moesten gaan. Ik beloofde dat ik extra water zou drinken en mezelf volledig tegen de zon zou bedekken. Schoorvoetend ging hij ermee akkoord. 'Wat ben je toch een drammer,' zei hij terwijl hij mijn rugzak aan de Kamelenfluisteraar gaf om op de bagagekameel te binden. 'Dram, dram, dram.'

Die dag volgden we Rode Baard voor de laatste kilometers naar de zoutmijn – een smerige, akelige buitenpost, het extreme uiterste van een toch al extreme plek, waar zo'n tweehonderd broodmagere Afar-mannen, gekleed in korte broeken en T-shirts met lange stokken reusachtige cementachtige platen van zwaar grijs zout loswrikten en in vierkante tegels sneden, waarna ze werden gebundeld en op de wachtende kamelen gehesen. Bij aankomst stapten Nigel en ik grijnzend van opluchting van onze lastdieren, strekten onze rug en schudden onze pijnlijke benen los, alsof we zojuist een pelgrimstocht achter de rug hadden en waren aangekomen bij een herberg aan het eind van een lange weg, waar ons een heerlijke douche en een driegangendiner wachtte. Want zo is het op het moment dat je ergens aankomt waarvoor je veel inspanningen hebt verricht: een kortstondig ogenblik van totale bevrediging waarin aan alle verwachtingen is voldaan en de wereld perfect is.

We dachten niet aan de lange tocht terug, noch aan het feit dat Nigel nog steeds in een relatie met Jane verwikkeld was en dat de zoutmijnwerkers ons met ongebreidelde vijandigheid aanstaarden. Nee, dit was het moment vóór het moment dat de realiteit zich weer liet gelden, dat prompt intrad toen een van de Afar-mijnwerkers de camera in mijn handen zag, een zware klomp zout oppakte en in mijn richting gooide, waarmee hij me classifi-ceerde als de vreemde indringer die ik was.

10

Een camera en een plan

Vanuit Ethiopië reisde ik naar Caïro, in navolging van mijn oorspronkelijke plan. Nigel vloog terug naar Londen, waar hij het voor eens en voor altijd zou uitmaken met Jane. Vervolgens zou hij terugverhuizen naar Australië. Ik zou een werkvisum aanvragen en me daar bij hem voegen. Ik kocht een mobiele telefoon zodat hij me tijdens het reizen kon bellen, wat hij bijna dagelijks deed. Onze telefoontjes waren kort – we hadden er het geld niet voor – maar liefdevol. Hoe langer we van elkaar gescheiden waren, hoe perfecter hij in mijn ogen werd. Ik had nooit gedacht dat ik een jongen naar Australië zou volgen, maar dat was precies wat er leek te gaan gebeuren.

Maar toen belde hij me op een middag en begon meteen te huilen. Hij was overmand door schuldgevoelens en dus kwam het hoge woord er al snel uit. Nigel bleek in Londen geen vriendin te hebben die Jane heette. Ze was zijn vrouw.

Ze waren al zo'n tien jaar samen, zoals hij me in Ethiopië had verteld. Wat hij had weggelaten, was dat ze vorig jaar getrouwd waren. En dat waren ze nog steeds, hoewel het huwelijk wankelde. Hij had zich – met haar, met mij – in de lelijkste nesten gewerkt die er te vinden waren en biechtte nu alles op. Ik hoorde zijn adem door de telefoon stokken terwijl hij sprak en zijn toon klonk smekend. Hij noemde zijn huwelijk een vergissing, maar het was een nog grotere vergissing geweest om er tegen mij over te liegen. Een

94

aantal minuten lang zaten we beiden te snikken totdat ik zonder nog een woord te zeggen ophing en vanuit mijn hotelkamerraam naar de geelachtige hoogbouw in Caïro staarde. Zowel mijn plannen als mijn hart leken ter plekke in rook op te gaan. Gebeurt dit echt? dacht ik. Daarna, nadat de roekeloosheid van de afgelopen vijf maanden opnieuw aan me was voorbijgetrokken, dit keer met 'Getrouwde man' in plaats van 'Vriendje in Londen', kwam er een tweede vraag bij me op: Hoe stom ben ik?

Ik voelde me verloren, bedrogen, alleen. De daaropvolgende maanden reisde ik als verdoofd door Egypte, Jordanië, Libanon, Israël en Syrië. Ik ontmoette mensen, ik zag dingen. Nigel belde me vaak mobiel, maar ik negeerde hem. Tijdens mijn zwakkere momenten bladerde ik door mijn foto's van Ethiopië, bestudeerde zijn gezicht, zocht naar tekenen van schuldbewustzijn en huichelarij. In een internetcafé googelde ik Janes naam terwijl ik me afvroeg wat zij van de hele klotezooi vond en probeerde te bedenken wat voor iemand ze was. Ik voorzag ons allen van een etiket – haar, mij, Nigel – goed, slecht, gemeen; onschuldig, dom, schuldig. Of misschien alleen slachtoffer, slachtoffer, slachtoffer. Ik wist het niet.

Ik kwam over mijn liefdesverdriet heen op de enige manier die ik kende – door nog meer plannen te maken, grotere plannen. Ik kocht een nieuwe camera voor mezelf, een blits, professioneel exemplaar, een verbeterde versie van het toestel dat Nigel in Ethiopië bij zich had gehad. In sommige opzichten was het, gegeven mijn budget, een absurde aankoop, maar ik zag het als een investering in de toekomst. Ik had gezien dat Nigel zijn fotografie gebruikte om een aantal maanden reizen te financieren. Het leek helemaal niet onlogisch te denken dat ik mezelf zou kunnen leren iets soortgelijks te doen. Per slot van rekening was ik een wereldreiziger, en er was een wereld aan reismagazines. Waarom zou ik niet proberen foto's te verkopen van plekken die ik had bezocht? Ik dacht niet aan een carrière, alleen aan een beetje inkomen hier en daar. Het doel was te kunnen blijven reizen.

95

De camera werd een balsem, een nieuwe opslagplaats voor mijn hoop. Ik ging terug naar Canada, werkte de zomer van 2006 als serveerster om mijn bankrekening aan te vullen. Intussen bleef Nigel bellen. Hij was terug in Australië en zat midden in de scheiding. Zijn familie en al zijn vrienden waren boos op hem, vertelde hij. Hoewel het hele gebeuren ongemakkelijk en onaangenaam was, was ik de telefoon weer gaan opnemen als hij belde, nog steeds pissig maar ongelooflijk eenzaam.

Ik was vijfentwintig en helemaal gewend geraakt aan de cyclus van snel geld verdienen in een Canadese bar en het daarna langzaam uitgeven, het liefst zo ver weg mogelijk. Ik kon met vijftien dollar per dag reizen zonder me ooit hongerig of oncomfortabel te voelen. Ik voelde me nog steeds gelukzalig als ik ergens voor het eerst kwam. Maar ik werd ook ouder, ontgroeide langzaam de grilligheid van de mensen om me heen, zowel van de serveersters thuis als de reizigers die ik onderweg tegenkwam. Ik ambieerde geen kantoorbaan, maar wilde wel iets meer zijn dan serveerster. Ik ging terug naar Calgary en volgde tussen de bardiensten door een fotografiecursus. Ik streefde een groter doel na en ging ervan uit dat er iets goeds van zou komen als ik mezelf tot fotograaf zou bombarderen.

Al die tijd bleef ik met Nigel contact houden, ik lachte een beetje meer en vroeg me af of we echt voor elkaar bestemd waren. Misschien was zijn andere relatie de mislukking geweest en was de onze waardevol. Hij woonde in een huis dat hij met zijn eigen handen had gebouwd. Hij had een leuke baan als fotograaf voor een krant in een stadje dat Bundaberg heette. Het kwam allemaal heel stabiel en volwassen over. Ongeveer tien maanden nadat hij het nieuws over Jane had verteld en ik bezig was een nieuwe reis door Azië te plannen voor de winter van 2007, wist Nigel me eindelijk over te halen een tussenstop in Australië te maken.

De wederopbouw van onze romance ging niet vliegensvlug maar ook niet langzaam. Op een ochtend in februari landde ik in Sydney, en nadat ik in de toiletruimte van het vliegveld was bijgekomen van een acute paniekaanval, liep ik de aankomsthal in. Ik zag Nigel die zich omdraaide. Toen hij me in het vizier kreeg, gleed er langzaam een glimlach over zijn gezicht. De baard waarmee hij in Ethiopië had rondgelopen, was verdwenen. Hij leek een blekere, nettere versie van de persoon die ik had gekend en was gekleed in een nieuwe spijkerbroek en een gestreken overhemd. Hij omhelsde me stevig, alsof hij me met een lange omarming zijn wereld in trok.

Het was het begin van een rondreis door Oost-Australië die wel iets weg had van een huwelijksreis. We hadden twee weken. Daarna zou ik verder reizen naar Bangkok en vervolgens naar Delhi, waar ik Kelly Barker zou ontmoeten, mijn favoriete reismaatje van thuis. Kelly werkte niet meer als serveerster maar als stewardess, wat ons beiden voordeel opleverde: ze had me een *buddy pass* gegeven voor een vlucht met korting naar Azië en vloog zelf voor vrijwel niets.

In de tussentijd beklommen Nigel en ik de Harbour Bridge, picknickten in een welig groen park en namen de veerboot naar Manly Beach, waar we stoeiden in de golven. We vlogen naar de kust en boekten een hut op een kleine charterboot naar het Groot Barrièrerif, waar we naar psychedelisch uitziend bontgekleurd koraal doken en stilletjes tussen flapperende roggen en zwevende schildpadden zwommen. 's Avonds dronken we stevig. We pelden gegrilde roze garnalen en mangrovekrabben en dipten het zoete vlees in gesmolten boter. We bleven lang op en kletsten in de zwoele zeelucht onder een surrealistisch pantheon van sterren, waarna we gelukzalig ons bed opzochten.

Toch had ik angstige voorgevoelens. Was de man die ik tijdens mijn reizen had ontmoet, met wie ik nu opnieuw rondreisde, de authentiekere versie van de man die niet al te lang daarvoor een vrouw had gehad, evenals een flat in Londen en een totaal andere toekomst? Had ik die toekomst herschikt of was ik alleen maar een excuus voor de herschikking? Ik probeerde de twijfels weg te duwen, maar we stonden enigszins onder druk: de verwoesting van Nigels huwelijk werd minder naar als ze in het format geplaatst werd van een verhaal over ware liefde, een affaire die zozeer voorbestemd was dat er geen helpen aan was, die zelfs op geen andere manier had kúnnen aflopen, want als dat wel zo was geweest, zouden we op een dag niet vanuit onze schommelstoelen op de veranda aan negen kleinkinderen vertellen dat we lang geleden één pijnlijke correctie hadden doorgevoerd ten gunste van een rijk, gelukkig leven.

De hele vooronderstelling zou werken als we samen eindigden, als ik van hem hield en hij van mij. We zeiden het tegen elkaar, maar dit keer beloofde ik niet naar Australië te verhuizen. Ik probeerde stoer te doen om me minder zwak te voelen. Toen ik Nigel achterliet, deed ik dat onder mijn eigen voorwaarden. Ik zei tegen hem dat ik mijn reis door Azië zou eindigen met een langer verblijf in Afghanistan, aangezien ik wat extra geld had gespaard. Eenmaal daar zou ik proberen betaald werk te vinden als fotograaf. Als hij bij me wilde zijn, kon hij geld sparen en zich bij me voegen. De volgende stap was aan hem. Ons leven, zo zei ik hem, zou fantastisch kunnen zijn.

11

De perskaart

Dat voorjaar reisde ik zoals gepland naar Afghanistan en nam mijn intrek in het Mustafa Hotel in het centrum van Kabul. Ik regelde een maandelijkse huur en kreeg een kleine kamer toegewezen met donker tapijt en een tweepersoonsbed met een zachte roze deken. Het raam keek uit op een druk plein.

Het Mustafa was befaamd. Hier hadden alle journalisten aan het begin van de Amerikaanse invasie in Afghanistan gebivakkeerd, toen de stad voor het eerst overspoeld werd door buitenlandse correspondenten. Het was een van de eerste plekken in het Kabul van na de taliban geweest waar alcohol werd geschonken. Maar het tijdperk waarin het wemelde van de journalisten was voorbij. Naarmate de oorlog in Afghanistan zich voortsleepte, had een deel van de pers zijn intrek genomen in ommuurde huizengroepen of pensions die waren veranderd in persbureaus. Andere mediaorganisaties hadden helemaal geen vaste correspondent meer in Afghanistan en lieten hun financiële middelen afvloeien naar die andere voortslepende oorlog, in Irak. Ik had gehoord dat Afghanistan als gevolg daarvan een paradijs was voor freelancers: rijk aan conflicten, maar niet al te dicht door de media bevolkt. De drempel voor starters was hier veel lager dan thuis.

Kabul leek in mei 2007 op een leeggehaalde rotstuin met hele blokken halfverwoeste Sovjetgebouwen, naast blokken met beginnende commercie. Het stof van het plateau lag als een tweede huid over de gezichten van de in lompen gehulde kinderen die op de straathoeken kauwgom en oude landkaarten verkochten. De frisheid van de ijle lucht werd bedorven door motorgeronk en de stank van honderden dieselgeneratoren die de ontbrekende infrastructuur probeerden te compenseren.

Ik had visitekaartjes met de tekst AMANDA LINDHOUT, FREE-LANCE FOTOGRAAF, met daaronder mijn e-mailadres en nieuwe Afghaanse mobiele telefoonnummer en op de achterzijde dezelfde tekst in het Dari, de meest gesproken taal in Afghanistan. Ik drukte ze iedereen die ik tegenkwam in de hand. In het Mustafa ontmoette ik een vriendelijke fotojournalist uit Engeland die Jason Howe heette en die op eigen houtje door Colombia was getrokken tijdens de guerrillaoorlog, in 2006 ter plaatse was tijdens de oorlog tussen Israël en Hezbollah, en daarna een opdracht in Irak had gehad. Nu was hij onderweg naar de provincie Helmand om met Britse troepen mee te reizen.

Hij legde me de basisprincipes van het freelancen uit. Je plande voor jezelf, betaalde voor jezelf en aanvaardde de risico's. Je nam de nodige hobbels, had geen ziektekostenverzekering, koesterde geen langetermijnplannen en raakte eraan gewend op zwart zaad te zitten. Opdrachten creëerde je zelf en je zorgde er zelf voor dat je op de meest opportune plekken was.

Niets van dit alles joeg me angst aan. Deze basisprincipes weken niet veel af van die van backpacken met een klein budget.

Ik maakte zoveel mogelijk foto's van alles, hoewel ik het moeilijk vond Afghanen te fotograferen. Zelfs vrouwen die volledig bedekt waren door een boerka wendden hun gezicht af. Mannen keken me door mijn zoeker dreigend aan. Ik had weer contact gezocht met Amanuddin, de tapijtverkoper die ik een paar jaar eerder had leren kennen. Hij was nu voorgoed van Peshawar naar Kabul verhuisd, waar hij nog een winkel had geopend. Omdat ik dacht dat hij me zou kunnen helpen, vroeg ik of hij me naar de Kuchi's wilde brengen, een nomadenstam die in geïmproviseerde dorpen in de kale bruine heuvels achter zijn familiehuis aan de zuidelijke rand van Kabul woonde, waar ik tijdens mijn eerste bezoek had gelogeerd.

In heel Afghanistan woonden Kuchi's. De meesten waren van Pashtun-afkomst; sommigen trokken meer rond dan anderen en zwierven door de seizoenen heen over de hooglanden. Je zag de Kuchi's langs de kant van anderszins verlaten wegen met hun schapen lopen. De vrouwen droegen felgekleurde wollen jurken met van kraaltjes voorziene lijfjes en wijde mouwen, de mannen waren in sjaals gewikkeld en droegen paddenstoelvormige Pakul-hoeden. De paar honderd die in de doorploegde valleien achter Amanuddins huis leefden, sliepen in een allegaartje van wollen tenten. De lokale bevolking – de Afghanen met land en huizen – tolereerde hen, maar met tegenzin. De Kuchi's deden me denken aan de First Nations-mensen thuis in Canada, onafhankelijk en ongeïntegreerd en daardoor behoorlijk slechter af.

Nadat ik al mijn camera-attributen had ingepakt en mijn ambities als nieuwbakken, nog-niet-bepaald-succesvolle beroepsfotograaf op scherp had gezet, stelde ik Amanuddin voor de nacht in het Kuchi-kamp door te brengen.

Zijn antwoord was scherp: 'Waarom wil je dit?' Amanuddins idee van een leuke tijd was luisteren naar bollywoodmuziek of lamskebab verpakt in krantenpapier meenemen naar de schaduwrijke oever van het Quargha-meer en het daar opeten. Er zaten duidelijk grenzen aan wat hij als gids bereid was te doen.

Wat hij wel wilde was meelopen naar de verblijfplaats van de Kuchi's en me introduceren. Terwijl we naderden, zakte de zon al achter de heuvels, waardoor alles stofachtig donkerpaars kleurde. Mensen dreven hun kuddes schapen en geiten naar het kamp voor de nacht. Het tafereel had er vanaf een afstandje mooi en pastoraal uitgezien, maar naarmate ze dichterbij kwamen rook ik de stank van ontlasting van honderden dieren. Een man met een tulband, gekleed in wijde witte kleding en een bruin vest, liep vanaf de tenten op ons af – hij was het hoofd van de stam en stelde zichzelf voor als Matin.

Nadat hij even met Amanuddin in het Pashto had overlegd, nam Matin me mee naar de tent van zijn zus en zei dat ik daar kon slapen. Amanuddin bleef zeggen dat het geen goed idee was om te blijven – niet veilig, zei hij – maar ik had mijn zinnen erop gezet. Hij haalde zijn schouders op, waarmee hij 'zelf weten' leek uit te drukken, zei dat hij me de volgende ochtend weer zou ophalen en liep voordat het donker werd terug over de heuvels.

De zus van het hoofd was in de veertig en had een bruin verweerd gezicht en twee samengeklitte vlechten. Ze droeg een rode jurk waarop stukjes groene wol waren genaaid. Matin sprak haar naam duidelijk voor me uit. *Maryam*. Daarna sprak hij mijn naam voor haar uit. *Almond-a*. Matin wenste me goedenacht door zijn hand op zijn hart te leggen. In reactie deed ik hetzelfde.

Maryam tilde de flap van haar tent op en gebaarde dat ik naar binnen mocht gaan. Er brandde een klein vuur. Haar twee kinderen stoeiden op het tapijt op de met grind bedekte grond. Hun bezittingen lagen netjes opgestapeld in canvas tassen achter in de tent. Maryam bereidde een maaltijd van rijst, dikke yoghurt en naan, die we zo uit de pannen aten en wegspoelden met zoete, warme thee.

Na het eten veegde ze de zandvloer en haalde dikke wollen dekens van achter uit de tent. Ze nam me mee naar buiten zodat we, zij aan zij, konden plassen, op de helling van de heuvel. Vervolgens lagen we met z'n tweeën wakker, verlicht door de oranje sintels van het vuur, terwijl we allebei met ons hoofd op een elleboog steunden. We spraken in onze eigen taal, geholpen door handgebaren, en werden op een of andere manier helemaal niet moe van die inspanning. Terwijl we het over onze families en de oorlog hadden, veranderde dat kleine beetje waar begrip in iets wat, in elk geval op dat moment, veelbetekenend voelde. Als Maryam er niet in slaagde iets duidelijk te maken, lachte ze en reikte naar mijn hand, alsof ze wilde zeggen: maakt niet uit, we hebben het in elk geval gezellig. Van tijd tot tijd boog ze over me heen en trok de dekens hoger over mijn schouders.

De volgende ochtend, toen ik uit de donkere tent het felle zonlicht in stapte, werd ik voor mijn overnachting beloond. Maryam en haar Kuchi-schoonzussen – oudere vrouwen die goedkeurend met hun tong klakten over mijn aanwezigheid – streken over mijn haar en spelden met kralen versierde amuletten op mijn shirt. Ze lieten me hun eigen versieringen zien – grote stenen halskettingen uit Saudi-Arabië, armbanden ingelegd met stukjes lapis lazuli, zilveren oorbellen in de vorm van wassende manen.

Ik wachtte een tijdje voordat ik mijn camera tevoorschijn haalde, en toen ik dat deed werd er niet moeilijk over gedaan. De eerste keer dat ik de zoeker voor mijn oog hield en hem op de vrouwen richtte, reageerde niemand geschrokken. Niemand wendde haar hoofd af, verborg haar kinderen voor me of wierp me een vijandige blik toe. Hun oordeel over mij was kennelijk al geveld, wellicht op het moment dat ik met Maryam en haar kinderen uit de tent was gestapt, iedereen nog heel en ongeschonden. De mannen dronken thee in de schaduw van een tent. De vrouwen zetten hun geiten op een rij om ze te melken. Een gerimpeld omaatje dat gehurkt voor een van de tenten zat, keek me recht en onbeschroomd aan. Het leek alsof er eeuwen in haar ogen gegrift stonden, en in die fractie van een seconde drukte ik de sluiterknop in.

Die foto – een close-up van haar ragfijne rimpels en prachtige heldere ogen – werd mijn eerste gepubliceerde afbeelding. Een redacteur bij een lokaal tijdschrift voor emigranten, *Afghan Scene*, gebruikte haar een paar weken later als omslagfoto. Ze vond hem zo mooi dat ze vroeg of ze een kopie kon krijgen voor in haar eigen woonkamer. Vervolgens gaf ze me de opdracht terug te gaan en een reportage te maken voor een groot artikel over de Kuchi's. Van drie pagina's, met acht foto's, geschreven en gefotografeerd door mij.

Naar de maatstaven van succesvolle journalisten stelde het niets voor – een paar foto's verkopen aan een lowbudgetmagazine, een dun Engelstalig maandblad met restaurantrecensies, cultuurverhalen en advertenties voor van alles en nog wat, van Visakaarten tot hondenadopties en gepantserde wagens –, maar voor mij was het een overwinning. Het was een echte opdracht die geld opbracht, en het was de beloning voor het feit dat ik gegaan was en een excuus om te blijven.

Aangemoedigd bestudeerde ik de websites van actualiteitenmagazines en kranten. Ik besteedde aandacht aan wat mensen zoal fotografeerden, hoe de verhalen in elkaar zaten. Ik dwong mezelf extra extravert te zijn en stelde me zowat aan iedereen in Hotel Mustafa voor, vroeg waar ze waren geweest en wat ze hadden gezien. Ik mailde redacteuren in Toronto en New York, stuurde foto's mee die ik tijdens korte trips naar verschillende provincies had gemaakt terwijl ik meereisde met hulporganisaties of andere freelancers uit het Mustafa. Soms kreeg ik reacties en verzoeken om contact te houden, maar nooit een toezegging voor publicatie van wat ik had gestuurd. De meesten leken alleen maar geïnteresseerd in foto's van de oorlog.

Eén tactiek onder ondernemende freelancers is om een *letter of intent* van redacteuren of fotoredacteuren los te krijgen, een paar korte zinnen op officieel briefpapier, of een e-mail met een officieel klinkend adres, waarin staat dat hij of zij geïnteresseerd is in, bijvoorbeeld, jouw verhaal over opiumboeren die zijn overgegaan op pistachenoten verbouwen of foto's van je reis naar de grens met Tadzjikistan. De brieven zijn vaag, zonder publicatiegarantie, maar als ze worden doorgestuurd naar persofficieren of andere poortwachters zijn ze goud waard.

De enige brief die ooit ten gunste van mij is geschreven, kreeg ik via een van de vele eigenaardige kroeghangers in het Mustafa, een bleke, stotterende Brit die Anthony Malone heette en die, zoals zoveel mannen met stekeltjeshaar en halfhoge laarzen die in de lobby beneden rondhingen, zijdelings naar zichzelf refereerde als eigenaar van een 'privébeveiligingsbedrijf'. Hij woonde in een chique wijk van Kabul, in een herenhuis met personeel. Hij kende mensen. Hij organiseerde feesten. Hij sprak op gedempte toon aan de telefoon.

Op een avond onder een biertje aan de bar vertelde hij me dat hij me kon helpen als ik officieel met een leger zou willen meereizen. Binnen een paar dagen had hij een brief geregeld via een maat van hem, redacteur bij het magazine *Combat and Survival*, waarin stond dat deze graag foto's wilde zien van de Canadese troepen in actie. Die brief deed het 'm. Binnen een week was ik op weg naar Kandahar.

Combat and Survival is een publicatie voor militairen – militairen in actie, gepensioneerde militairen en mensen die om welke reden dan ook geobsedeerd zijn door oorlog en krijgsmacht. Toen ik het tijdschrift doorbladerde, zag ik artikelen over monsterlijke patrouillevoertuigen en heldhaftige rapportages vanuit de frontlinie in landen als Servië en in Midden-Afrika, de gonzende brandhaarden van de wereld. Ik had er helemaal niets mee, maar eerlijk gezegd hield ik me niet meer bezig met waar en of ik ergens thuishoorde. Na acht weken in Afghanistan wist ik dat ik op plekken moest zien te komen waar iets actueels gaande was.

Op een middag eind juni landde ik bij een temperatuur van zesenveertig graden Celsius in Kandahar, met mijn meegesleepte fotoapparatuur en een groenblauw kogelvrij vest dat diverse maten te groot was en dat Abdullah, de vriendelijke manager van het Mustafa, uit zijn kast met achtergelaten spullen had opgediept. Toen ik me bij de perstent bij de landingsbaan van Kandahar meldde, merkte ik hoe zenuwachtig ik was. Er was een team van Global News Television en CanWest Media en een man van CTV, serieuze verslaggevers die serieus werk deden met hun Pelicankoffers vol apparatuur, hun satelliettelefoons en kogelvrije zonnebrillen en helmen. Kort na mijn aankomst haastte een donkerharige vrouw in een lang wit shirt zich achter me de tent in. Ze zag er fris gedoucht uit en leek zich thuis te voelen. Ik herkende haar meteen als Mellissa Fung, verslaggeefster van de Canadian Broadcast Corporation. Ik had haar vaak op de televisie gezien, maar nu stond ze slechts een paar meter van me vandaan – klein, zelfverzekerd en lang niet zo zweterig als de rest van ons, terwijl ze druk met haar cameraman overlegde over een videomonitor op een statief.

Ik voelde me als een kind dat alleen in de schoolkantine staat. Terwijl ik het verplichte militaire papierwerk invulde, waaronder een onheilspellend contactformulier voor naaste familie, kwam een van de verslaggevers van Global News naar me toe om zich voor te stellen. Zijn naam was Francis Silvaggio. Ik deed mijn best om ervaren over te komen. Ik was een fotograaf uit Kabul, zei ik. Ik was hiernaartoe gevlogen om foto's te maken voor Combat and Survival. Terwijl ik sprak, viel zijn blik op het superman-blauwe kogelvrije vest maat XXL dat op de grond naast mijn rugzak stond.

'Wat is dat?' zei hij.

Schaapachtig legde ik uit dat het een kogelvrij vest was, oud en veel te groot en geleend van mijn hotel in Kabul. Hij trok zijn wenkbrauwen op. 'Ik ben freelancer,' zei ik, alsof dat niet duidelijk was. Ik wachtte tot hij iets neerbuigends zou gaan zeggen of een snelle manier zou verzinnen om het gesprek te beëindigen, maar dat deed hij niet. 'We hebben vast wel een extra vest dat je beter past,' zei hij.

Even later was ik, met dank aan Global News, uitgerust met een goed passend en relatief mooi, gestroomlijnd kevlar-vest in de kleur van droge takken en voelde ik me wat minder een kneus. Nadat ik van de militaire pr-officier ook nog een helm had gekregen, leek ik er helemaal bij te horen. Een handjevol van ons zou naar een vooruitgeschoven operatiebasis gaan in een plaats die Masum Ghar heette, in een van de gebieden waaraan in het nieuws gerefereerd werd als een 'talibanbolwerk'. We zouden anderhalf uur in een konvooi van licht gepantserde voertuigen rijden om er te komen.

Voordat we op weg gingen, kregen we een briefing met laatste instructies van een commandant. Hij wees op de dreiging van bermbommen en bracht zijn instructies afgemeten en op schreeuwende toon. 'Als we door een IED worden geraakt en er is geen schade,' zei hij, 'rijden we door. Als we door een IED worden geraakt en er is een voertuig neer, laten we het achter en vechten we ons er desnoods uit.'

Omdat het misschien de laatste mogelijkheid was om mobiel te bellen, belden de andere verslaggevers snel met hun redacteuren om verhaalperspectieven en deadlines te bespreken. Ik liep de tent uit en belde Nigel in Australië. Ik was bang.

Er was nu al een zekere afstand tussen ons. Onze hernieuwde

relatie leek geen lang leven beschoren. Het ene telefoontje kon enthousiast en liefdevol zijn – vol *o liefjes* en toekomstplannen –, het
andere kort en zakelijk. Nigels scheiding was inmiddels een feit,
maar hij kwam gedeprimeerd op me over, niet als iemand die
klaar was voor een nieuw begin. Hoewel ik het begreep, wilde ik
het niet begrijpen.

Het was laat in de middag in Australië. 'Ik ga met de troepen
mee,' zei ik tegen Nigel, waarna ik vertelde over mijn dag, de helm
en het kogelvrije vest, het talibanbolwerk en de IED's.

Misschien klonk het opschepperig. Misschien wist ik dat. We
hadden eerder die week ruziegemaakt aan de telefoon. Hij had gezegd dat hij zich bij me zou voegen in Kabul, maar nog helemaal
geen vlucht geboekt. Hij had me ervan beschuldigd te drammen.
Ik had hem laksheid verweten.

'Je zult waarschijnlijk een dag of tien niets van me horen,' zei ik
nu tegen hem. 'Maar maak je geen zorgen, oké?'

Er viel een stilte. Ik beeldde me Nigel in, aan het werk achter
zijn bureau, in een schoon overhemd, bezig met het bewerken van
de foto's van hetgeen hij die dag ook in Bundaberg geschoten had.

'Oké,' zei hij koeltjes. 'Doe voorzichtig.'

Zonder een uiting van genegenheid hingen we op.

De daaropvolgende acht dagen bracht ik in het veld door met
Canadese militairen, voornamelijk mannen van mijn eigen leeftijd, afkomstig uit Canadese plattelandsgebieden. Ik kwam er al
snel achter dat oorlog niet alleen gevaarlijk was, maar ook vervelend. De zon boven zuidelijk Afghanistan verhitte alles – de vloei-
bare zeep in de latrines, de toiletbrillen –, bijna tot aan het kook-
punt. De uitrusting was zwaar, het stof overal. Ik ontmoette een
klassiek pianist die bang was zijn handen te verwonden. Ik ontmoette een jonge vader die gelamineerde foto's van zijn kinderen
aan een ketting naast zijn identiteitsplaatje had hangen. Ik ontmoette mannen die hun patrouilletijd doorbrachten met het uitwisselen van fantasieën over popzangeres Nelly Furtado.

Op mijn tweede dag in Masum Ghar hoorden we dat drie Canadese militairen door een bermbom waren gesneuveld tijdens een patrouille ten zuidwesten van Kandahar. De meegereisde verslaggevers kwamen onmiddellijk in actie en wachtten verplicht de tijd af waarin contact werd opgenomen met de families voordat ze het nieuws de ether in stuurden.

Militairen leefden binnen de afrastering – binnen de beschermde beslotenheid van het militaire kamp – maar begaven zich er, indien nodig en bevolen, buiten. Binnen de afrastering was een bibliotheek, satelliettelevisie en eieren, die in elke gewenste vorm bij het ontbijt werden geserveerd. Buiten de afrastering stapelden de bedreigingen zich oneindig hoog op. De taliban opereerden vanuit hoeken en schaduwen, vanuit de bruine inhammen in de hoge bergen en binnen de dikke muren van kleine dorpen, zonder uniform en dus niet te onderscheiden van onschuldige burgers. Ze vielen aan met raketten en door IED's langs de wegen te leggen.

De dreiging was vrijwel altijd onzichtbaar, maar bepaalde alles, verontrustte iedereen, deed de adrenaline door je lijf gieren. Ze bestond uit sissende kameelspinnen ter grootte van theeschotels, nachtelijke lichtspoorkogels in de lucht, slechtnieuws-e-mails van thuis, de angstaanjagende stilte op een weg. Alles aan de andere kant van de afzetting kon uitmonden in een ramp.

Buiten de afrastering gaan voelde voor mij hetzelfde als de ruimte ingeschoten worden. Op een ochtend volgde ik een groep infanteristen die door velden met in elkaar vervlochten druivenranken slopen, wapens en metaaldetectoren in de hand, om een verdacht metaaldraad te onderzoeken dat door de vroege patrouille vanaf een afstandje was gespot. Ik maakte foto's en probeerde bij te blijven terwijl de militairen in hun legeruitrusting over de lage lemen muurtjes sprongen die de velden van elkaar scheidden en een zenuwslopende stilte in acht namen naarmate ze dichter bij de verontrustende plek kwamen. Ik voelde me angstig en gespannen. Mijn hart bonkte in mijn keel. Een paar Afghaanse jongens sloegen ons vanuit een droge wadi aandachtig gade terwijl we ons voorzichtig voortbewogen, omdat we geen verstopte explosieven in werking wilden stellen. Ik vroeg me af wat de jongens wisten – waren ze onschuldig of niet? – totdat we uiteindelijk bij de bron van de opschudding kwamen. De dreiging kwam langzaam in beeld: een door de zon verweerde oude kabel in een sloot.

12

De rode zone

Je kunt nooit met helderheid vooruitblikken naar je eigen toekomst of die van een ander. Je kunt niet weten wat er zal gebeuren totdat het zich daadwerkelijk voordoet. Of misschien besef je het een fractie van een seconde ervoor, waarin je een glimp opvangt van je eigen lot. Ik denk terug aan de dag dat ik met mijn camera en twijfelachtige perskaart van *Combat and Survival* in Kandahar arriveerde. Er waren drie Canadese soldaten die toen niet konden weten dat er een bermbom op hen lag te wachten en dat ze spoedig zouden sterven. Thuis waren drie paar ouders of echtgenotes niet voorbereid op het telefoontje. Mellissa Fung, de CBC-verslaggeefster die er zo daadkrachtig en zelfverzekerd had uitgezien op de dag dat ik haar zag, kon niet weten dat ze vijftien maanden later tijdens een terugreis naar Afghanistan buiten Kabul gegijzeld zou worden en achtentwintig dagen lang half uitgehongerd in een ondergrondse ruimte in de bergen zou worden vastgehouden. Anthony Malone, de Britse beveiligingsman die me de brief voor het magazine had bezorgd, zou in een van Afghanistans beruchtste gevangenissen worden gegooid op beschuldiging van fraude en betalingsachterstanden, en twee jaar worden vastgehouden. Jason Howe, de freelancer die ik in het Mustafa had ontmoet, zou de top bereiken en foto's verkopen aan alle grote kranten – *Le Figaro*, de *London Times* en de *New York Times*.

Ook ik droeg mijn eigen lot met me mee. Alle dingen die ik niet kon weten zaten ergens binnen in me – misschien waren ze niet onvermijdelijk, maar ze wachtten in elk geval op een kans om zich te ontvouwen.

Ik verliet Afghanistan toen mijn geld opraakte. Misschien had ik me ontmoedigd moeten voelen doordat het succes als fotograaf uitbleef – na ongeveer zeven maanden had ik, afgezien van één artikel en een paar foto's in *Afghan Scene*, niets gepubliceerd – maar dat was niet zo. Ik was hoopvol en vastbesloten de uitdaging van een vak leren aan te gaan. Ik ging terug naar Calgary om mijn bankrekening aan te vullen, aan mijn fotografie te werken en nieuwe plannen te maken. In die plannen speelde Nigel geen rol meer. Hij en ik waren elkaar volledig uit het oog verloren.

Ik vond een baan in de lounge van een nieuw restaurant, Seven, een etablissement in pompeuze stijl dat beter op zijn plaats zou zijn in Miami; het had witte leren banken en witte muren. De fooien waren royaal. Het werk was niet zwaar. Wederom op tien centimeter hoge hakken en met een dienblad in de hand sloeg ik mijn Kabul-ervaringen op in een uithoek van mijn geest. Ik huurde een kamer onder in een flat van een meisje van mijn leeftijd dat een kantoorbaantje in het centrum had en zette die vol met prullaria uit het Midden-Oosten; aan de muur hing ik foto's van Pakistan en India. Een paar uur per week volgde ik lessen bij een plaatselijke fotograaf, die me in zwart-wit leerde fotograferen en me wegwijs maakte in Photoshop.

Rond de kerst werd me vanuit het niets in Bagdad een baan in de televisiejournalistiek aangeboden. Een echte baan. Een baan in Bagdad, met een maandsalaris van vierduizend dollar en vergoeding van mijn verblijfkosten. Het leek dubieus, maar het was echt waar. Een man die ik maanden eerder in het Mustafa had ontmoet – een Iraniër die Ehsan heette en die kort in Kabul was geweest om een ngo-baan te zoeken – had me gemaild dat een televisiezender in zijn thuisland op zoek was naar een Engelstalige correspondent. Toen ik het bedrijf op Google opzocht, stuitte ik op een nieuwswebsite die er serieus uitzag. Press tv was een gloed-

111

nieuwe zender, een internationaal, Engelstalig netwerk dat vierentwintig uur per dag uitzond, gefinancierd werd door de Iraanse regering en vergelijkbaar was – in elk geval van buitenaf – met Al Jazeera en CNN International. Net zoals Al Jazeera trok Press TV westerlingen aan voor de verslaglegging. Er waren al correspondenten gestationeerd in New York, Londen, Beiroet en Moskou.

Ik mailde een paar weken over en weer met een vrouwelijke producer en sprak haar diverse malen aan de telefoon. Ik flanste een auditievideo in elkaar. Op mijn werk bracht ik drankjes rond en fantaseerde hoe het zou zijn om naar Bagdad af te reizen. Ik wist niet zo goed wat ik moest vinden van mijn potentiële werkgever. Iran had een islamitische regering en een slechte reputatie op het gebied van mensenrechten. Maar ik was ook met Ehsan opgetrokken, die jong en intellectueel en hoopvol was over verandering in zijn land. Hij woonde met zijn verloofde in Teheran en vertelde dat het een stad was boordevol wereldwijze, kosmopolitische mensen die poëzie schreven, ondergrondse nachtclubs bezochten en een brede kijk op de wereld hadden. Op een gegeven moment vroeg ik de producer of het netwerk een bepaald standpunt vertegenwoordigde en of ik me zorgen moest maken over censuur. Haar antwoord luidde 'nee': Press TV was niet bevooroordeeld, alle verhalen werden eerlijk gebracht. Op dat moment was dat genoeg voor me. Het idee van een vast salaris, televisieverslaggever zijn en in een land als Irak wonen was opwindend genoeg om eventuele twijfels weg te nemen.

Mijn moeder hielp me met het pakken van mijn bagage en reed me naar de luchthaven. Ze had het al lang geleden opgegeven haar bezorgdheid te uiten.

Aan het eind van januari 2008 landde ik in Bagdad. Press TV had in het grote Palestine Hotel een kamer met een aangrenzende kantoorsuite geboekt. Het hotel zou in de jaren tachtig voor groots zijn doorgegaan, maar nu was het verouderd en aftands. In de kantoorsuite stonden een paar oude banken in de hoek, een koelkast, een tafel en een paar bureaus met videomonitoren en videospelers voor de bewerking van filmmateriaal – apparatuur die oud en log was, maar toereikend. Ik ontmoette Enas, een Iraakse vrouw met bruine, vrij ver uit elkaar staande ogen, een mollig postuur en rood geverfd haar tot aan de schouders, die zou fungeren als mijn *field producer*. Via de telefoon maakte ik kennis met Mr Nadjafi, de nieuwsregisseur in Teheran die mijn directe baas zou worden.

Bagdad was niet zo overweldigend mooi als Kabul met zijn halvemaanvormige bruine bergen. Het had dezelfde taxi's en hetzelfde kruipende verkeer als andere grote steden die ik had bezocht en dezelfde doordringende smog. Het had hetzelfde gouden licht en dezelfde zwaaiende palmbomen die ik in Damascus, Beiroet en Amman had gezien. Maar met overal militaire controleposten, betonnen hoogspanningsmasten en vier meter hoge muren, met zijn karakterloze vierkante gebouwen en een vlakke, zanderige horizon viel het niet mee een glimp op te vangen van de innerlijke gratie of van het mythische verleden als land van melk en honing. Bagdad was ruwer en zwaarder door oorlog geteisterd dan andere plaatsen die ik had bezocht. Mijn kamer in het Palestine keek uit op een rotonde en een spookachtig witte moskee met koepels. Het was Paradise Square, waar een Amerikaanse tank vijf jaar eerder een beeld van Saddam Hussein naar beneden had getrokken. Eén straat verder stroomde de Tigris, traag, modderig en zonder schepen.

In het Palestine verbleven weinig westerlingen. Het had überhaupt niet veel gasten. Een door Amerika gefinancierd televisiestation, Alhurra, dat informatie over Amerikaans beleid in het Arabisch uitzond, had zijn basis in het hotel. De medewerkers waren voornamelijk Irakezen, die tijdens werkuren kwamen en gingen. Verder leek het hotel grotendeels leeg – deels omdat het met zijn achttien etages een van de hoogste gebouwen van de stad was en dus een gemakkelijk doelwit voor rebellen. Tijdens mijn eerste nacht in Bagdad lag ik klaarwakker en bevend van angst te luisteren naar het gekletter van geweervuur en het geloei van sirenes. Ik begreep dat ik er officieel tot aan mijn nek in zat.

113

Ik moest veel leren. Ergens tussen de gehaaste verhuizing van Calgary naar Bagdad door had ik een handboek over televisie-journalistiek op mijn laptop gedownload, een 'TV Reporting for Dummies'-soort van handleiding, die ik al enkele keren van begin tot eind had doorgenomen. In Damascus, waar ik ruim een week had moeten wachten tot de Iraakse ambassade mijn visumaanvraag had verwerkt, was ik begonnen aan Robert Fisks zwaarmoedige, elfhonderd pagina's dikke *The Great War for Civilisation: The Conquest of the Middle East*, waardoor ik was gaan beseffen hoe weinig ik wist. 's Avonds, alleen in mijn kamer, probeerde ik mijn sopraanstem, zo typerend voor een jonge vrouw, omlaag te brengen naar de kalme, ernstig klinkende altstem van een nieuwslezer.

Ik sloot vriendschap met Enas, de field producer en vertaler van Press TV. Ze was een jaar of vijfendertig en had een stralende glimlach. In haar tas droeg ze ladingen snoepjes mee, en ze wist met vrijwel iedereen een dolletje te maken. Als we niet aan het werk waren, gingen we winkelen, op zoek naar hoofddoekjes, en bezochten we de sapkarretjes in Karada Market. Later, in de winter, maakten we wandelingen langs de Abu Nawas, de veelgebruikte kustweg die langs de oostelijke oever van de Tigris liep en recentelijk heropend was nadat hij jarenlang voor burgers afgesloten was geweest. Volgens Enas wemelde het langs deze weg ooit van de onconventionele kunstgalerieën, wandelende stelletjes en visrestaurants die koud bier serveerden. Nu waren veel van de restaurants gesloten, hun muren vol kogelgaten. Het park aan de rivieroever was overgroeid met onkruid, maar 's avonds doken Iraakse kinderen op om in de speeltoestellen te klimmen die kortgeleden met hulp van Europese organisaties waren neergezet.

Enas was moslim maar droeg alleen een hoofddoek als ze daar zin in had en bad niet vijf keer per dag. Geen van de Irakezen die ik leerde kennen – medewerkers van Alhurra, de freelance cameramannen met wie ik werkte – deed dat op die manier. Ze waren moslim zoals veel van mijn vrienden thuis christen waren: ze res-

114

pecteerden de belangrijke feestdagen, gingen vrijdags naar de moskee en waren met God een persoonlijke regeling overeengekomen. Ze putten kracht uit de Koran, maar lieten zich niet regeren door ideeën die in hun ogen ouderwets of te beperkend waren. Ze waren net zo bang voor de radicale islam als de rest van ons. De meesten leken op het standpunt te staan dat de oorlog was vertroebeld door zowel religieuze gevechten – de soennieten, de sjiieten, de ruziënde subgroepen binnen beide – als de buitenlandse interesse in de olie van Irak.

Als Enas het al ongemakkelijk vond om voor de Iraniërs te werken, liet ze dat niet merken. Ze neuriede terwijl ze sterke zwarte thee voor ons zette en het dagschema doornam op het notitieblok in haar schoot. Irak was Iran in 1989 binnengevallen, toen Enas nog een kind was, en de landen waren vervolgens acht jaar in een oorlog verwikkeld geweest. Een half miljoen mensen had de dood gevonden. Geen van beide landen had gewonnen, maar de rancune was er nog steeds. Irakezen keken met gegeneraliseerde achterdocht naar Iran. Een paar mensen die ik probeerde te interviewen, wendden zich beleefd af als ze hoorden dat ik van de Iraanse televisie was. 'Het spijt me,' zei een man op een markt tegen me toen hij mijn verzoek afwees. 'Ik wil niet dat je problemen krijgt met je bazen, maar Iran heeft hier heel veel problemen veroorzaakt.'

Ik was onderdeel van de propagandamachine. Dat besefte ik meteen. Terwijl Enas en ik met een cameraman rondreden en rapportages maakten over straatkinderen, gewonde burgers en wapenstilstanden die geen wapenstilstanden waren, verzamelde Mr Nadjafi mijn filmmateriaal en bewerkte het zodanig dat Amerikaanse troepen en Amerikaans beleid in een slecht daglicht werden gesteld. Hij herschreef mijn scripts; elke keer dat de oorlog ter sprake kwam, werd eraan gerefereerd als 'de door Amerika geleide invasie' of 'de door Amerika geleide bezetting'. De Koran was 'de Heilige Koran'. Onze opdrachten brachten ons vaak naar Sadr City, een bouwvallig en gewelddadig sjiitisch district waar de Mahdi Army regelmatig in gevecht was met Amerikaanse troepen. Mr Nadjafi wees mijn verzoeken om meer geld, zodat Enas en ik een beveiliger konden inhuren, af. Ik begon me steeds onveiliger te voelen en had het sterke vermoeden dat er misbruik van me werd gemaakt.

's Avonds skypete ik in mijn kamer met mijn moeder. Als ik me onzeker voelde, klampte ik me altijd vast aan het geluid van haar stem. Ze was ongerust over het feit dat ik geen beveiligingsbudget had en drong er bij mij op aan een andere baan te zoeken. In de hoop mijn vaardigheden te verbeteren, zocht ik het internet af, bestudeerde het werk van een aantal gevierde correspondenten en fotografen die in Bagdad gestationeerd waren en probeerde erachter te komen waar ze zoal verslag van deden en hoe. Ik stuurde e-mails naar Canadese krantenredacteuren en wist een redacteur van een van de kranten in mijn thuisstad, The Red Deer Advocate, over te halen me een wekelijkse column met foto's te laten schrijven. Ik zou voor elk verhaal vijfendertig Canadese dollars krijgen en vijfentwintig voor elke foto die gepubliceerd werd.

Gedreven door eenzaamheid verhuisde ik met het kleine Press TV-bureau mee naar het Hamra Hotel, dat gevestigd was in een woonwijk een paar kilometer van het Palestine, waar meer westerlingen verbleven – een mengeling van journalisten en buitenlandse handelaren, van wie een aantal elkaar in Bagdad afwisselde en velen er permanent leken te bivakkeren. Het Hamra was gebouwd rond een binnenplaats, met balkons die uitkeken op een centraal gelegen glinsterend zwembad met witte plastic ligstoelen eromheen. Er was een kleine bar waar Heineken en Libanese wijn werd geschonken en een restaurant waar Iraakse specialiteiten werden geserveerd. Rond het hele complex, dat bestond uit een paar huizen waarvan er een dienstdeed als het bureau van de Washington Post, waren hoge betonnen muren gebouwd. De medewerkers van de Los Angeles Times verbleven in het Hamra, evenals die van NBC News, USA Today en nog een paar andere.

's Avonds begaven de mensen zich vanuit hun kamers naar het zwembadgedeelte, met flessen Bombay-gin die ze bij een militaire PX-shop hadden gekocht. Hotelpersoneel zette tafels neer en

116

bracht glazen en ijs voor de drank. Het restaurant bracht bier, wijn en eten. Op een van mijn eerste avonden in het Hamra kleedde ik me leuk aan en liep naar het zwembad, waar ik bij een ober een biertje bestelde en een houding aannam alsof ik er helemaal thuishoorde. Overal om me heen hoorde ik journalisten over hun werkdag praten, hun bijeenkomsten beschrijven of over vertragingen mopperen. Er ging een golf van opwinding door me heen. Eindelijk had ik mensen gevonden met wie ik kon praten, die me iets konden leren.

Ik liep naar een paar jongens die bij een tafel stonden. 'Hoi,' zei ik. 'Ik ben Amanda.'

We glimlachten naar elkaar en schudden elkaar de hand als collega's, kameraden. Alle drie leken ze begin dertig. Heel even voelde ik me opgewekt. En toen vroeg een van hen voor wie ik werkte.

'Press TV.'

'Voor wie?'

Ik vertelde dat ik werkte voor een Iraanse zender en maakte duidelijk dat ik van plan was ontslag te nemen zodra ik ander werk kon krijgen.

De stilte die volgde was lang en neerbuigend. De lichten die via het zwembad reflecteerden, wierpen een flikkerend groen over ons allen.

'En jullie?' vroeg ik om de aandacht af te leiden. 'Voor wie werken jullie?'

Ze noemden hun mediaorganisaties – allemaal Amerikaans, stuk voor stuk serieus. Erkend, erkend en erkend. We praatten nog een minuut, waarna ze zich alle drie excuseerden en in de schaduw verdwenen, zodat ik weer alleen was.

Tijdens die eerste weken in het Hamra leek het of ik op geen enkele vraag van wie dan ook een goed antwoord had. Het was niet moeilijk me op waarde te schatten.

Waar kwam ik vandaan? Uit een kleine stad in Alberta, Canada. Waar had ik gestudeerd? Eh, ik had alleen een middelbareschooldiploma. Voor wie werkte ik voordat ik hier kwam? Eh, voor niemand.

Ze spraken een taal die ik niet beheerste; hun wereld was me volslagen vreemd. Ik was nooit in Washington DC geweest. Ik kende New York niet. Ook al verdiepte ik me via internet in de belangrijkste nieuwsfeiten, van de Amerikaanse mediawereld wist ik weinig. Ik was naar Bagdad gekomen zoals ik ook naar andere plekken was gegaan – Beiroet, Aleppo, Khartoem, Kabul –, maar ik had niet op Yale of Columbia gezeten. Ik probeerde mezelf dingen te leren. Ik maakte lange uren en greep elke gelegenheid aan om vragen te stellen aan de gevestigde journalisten, maar vrijwel altijd voelde ik me opgelaten en een buitenbeentje.

Niet iedereen was afstandelijk. Op een avond knoopte ik een gesprek aan met NBC-verslaggever Richard Engel. Hij was knap, energiek en kleiner dan ik, met een stralende glimlach en een marinierskapsel. Toen we het onvermijdelijke moment bereikten dat ik moest vertellen dat Press TV mijn verblijf in Irak financierde, reageerde hij sympathiek; hij wist hoe moeilijk het was om het hoofd boven water te houden. Hij was in 2003 voor het eerst naar Irak gekomen, nadat hij als freelance journalist zonder diploma met een homevideocamera de grens was overgestoken. Nu, vijf jaar later, was hij de veelgeprezen verslaggever van NBC News. Een paar weken na onze ontmoeting was hij bij het netwerk gepromoveerd tot hoofd buitenlandcorrespondentie.

'Iedereen moet ergens beginnen,' zei hij tegen me. 'Gebruik het als een opstapje. Maar zorg dat je snel iets beters vindt.'

Na ongeveer een maand kon ik mijn baan bij Press TV opzeggen en in mijn eigen onderhoud voorzien met freelance opdrachten voor France 24, een Engelstalig televisiestation in Parijs. Ik maakte een culturele reportage van het Nationaal Symfonisch Orkest van Irak. Ik verkocht een verhaal over Iraakse vluchtelingen die terugkeerden naar hun land en een over de benarde situatie van Palestijnen die in Bagdad woonden. Net zoals toen ik voor Press TV werkte, werd ik vaak overvallen door gevoelens van deemoed door de Irakezen die ik tijdens mijn werk tegenkwam – een overwerkte arts in een plaatselijk ziekenhuis, een lerares in Sadr City die glas opveegde nadat een explosie de ramen uit haar klaslokaal had geslagen, twee weeskinderen, broertjes van elkaar, die Kleenex verkochten op straat. Het was onmogelijk je niet onthutst of aangedaan te voelen over de oorlog. Zelfs op mijn eigen kleine manier voelde het als een privilege om er slechts getuige van te zijn.

Ik verdiende net genoeg geld om rond te komen. Voor elke minuut van mijn werk dat op het netwerk werd uitgezonden, schreef France 24 vijftienhonderd euro over naar mijn bankrekening. Het meeste daarvan ging op aan de onkosten voor het inhuren van een chauffeur, een vertaler, een cameraman en redacteur, en daar kwamen de drieduizend dollar die ik maandelijks moest neertellen om in het Hamra te kunnen wonen nog eens bij. Ik bleef columns schrijven voor de krant thuis. En ik had nu een echte vriend, een verlegen freelancer die Daniel heette, een Amerikaan die net als ik buiten de heersende mediamenigte stond. Hij en ik stonden soms op het balkon van het Hamra naar de werveling van journalisten te kijken – *fancy pants* noemden we ze – die beneden lachten, dronken, zwommen en dansten.

Ik had ook vriendschap gesloten met een Amerikaanse die Julie heette. Ze had een vriendelijke stem, was ongeveer even oud als ik en werkte voor een grote nieuwsservice. Julie was een van de fancy pants, maar we hadden toch een bepaalde band.

Op een avond kwam ze naar mijn kamer. Ik schonk een glas wijn voor haar in. 'Je weet,' zei ze, 'dat iedereen boos op je is, toch?'

'Wat?' zei ik. Ik was net terug van een paar weken vakantie in Portugal, waar ik weer met Kelly had gereisd op een buddy pass. Vol ongeloof keek ik Julie aan. Hoe konden er nu mensen boos op mij zijn? Wat had ik verkeerd gedaan?

In mijn afwezigheid bleek een aantal van mijn buren in het Hamra naar me te hebben gekeken op YouTube. Zonder mijn medeweten had de Press TV-presentator een live-verslag geüpload dat ik een paar maanden eerder samen met hem had gemaakt toen ik nog in het Palestine woonde, voordat ik echt in contact was gekomen met buitenlandse verslaggevers.

Ik had me niet gerealiseerd dat live-uitzendingen op internet

119

werden gezet. Toen ik er op mijn laptop naar keek nadat Julie naar haar kamer was gegaan om te gaan slapen, voelde ik een enorme angst op mijn borst drukken. Op de beelden droeg ik een roze hoofddoek en oorringen. De Iraanse presentator vroeg me vol ongeloof hoe het toch mogelijk was dat het merendeel van de westerse media de troepentoename door George Bush leek te steunen terwijl het dodental onder Amerikaanse troepen de vierduizend al had bereikt.

In de hitte van de dag, op het lage dak van het praktisch lege Palestine Hotel, met een rij onbeweeglijke palmbomen achter me, na weken zonder beveiligers met Enas door Bagdad te hebben rondgereden, had ik geantwoord naar wat ik dacht dat de waarheid was. Op dat moment had ik alleen buitenlandse verslaggevers in de zwaarbeveiligde groene zone gezien, verdiept in de dagelijkse briefings die op neutrale toon door persofficieren van de Voorlopige Autoriteit onder de Coalitie werden gegeven. Ik had van de Irakezen die voor Alhurra werkten gehoord dat westerse journalisten soms, om hun risico's te beperken en vaak voorgeschreven door hun verzekeringsmaatschappij, Iraakse verslaggevers – meestal vertalers en *fixers* – naar de stad stuurden om interviews af te nemen, zodat zij de verslagen konden verzamelen en hun verhalen konden schrijven vanachter de relatieve veiligheid van hun bureau.

Terwijl ik in het Hamra op mijn bed tegen een kussen leunde, zette ik me schrap voor wat er komen ging. Nu al voelde ik me ouder dan de versie van mezelf die ik op het scherm zag. Ik wenste dat ze haar mond nooit had opengedaan. Ik stelde me voor dat alle fancy pants zich rond iemands computer hadden geschaard en alles wat ik zei hadden bespot.

'Voor veel media is het probleem van verslaggeven in Bagdad,' zei ik tegen de presentator met de verslaggeversstem waaraan ik zo hard had gewerkt, 'dat ze niet echt zien wat er gebeurt. Ze wonen in beveiligde complexen. Ze zitten afgezonderd binnen de groene zone. En volgens hun contract mogen ze ook niet in de rode zone komen, waar ik nu sta...'

Ik hoorde mezelf praten en werd er misselijk van. Ik had gejammerd dat niemand me in hun midden wilde opnemen, maar had de fout die daarvan de oorzaak was al gemaakt lang voordat ik de journalisten die hier werkten überhaupt had gesproken. Na nog geen twee maanden Bagdad had ik me wijsheid, ervaringen en live-televisie eigen gemaakt en mezelf op YouTube, in negatieve zin, onsterfelijk gemaakt. En ik had het bij het verkeerde eind gehad. Er waren genoeg journalisten die in de rode zone woonden en werkten. Maar ik was ook niet helemáál verkeerd geïnformeerd. Het was voor iedereen lastig te zien wat er in Bagdad gebeurde, ook voor mij. Het was gewoon te onveilig.

Ik kon niet anders dan leven met wat ik had gezegd. Ik was loslippig en naïef geweest en nu was ik plat gezegd de lul. Vrienden maken en zakelijke contacten leggen in Bagdad hield ik voor gezien. Mijn gêne drukte zwaar op me. Ik bekeek mijn banksaldo en zocht op internet naar vluchten; het leek me verstandig om tijdelijk vanuit een andere locatie te werken – Afrika, wellicht. In het verleden had ik mezelf gekalmeerd met ademhalingsoefeningen of door te mediteren zoals ik in hostels voor rugzaktoeristen in India had gedaan, maar in deze context leek het niet te werken. Ik zat helemaal vast en voelde me eenzaam en zwaar gedeprimeerd.

Toen kwam er een onverwachte e-mail van Nigel, een kort berichtje om even iets van zich te laten horen. Hij had een nieuwe vriendin en was met haar naar Schotland verhuisd. Hij woonde daar op een landgoed in de buurt van Glasgow, waar hij als terreinknecht werkte. Hij was benieuwd hoe het met me was en hoopte dat alles goed ging. Zijn bericht rondde hij af met: 'Groetjes en pas goed op jezelf daar, lieverd.' Ondanks het nieuws over die vriendin was het een vertrouwde uiting van hartelijkheid, precies op het moment dat ik het nodig had.

Een paar dagen en e-mails later spraken we af om elkaar te bellen. Bij het horen van zijn stem sprongen me de tranen in de ogen. Ik miste wat we eens hadden gehad. Nigel maakte grapjes over zijn nieuwe baan, het Schotse weer. Sinds we elkaar voor het laatst hadden gesproken, had hij zich in een heel nieuw leven vastgeklonken, hoewel hij er niet erg enthousiast over leek. Ik begreep niet goed wat hem ertoe had gebracht zijn baan bij de krant in Bundaberg op te zeggen om heggen te gaan snoeien in Schotland. Ik had geen idee hoe hij het afgelopen jaar had doorgebracht, ik wist alleen dat hij niet meer fotografeerde.

Ik vertelde hem een aantal verhalen over Bagdad en deed alsof ik een boeiend, spannend leven leidde. Dat ik hier door iedereen werd gehaat liet ik achterwege. Na ongeveer tien minuten viel het gesprek stil.

Ik hoorde mezelf de vraag stellen die ik waarschijnlijk voor mezelf had moeten houden. 'Hoe zit het met je fotografie? Wat is er gebeurd? Je had zulke grote plannen.'

Het was een beetje een schimpscheut, maar ergens was ik ook oprecht nieuwsgierig – het schemerige deel van mijn geest dat probeerde te begrijpen waarom ik me ellendig voelde terwijl ik zojuist een versie van het droomleven had geschetst dat we ons diverse jaren terug in Ethiopië hadden voorgesteld.

'Dat weet ik eigenlijk niet,' zei Nigel. Hij leek van zijn stuk gebracht, verward, misschien zelfs een beetje verdrietig.

Ik ratelde verder. Over dat ik erover dacht een vlucht te boeken naar Nairobi en vandaar ergens in de komende maand naar Somalië te reizen. Ik had ideeën voor mogelijke verhalen over Somalië uitgewerkt, die ik de nieuwsregisseur van France 24 wilde voorleggen. Hoewel ik over al deze dingen had nagedacht, sprak ik ze nu pas voor het eerst hardop uit. En terwijl ik dat deed, trad er iets ouds en hoopvols in werking.

'Je zou mee kunnen gaan, weet je,' zei ik tegen hem. 'Er gebeurt daar zoveel. Je zou foto's voor tijdschriften kunnen maken terwijl ik iets voor de televisie doe.'

'Misschien,' zei hij.

Toen ik ophing wist ik vrij zeker dat hij het niet zou doen. Tenslotte was hij ook niet naar Kabul gekomen toen we nog iets hadden en nu, bijna een jaar later, had hij een nieuwe vriendin. Hij was inmiddels ongetwijfeld gewend geraakt aan het comfort en de veiligheid van het huiselijke bestaan.

Maar het maakte ook niet uit. Tijdens het gesprek had ik mijn besluit snel genomen. Ik was er klaar voor om uit Bagdad te vertrekken.

Er gaat in de wereld van de journalistiek een beroemd oud verhaal rond over nieuwspresentator Dan Rather. Aan het begin van de jaren zestig was hij een jonge, onervaren televisieverslaggever bij een tweederangs televisiestation in Houston, Texas, toen een monsterachtige orkaan door de Golf van Mexico raasde, in de richting van het eiland Galveston. Alle andere verslaggevers haastten zich naar de beschutting en veiligheid van hun redactiekamers op het vasteland, maar Dan Rather reed de brug over en wachtte de storm op. Toen die Galveston aandeed, bomen en huizen omvertrok en golven op de kust deed beuken, bracht hij live-verslagen uit vanaf de winderigste en gevaarlijkste hoogten.

Hij had die dag kunnen falen, gewond kunnen raken of gedood kunnen worden. Dan zou hij in een voetnoot zijn beland als de man die een orkaan trotseerde en stierf aan zijn eigen ambitie. Maar in plaats daarvan leverde zijn gok winst op. Hij overleefde de storm. Omdat hij daar was, omdat hij het risico had genomen, kon hij het verhaal op een levendige, betekenisvolle manier vertellen. Zijn carrière was een feit. Hij werd geprezen omdat hij duizenden kijkers in het pad van de orkaan ervan had weten te overtuigen hun huizen te verlaten en werd prompt ingehuurd door een nationaal tv-netwerk.

Na bijna zeven maanden in Bagdad richtte ik mijn blik op Somalië. De redenen daarvoor leken vanzelfsprekend. Somalië was een puinzooi. Er waren daar verhalen: een felle oorlog, een dreigende hongersnood, religieuze extremisten en een cultuur die grotendeels onbekend was. Ik begreep dat het een vijandige, gevaarlijke plek was, en er waren maar weinig verslaggevers die zich daar durfden te wagen. Eerlijk gezegd was ik blij met het gebrek aan concurrentie. Ik zou een kort bezoekje brengen en verslag doen vanaf de buitengrenzen van de rampgebieden. Ik zou verhalen brengen die ertoe deden, die mensen roerden – verhalen waar-

123

in de grote tv-netwerken geïnteresseerd zouden zijn. Daarna zou ik verdergaan en van nog grotere dingen verslag doen.

Somalië zou mijn orkaan kunnen zijn.

13

Wijd open deuren

Het idee was om vier weken in Afrika door te brengen. Meer niet. Erin en eruit.

Een fotograaf die ik uit Bagdad kende – een vriendelijke Fransman, Jerome – had me de contactgegevens gegeven van een fixer die in de Somalische hoofdstad Mogadishu werkte. Fixers worden ingehuurd als lokale planners voor reizende journalisten. Ze regelen interviews, de logistiek en treden vaak op als vertalers. Ajoos Sanura was een Somalische fixer die de meeste ervaring had en door westerse verslaggevers werd vertrouwd. Jerome was al twee keer eerder in Somalië geweest. Hij had een recente opdracht van een krant om een derde keer te gaan afgewezen, deels omdat het land zo gevaarlijk was geworden. Jerome was achter in de dertig, getrouwd met een journaliste en had een tienerzoon. Hij was in veel oorlogsgebieden geweest en al een paar keer aan de dood ontsnapt.

Hij waarschuwde me dat ieders geluk een keer opraakte. Aan voortdurend van de ene naar de andere oorlog reizen zaten geen positieve kanten. 'Je bent nog jong,' zei hij tegen me. 'Je zou iets anders met je leven moeten doen.' Maar ik kon me daar geen enkele voorstelling bij maken. Ik was zevenentwintig en mijn grootste successen tot dusver – hoe bescheiden ook – had ik beleefd in oorlogsgebieden.

De goedkoopste route vanuit Bagdad naar Nairobi was via Addis Abeba, de Ethiopische stad waar ik twee jaar eerder Nigel had ontmoet. Ik ging daar eerst heen en nam uit nostalgie opnieuw mijn intrek in het Baro Hotel. Het was nog steeds een miserabel onderkomen, nog altijd bevolkt door enthousiaste, zongebruinde rugzaktoeristen die hun reizigersferomonen verspreidden, groepjes of tweetallen vormden en nieuwe dingen nastreefden. Ik herinnerde me het gevoel, de charme, maar kon het niet meer in mezelf oproepen. Het was alsof ze dansten op muziek die ik niet kon horen.

Op 10 augustus 2008 vloog ik van Addis naar Nairobi en vond een hotel in het centrum – een met twee sterren in plaats van één, zoals ik gewend was, uit eerbied voor mijn laptop, een pak contant geld en de behoefte om beide te beschermen. Ik was niet van plan lang te blijven. Ik had per e-mail contact met Ajoos en werd door zijn actieve houding aangemoedigd. Voor honderdtachtig dollar per dag zou hij de logistiek voor zijn rekening nemen, inclusief een vertaler en beveiliging. Voor honderd dollar extra zou hij een kamer boeken in het Shamo Hotel, het enige onderkomen dat hij buitenlanders kon aanbevelen. Ik stuurde hem een lijst met dingen die ik in Somalië wilde doen: een kamp voor ontheemden bezoeken, een vrouwelijke Somalische arts interviewen die om haar medische hulp geroemd werd, en de aankomst van een Canadees marineschip filmen dat een scheepslading voedselhulp van het Wereldvoedselprogramma naar de kust van Somalië escorteerde. Volgens Ajoos was het allemaal mogelijk.

De realiteit was dat ik Nigel nodig zou hebben, of wie dan ook, om met me mee te gaan en de kosten te delen. Tien dagen in Somalië zouden een flinke hap uit mijn spaargeld betekenen als ik alleen ging. Nigel en ik hadden een paar keer gemaild. Hij leek in dubio over wat hij moest doen, wel of niet gaan. Hij miste de fotografie en de spanning van het reizen. Een ijdel deel van mij hoopte dat hij mij ook miste.

Op mijn tweede dag in Kenia ging ik naar de Somalische ambassade en betaalde vijftig dollar voor een journalistenvisum dat drie maanden geldig was en de volgende dag klaar zou liggen. Somalië zou het gevaarlijkste land op aarde zijn, maar zijn deuren stonden wijd open.

Ik kreeg weer een e-mail van Nigel. Hij kwam. Over een paar dagen zou hij vanuit Londen naar Nairobi vliegen. Hij had het ticket geboekt, zijn camera ingepakt en was klaar om te vertrekken.

Ik was verrast door zijn beslissing en vroeg me af wat het betekende. Er was zoveel onuitgesproken tussen ons. We hadden elkaar zestien maanden geleden in Australië voor het laatst gezien, ons aan elkaar vastgeklampt op de luchthaven, ervan overtuigd dat onze relatie zou werken. Ergens tussen Afghanistan en Irak was ik een andere richting ingeslagen en Nigel ook. We hadden elkaar opgegeven zonder het daadwerkelijk uit te spreken. Ik had de uitnodiging om zich in Somalië bij me te voegen zo gebracht dat hij haar kon afslaan. Ik had hem een beetje willen treiteren met zijn verloren dromen. Ik had mezelf de kans gegeven om zijn 'nee' naast mijn 'ja' te plakken.

Maar Nigel had de uitdaging aangenomen. Hij zei ja. Het vooruitzicht hem weer te zien, hem fysiek naast me te hebben, maakte me zenuwachtig. Waarom kwam hij? Wat zouden we doen? Ongeacht onze vroegere genegenheid voor elkaar, ongeacht eventuele verbolgenheden die nooit waren uitgesproken, wist ik niet of ik er wel klaar voor was om ze op te rakelen – vooral niet op een plek als Somalië.

Somalië heeft de vorm van een zeven. Het land ligt over de uiterste punt van Ethiopië gehaakt, met een kustlijn die naar het noorden wijst, naar Jemen, en een langere die naar het oosten wijst en uitkijkt over de uitgestrekte oceaan met aan de andere kant het zuidelijkste puntje van India. Vanwege zijn locatie – ingeklemd tussen het Midden-Oosten en de rest van Afrika, met een relatief eenvoudige toegang tot Azië, heeft Somalië er altijd toe gedaan, vooral voor handelaren. In de haven van Mogadishu wemelde het ooit van de schepen die ladingen specerijen uit India brachten en volgeladen met Somalisch goud, ivoor en bijenwas weer wegvoeren. Veel later, nadat het land door de Italianen en Britten was ge-koloniseerd, werd Somalië een glamoureuze bestemming voor de Europese elite. In de jaren veertig en vijftig van de vorige eeuw werd er gezonnebaad op het witte zand van Lido Beach in Moga-dishu en werden er alcoholische versnaperingen genuttigd in de nachtclubs en cafés.

Maar dat was niet het Somalië waarover ik tijdens mijn zoek-tocht op internet las. Mogadishu, zo'n duizend kilometer ten noorden en oosten van Nairobi, werd omschreven als de hel – een chaotische, anarchistische, ontstellend gewelddadige stad, de verscheurde hoofdstad van een land dat de kolonisten had verdre-ven en zich al vijftig jaar verzette tegen democratie. De macht was eindeloos, hopeloos verdeeld over een netwerk van kleine imperi-ums geleid door oude stammen, krijgsheren en criminele bendes. Een socialistische dictator met de naam Siad Barre had iets meer dan twintig jaar af en aan geregeerd, maar was in 1991 door rebel-lengroepen verdreven. Zeventien jaar later streden die groepen – die herhaaldelijk versplinterd, gehergroepeerd en van loyaliteit waren veranderd en zich in sommige gevallen zelfs bij groeperin-gen van islamitische fundamentalisten hadden aangesloten – nog steeds met elkaar om de macht. Er waren dertien pogingen ge-daan om een centrale regering in Somalië te vormen en alle der-tien waren ze mislukt. Een veertiende regering was geïnstalleerd en had haar basis in een buurt van Mogadishu, hoewel die naar ie-ders mening vrijwel volledig incapabel was. Wanneer diplomaten het over Somalië hadden, noemden ze het een 'mislukte staat', als-of er geen mogelijkheden meer waren om zijn problemen op te lossen, alsof het land volledig verwoest en voorgoed verloren was.

Daar kwam nog bij dat het een bijzonder slechte zomer was ge-weest. Het regenseizoen had geen regen gebracht. Oogsten waren mislukt. Voedselprijzen waren hoog; mensen begonnen te ver-hongeren. Opstandige milities, die in de gaten hadden dat voed-sel macht was, kaapten vrachtwagens die voedselhulp van de VN kwamen brengen, waarbij de chauffeurs soms werden gedood. Dat jaar waren er al twintig hulpverleners vermoord; een aantal was gegijzeld en werd voor losgeld vastgehouden. Diverse internationale organisaties hadden zich volledig uit Somalië teruggetrokken en verklaarden dat het te gevaarlijk was om er te werken.

Ik zou graag zeggen dat ik aarzelde voordat ik Somalië binnenging, maar dat was niet zo. Als mijn ervaringen me iets hadden geleerd, dan was het dat verschrikkingen en strijd weliswaar de internationale krantenkoppen haalden, maar dat er tegelijkertijd altijd – echt áltijd – iets hoopvollers en meer menselijks te vinden was. De voorstelling die je van een plek had, bleek altijd net even anders te zijn als je er eenmaal was: in elk land, in elke stad, in elke straat vond je ouders die van hun kroost hielden, buren die naar elkaar omkeken, kinderen die met elkaar speelden. Natuurlijk, dacht ik, zal ik verhalen vinden die de moeite waard zijn om te vertellen. Natuurlijk had het zin om te proberen die te vertellen. Ik wist dat er slechte dingen gebeurden. Ik was niet helemaal naïef. Ik had wapengeweld en ellende gezien. Maar het grootste deel van de tijd had ik me altijd aan één kant bevonden, genietend van het goede, terwijl het kwaad langs me heen stuiterde alsof ik er helemaal niet was.

14

Oversteken

Op 16 augustus liep Nigel de Internationale Luchthaven van Nairobi binnen met dezelfde rode rugzak die hij in Ethiopië bij zich had gehad. Hij was niet erg veranderd. Dezelfde heldere ogen, dezelfde geschoren kuiltjes in zijn wangen.

Hij spreidde zijn armen. 'Kom hier, Trout.' Trout was op de middelbare school mijn bijnaam geweest. Hij rijmde op mijn achternaam. Nigel was hem in Ethiopië gaan gebruiken.

We omhelsden elkaar. Ik zei: 'Wat ontzettend fijn je te zien.' En ik meende het. Ik was het afgelopen jaar heel veel alleen geweest en had op gespannen voet gestaan met vrijwel iedereen die ik had ontmoet. Voordat ik uit Irak was vertrokken, had ik een kortstondige relatie gehad met een Amerikaanse verslaggever, een bureauchef. In het Hamra had hij een kamer tegenover de mijne. Hoewel hij arrogant was, had hij heel kort een soort van vriend geleken, in elk geval iemand met wie ik tijd kon doorbrengen. Maar zelfs dat had afstandelijk gevoeld.

De vertrouwdheid die ik bij Nigel voelde, werkte onmiddellijk kalmerend. Liefdevol sloeg hij een arm om mijn schouders terwijl we naar buiten liepen, de warme Keniase lucht in. Ik voelde me gevleid door zijn aanwezigheid, door het feit dat hij op een vliegtuig was gestapt en helemaal naar Afrika was gevlogen – om te werken, oké, maar ook om mij te zien. We namen een taxi naar het hotel, zodat hij zijn bagage in zijn kamer kon zetten, die zich in dezelfde gang bevond als de mijne, en deden daarna het enige wat het ongemakkelijke gevoel van deze reünie meteen kon verlichten: we werden dronken.

We dronken een biertje in een café en gingen naar een restaurant om te eten en wijn te drinken. Vanaf de straat zagen we een bar op de eerste etage, waarvan het balkon was afgeladen met zakelijk geklede Kenianen; daar gingen we vervolgens heen om tequilashots en nog meer bier te drinken. We praatten al gemakkelijker, keken elkaar recht aan, maar vermeden gesprekken die pittig of emotioneel zouden kunnen worden. We spraken tegen elkaar uit dat we meer uit ons leven wilden halen, maar daar bleef het verder bij.

Tegen de tijd dat we ergens na middernacht in een rokerige karaokebar belandden, we nog een drankje hadden genuttigd, op het podium waren geklommen en ten overstaan van een groep buurtbewoners, die allemaal gingen staan om te dansen, uit volle borst een liedje van George Michael hadden gezongen, voelde het of we onze relatie helemaal niet meer hoefden te bespreken. Ik wist voor negentig tot vijfennegentig procent zeker dat we niet meer van elkaar hielden, dat we gewoon vrienden konden zijn. Ik greep nog een laatste keer naar de microfoon – trakteerde de Keniase menigte op een liedje van New Kids on the Block – en deed mezelf de belofte dat ik de volgende dag weer aan werk zou denken.

Nadat we terug waren gestrompeld naar het hotel boog Nigel zijn hoofd naar me toe om me een kus te geven, bijna alsof het een verplichting was. Het voelde meteen zo vreemd en verkeerd dat ik ineens zeker wist dat we als stel voorgoed verleden tijd waren.

Een paar dagen later liepen we met z'n tweeën over de landingsbaan van de luchthaven van Nairobi naar een aftands ogend vliegtuig van Daallo Airlines. We waren allebei gespannen, sleepten een aantal tassen handbagage mee, een paar duizend dollar aan Amerikaans geld, het voorkeursbetaalmiddel in Somalië, en onze camera's. We hadden elk een tas ingecheckt. We zeiden niet veel. De avond ervoor hadden we gezellig gegeten in een Italiaans restaurant dat Trattoria heette en het er nog een laatste keer goed van genomen voordat we ons naar Mogadishu zouden begeven, waar de omstandigheden een stuk soberder zouden zijn. Aangezien veruit het grootste deel van de bevolking van Somalië uit moslims bestond en moslims niet drinken, zou het waarschijnlijk ook de laatste keer zijn dat we alcohol konden nuttigen. Laat op de avond had Nigel nog een poging gedaan me te kussen, maar deze keer had ik hem weggeduwd. 'Je hebt een vriendin,' berispte ik hem. Die vriendin zou om een heleboel redenen momenteel niet blij met hem zijn, wist ik.

Het vliegtuig zat vol met ongeveer honderd Somalische mannen en vrouwen, plus een paar kinderen, die over de stoelen van gescheurd canvas klauterden. Tijdens de wandeling over de landingsbaan, waarbij ik een gevoel van naderend onheil niet van me af kon schudden, voelde ik me een beetje licht in het hoofd en misselijk. Veel vrouwen droegen een conservatieve hidjab, zware gewaden met lange sluiers. Een aantal van hen droeg nikabs, hun gezicht volledig bedekt, op de ogen na. Een paar hadden hun voeten omwikkeld met wit plastic voordat ze hun sandalen hadden aangetrokken, een ultieme poging om elke laatste millimeter huid te bedekken.

Er werd luidruchtig door elkaar heen gepraat terwijl er een krankzinnige hoeveelheid handbagage werd ingeladen – stevig dichtgeknoopte plastic tassen in alle kleuren, volgepropt met kleren, boeken en eten. De wanden van het vliegtuig zaten onder het vuil. De toiletdeur hing scheef. In de wachtruimte had ik een paar woorden gewisseld met de ogenschijnlijk enige andere niet-Afrikaan op de vlucht, een oudere Italiaanse man die Engels sprak. Hij zei dat hij voor een christelijke ngo werkte en op weg was naar de noordelijke stad Hargeisa, de hoofdstad van de onafhankelijke provincie Somaliland, de tweede stop na Mogadishu.

Toen hij hoorde dat wij in het zuiden van boord gingen, trok hij vol ongeloof zijn wenkbrauwen op. 'Ik zou maar heel voorzichtig zijn in Mogadishu,' zei hij. 'Je hoofd' – hij tikte op zijn eigen hoofd – 'is daar een half miljoen dollar waard. En dan heb ik het alleen nog maar over je hoofd.'

Ik wist wat hij wilde zeggen. Westerlingen waren nuttige producten in Somalië, zelfs dode. Een lichaam was een trofee; gijzelaars konden terug worden verkocht aan hun eigen thuisland. Ook was er het beruchte Black Hawk Down-incident geweest uit 1993, waarbij een mislukte verrassingsaanval van Amerikaanse commando's op een krijgsheer in Mogadishu ertoe had geleid dat Somalische burgerwachten al zegevierend de lijken van twee Amerikaanse soldaten door de straten hadden gesleept. Meer recentelijk vergaarden Somalische piraten in de Golf van Aden rijkdom door buitenlandse schepen vast te houden totdat er losgeld werd betaald dat in de miljarden liep. Ik wist precies wat de Italiaanse ngo-medewerker bedoelde, maar wilde het liever niet horen.

Nigel en ik zaten achter in het vliegtuig. Om ons heen voerden mensen gesprekken via hun mobiele telefoons. Ze kwamen geagiteerd over en gingen staan om wat klonk als nieuws naar anderen in nabijgelegen rijen te schreeuwen. Een Somalische vrouw die in Amerika was opgegroeid en nu in Hargeisa werkte, vertaalde het voor ons. 'Ze zeggen dat op de luchthaven in Mogadishu de oorlog is uitgebroken,' zei ze. 'Er wordt gevochten op de weg. Misschien wordt hij wel afgesloten. Misschien kunnen we niet opstijgen.'

Ik wist niet precies wat dat betekende – *de oorlog is uitgebroken* –, al helemaal niet tegen de achtergrond van een oorlog die al bijna twee decennia duurde, maar in het vliegtuig, tussen de Somaliërs, leek het flinke beroering teweeg te brengen. We wachtten op een of andere mededeling. Mijn bloed leek met extra kracht door mijn aderen te pompen. Heel even stond ik mezelf toe opgelucht te zijn door het vooruitzicht dat we het vliegtuig zouden moeten verlaten, de luchthaven van Nairobi weer in, dat de zaak volledig uit onze handen was genomen.

Maar na een paar minuten startten de motoren. Een steward trok de deur dicht en sloot ons vacuüm af van de ochtendhitte van Nairobi voordat hij de passagiers via de luidspreker verzocht hun mobieltjes uit te zetten. Wát nou oorlog op de luchthaven? Vliegen met die hap.

Nigel, die naast me zat, zag nagenoeg grijs. 'Ik heb hier een slecht gevoel over,' zei hij. 'Ik kan er niets aan doen. Het voelt of er iets ergs gaat gebeuren.'

Ik kneep even in zijn arm. In gedachten somde ik de redenen op waarom we ons goed zouden moeten voelen en niet slecht. Ik had geregeld dat we van de luchthaven werden opgehaald. Ajoos had me verteld dat een bewapend beveiligingsteam ons naar het hotel zou escorteren. Hij had gezegd dat daar meer buitenlandse journalisten verbleven. Hoe slecht kon het zijn? Als de gevechten rond de luchthaven een probleem waren, zou de piloot vast doorvliegen naar Hargeisa. Alles was min of meer geregeld. Het zou goed komen met ons.

Ik keek naar Nigel. 'Zo voelt het gewoon als je een oorlogsgebied binnenvliegt,' zei ik terwijl ik zelfverzekerder klonk dan ik me voelde. 'Het is heel normaal. Als we er eenmaal zijn, zul je je beter voelen.'

Op dat moment begon het vliegtuig te rollen. Het rammelde als een ouwe brik over het asfalt, totdat het snelheid maakte, helde en opsteeg. Nairobi viel onder ons weg, een uitgestrekt gebied van glinsterende sloppenwijken en bruine vlakten. Terwijl we door de wolken heen opstegen, keek ik stil uit het raam.

De Italiaanse man zat aan de andere kant van het gangpad. Hij had een bijbel en een bril met zwart montuur uit zijn tas gepakt en zat rustig te lezen.

Ik zette mijn laptop aan, plugde een koptelefoon in en startte een geluidsbestand van een geleide meditatie die op mijn harde schijf stond. Tijdens de avonden in Bagdad had ik er in mijn kamer in het Hamra naar geluisterd als ik in slaap probeerde te komen. De opname was gemaakt door een vrouw die ik kende van thuis en die een meditatiegroep leidde waaraan Jamie en ik hadden deelgenomen toen we samenwoonden. Met een prettige, moederlijke stem gaf ze tegen een achtergrond van pianomuziek instructies om steeds maar weer diep en langzaam te ademen, vergezeld van woorden die als een mantra door je hoofd voerden: 'Met deze adem kies ik vrijheid. Met deze adem kies ik vrede.'

Ik zat met mijn ogen dicht en ademde, de woorden ratelden door mijn geest, eerder ritmisch dan betekenisvol. Vrijheid, vrede, vrijheid, vrede. Ik hield het misschien een halfuur vol en bracht zo mijn zenuwen tot bedaren. Toen ik mijn ogen weer opendeed voelde ik me beter, rustiger. Ik borg mijn laptop op en zag dat de Italiaanse man zijn bijbel had dichtgeklapt en naar me keek. 'Was je aan het bidden?' vroeg hij.

'Zoiets,' antwoordde ik. Daarna verbeterde ik mezelf. 'Ja.' De man glimlachte en zei niets. 'Ik probeerde mezelf te aarden,' zei ik. Ik vroeg me af of hij een zendeling of priester was.

De man knikte. Hij was oud, van dezelfde leeftijd als mijn opa, schatte ik, zijn wenkbrauwen waren borstelig en dik, zijn ogen een beetje waterig. Hij leunde naar me toe. 'Het is goed dat je naar Mogadishu gaat,' zei hij. 'Ik heb er respect voor. Ik hoop dat je voorzichtig bent.' Mogelijk bedoelde hij dit als verontschuldiging voor het feit dat hij me eerder bang had gemaakt – het schrikbeeld van mijn hoofd op het dienblad van een of andere krijgsheer. In elk geval kwam dit nog het dichtst bij een zegen voor wat we zouden gaan doen.

Negentig minuten nadat we uit Nairobi waren vertrokken, zette het toestel de daling in. Via het raam ving ik een eerste glimp op van de Somalische kustlijn – diepgroene vegetatie omzoomd met een witte zandstrook naast een schuimende, blauwgroene zee. Dit moest wel een van de meest betoverende plekken op aarde zijn. Er was geen spoor van wegen of strandhotels, überhaupt niet van mensen. Alleen maar land – uitgestrekt, dichtbegroeid oerwoud, als een tropisch paradijs, gezien door de kijker van een ontdekkingsreiziger van weleer. Ook de stad Mogadishu was, toen hij in beeld kwam, verbluffend – een centrum van witgekalkte koloniale bouwwerken rond een halvemaanvormige haven.

Iedereen in het vliegtuig draaide zich naar de aanblik toe. Voor me had de Somalische vrouw die in Amerika was opgegroeid haar gezicht tegen het raam gedrukt. 'Dit hier is het enige mooie aan Mogadishu,' zei ze, haar woorden tot mij en Nigel richtend.

135

Nigel leek er niet klaar voor om te kijken. Hij zat stokstijf in zijn stoel, zijn lichaam een stenen fort. Ergens daarbinnen huisde de vrolijke jongen die me vanachter op een kameel Australische kroegenliedjes had geleerd. Ik voelde me enigszins schuldig. Kennelijk had ik te veel van hem gevraagd. Somalië was niet bepaald een oorlogsgebied voor beginners.

Buiten het vliegtuig was de lucht vochtig en het rook er naar vis. De landingsbaan lag evenwijdig aan een breed strand waarop saffierblauwe golven sloegen. De blauwgroene kleur van het luchthavengebouw, Aden Abdulle International Airport of Mogadishu, was enigszins verfletst. Nigel en ik stonden in de rij om ons paspoort te laten afstempelen. Eenmaal aan de grond was hij weer een beetje tot leven gekomen en had met een vage glimlach zijn rode rugzak op zijn schouder gehesen. De luchthaven was schaars verlicht en het wemelde er van de mensen.

Een slanke, jonge Somaliër die bij het paspoorthokje stond, sprong naar voren. Hij hield een bord omhoog waarop stond: AMANDA, SHAMO HOTEL.

Ik voelde een golf van opluchting. We werden afgehaald. Dankbaar schudde ik de man de hand. 'Ben jij Ajoos?'

Hij was niet Ajoos. Hij was de cameraman die Ajoos had ingehuurd voor tijdens mijn verblijf. Abdifatah Elmi was zijn naam. Hij had een boeiend, knap gezicht met een strakke kaaklijn die gecompenseerd werd door een dunne sik. We mochten hem Abdi noemen. Ajoos zou ons in het hotel ontmoeten. Slechts een paar uur geleden waren hier nog vechtpartijen geweest, maar we hadden geluk: de weg naar het stadscentrum was weer opengesteld. 'Kom, kom met me mee,' zei hij.

We volgden Abdi door de menigte in de aankomsthal. Ik droeg een spijkerbroek en een lang shirt. Abdi had een dikke groenpaarse doek voor me meegenomen die ik over mijn hoofd en schouders moest dragen, maar die verhulde amper dat ik buitenlandse was. Nigel en ik werden geduwd en gepord. Niemand lachte. De luchthavenmenigte leek ons met een compleet ongeïnteresseerde blik vermoeid gade te slaan. We baanden ons een weg door een stroom van scharrelaars, taxichauffeurs en zelfbenoemde bagagedragers, ogenschijnlijk geleid door een groep soldaten van de Afrikaanse Unie – Ethiopiërs en Ugandezen –, die gekleed waren in bosgroene camouflage-uniformen en bewapend met machinegeweren. Ik was op talloze chaotische plekken geland, maar dit was anders: de chaos hier voelde gespannen, gevaarlijk, alsof we er niet buiten konden blijven en het inademden, alsof het al in de longen van iedereen op die luchthaven zat, het cyaankaligehalte van een lelijke oorlog.

Misschien beeldde ik het me alleen maar in. Ik dwong mezelf niet zo hysterisch te doen.

Een groep zogenaamde kruiers stond om een berg bagage heen die uit ons vliegtuig was geladen. Velen van hen droegen geen bovenkleding en ze waren mager, hun borstkas glansde van het zweet. Ik gaf mijn bagageticket aan de eerste die me naderde, een boomlange, jonge vent.

Achter me siste er iets met een zinderende vaart door de lucht. Ik draaide me om en zag een gezette Ethiopische soldaat met in zijn hand een zweep van boomtwijgen. Toen hij mijn blik ving, glimlachte hij en zwaaide er plagend mee. Met zijn pols sloeg hij de zweep terug en liet hem toen weer vallen, over de berg bagage en de klungelende, overijverige kruiers. Als hij op die manier professionele kruiers van potentiële dieven probeerde te scheiden, begreep ik niet hoe. Klets. De soldaat sloeg een man met een bochel weg. Klets. Hij liet de zweep neerkomen op de lange jongeman met mijn bagageticket en raakte zijn blote schouder, net toen hij triomfantelijk mijn vieze zwarte rugzak boven zijn hoofd had getild.

In Mogadishu scheen het de bedoeling te zijn dat je nooit ergens lang bleef hangen. Als je je snel bewoog was je veilig, alsof elke seconde die je stilstaand op een plek doorbracht de risico's vergrootte. Abdi haastte zich met ons naar een gereedstaande Mitsubishi suv, die geparkeerd stond in een zone die omgeven was door nog meer soldaten van de Afrikaanse Unie. De klap met de zweep leek vergeten, want de lange kruier laadde snel onze bagage in. Haastig gaf ik hem een biljet van vijf dollar, een klein fortuin in een land waar de gemiddelde volwassene leeft van het equivalent van ongeveer twintig Amerikaanse dollars per maand. Ik had nog nooit een volwassene een andere volwassene met een zweep zien slaan. Somalië verbijsterde me nu al. Toen we bij de luchthaven wegreden, vroeg ik me af of ik de man niet een briefje van twintig had moeten geven.

Behalve Abdi waren er nog drie mannen bij ons in de auto gestapt – een chauffeur en twee wreed uitziende kerels in uniform, die in de laadruimte hadden plaatsgenomen en ieder een wapen droegen. Dit waren de bewakers van de federale overgangsregering van Somalië, ofwel de FO, die ons elke keer dat we het hotel verlieten, zouden escorteren. Van wat ik ervan had begrepen, waren regeringssoldaten – stuk voor stuk Somaliërs – officieel belast met de taak bezoekers te beschermen, maar ze moesten ook tersluiks afgekocht worden om hun loyaliteit te garanderen, zodat ze ons niet aan een op geld beluste criminele bende zouden verkopen. Dit werd allemaal gedekt door het dagelijkse beveiligingshonorarium dat door Ajoos was berekend.

Nu ik Mogadishu vanaf de grond zag, besefte ik dat de stad lang niet zo schilderachtig was als hij vanuit de lucht had geleken. En dat hij dat alleen maar kon zijn als je de lijnen vervaagde, zodat je wel de felroze bougainvillebloesems over oude witgekalkte muren zag hangen, maar niet de gebombardeerde gebouwen of het feit dat veel huizen leegstonden, de ramen dichtgetimmerd. Kogelgaten zaten in vrijwel elk bouwwerk, muren waren afgebrokkeld, daken waren ingestort, alsof er een apocalyps had plaatsgevonden. We reden met hoge snelheid en minderden alleen maar vaart voor vliegensvlugge controles bij de controleposten van de FO. We passeerden een pick-up met vier slungelige tienerjongens in de laadbak, hun armen over een machinegeweer geslagen, dat als een speer naar achteren wees.

Ik leunde voorover in mijn stoel en vroeg Abdi wat hij wist over het geweld dat eerder die dag op de luchthaven was uitgebarsten, het nieuws dat de Somaliërs in ons vliegtuig zo paniekerig had gemaakt.

Abdi schudde zijn hoofd met de verdraagzame blik van een Somaliër die er dag in dag uit mee te maken heeft, niet als de mensen in het vliegtuig, zij die terugkeerden voor een bezoekje, zij die gewend waren aan de relatieve veiligheid van Nairobi. 'Gewoon een schermutseling,' zei hij en hij voegde eraan toe dat milities vaak slaags raakten met de soldaten die de weg naar de luchthaven bewaakten.

'Zijn er doden gevallen?'

Hij trok zijn schouders op. 'In Somalië sterven elke dag mensen,' zei hij op neutrale toon. 'Het waren er vijf of zes.'

Een paar uur later stonden Nigel en ik op het dak van het Shamo Hotel en ademden de vochtige zeelucht in. Toen de zon onderging was het uitzicht groots. Mogadishu lag voor ons als een exotische stad badend in het late zonlicht. Er waren eindeloze smalle straatjes met aan weerszijden lage gebouwen in de pasteltinten roze en blauw die in de schemering leken te glinsteren. Tussen de huizen in groeiden schitterende grote bomen, die het landschap groen en welig maakten. In de verte zagen we de golvende blauwe oceaan. Ondanks alles was de stad adembenemend.

Bij het inchecken hadden we kort gesproken met de eigenaar – Mr Shamo, een man met een ronde buik die van rijke komaf was. Hij had huizen in Tanzania en Dubai, waar hij en zijn broers ook eigenaar waren van een soort fabriek. Mr Shamo's succesvolle carrière als hotelier was begonnen in 1992, toen Dan Rather van CBS News – de orkaanheld in hoogsteigen persoon – in Mogadishu opdook, samen met tientallen collega's, om verslag te doen van de groeiende hongersnood en de ophanden zijnde komst van Amerikaanse troepen in Somalië. Iemand had Mr Shamo gebeld en gevraagd of hij in zijn bescheiden pension ruimte voor hen kon maken, zelfs als dat zou betekenen dat er mensen op de grond moesten slapen. De inkomsten van het verblijf van de CBS-ploeg hadden Mr Shamo geholpen zijn residentie uit te bouwen tot een volwaardig hotel van vijf etages, met verstevigde muren en bewapende beveiligers bij de hekken.

Hoewel het Shamo naar Somalische maatstaven ooit zeer verdienstelijk draaide, liepen de inkomsten van het hotel flink terug nu Mogadishu door oorlog werd verscheurd, onaantrekkelijk was voor buitenlandse bedrijven en openlijk vijandig tegenover journalisten en hulpverleners. Mr Shamo vertelde dat hij afwisselend in en buiten Somalië was. Twee van zijn kinderen woonden in de Verenigde Staten, de ene in Atlanta, de andere in North Carolina. Hij was vriendelijk tegen en gewend aan buitenlanders.

Hij had ons de sleutels gegeven van een kamer met een kingsize bed, een reusachtige kledingkast en een bad. Nigel en ik deelden de kamer om geld uit te sparen, maar Ajoos had gezegd dat we moesten doen alsof we getrouwd waren. 'Anders wordt het personeel onrustig,' had hij aan de telefoon gezegd. 'In de islam is dit haram.'

'Haram' was het Arabische woord voor alles wat verboden was. Dat had ik tijdens mijn reizen geleerd, maar in Mogadishu, waar moslimrebellen vele buurten in handen hadden gekregen en de bewoners een strikte vorm van de shariawetgeving hadden opgelegd – muziek, televisie en sport waren bijvoorbeeld verboden – werd het haramconcept breder toepast en streng op naleving gecontroleerd. Ik had gelezen dat volgens de regels van Al Shabaab, een van de dominante extremistische groeperingen, mannen hun baard moesten laten staan en vrouwen niet alleen over straat mochten. Ook had ik gehoord dat er wagens vol tieners door de straten patrouilleerden en dat zij vrouwen sloegen wier abaya niet lang genoeg was om hun enkels te bedekken.

Vanaf het dak zagen Nigel en ik hoe de duisternis langzaam over de stad viel, verloren in onze eigen gedachten. In de verte zag ik lichten aangaan. Dit verbaasde me. Delen van Mogadishu hadden stroom, wat leek te suggereren dat de elektriciteit hier stabieler was dan in Bagdad. Bagdad bij nacht was vrijwel volledig zwart.

'Kun jij geloven,' zei ik tegen Nigel, 'dat we hier zijn?'

'Nauwelijks,' antwoordde hij.

140

Ik keek naar hem terwijl hij een sigaret opstak en het pakje vervolgens in de zak van zijn spijkerbroek stopte. Door de vochtige lucht was zijn haar een beetje meer rechtop gaan staan. Hij leek uitgeput van de reis, maar was niet meer geïrriteerd. Ik voelde me bijna sereen, zo moe was ik.

'Dit is zo anders dan Bagdad,' zei ik.

In Bagdad hoorde je vrijwel elke nacht bommen, geweervuur en sirenes met onregelmatige tussenpozen afgaan – hard genoeg om ervan wakker te schrikken, niet dichtbij genoeg om je erdoor bedreigd te voelen. Terwijl ik hierover nadacht, besefte ik dat ik al maanden niet goed had geslapen. Maar in Mogadishu was het griezelig stil geworden. Er was geen enkel voertuig op straat. Er was geen enkele menselijke activiteit. Ik hoorde boomtakken in de zeebries zwaaien maar voor de rest alleen maar stilte.

Mogadishu was niet Bagdad. De stad was anders. Hij zag er vredig uit, allesbehalve 'de hel op aarde' zoals zo vaak in buitenlandse kranten werd geschreven. Ik was blij dat we het met eigen ogen zagen. Maar zonder het te weten verwarde ik de stilte met iets wat geen stilte was.

15

Mijn orkaan

Al die jaren dat ik National Geographic las en fantaseerde over een journalistieke loopbaan, had ik me nooit een voorstelling gemaakt van hoe het zou zijn om daadwerkelijk voor een tijdschrift te werken, laat staan zo iemand te ontmoeten. En hier waren ze dan, in Mogadishu – een team van een schrijver en een fotograaf, twee mannen, een Amerikaan en een Fransman; ze waren samen met mij en Nigel de enige gasten in het achtenveertig bedden tellende Shamo Hotel. Robert Draper was een gevestigde verslaggever uit Washington DC. Hij had opvallend blond haar, een licht Texaans accent en het zelfvertrouwen van iemand die alles al heeft gezien. Pascal Maître was een keurige, ervaren fotojournalist die met zijn gezin in Parijs woonde maar veel onderweg was. Hij had in heel Afrika reportages gemaakt en was al diverse malen in Somalië geweest. De twee mannen waren drie dagen voor ons in Mogadishu aangekomen en hadden van tevoren Ajoos als hun fixer ingehuurd.

Toen ik hen in de eetzaal van het Shamo zag zitten, was ik zowel met ontzag vervuld als een tikkeltje pissig. Ajoos, zo werd algauw duidelijk, zou hoofdzakelijk voor de Geographic-jongens werken en hen tijdens hun werk vergezellen. Nigel en mij liet hij over aan de vriendelijke maar weinig ervaren Abdi. Ajoos bleek behalve Abdi nog een andere man voor ons te hebben ingehuurd, die als vertaler zou werken, maar hij had slechts enkele uren voor onze komst afgezegd omdat hij het te gevaarlijk vond om in Mogadishu voor blanken te werken. Abdi kreeg nu de driedubbele rol toebedeeld van cameraman, vertaler en junior-fixer.

Toen ik Pascal, de fotograaf, vroeg wat ze gedurende hun tijd in Somalië hadden gedaan, met de gedachte dat het ons op ideeën zou kunnen brengen, wilde hij dat niet vertellen. Hij reageerde vriendelijk maar stellig. 'Het spijt me,' zei hij met een zwaar Frans accent. 'Als ik jullie zou vertellen waar we geweest zijn en jullie zouden daar vervolgens zelf heen gaan, zouden jullie een groot risico lopen. In Somalië kun je niet tweemaal hetzelfde doen. Dan pakken ze je.' Met 'je' bedoelde hij buitenlanders, met 'ze' zowel Al-Shabaab als de rondzwervende, minder georganiseerde milities die ons misschien allemaal zouden willen ontvoeren.

Ik mocht Pascal omdat hij zo rechtdoorzee was. Van zijn eigen verhalen gaf hij niets prijs, maar hij leek wel oprecht bezorgd over onze veiligheid. Hij en Robert kwamen op me over als hardwerkende journalisten die vastbesloten waren hun werk te doen en geen tijd te verspillen. Ze zouden tien dagen in Somalië blijven. We kwamen op hen vast over als onervaren en onvoorbereid, maar als dat zo was, hielden ze dat beleefd voor zich.

'Houd je kop erbij,' zei Pascal tegen ons voordat hij die eerste avond naar bed ging. 'En luister naar Ajoos.'

Ajoos Sanura had een donkere huid, een rechthoekige bril en een serieuze uitstraling. Hij zat voortdurend met zijn mobiele telefoon te bellen en leek in de hele stad vrienden te hebben, mensen die hij continu naar nieuws vroeg. Somaliërs, legde hij uit, praatten veel en wisselden graag roddels uit. In een stad zonder infrastructuur, waar spontane straatgevechten vrijwel dagelijks uitbraken, waar loyaliteit voortdurend verschoof, was de mobiele telefoon voor de burgers een soort van reddingslijn. Nieuws verspreidde zich snel en informeel, reisde over uitgebreide familienetwerken, van neef naar neef naar neef. 'Ga vandaag niet naar de Bakaara Market,' zeiden ze dan. Of: 'Er was net geweervuur vlak bij de K4-kruising. Twee vrouwen zijn gedood en een soldaat is gewond geraakt.'

143

Ajoos nam de taak op zich om zoveel mogelijk van deze netwerken af te luisteren. Zijn zakken zaten vol losgeld en hij deelde naar willekeur fooien, steekpenningen en gunsten uit, legde contacten onder rivaliserende milities, binnen de regering en buiten de stadsgrenzen. Hij had onder alle groepen vrienden. Al-Shabaab-vrienden. Ethiopische-krijgsmachtvrienden. Vrienden binnen de overgangsregering en binnen de diverse stammen. Het idee was dat als hij journalisten in de stad had, hij interviews kon regelen, nieuws kon opsporen of een veilige doorgang kon organiseren over wegen waarop door gewelddadige milities patrouilles werden gereden. Aan zijn linkerpols droeg hij een zwaar gouden horloge.

Ajoos, die om en nabij de veertig was, had een vrouw en tien kinderen. Hij woonde met zijn gezin in een huis in een ander deel van de stad, maar wanneer hij met buitenlanders werkte, verbleef hij in een kamer in het Shamo Hotel. Toen we de volgende ochtend tijdens het ontbijt met elkaar kennismaakten, reageerde hij in vloeiend Engels op onze bezorgdheid en verzekerde hij ons dat hij op afstand goed voor ons zou zorgen en dat hij voortdurend met Abdi in contact zou staan terwijl hij zelf met de *Geographic*-jongens op pad ging. En al die tijd ging zijn telefoon, het was het legioen aan onzichtbare informanten die om beurten hun ochtendberichten doorgaven.

Werken met blanken was in Somalië een riskante maar lucratieve onderneming. Niemand nam het licht op. Ajoos was er in 1993 mee begonnen, toen hij was ingehuurd om het statief van een BBC-cameraman door de stad te dragen. Daarvoor had hij zijn inkomen bijeengescharreld in de bediening van het restaurant van het Shamo. Sindsdien had hij het als fixer financieel goed gehad, hoewel zijn inkomsten, net zoals die van het hotel, zwaar te lijden hadden onder het almaar toenemende gevaar. Twee journalisten met wie hij had gewerkt waren vermoord – beide keren, zei hij, doordat ze zijn advies in de wind hadden geslagen. Een vrouwelijke producent van de BBC was in 2005 neergeschoten toen ze buiten – onverstandig, aldus Ajoos – voor Hotel Safari op haar auto stond te wachten. De tweede moord vond plaats in 2006, toen een Zweedse cameraman Ajoos' waarschuwingen negeerde en zich tijdens een politieke demonstratie in de menigte begaf en prompt van achteren werd neergeknald door een tienerjongen. Hun dood leek zwaar op hem te drukken.

Ajoos hield zijn woord en vertelde ons waar we in Mogadishu wel en niet heen konden gaan, wat hij baseerde op zijn inkomende telefoontjes. Op onze tweede ochtend, toen we een kamp voor binnenlandse ontheemden (IDP) ten westen van de stad wilden bezoeken, vernam hij van zijn bronnen dat het geen goed moment was om over die specifieke weg te reizen. Hij gaf verder geen details, maar we realiseerden ons dat je zijn oordeel beter niet in twijfel kon trekken. De stad en zijn wegen waren per slot van rekening een mengelmoes van concurrerende partijen.

Tijdens het rondreizen met Abdi en onze twee bewapende bewakers was ik voortdurend gespannen. Shamo-gasten werden vervoerd in een glimmende Mitsubishi Pajeros uit het wagenpark van het hotel – grote SUV's met getinte ramen die met veel herrie door de straten scheurden en onze gezichten weliswaar afschermden, maar onze aanwezigheid bekendmaakten, niet alleen aan iedereen die we passeerden, maar aan elke neef en neef van een neef die een telefoontje zouden krijgen: *er zitten buitenlanders in het Shamo.*

Op de tweede dag bezochten we twee voedseldistributiecentra die door het Wereldvoedselprogramma (WFP) in Mogadishu werden geleid. Nigel en ik maakten allebei foto's. Abdi droeg een gehuurde videocamera met zich mee en filmde mijn interviews met Somaliërs die hun huizen hadden verlaten vanwege de gevechten of voedselgebrek of een combinatie van beide. Het was de eerste keer dat ik pure wanhoop zag – mensen die niet gewoon honger hadden, maar volkomen uitgehongerd waren. Binnen de hekken van het voedingscentrum roerden de WFP-medewerkers in reusachtige vaten met dampende linzensoep en dunne gierstpap, terwijl circa duizend mensen buiten in slordige rijen wachtten, de mannen in de ene en de vrouwen in de andere rij. Iedereen droeg een leeg emmertje van blik of plastic bij zich. Ik zag lusteloze kinderen met knobbelige knieën aan de voeten van hun moeders; hun kale hoofden leken te groot voor hun lichaam. Een aantal kinderen zat in de schaduw van de wielkast van een verroeste, volledig gestripte auto die eruitzag alsof hij al jaren geleden in het zand was achtergelaten. Vanwege de gevechten, vanwege de piraten op de oceaan en de bandieten op de weg kwamen er slechts sporadisch schepen met voedsel aan. Op sommige dagen werden de mensen meteen weer weggestuurd.

Toen de hekken opengingen, stormden de wachtenden naar voren. Het lawaai vermenigvuldigde zich. Regeringssoldaten gebruikten stokken en zwepen om de menigte terug te dringen. Kinderen huilden. De mannen duwden en vochten zich een weg naar voren terwijl de vrouwen keurig in de rij bleven staan.

Als ze de voedingsvaten eenmaal bereikten, kregen de mannen drie soeplepels vol voedsel, de vrouwen kregen er twee en de kinderen een. Eenmaal in bezit van een gevulde emmer lieten velen zich ter plekke op hun knieën vallen en begonnen het voedsel naar binnen te schrokken om zichzelf van brandstof te voorzien voor de terugweg naar huis. De meesten gingen niet terug naar hun eigen buurten, legde de wfp-medewerker die ons rondleidde uit, maar naar de geïmproviseerde illegale nederzettingen die langs de wegen waren verrezen, waar de gevechten minder hevig waren en je gemakkelijker aan voedsel kon komen.

Ik zou kunnen zeggen dat het was alsof je naar een film keek, maar zo was het niet. Het was alsof je een teen in de rivier van andermans ellende stak. Het was ontstellend, verwarrend. Ik was er niet en ik was er wel. Ik maakte aantekeningen, schreef in mijn hoofd een script terwijl Abdi het filmde, en ik dacht – geloofde – dat ik kon helpen.

Terug in onze kamer in het Shamo schreef ik mijn wekelijkse column voor The Red Deer Advocate. Het was geen National Geographic of zelfs geen France 24. Het was een krant met een oplage van ongeveer dertienduizend, die werd gelezen door mensen ver weg op het Canadese platteland. Ik weet niet of mijn column iets voor iemand betekende naast mijn vader en Perry, die me na elke publicatie in de zaterdagkrant een e-mail stuurden, maar het betekende iets voor míj. Van maart tot augustus had ik elke vrijdag zevenhonderd nieuwe woorden ingestuurd en een handjevol nieuwe foto's. Ik had columns geschreven vanuit Bagdad, Addis en Nairobi. Ik genoot van de discipline die de vaste deadlines me oplegden. Ook genoot ik van leren schrijven en ik werd steeds beter in het omzetten van beeld in woord. Terwijl ik mijn aantekeningen en het onderzoeksbestand op mijn laptop doornam, schreef ik een verhaal over de schoonheid en de troosteloosheid van Mogadishu. Ik schreef hoe oorlog in combinatie met droogte en inflatie voedsel duur en moeilijk verkrijgbaar had gemaakt. Ik beschreef de menigten die in rijen voor de voedselcentra stonden en de gevaren waaraan families werden blootgesteld in de straten. Ik beschreef een vrouw die ik had geïnterviewd, Haliimo, die met haar gezin vanuit Midden-Somalië naar Mogadishu was gelopen nadat een van haar kinderen de hongerdood was gestorven.

Ik schreef het verhaal in een staat van opwinding en verwerkte de officiële statistieken erin die ik tijdens interviews met de medewerkers van het Wereldvoedselprogramma had genoteerd. De betekenis en omvang van de getallen waren moeilijk te bevatten, ook al had ik het levende bewijs ervan gezien. Ruim drie miljoen Somaliërs leden honger. Eén op de zes kinderen was ondervoed. Terwijl ik met een stapel kussens in mijn rug op het bed zat, maakte ik de column af, redigeerde hem een paar keer en selecteerde een aantal foto's van het voedselcentrum om samen met de column te uploaden.

De wifiverbinding in het Shamo was langzaam en onregelmatig. Na ongeveer tien minuten zakte het signaal weg en kreeg ik een melding dat het uploaden was mislukt. Ik probeerde het nog een keer, daarna nog eens en nog eens. Elke keer zag ik de streep op het scherm langer worden en dan abrupt stoppen. Ik slaakte een diepe zucht. Het was vrijdagavond. In Canada stond de krant op het punt om gedrukt te worden.

Nigel en ik kregen die avond een feestmaal geserveerd. In het hotel-restaurant bracht een knappe jonge ober kommen met romige vissoep binnen, gevolgd door een schaal met een hele gegrilde vis om te delen en ten slotte een verse zeekreeft besprenkeld met limoensap. We aten zoveel en zolang we konden en dronken daarbij glazen mangosap. De ober serveerde spaghetti en bracht een schaal geitenvlees, een paar bananen en een mandje met broodjes. Toen we uiteindelijk lieten blijken dat we genoeg hadden, bracht hij een laatste bord met stukjes papaja en bood hij aan thee te schenken. Nadien, terwijl Nigel met een deel van het hotelpersoneel in de lounge naar de Olympische Spelen in Beijing keek, ging ik terug naar onze kamer om nog een keer te proberen mijn e-mail met bijlagen te versturen. Weer kreeg ik een melding op het scherm dat het was mislukt. Steeds maar weer drukte ik op de verzendknop. Laat op de avond, toen de deadline al lang en breed was verstreken, deed ik nog een laatste poging. Deze keer hield de verbinding stand. Ik zag de laadstreep op het computerscherm langer worden totdat hij na een minuut of vijftien honderd procent overdracht toonde – mijn column en foto's waren de wereld in gestuurd.

Het verhaal zou een paar dagen later in de *Advocate* van maandag gepubliceerd worden onder de kop IN SOMALIË BEN JE NERGENS VEILIG. Op die dag zou ik daar zelf het levende bewijs van zijn. Vanaf maandag zou niemand weten waar ik was.

16

Gepakt

Later zouden ze me vertellen dat ze het hotel in de gaten hadden gehouden. Ze wisten dat we daar zaten. Niet precies wie, maar wel dat er buitenlanders in het hotel verbleven. Wat er gebeurde was gepland, voor zover je zoiets kunt plannen. Er waren geweren opgesteld, mannen ingehuurd, en er was een plek geregeld om ons nadien naartoe te brengen. In de wetenschap dat we eraan kwamen, hadden ze hun val opgezet. Misschien had een neef van een neef hun getipt. Misschien was het allemaal begonnen met de frisgewassen SUV waarmee we door de oude stad scheurden. Waren mensen vragen gaan stellen, dachten ze dat we hen misschien rijk konden maken. Ongetwijfeld was er iemand geld in het vooruitzicht gesteld – een chauffeur, een hotelmedewerker, een bewaker – in ruil voor informatie over waar de buitenlanders die dag naartoe zouden gaan. Iemand – we weten niet wie – had ons verraden.

Nigel werd die ochtend – zaterdag 23 augustus – wakker en trok een roze overhemd met paisleyprint en een merkspijkerbroek aan. We hadden ieder aan de uiterste rand van ons kingsize bed in het Shamo geslapen en waren allebei gespannen. Hij stuurde e-mails naar zijn vriendin in Schotland. Ik had een telefoontje gehad van de Amerikaanse bureauchef in Bagdad met wie ik een affaire had gehad. Hoewel Nigel en ik beslist geen stel waren, wisten we nog niet hoe we vrienden moesten zijn.

149

Als collega's deden we in elk geval ons best. Tijdens de eerste tweeënhalve dag in Somalië hadden we nog maar een klein deel gezien van waar we op hadden gehoopt, vanwege de onveilige situatie en in afwachting van de Canadese marine die met een voedseltransport zou komen. We hadden de oude stad bezocht, een van de weinige, relatief veilige delen van Mogadishu, waar verlaten Italiaanse koloniale villa's in de hitte stonden weg te smelten en hun leeggelopen zwembaden herinneringen opriepen aan een beter verleden. We waren naar een ziekenhuis geweest met slachtoffers van schietpartijen en met geamputeerden. Elke stap die we zetten, elke keer dat we uit de auto stapten, volgden onze ingehuurde bewakers ons, kalasjnikovs over hun schouder, niet helemaal ongeïnteresseerd maar ook niet bepaald oplettend.

Terwijl de felle zon al door het raam brandde en hanen buiten kraaiden, keek ik naar Nigel. Hij deed een paarse sjaal om zijn nek en pakte zijn enorme pilotenbril met blauwe glazen. Hij stond op het punt met Abdi af te reizen naar een Ugandese mijnenvegerseenheid. Ik had besloten in het hotel te blijven. Zo nu en dan klonk vrij dichtbij het gesis en geknal van een mortier.

'Dat meen je toch zeker niet, hè?' zei ik.

'Wat?'

'Zo kun je niet naar buiten gaan, Nige. Niet met Afrikaanse soldaten. Het kan gewoon niet.'

Ooit was ik gecharmeerd geweest van Nigels voorkeur voor felle kleuren en merkspijkerbroeken, maar wat hij nu droeg, was een teken van onervarenheid. Hij wierp me een vernietigende blik toe, deed zijn sjaal af en legde de zonnebril weg, maar de rest van zijn kleding hield hij aan.

Toen we beneden aankwamen, rondde Ajoos net een telefoontje af en hij informeerde ons dat de mortieren in de buurt van de Ugandese basis bij de luchthaven neerkwamen. Hij achtte mijnenvegen met de Ugandese soldaten die ochtend 'geen goed idee' voor Nigel, maar beloofde nog een paar telefoontjes te plegen om te kijken of we het IDP-kamp ten noorden van de stad konden bezoeken, waar we een dag eerder al heen hadden gewild. Het kamp

150

werd geleid door een bekende Somalische arts, Hawa Abdi, een gynaecologe van in de zestig die in de jaren tachtig van de vorige eeuw een kleine gezondheidskliniek voor vrouwen had geopend op de landbouwgrond van haar familie. Toen de burgeroorlog in 1991 uitbrak, gaf ze mensen die door de gevechten ontheemd waren geraakt toestemming op haar land te verblijven, en nu woonden er ongeveer negentigduizend Somaliërs. Dr. Hawa was een held. Ondanks pesterijen en dreigementen van Al-Shabaab, had ze haar kliniek uitgebreid tot een ziekenhuis met driehonderd bedden. Ze leidde tevens gezondheidsonderwijsprogramma's voor vrouwen. Haar twee dochters hadden in het buitenland een medische opleiding gevolgd en waren teruggekeerd om haar bij haar werk te helpen. Ik zag ernaar uit om hen te interviewen.

'Over dertig minuten kan ik jullie vertellen of het veilig is om te gaan,' zei Ajoos tegen ons terwijl hij zijn telefoon weer pakte. 'Nog even geduld, alsjeblieft.'

Dr. Hawa's land lag ongeveer twintig kilometer ten westen van waar we verbleven, net buiten de stadsgrenzen, aan de zogeheten weg naar Afgooye. De eerste dertien kilometer van deze weg vielen binnen de officiële stadsgrenzen van Mogadishu en werden door regeringstroepen beschermd, voor zover er in de stad iets te beschermen viel. Noch de federale overgangsregering noch de vredestichters van de Afrikaanse Unie hadden voorbij de stadsgrens enige invloed of back-up. Bij het verlaten van Mogadishu zouden we het Wilde Westen van Somalië binnengaan, waar milities de dienst uitmaakten. De twee soldaten van de federale overgangsregering die de afgelopen dagen als onze lijfwachten hadden gefungeerd, legde Ajoos uit, zouden bereid zijn ons tot aan de stadsgrenzen te begeleiden, tot aan de rand van hun territorium, maar niet verder. Daarna zouden we nieuwe bewakers moeten inhuren, die niet onder de regering zouden vallen. Dat zou ons nog eens 150 dollar kosten.

Een paar telefoontjes later had Ajoos alles geregeld. Drie vervangende bewakers zouden ons een paar kilometer na de laatste FO-controlepost ontmoeten. Behalve Abdi en onze chauffeur zouden we die dag nog een extra escorte hebben, zei hij: het hoofd van de beveiliging van het kamp van dr. Hawa, die onderweg was naar het Shamo om ons te ontmoeten.

De logistiek leek prima geregeld. Bovendien, waarmee konden we het vergelijken? Het was niet zo dat ik kon zeggen: *Nou, de laatste keer dat ik de grens overstak waar de islamitische milities met de regeringssoldaten streden, deden we het zo...*

Ik pakte mijn rugzak in. Mijn camera. Een groothoeklens. Een extra geheugenkaartje. Mijn iPod. Een klein notitieblokje. Twee pennen. Lippenbalsem. Een haarborstel. Een paar flesjes water. Ik droeg een spijkerbroek, een groen topje en leren sandalen die ik in Kenia had gekocht. Er overheen trok ik de zware Somalische abaya aan die Ajoos voor mij van zijn schoonzus had geleend – polyester en zwart, als een lange nonnenjurk – en mijn haar bedekte ik met een sobere, zwarte hoofddoek, een outfit die ik elke dag buiten het hotel had gedragen.

Robert en Pascal van National Geographic verlieten de lobby ongeveer twintig minuten voor ons en stapten in een andere SUV, met hun eigen ingehuurde FO-soldaten. Zoals gewoonlijk reisde Ajoos met hen mee. Ook zij zouden richting het westen gaan via de weg naar Afgooye. Hun trip was nog gevaarlijker dan de onze – ze zouden eerst nog dezelfde weg volgen, maar vervolgens territorium doorkruisen dat door milities werd geregeerd om de kuststad Merka te bereiken. Ze hadden voorzorgsmaatregelen getroffen en een tweede beveiligingsvoertuig met extra bewakers ingehuurd.

Toen we door de hekken van het Shamo reden, was ik er niet helemaal bij. Ik had die ochtend bijna het gevoel alsof ik in trance was. Over werken als verslaggever had ik dit geleerd: je schakelde jezelf in en uit. Je bracht heel veel uren rechtop en geïrriteerd door, terwijl je alle kleine dingen overzag, naar gunstige gezichtspunten zocht, vragen stelde, aantekeningen maakte en altijd probeerde vooruit te denken. De tijd die je zittend in de auto doorbracht, was voor mij tijd vrijaf.

Onze auto reed ons door straten die vertrouwder, minder verontrustend waren dan ze twee dagen eerder waren geweest. De man die vanuit dr. Hawa's kamp was gekomen om ons te escorteren – een oudere man in een wit overhemd en een Somalische sarong die geen Engels sprak – had bedongen dat hij zelf aan het stuur zou zitten. Onze gebruikelijke chauffeur zat voorin in het midden met Abdi aan de andere kant naast hem. Nigel en ik hadden de achterbank voor onszelf en de twee FO-soldaten zaten achterin.

De weg uit Mogadishu was breed en verhard. We stuiterden over kuilen in de weg en langs platgebombardeerde grijze gebouwen. We passeerden vrouwen die bananen en mango's verkochten en mannen die karren beladen met blikken slaolie en brandhout trokken. We reden over een rotonde en langs een aantal controleposten van de regering. Het verkeer werd minder druk. De lucht stroomde langs ons heen. Mijn gedachten dreven weg van waar ik was. Ik dacht aan mijn moeder, die naar British Columbia was verhuisd en werk in een bakkerij had gevonden. De laatste keer dat ik haar aan de telefoon sprak, had ze gelukkig geklonken. Het was zomer in Canada. Mensen grilden hamburgers op de barbecue en zwommen in koele meren. De gedachte aan thuis was heel prettig. Om voor een bezoekje terug te gaan zou ik een aantal verhalen moeten verkopen. Ik pakte mijn camera uit mijn rugzak, zette hem aan en bekeek de foto's die ik de afgelopen dagen had gemaakt. Er zaten een paar mooie opnamen van het landschap bij, waaronder een aantal van een katholieke kathedraal, door de Italianen in de jaren twintig van de vorige eeuw gebouwd en vrij recentelijk zwaar beschadigd door bombardementen. Ik had een serie foto's vanuit een Afrikaanse Unie-tank gemaakt van zowel de Ethiopische soldaten als hun zicht op de straten beneden.

Nu we de stadsgrenzen naderden, passeerden we vluchtelingen langs de weg – families die zichzelf naar het westen sleepten, weg van de belegerde stadsstraten. Ik zag uitgestrekte kampen, onderkomens gemaakt van geteerde zeildoeken die over boomtakken waren gedrapeerd die tot hoepels waren gebogen, waardoor ze eruitzagen als een vloot armzalige, provisorische zeilbo-

153

ten. Over beide rijbanen van de snelweg reden pendelbusjes tussen Afgooye en Mogadishu. Er hing een waas van gele stof in de lucht. We stopten bij de laatste controlepost van de regering, waar een tiental geüniformeerde soldaten in de schaduw onder een grote tent zat. Iemand tilde de achterklep op. Onze FO-bewakers sprongen er zonder iets te zeggen uit. Onze chauffeur rolde zijn raampje naar beneden en riep in het Somalisch iets naar de vertrekkende soldaten, en enkele seconden later waren we weer in beweging en reden door een kort stuk niemandsland dat het regeringsgebied van dat van de milities scheidde.

De weg maakte vanaf de controlepost een bocht. Voorin sprak Abdi in zijn mobiele telefoon. Ik bekeek nog meer foto's – een serie die ik van Nigel had gemaakt terwijl hij in de oude stad gezellig een balletje trapte met een aantal kinderen die de straat op waren gerend – toen ik merkte dat de auto vaart minderde. Ik nam aan dat we onze nieuwe bewakers zouden ontmoeten. Ik deed geen moeite overeind te komen. Naast me was Nigel verdiept in zijn eigen camera. Maar de energie in de auto veranderde; de lucht leek ineens elektrisch geladen. De drie Somalische mannen voorin mompelden iets. Toen ik keek zag ik een donkerblauwe Suzuki-stationcar aan de andere kant van de straat geparkeerd staan. Ineens stond er iemand voor onze auto, een man met een geweer, zijn hoofd, neus en mond omwikkeld door een roodgeblokte sjaal, de soort die moedjahedienstrijders overal ter wereld dragen. Zijn donkere ogen puilden uit. Zijn geweer was recht op onze voorruit gericht.

Abdi schakelde over op Engels. 'Dit zou een probleem kunnen zijn,' zei hij.

Er verschenen nog meer mannen vanachter de geparkeerde Suzuki, die met opgeheven geweren onze wagen omsingelden – een stuk of twaalf in totaal.

Onmiddellijk ontstond de hoop dat het hier om een roofoverval ging. Iets snels waarbij ze alles afpakten en dan weer verdwenen.

Iemand trok het achterportier open, de hitte stroomde de door airco gekoelde ruimte in. Mensen schreeuwden in het Somalisch, mannenstemmen. Abdi en de twee andere mannen voorin werden uit de wagen gesleurd en in een greppel langs de kant van de weg geduwd. Ik zag dat Nigel uit de auto klom. Een man met een sjaal schreeuwde in mijn gezicht. Ik zag zweetdruppels van zijn bedekte voorhoofd langs zijn neus stromen. Hij leek jong. Ik stak mijn armen omhoog – zoals ik mensen honderden malen in films had zien doen – en liet me de felle gloed van de zon in glijden.

Was dit echt? Hoe kon dit gebeuren?

Op dat moment liep er een vrouw voorbij. Als een spookverschijning zweefde ze langs ons in de richting van een kruising verderop. Ze keek en ze keek niet, deed alsof ze ons niet had gezien. Haar hoofdsjaal wapperde achter haar aan terwijl ze zich voortbewoog. Zonder ook maar een keer om te kijken liep ze verder. Ik begon in te zien dat het echt was wat er gebeurde. Iemand duwde me naar de greppel. Ik knielde en liet me toen voorover in het zand vallen, naast Nigel, die er al met zijn gezicht omlaag naast Abdi en de andere twee lag. Ik spreidde mijn armen en benen, zoals iedereen had gedaan.

Het werd stil. Iemand leek onze auto te doorzoeken. Vanuit een ooghoek zag ik de smalle holte van een loop die op ongeveer dertig centimeter afstand op mijn hoofd gericht was. Mijn lichaam en geest voelden griezelig kalm. Ik was ervan overtuigd dat we doodgeschoten zouden worden.

De mannen begonnen weer tegen ons te ratelen. We werden overeind getrokken. Abdi, Nigel en ik werden met gebaren terug de suv in gedreven. Ik was opgelucht toen ik zag dat een van de gewapende mannen Nigels rugzak doorzocht. Toch een roofoverval dus, dacht ik. Ze zouden onze spullen pakken en ons dan laten gaan.

Drie van de mannen zaten nu voorin. Vier van ons – Nigel, Abdi, ik en een van de gewapende mannen – zaten in het midden. Ik hoorde nog een aantal anderen in de achterbak klimmen. Ik wist niet wat er was gebeurd met de andere twee mannen – onze chauffeur en de beveiliger van het IDP-kamp –, maar de rest van ons zat dicht opeengepakt, zoog wat voelde als het laatste beetje zuurstof naar binnen en stonk naar zweet en angst. Mijn rugzak met de dure camera erin stond bij mijn voeten. Wanneer zouden ze hem afpakken? Waarom vroegen ze niet naar ons geld? De man achter het stuur startte de motor, waarna hij gas gaf en achter de Suzuki aan reed, die een snelle U-bocht had gemaakt. We scheurden nog een minuut of wat over de verharde weg en zwenkten toen abrupt naar rechts, een onopvallend karrenspoor op.

Shit. Ik begon in paniek te raken. We begaven ons buiten de gebaande paden. We stuiterden over met struikgewas bedekte, roodbruine heuvels, onze schouders stootten tegen elkaar, onze hoofden zwaaiden alle kanten op, terwijl we doornbomen ontweken en dwars door de bosschages reden zonder een echt pad te volgen. Met elke minuut die voorbijging, wist ik dat we verder verwijderd raakten van plekken waar ze ons mogelijk zouden gaan zoeken. Ik zweette hevig onder mijn abaya en voelde dat mijn spijkerbroek aan mijn benen plakte.

'Abdi,' zei ik, 'wat gebeurt er?' Mijn stem was hoog en trilde.

'NO TALKING!' riep een van de mannen voorin. Ik merkte op dat hij Engels sprak.

Vanuit mijn wanhopige behoefte aan geruststelling probeerde ik het nog een keer. Mijn stem klonk nu nog hoger. 'Abdi? Komt het goed? Zeg iets. Is alles goed?'

'Wees stil,' siste Abdi fel en allesbehalve geruststellend. Hij was net zo bang als wij.

Ik dacht aan de mobiele telefoon in mijn rugzak. Het telefoonnummer van Ajoos had ik in mijn notitieboekje geschreven dat ook in mijn rugzak zat. Maar hoe kon ik het eruit vissen? En wat zou ik zeggen? Toen ik over mijn schouder keek, zag ik de loop van een geweer op mijn hoofd gericht, en achter het geweer een kind dat het vasthield. Zijn sjaal was van zijn gezicht afgezakt. Zijn wangen waren mollig en rond en zijn ogen straalden doodsangst uit toen hij mijn blik opving. Hij hield het wapen ongemakkelijk vast, alsof hij het voor het eerst deed. Ik schatte hem hooguit veertien jaar.

Terwijl we door de woestijn denderden, werd vanaf de voorbank een bevel geroepen. De man naast ons bromde iets in het Somalisch en hield zijn handpalm op. Abdi vertaalde. Onze telefoons wilde hij. Natuurlijk. Mijn hart zonk als een baksteen. Ik gaf mijn toestel af en Abdi deed hetzelfde. Nigels telefoon zat waarschijnlijk in zijn rugzak, die al was weggenomen. Ik keek toe terwijl de man de telefoons uitzette.

In een vlak, verlaten gebied kwamen we abrupt naast de Suzuki tot stilstand. Een man in burgerkleding kwam achter het stuur vandaan, liep naar ons toe en trok het portier aan mijn kant open. Hij had een zwart-witte sjaal keurig over zijn schouders gedrapeerd, maar zijn gezicht was onbedekt. Hij was fris geschoren en midden twintig, had dikke wimpers, een alerte gezichtsuitdrukking en voortanden die wat uitstaken. Toen hij naar binnen leunde om naar ons te kijken, bleven zijn ogen strak op mij gericht.

'Hallo,' zei hij in ontspannen Engels en op geruststellende toon, alsof hij me in een restaurant verwelkomde. In Nigel toonde hij geen interesse. 'Ik heet Ahmed.' Hij sprak het uit als Ock-med. 'Kom met mij mee alsjeblieft.'

Ahmed gebaarde dat ik uit de suv moest stappen – alleen ik. Hij haalde ons uit elkaar. Ik draaide me niet naar Nigel om uit angst dat hij zou zien hoezeer ik in paniek was. Sowieso was ik de enige vrouw tussen zo'n zestien mannen. Nu scheidden ze me van mijn enige ware bondgenoot. Ik moest doen alsof het me niet uitmaakte. Rustig volgde ik Ahmed naar de geparkeerde Suzuki, waar hij me dirigeerde op de achterbank te gaan zitten. Een gemaskerde man schoof naast me. Achter me zaten nog twee gewapende mannen. Niemand raakte me aan, maar ik voelde hun klamme nabijheid. De auto schoot weer vooruit en slipte door het zand.

Waar leren we het cliché dat praten kan helpen je leven te redden? Dat je slechteriken eraan moet herinneren dat je een mens bent? Ik had een idee van wat me te doen stond en concentreerde me op Ahmed, die voorin naast de chauffeur zat. Hij had een arm over de leuning geslagen en zijn nek gedraaid, zodat hij naar me kon kijken. Hij glimlachte als een visser die een grote vangst heeft gedaan.

Zo rustig mogelijk begon ik te praten. Ik vertelde Ahmed hoe ik heette. Ik vertelde hem dat ik uit Canada kwam, een land waar veel Somaliërs waren komen wonen. Ik zei dat ik journalist was. Dat we op weg waren naar een IDP-kamp om te helpen het verhaal van Somalië te vertellen. Ik zei dat ik nu al van Somalië hield, dat de schoonheid van het land verbluffend was. Ik probeerde oprecht, zelfs meisjesachtig te klinken. Voorzichtig betrok ik de politiek erbij. Voor de allereerste keer was ik dankbaar dat ik die paar maanden voor de Iraniërs had gewerkt, aangezien de oude Mr Nadjafi in Teheran me had geleerd hoe ik mijn woorden zo kon verdraaien dat ik minder westers klonk en meer islamitisch. 'Ik ben verdrietig,' zei ik tegen Ahmed, 'over de bezetting van jullie land.' Ik refereerde aan de Ethiopiërs en de Ugandezen, de christenen, de buitenstaanders. Ik voegde eraan toe dat ik voor een islamitisch televisiestation in Bagdad had gewerkt.

Naast me op de achterbank zat een man die Ali heette, zoals ik later zou vernemen. Zijn gezicht was strak omwikkeld met een paarse sjaal, zijn ogen waren zichtbaar door een smalle spleet. Terwijl Ahmed vriendelijk overkwam, bijna als een gelijke, leek deze man – gebaseerd op het weinige dat ik van hem kon zien – hard en gemeen. Hij keek me oplettend aan. 'Ben jij een christen?' zei hij in vormelijk Engels.

Het was een beladen vraag. Ik wist van mijn rondreizen dat het in de ogen van vrome moslims over het algemeen beter was een 'mens van het boek' te zijn – een christen of jood – dan helemaal geen religie aan te hangen.

'Ja,' zei ik tegen hem. 'Maar ik heb diep respect voor de islam.' Ik zweeg even om te zien hoe dit zou vallen.

Ahmed draaide zich om en keek me aan. De manier waarop hij naar me glimlachte gaf me een beetje hoop. 'Zuster,' zei hij, 'maak je geen zorgen, er zal je niets gebeuren. Er is hier geen probleem, *insjallah*.' Hij voegde eraan toe: 'We zijn soldaten van het islamitische leger. Onze commandant wil jullie graag een paar vragen stellen. We zijn op weg naar onze basis. We denken dat jullie misschien spionnen zijn.'

Angst zette zich vast in mijn keel. Westerse journalisten werden er vaak van beschuldigd spionnen te zijn. Ik probeerde te blijven praten. Ik wauwelde en somde alle islamitische landen op waar ik was geweest, alsof dat me meer een ingewijde maakte. Er lag een goudbruin bontkleed over de middenconsole voorin. 'Wat is dat voor bont?' vroeg ik in een absurde poging ontspannen te klinken. 'Van welk dier is het?'

Ahmed negeerde de vraag. Hij koos een nummer op zijn mobiele telefoon en sprak een paar woorden. Een paar minuten later stopte de wagen weer. Het achterportier ging open, de bewaker links van me klom eruit en een bleek ogende Nigel stapte vanuit de suv die achter ons stond in. Hij ademde zwaar en leek bijna te hyperventileren. De bewaker ging naast hem zitten, waardoor we tegen elkaar aan werden gedrukt.

'Nigel,' zei ik opgewekt terwijl ik naar de voorstoel gebaarde en de wagen in beweging kwam. 'Dit is onze broeder Ahmed. Deze mannen zijn soldaten. Ahmed heeft beloofd dat ons niets zal gebeuren.'

Ik wist dat ik als een dwaze schoollerares klonk. Ik sprak mijn woorden welbewust uit en hield steeds een overdreven glimlach op mijn gezicht. Nigel keek me met grote ogen vragend aan. Ik deed hetzelfde, niet zeker wat we precies communiceerden, maar in elk geval opgelucht dat we samen waren.

In mijn hoofd woedde een strijd tussen rationeel en irrationeel. Een deel van me geloofde dat dit alleen maar een misverstand was, dat we in dit territorium niet welkom waren met onze snelle hotelwagen en onze blanke huid, en dat we door de burgerwacht zouden worden berispt omdat we grenzen hadden overschreden, waarna we weer teruggestuurd zouden worden. Maar van mijn verblijf in Irak en Afghanistan en de nieuwsberichten daar wist ik ook dat boze extremisten hun vijanden graag onthoofden. Ik wist niet welke gedachte de minst aannemelijke was.

Elke keer dat de auto over een hobbel ging, stootte de loop van een geweer tegen mijn achterhoofd. Hij zou me nog een keer zo hard raken dat hij afging. 'Broeder Ahmed,' zei ik, 'kun je alsjeblieft aan de soldaat vragen zijn geweer bij mijn hoofd weg te halen? Ik ben ongewapend, vorm geen gevaar voor jullie en ik word er bang van.'

Ahmed zei iets in het Somalisch tegen de soldaat achter me. Het geweer werd slechts een klein stukje verplaatst. Ik zag dat Ahmed een gouden horloge droeg en van zijn uitgestrekte arm steeg een zweem van zoete aftershave op.

Ik probeerde strategisch te denken, stelde me het gesprek voor dat we straks met die islamitische commandant zouden hebben en vroeg me af wat ik kon zeggen om hem ervan te overtuigen dat we geen spionnen waren – dat ze onze bezittingen moesten pakken en ons naar Mogadishu moesten terugbrengen. Mogadishu klonk op dit moment als thuis voor me, een plek om naar terug te verlangen. Ik stelde me voor dat de commandant in onze tassen zou rommelen en onze spullen zou inspecteren. Toen dacht ik aan onze camera's, aan de tientallen foto's die we van troepen van de Afrikaanse Unie en FO-bewakers hadden geschoten die in Mogadishu op patrouille waren. De foto's zouden de indruk kunnen wekken dat we met de ongelovigen heulden, dat we aan de verkeerde kant van de heilige oorlog stonden. Het enige wat ze hoefden te doen was de camera's aanzetten en een paar knoppen indrukken.

'Pardon?' zei ik tegen de man die naast me zat. 'Ik heb zulke droge lippen. Mag ik een beetje balsem uit mijn tas pakken?'

De man staarde me wezenloos aan en verleende me toen met een vaag gebaar toestemming.

Ik boog voorover en rommelde met beide handen in mijn rugzak alsof ik mijn lippenbalsem zocht. Ik voelde dat mijn wangen rood werden van wat ik aan het doen was. Mijn vingers vonden de camera en het klepje waarachter de geheugenkaart zat. Snel wipte ik het open, trok het kaartje er met twee vingers uit en gooide het onder in mijn rugzak. Nu zouden ze in elk geval moeite moeten doen om mijn foto's te bekijken. Ik pakte de lippenbalsem en haalde hem met een zwierig gebaar uit de rugzak. Ali wendde zijn ogen af toen ik hem aanbracht, maar ik voelde dat hij keek.

'Zuster, waarom ben je niet bang?'

'Wat?'

Ali had de vraag gesteld zonder me rechtstreeks aan te kijken. Mijn zelfvertrouwen, hoe gespeeld dat ook was, leek hem te irriteren. Misschien was hij zelfs wel boos dat ik niet huilde of smeekte.

Ik dacht snel en sprak luid. 'Ik ben niet bang omdat mijn broeder Ahmed net heeft beloofd dat er niets ergs zal gebeuren.'

Voorin zat Ahmed weer te bellen. Ik hoopte dat hij had meegekregen wat ik zei. Ik hoorde dat Nigel, die aan de andere kant van Ali zat, zijn best deed om rustig te ademen. Ik vroeg me af wat er met zijn camera was gebeurd.

Precies op dat moment scheurden we langs een voertuig uit de tegemoetkomende richting, een vrachtwagen vol jongemannen met geweren. Ik strekte mijn nek om hen te zien passeren. Twintig minuten lang hadden we geen mens, dier of bouwwerk gezien. Ik voelde een harde dreun op mijn arm, een stoot van Ali. 'Waarom kijk je zo?' schreeuwde hij. Hij pakte het losse uiteinde van mijn hoofddoek vast en trok het over mijn gezicht. Er lag een vreemde angst in zijn stem.

Een poosje reden we in stilte, voordat ik het weer probeerde bij Ahmed. 'Mijn broeder,' zei ik terwijl ik ietwat naar voren leunde, mijn best deed vriendelijk te klinken en me tot zijn achterhoofd richtte, 'gaat dit om geld?'

Hij draaide zich naar me om, en op zijn gezicht verscheen een brede glimlach, alsof we samen op het idee waren gekomen, als team.

'Ah, ja,' zei hij. 'Misschien wel. Misschien is dat het wel.'

161

17

Tonijn en thee

Na ongeveer vijfenveertig minuten rijden, kort over een verharde weg en vervolgens de woestijn weer in, kwamen we in een klein, doolhofachtig dorp met smalle zandweggetjes die tussen een wirwar aan ommuurde bouwwerken door slingerden. De auto sloeg een aantal keren een hoek om en kwam tot stilstand voor een groot verroest hek van blauw metaal. Ahmed stapte uit, toverde een bos sleutels tevoorschijn en haalde het van het slot. Het hek zwaaide open, en ik zag nog meer gemaskerde soldaten staan tussen een cluster gebouwen dat door een hoge muur werd omgeven. De suv van het Shamo was niet meer bij ons. Abdi en de twee andere Somalische mannen die samen met ons waren opgepakt, waren nergens te zien.

Ik klom uit de auto met mijn rugzak stevig tegen me aangeklemd en verwachtte dat ze die elk moment zouden gaan doorzoeken. Ik telde negen of tien gemaskerde mannen, die ons allemaal met geweren over hun schouders aanstaarden. Behalve sjaals droegen ze spijkerbroeken en nette overhemden met kraag. Hun lichamen zagen er slank en jeugdig uit, ondanks hun hoofdbedekking die me aan de uiteinden van een wattenstaafje deed denken. En ze waren gespannen, dat was duidelijk te zien. Het leek of ze het bevel hadden gekregen niet in ons bijzijn te praten. Een van de soldaten liep in onze richting en sloot het hek achter ons.

Als dit een soort legerbasis was, was het een kleine en povere. Er

162

stond een langgerekt, laag gebouw in de vorm van een schoenendoos met een dak van golfplaten en drie deuren op gelijke afstand van elkaar. Ik zag een soort kookgedeelte onder een afdakje, gemaakt van afvalhout en een acacia met dikke stam waarvan de takken zwaar over de tuin hingen. Voor het huis naast het hek stond een schuurtje dat me een buiten-wc leek. Ik draaide me naar Ahmed om. 'Mag ik even naar het toilet, alsjeblieft?'

Hij wees bezorgd naar het schuurtje. 'Natuurlijk, mijn zuster.'

Een van de soldaten begeleidde me. Ik droeg mijn tas met me mee en hoopte dat niemand het zou opmerken. De wc-ruimte had hoge betonnen muren en geen dak. Er zat een ondiep gat in de betonvloer waar een bedompte geur van opsteeg. Kennelijk was het recentelijk niet gebruikt. Terwijl ik aan een kant van het gat stond, haalde ik mijn camera tevoorschijn en zette hem aan. Ik huiverde toen ik het elektrische tingelgeluid hoorde en hoopte maar dat niemand me door de brede kieren aan weerszijden van de houten deur kon zien. Ik viste de geheugenkaart uit mijn tas, stak hem in het toestel en drukte snel op 'alles wissen', waarmee ik het bewijs vernietigde van wat we tot dusver in Mogadishu hadden gedaan. Ten slotte hurkte ik en plaste ook nog even in het gat.

Eenmaal weer buiten brulde de soldaat die Ali heette – de man die me in de auto een por had gegeven – naar een van de jongere soldaten, die vervolgens met een plastic emmer met water op me afliep, zodat ik mijn handen kon wassen. Ali marcheerde daarna met me naar het lage gebouw, naar een donkere ruimte helemaal links, waar ik Nigel met zijn rug tegen de vieze muur op een vieze schuimmat aantrof. De lucht was er benauwd. Aan de achterzijde zat een klein raam met gesloten metalen luiken. De kamer was zo te zien heel lang geleden lichtroze geverfd. De vloer was bezaaid met stukken metaaldraad. Nigel had een sigaret opgestoken en zag er radeloos uit.

Ali bleef even in de deuropening staan. Hij wees naar een matje tegen de muur tegenover Nigel en gebaarde dat ik erop moest gaan zitten. Daarna verdween hij.

Nigel keek me aan. We hadden geen moment alleen gehad

163

sinds we gepakt waren. 'Wat gaan we nu doen?' zei hij.

'Ik weet het niet.'

'We zijn ontvoerd, hè?' zei hij. 'Of is dit iets anders?'

Ik dacht na over het verschil tussen vastgehouden worden en ontvoerd zijn. Ik was een keer met Enas en een Iraakse cameraman vastgehouden toen ik in Sadr City in Bagdad werkte. Een groep gewapende mannen had onze wagen omsingeld en ons vervolgens meegenomen naar het hoofdkwartier van de Sadr-partij, waar we onze politieke sympathieën moesten uitspreken en ons werd gevraagd of we de soennieten steunden. Ik had een telefoontje mogen plegen naar een sjiitische contactpersoon, die enige druk had uitgeoefend, waardoor we binnen een uur waren vrijgelaten. Het hele gebeuren was vervelend geweest en beangstigend, maar het was snel afgelopen, afgesloten. Ik hoopte met heel mijn hart dat dit ook zo zou gaan.

Ik had nog amper iets tegen Nigel kunnen zeggen toen Ali binnenkwam, dit keer met een stuk krant in de hand. Met een zwierig gebaar, alsof hij zich ervan wilde verzekeren dat hij onze aandacht had, vouwde hij de krant dubbel, rolde hem vervolgens tot een strakke kegel, sloeg behendig de bovenrand terug en maakte er met zijn vingers een smalle rand van. Hij bukte zich en liet zijn creatie op de grond naast Nigel vallen. Een origami-asbak. Nigel en ik keken er sprakeloos naar.

'Hebben jullie zoiets ooit eerder gezien?' zei Ali. Hij sprak Engels met een accent maar was goed te begrijpen, het resultaat van enige scholing nam ik aan.

We schudden allebei ons hoofd. Ali droeg nog steeds zijn strijderssjaal, maar onder de diverse lagen leek hij toch te glimlachen. Hij ging niet ver van Nigel vandaan op zijn hurken zitten, alsof hij zich installeerde. 'Ik rookte vroeger ook,' zei hij. 'Vóór de jihad.' Hij keek van Nigel naar mij. 'Maar sinds twee jaar niet meer.'

We zouden dus een gesprek gaan voeren. Ik probeerde me niet door hem te laten intimideren, ondanks de dreigende blik in zijn ogen, het geweer in zijn handen en het bizarre feit dat we, met z'n drieën, in een vieze ruimte zaten in een verafgelegen Somalisch

164

dorp, in afwachting van wat zou gaan komen. Ik bracht mezelf in herinnering dat het voor ons eigen bestwil was om een soort van relatie met Ali op te bouwen.

Ali had veel te vertellen over de Somalische politiek en de jihad. Zijn jihad was helemaal gericht op het verdrijven van de Ethiopische troepen uit Somalië. Het was in wezen dezelfde jihad als die van de gewapende tieners die we in pick-ups door Mogadishu hadden zien rijden. Somalië was een moslimland en moest een islamitische regering krijgen die islamitische wetten invoerde, zei hij. Hij vocht al twee jaar tegen de indringers – sinds 2006, toen de Ethiopische regering troepen de grens over had gestuurd en hij zich bij de moedjahedien had aangesloten. Zoals hij het zag, was het slechts een kwestie van christelijke bemoeienis met moslimzaken. Hij haatte de Ethiopiërs. Hij haatte alles aan hen.

'Mijn leven is al twee jaar alleen maar jihad,' zei hij van onder zijn sjaal. Hij zat nu tegen de muur met gebogen knieën en zijn geweer naast zich.

Als heilige strijder in Somalië moest je de geneugten van je voormalige leven opgeven en je volledig aan de zaak wijden. Het betekende dat je de meest strikte interpretatie van de islamitische wet aannam en aanhing. Geen televisie, geen muziek, niet roken en – waar Ali de meeste moeite mee had – geen sport. Voetbal was zijn favoriete sport geweest, zei hij weemoedig. Hij had zelf gespeeld, wedstrijden op televisie gevolgd en zag zichzelf als een trouwe aanhanger van een aantal African World Cup-teams.

We deden ons uiterste best om Ali te bewerken. We spraken onze empathie uit voor zijn strijd, zeiden 'natuurlijk' elke keer dat hij verzuchtte dat de voortdurende strijd tegen de ongelovigen zo zwaar was. Nigel sprak over diverse grote voetballers en legendarische voetbalwedstrijden en dat leek hem enthousiast te maken. Maar telkens als we het idee hadden dat er zich ook maar enigszins een band begon te vormen, stuitten we op een muur.

'Jullie land,' zei Ali terwijl hij met een vinger naar ons zwaaide, het gemoedelijke gebabbel vergat en een stem opzette die vervuld was van razernij, 'heeft de Ethiopiërs naar ons toe gestuurd.'

165

Dat Nigel Australisch was en ik Canadees maakte niet uit. De verschillen waren onbeduidend. Een ongelovige blanke buitenlander was een ongelovige blanke buitenlander. De westerse wereld was ondoorgrondelijk, arrogant en werd geregeerd door Satan, of *Shaitan*, in het Arabisch. Toen we Ali in herinnering brachten dat we als journalisten naar Somalië waren gekomen om verslag te doen van het menselijk lijden daar, was hij totaal niet onder de indruk, eerder achterdochtig. De angst voor spionnen was niet helemaal ongegrond. Ik had gelezen dat de Verenigde Staten in alle stilte *special forces* naar Somalië hadden gestuurd om de Ethiopiërs en de wankele overgangsregering te assisteren. Ik had ook gehoord dat er zo nu en dan onbemande vliegtuigjes als staalgrijze libellen over Mogadishu vlogen.

Toen Ali de kamer verliet en de deur achter zich sloot, bleven Nigel en ik zwijgend in de schaduw zitten. Wat wilden ze van ons? Het was moeilijk te zeggen. We probeerden elkaar op te peppen door de omstandigheden door te nemen. Ahmed had er heel zeker van geleken dat alles goed zou komen. Ali kookte weliswaar van woede maar had ons geen haar gekrenkt. Niemand had ons zelfs om geld gevraagd.

Er sijpelde licht door het met luiken afgesloten raam. Op de vensterbank lag een stapel dikke boeken met harde cover, een stuk of acht korans. In de uiterste hoek stond een ijzeren kapstok met mannenkleding. De zon brandde op de golfplaten boven ons waardoor het binnen aanvoelde als een oven. Ik voelde mijn haren samenklitten van het zweet onder mijn hoofddoek. Buiten hoorden we de mannen op gedempte toon praten. Nigel en ik waren voortdurend bezig te achterhalen wat er was gebeurd.

'We zijn ontvoerd,' zei een van ons dan.

'Nee, niet waar. Het is gewoon een misverstand, iets politieks.'

Op een of andere manier gaf het ons een beter gevoel om erover te discussiëren.

Na een tijdje stak Ahmed zijn hoofd om de deur. 'Ik ga weg,' zei hij, alsof we vrienden waren die afscheid van elkaar namen. 'Wees heel voorzichtig met deze mannen. Ze doden je als je niet doet wat ze zeggen.'

Waar ging hij naartoe? Ik wilde niet dat hij wegging. Ik wilde wanhopig graag dat hij bleef. Dat zijn Engels zo goed was en zijn gezicht onbedekt, voelde belangrijk, bemoedigend. Hij was hier de enige man die geen geweer droeg. Ik had de woorden die hij in de auto had gezegd – *maak je geen zorgen, er zal je niets gebeuren* – steeds weer door mijn gedachten laten gaan.

'Wacht,' zei ik, 'hoe zit het met de commandant? Ik dacht dat hij ons wilde spreken?'

'Ah,' zei Ahmed, bijna alsof hij het was vergeten. 'Morgen, insjallah. Morgen.'

Had hij dan tegen ons gelogen? Was er geen commandant? Zou niemand ons komen verhoren? Ik had al mijn hoop op deze ene mogelijkheid gevestigd.

Ik probeerde zoveel mogelijk uit Ahmed te wringen. Het voelde als een laatste kans. 'Mijn broeder, ik moet je één ding vragen,' zei ik. 'Mogen we alsjeblieft onze familie bellen? Als we niet teruggaan naar het hotel, zullen ze weten dat er iets met ons is gebeurd. Mogen we zeggen dat alles goed met ons is?'

Ahmed knikte alsof dit een uitstekende suggestie was. 'Misschien,' zei hij afwijkend. 'Misschien is dat de volgende stap.'

Ik zei tegen hem dat als we in elk geval een telefoontje naar Ajoos van het Shamo Hotel mochten plegen, hij er wellicht voor kon zorgen dat iedereen geïnformeerd werd.

Dit, zei Ahmed, met een grijns ten afscheid, kon weer een andere stap zijn. Hij sloot de deur zachtjes achter zich en liet ons opnieuw achter in het duister. We hoorden het gekraak van het hek en het geluid van zijn auto toen hij wegreed.

Na het vertrek van Ahmed leek Ali de leiding te hebben. Hij leek ervan te genieten en was opgefokt. Zijn enthousiasme om over zijn leven of de jihad te praten was verdwenen. Zijn woede was nu geconcentreerd en geheel en al op ons gericht.

Hij eiste ons geld op. 'Waar is het?' schreeuwde hij. Ik rommelde in mijn tas en haalde er de 211 dollar uit tevoorschijn die ik die ochtend vanuit het hotel had meegenomen. De rest had ik in de kluis van het Shamo achtergelaten. Mijn hand trilde toen ik het geld gaf. Nigel had wat muntgeld op zak en een opgevouwen biljet van honderd dollar dat hij aan de voorkant in zijn broekzak had gestoken. Ali telde ons geld met openlijke scepsis. 'Is dit alles?'

'Ja,' zei ik.

'Ik geloof niet,' zei hij. Er klonk nog meer woede door in zijn stem. 'Ik geloof niet,' herhaalde hij. 'Hoe kan dit?'

Nigel en ik zeiden niets.

'Waar is jullie geld?' zei Ali.

'In het hotel. We hebben het daar gelaten.' Om een of andere reden was ik degene die het woord voerde.

'Jullie paspoorten. Geef ze aan mij.'

'Die zijn ook in het hotel.'

Ali keek me met samengeknepen ogen aan, alsof hij in stilte ergens een besluit over nam. Ik wendde mijn blik af en wist niet wat beter was: nederigheid of opstandigheid tonen. Hij lachte om het feit dat ik wegkeek, een akelig gegniffel, en liep de deur uit. Ik hoorde hem buiten in de tuin met de soldaten ruggespraak houden. Binnen een minuut was hij terug.

Deze keer pakte Ali mijn rugzak en hield hem ondersteboven. In het licht dat door de open deur naar binnen scheen, inspecteerde hij alles zorgvuldig, neerbuigend. Mijn camera, mijn notitieblok, mijn waterfles. Hij draaide de dop van mijn lippenbalsem. Hij bestudeerde beide kanten van mijn haarborstel. Hij hanteerde elk voorwerp voorzichtig, alsof het kon exploderen. Hij schudde zijn hoofd en leek te walgen van de dingen die ik voor die dag had uitgekozen om mee te nemen.

Elke keer dat Ali de kamer verliet, leek hij zijn woede op te laden, alsof in de buurt van de veranda een tank vol haat stond waaruit hij slokken nam. Nadat hij mijn rugzak had doorzocht, stapte hij naar buiten en kwam vrijwel onmiddellijk weer terug. Hij wees naar me en zijn ogen puilden uit. 'Sta op!' riep hij. Hij pakte de schouderband van zijn geweer vast, alsof hij me eraan wilde herinneren dat hij het bij zich had. Ali was klein en gezet – niet echt dik, maar weldoorvoed, stevig, zoals maar weinig Somaliërs leken te zijn. Ik keek naar Nigel en stond op. Mijn knieën en rug waren stijf van het lange zitten. Ali gebaarde naar de deur.

Het zonlicht buiten was verblindend. We liepen een paar passen over de betonnen veranda. Twee trappen leidden van de veranda naar een andere gesloten deur. Ali wees ernaar en gebaarde dat ik naar binnen moest gaan. Heel even aarzelde ik, waarna hij met zijn hand hard op mijn rug sloeg. 'Wil je dat ik je doodschiet?' zei hij. Hij gaf me een duw en ik struikelde op de trap.

De kamer die we binnengingen, was donker en klein, met een metalen veldbed tegen de muur. De lucht was een onbeweeglijk omhulsel van hitte. Ali drukte de deur dicht.

'Alsjeblieft,' zei ik, terwijl ik mijn stem vlak probeerde te houden. 'Doe dit niet.' Ik zocht in het donker naar zijn ogen en bleef praten. 'Alsjeblieft, je bent islamitisch. Moslims zijn de beste soort mensen. Ik weet dat dit in de islam niet goed is. Alsjeblieft...'

Ik had hierover nagedacht tijdens de autorit door de woestijn. Opgepropt tussen al die mannen had ik me voorgesteld wat er allemaal kon misgaan boven op alles wat al wás misgegaan.

Als Ali me al hoorde praten, gaf hij daar geen blijk van. Hij trok aan mijn hoofddoek en gooide hem op de grond. Daarna greep hij de kraag van mijn abaya vast en trok hem naar beneden, zodat de drukknopen opensprongen en de twee zijkanten openvielen. Ik was compleet overdonderd en begon te gillen. 'Wil je dat ik je doodschiet?' zei hij voor de tweede keer, en toen duwde hij me tegen de muur. Aan de andere kant van de kamer, op de vensterbank, zag ik een stapel zware boeken liggen – nog meer exemplaren van de koran.

Ik voelde Ali's handen onder mijn topje glijden, in de cups van mijn bh. Hij betastte me en kneep. Zijn ademhaling was scherp snuivend. Ik sloot mijn ogen, zodat ik zijn gezicht niet hoefde te zien. Met zijn rechterhand vond hij de knoop van mijn spijkerbroek en daarna de rits. Een dikke vinger graaide tussen mijn benen en trok zich toen snel terug. Ik voelde walging, afschuw, misselijkheid langs mijn ribben omhoogkomen. *Maak je geen zorgen, er zal je niets gebeuren.* Had Ahmed dat niet gezegd? Ik huilde, schor en schokkerig. Het voelde of er een houtblok vastzat in mijn keel. 'Dit is verkeerd,' zei ik hees. 'Jij bent geen goede moslim.'

Hij gaf me weer een harde duw, naar de grond. 'Denk jij dat ik dit nodig heb?' Hij spuugde de woorden bijna uit. 'Ik heb twee vrouwen. Jij bent lelijk, een slechte vrouw.' Hij pakte zijn geweer van de grond en gebaarde dat ik me moest aankleden. Hij deed alsof ik hém iets had misdaan, alsof ik zijn eer had geschonden in plaats van andersom. 'Ik zocht naar geld. Alleen maar geld.'

'Oké,' antwoordde ik kalm. Met trillende handen knoopte ik mijn abaya dicht, ineens dankbaar voor het feit dat die me zo volledig bedekte. Ik bond de hoofddoek om mijn hoofd. 'Geen probleem, geen probleem.'

Ik haatte de woorden, maar toch kwamen ze uit mijn mond.

Hij beval me niet te huilen en marcheerde me terug naar de andere kamer. Toen ik Nigel op het schuimmatje in het korrelige donker zag zitten, precies zoals ik hem had achtergelaten, voelde ik de tranen weer opkomen. Ik onderdrukte een snik. Ik zag de ontsteltenis op Nigels gezicht, duidelijk een reactie op wat hij op het mijne las.

Voordat hij ons achterliet, stak Ali dreigend een vinger naar me uit. 'Jij bent een probleem,' zei hij.

Nigel en ik waren er vrij zeker van dat er vlak achter ons gebouw een school stond. We hoorden kinderstemmen door de lucht zweven, lachende kinderen die in een tuin leken te spelen. Vanwege de stapels korans op de planken vroegen we ons af of het terrein misschien onderdeel was van een madrassa, een Koranschool. Maar het feit dat de vloer van elke ruimte waarin we hadden gezeten bezaaid was met ontstekers, oude batterijen en stukjes metaaldraad leidde tot een andere gedachte: dat dit een plek was waar moedjahedienstrijders hun bommen maakten.

We hadden werkelijk geen idee waar we waren. Ergens ten westen van Mogadishu, gokten we. We hadden lange tijd met hoge snelheid gereden. Op een paar kamelenhoeders en die ene vrachtwagen vol soldaten na waren we niemand gepasseerd. Helemaal in het begin had ik nog glimpen opgevangen van de lichte, geteerde zeildoeken van de IDP-kampen waarnaar we oorspronkelijk op weg waren, maar daarna waren we weer afgezwaaid naar struikgewas. We hoorden geen geluid van voorbijkomende auto's of overvliegende vliegtuigen, alleen af en toe het getik en gekraak van de golfplaten op het dak die onder de hete zon luidruchtig uitzetten. Het voelde alsof we in een doos in een doos zaten, afgesloten van alles en iedereen.

Ali bracht ons lunch – een fles zoete donkere thee, een paar flesjes water en twee blauwe plastic zakjes met daarin een klont koude spaghetti. Hij gaf ons ook een blikje tonijn in olie. Ik nam een paar hapjes maar kon niet meer eten. De angst van die dag was samengebald tot een zure brij die klotste in mijn maag.

In de namiddag mochten we een poosje naar buiten. Onder de takken van de acacia speelden Nigel en ik lusteloos een paar spelletjes boter-kaas-en-eieren. We tekenden kruisjes en rondjes in de grond en keken vanuit onze ooghoek naar de kindsoldaten. Die lagen met hun geweren languit op de grond en leken zich dood te vervelen. Dikke witte wolken dreven aan de blauwe hemel.

Ik zocht afleiding. 'Heb jij als kind,' vroeg ik Nigel, 'ooit het spel gespeeld waarbij je figuren opnoemde die je in de wolken zag?'

Nigel keek me aan alsof ik gek was.

Terug in onze kamer begon hij te huilen. Ik durfde mijn armen niet om hem heen te slaan of zelfs maar van mijn schuimmatras op te staan om naast hem te gaan zitten. Eerder had Ahmed gevraagd of we getrouwd waren, en nadat ik mezelf een fractie van een seconde de tijd had gegund om te bedenken wat ik zou zeggen, had ik geantwoord van niet. Het was een tactische zet geweest, aangezien ik hem net had aangemoedigd ons op Google op te zoeken, zodat hij kon zien dat we journalisten waren en geen spionnen. Ik wilde niet op leugens betrapt worden. Maar nu kon ik Nigel niet troosten uit angst de wispelturige Ali kwaad te maken. In de islamitische traditie mag een ongetrouwde vrouw niet alleen zijn met een ongetrouwde man, laat staan hem aanraken. Ik wilde geen enkel risico nemen.

In plaats daarvan sprak ik Nigel vanaf een afstand zachtjes toe. Ik zei alle dingen die ik zelf wilde horen. Het zou allemaal goed komen, zei ik tegen hem. We zouden hier wegkomen. We hadden elkaar. Op een gegeven moment hadden we gezien dat Abdi en de twee andere Somalische mannen onder bedreiging van een geweer door de tuin werden gedreven. Nigel en ik hadden ons aanvankelijk afgevraagd of ze bij de ontvoering betrokken waren – of een van hen of zij allemaal ons hadden verraden –, maar het zag ernaar uit dat ze in een van de andere twee ruimtes in ons gebouw werden geïnstalleerd, gevangenen zoals wij.

Ik probeerde Nigel zover te krijgen met me te mediteren, de regels over vrijheid en vrede uit te spreken waarnaar ik een paar dagen eerder in het vliegtuig vanuit Nairobi had geluisterd. Hij fluisterde de woorden met me mee.

Op een gegeven moment dommelden we allebei weg in de hitte. Ik sliep diep – geen idee hoelang. Toen ik wakker werd, kon ik heel even genieten van het gevoel niet te weten waar ik was, totdat de omgeving zich weer aan me opdrong. De vieze muren. De haveloze mat. Nigel zat vanaf zijn eigen mat drie meter verderop naar het plafond te staren. Terwijl mijn geest het tafereel in zich opnam, voelde ik dat er vanbinnen iets begon in te storten. Wat nu?

De deur vloog open. Ahmed was terug, in dezelfde kleren die hij eerder ook had gedragen, vergezeld door Ali en twee andere mannen. Eén was lang en droeg een Ben Franklin-bril en een oranje gestreept poloshirt. Hij had een notitieblok en pen in de hand. Hij was midden twintig, mager en had een serene gezichtsuitdrukking, maar kon niet verhullen hoe verheugd hij was om ons te zien, twee trofeeën in een kooi. Hij stelde zich voor als Adam.

'Ik ben de commandant,' zei hij. Hij schudde Nigel de hand maar maakte geen aanstalten mij een hand te geven. Toen hij sprak, hoorde ik slechts een licht accent. 'Wat is je land?' Nigel antwoordde 'Australië' en Adam schreef het op het notitieblok. 'Wat is je dorp?' vroeg hij daarna.

De andere man werd geïntroduceerd als Yahya. Hij was ouder dan de anderen, had een korte witte baard en leek chagrijnig en kil. Door de manier waarop hij zijn schouders rechtte, vermoedde ik dat hij een militaire achtergrond had. Ik herkende hem als de bestuurder van de auto waarin we waren weggereden toen we waren ontvoerd. Vol minachting keek hij naar Nigels roze overhemd.

Adam noteerde onze namen, beroepen en adressen. Ik gaf hem mijn vaders telefoonnummer in Sylvan Lake. Het nummer van mijn moeder in British Columbia had ik jammer genoeg niet. Zij zou zich beter staande houden in een crisis, wist ik. Nigel gaf het nummer van zijn zus, Nicky. Adam glimlachte en sloeg zijn notitieblok dicht. 'Dat dit maar snel over zal zijn, insjallah,' zei hij. 'Jullie zijn mijn broeder en zuster.'

Een poosje later kwam hij terug met goed nieuws. 'We geloven niet meer dat jullie spionnen zijn,' zei hij. Maar er was geen reden tot opgetogenheid, want hij voegde eraan toe: 'Allah heeft het in mijn hart gelegd losgeld te eisen.'

Ik stelde me de gesprekken voor. Adams stem door mijn vaders telefoon. Ik kon me absoluut niet voorstellen wat hij zou zeggen. Welke woorden zouden er gebruikt worden? Hoe zouden er afspraken gemaakt worden? Mijn vader had chronische gezondheidsklachten en leefde van een arbeidsongeschiktheidsuitkering. Mijn moeder verdiende heel weinig met haar werk in de bakkerij. Mijn bankrekening was nagenoeg leeg. Mijn vriendinnen in Calgary werkten vrijwel allemaal als serveerster; geen van hen was rijk. Ik wist niet of de mensen thuis Somalië überhaupt op een kaart zouden weten te vinden. In Irak was ontvoering zo'n reële zorg dat het in het Hamra Hotel onderwerp van gesprek was geweest. De gevestigde journalisten hadden via hun nieuwsorganisaties vrijwel allemaal een ontvoeringsverzekering. Daarmee werd in de regel een crisisresponsteam gefinancierd dat helpt bij de onderhandelingen over de vrijlating van gijzelaars. Freelancers hadden zo'n verzekering meestal niet. En het was algemeen bekend dat je regering niet zou proberen je vrij te krijgen. Regeringen doen geen betalingen aan gijzelnemers. Geen enkele regering wil terroristen financieren.

Het was al avond toen Nigel en ik de kamer weer uit mochten voor frisse lucht en toiletbezoek. Ali begeleidde ons daarna naar een stromat tegen een van de muren. Hij gaf ons nog twee blikjes tonijn en een thermosfles thee. Het was duidelijk dat we de nacht hier zouden doorbrengen. Rustig liet ik het idee varen dat dit een eendaagse beproeving was. Het was alsof je de ene steen neerlegde en een volgende oppakte. Dit zou een tweedaagse beproeving zijn, prentte ik mezelf in. Daar kon ik mee leven. Toen de duisternis viel, koelde de lucht een beetje af. De hemel werd een projectiescherm vol sterren en ik voelde me klein en verloren.

Verderop bij het afdakje zag ik de kindsoldaten lummelen. Sommigen zaten op de grond, anderen lagen languit. Ze luisterden naar een zilverkleurige gettoblaster met cassettedeck op batterijen en hadden de radio afgestemd op de BBC Somali Service. De stem van een mannelijke nieuwslezer schalde in het Somalisch en bracht, naar ik aannam, nieuws over de oorlog. Toen hoorde ik hem overduidelijk de woorden 'Shamo Hotel' zeggen.

Bij het afdakje ontstond enige beroering. De soldaten kwamen overeind en begonnen te praten. Ali stond op en wuifde opgewonden naar ons terwijl hij naar de radio wees. De nieuwslezer zei 'Canadees' en daarna 'Australisch'. Mijn blik kruiste die van Nigel. Het ging onomstotelijk over ons. Het gevoel was verpletterend. Het was de bevestiging dat onze problemen zowel echt als groot waren.

18

Losgeld

Ik weet nu dat ontvoeringen voor losgeld vaker voorkomen dan wordt gedacht.

Ze komen voor in Mexico, Nigeria en Irak. In India, Pakistan, China, Colombia en allerlei landen ertussenin. Soms is de motivatie politiek of persoonlijk, maar meestal gaat het gewoon om geld. Het ontvoeren van mensen is een speculatieve business, gevoed door mensen zoals ik – rondlopende doelwitten, vissen op het droge, relatief rijken in een land van armen. Oliewerkers in verre landen, reizende zakenlieden, journalisten en toeristen die uit hun auto's worden gesleurd, of uit vergaderingen, of onder bedreiging van een vuurwapen behendig uit restaurants worden geescorteerd. Thuis zou je niet weten hoe vaak het gebeurde als je je er niet in verdiepte. Het komt in het nieuws en verdwijnt dan weer. Een Amerikaanse reiziger wordt in Benin ontvoerd. Een Nederlandse consultant wordt voor losgeld vastgehouden in Johannesburg. Een Britse toerist wordt uit een bus gesleurd in Turkije.

Families worden gebeld, regeringen ingelicht. Een bepaald systeem treedt kalm in werking. Niemand zou deze situaties ooit gangbaar noemen, maar ze komen toch wel zo vaak voor dat er procedures voor zijn, een vaste manier waarop de dingen worden afgehandeld, in elk geval aan het thuisfront.

In mijn geval waren het niet de ontvoerders die mijn familie op de hoogte brachten. Het was een radioproducent uit Vancouver die nog geen twaalf uur na onze ontvoering een beknopt telegram uit Somalië had ontvangen. Er stond in dat er in Mogadishu twee journalisten werden vermist, een Canadese en een Australiër. Alleen onze voornamen stonden vermeld, maar ik had eerder dat jaar voor die producent gewerkt en via de radio live-updates vanuit Irak verzorgd, en ik had hem laten weten dat ik naar Somalië zou gaan. De producent had contactinformatie op internet opgezocht en mijn oom in Red Deer gebeld, die vervolgens mijn vader alarmeerde. Hij en Perry hadden tot dat moment op de veranda achter hun huis in de zon gezeten.

Mijn vader belde mijn moeder. Mijn moeder belde mijn broers. Niemand wist wat hij moest doen. De radioproducent in Vancouver had hun het nummer van Buitenlandse Zaken in Ottawa gegeven. Toen mijn vader het ministerie belde, legde een medewerker uit dat ze van het nieuws op de hoogte waren maar dat er nog niets bevestigd was. Ze gaf mijn familie vervolgens een ander telefoonnummer, dat ze moesten bellen als ze iets hoorden. Ze zei tegen mijn vader dat hij geduld moest hebben.

Het ene nieuwsbericht bracht het andere voort. Mijn vader werd voortdurend gebeld door tientallen verslaggevers. Er stonden busjes van diverse televisiestations in de straat voor het huis geparkeerd. Buren verzamelden zich op het trottoir. De telefoon ging over, maar mijn vader, die zich overweldigd voelde, nam niet meer op. Perry deed de deur alleen nog open voor goede vrienden en familieleden. Verder bleven ze achter gesloten deuren wachten tot er iets gebeurde.

Het eerste telefoontje uit Somalië kwam de volgende ochtend, een krakende stem op mijn vaders voicemail, de man die zichzelf Adam noemde, die zei: 'Hallo, we hebben jullie dochter.' Hij voegde eraan toe dat hij nog een keer zou bellen om het over geld te hebben en hing toen op. Het telefoontje maakte het officieel. Ik was niet verdwaald of weggelopen. Ik was ontvoerd. Ik had ontvoerders en die ontvoerders hadden eisen.

Ik zie nu voor me hoe mijn moeder het huisje verliet dat ze in British Columbia had gehuurd. Ze was te zeer van streek om zelf te rijden en had een vriendin gevraagd haar naar mijn vaders huis in Alberta te brengen, een reis van tien uur door de Rocky Mountains. Ik stel me de auto voor terwijl die over de kronkelige weg reed, omgeven door dennenbossen, mijn moeder verstijfd op de passagiersstoel. Het was augustus. De lupine zou langs de berm in bloei hebben gestaan. De bergen zouden witte sluiers van sneeuw hebben gedragen. Waarschijnlijk waren er haviken in de lucht. Mijn moeder, zo vermoed ik, zou er niets van hebben gezien.

Tegen de avond waren drie agenten van de Royal Canadian Mounted Police (RCMP) in Sylvan Lake gearriveerd. Ze waren samen met mijn moeder aan de eettafel in het huis van mijn vader en Perry gaan zitten. De agenten stelden vragen en maakten aantekeningen. Ze luisterden diverse malen Adams voicemailbericht af. Ze vroegen mijn ouders toestemming om hun telefoons af te tappen. Ze instrueerden wat ze tegen Adam moesten zeggen als hij weer belde. Ze moesten proberen Adam zover te krijgen dat hij mij aan de lijn gaf – om te bewijzen dat ik nog leefde, om een idee te krijgen van hoe ik werd behandeld, om aanwijzingen te krijgen. Als ze over geld begonnen, moesten ze de waarheid zeggen: dat hadden ze niet, en de regering zou ook geen losgeld betalen.

Mijn bezittingen – mijn dagboek, tandenborstel en alle prullaria die ik in het hotel in Mogadishu had achtergelaten – zouden spoedig naar de Canadese ambassade in Nairobi worden verscheept. Mijn ouders zouden op papier een opsomming krijgen van alles waarmee ik had gereisd: één groene sjaal, één bruin T-shirt, één badpak, één Apple MacBook-laptop, twee zwarte broeken, één hoofddoek, één fles Nivea-zonnebrandcrème, diverse pennen en notitieblokjes, diverse vluchtschema's en elektronische tickets, diverse valuta uit Thailand, India en Pakistan. Mijn moeder zou me later vertellen dat ze zich aandachtig over de lijst had gebogen, een opsomming van wat er van mij was overgebleven, alsof het ook maar enigszins zou verklaren waarom dit was gebeurd.

Wat de verslaggevers in mijn vaders voortuin betrof, werden mijn ouders geadviseerd weinig te zeggen – niet alleen tegen de

177

media, maar ook tegen vrienden en buren. De hoop was dat het nieuws over mijn ontvoering, bij gebrek aan nieuwe informatie, snel zou wegebben. Het was beter, legden de agenten uit, om een lowprofile-gevangene te zijn dan een die in de schijnwerpers staat. Ontvoerders zijn over het algemeen heel gewiekst. Ze weten hoe Google werkt. Ze volgen het nieuws. Ook zij zouden die eerste dagen naar aanwijzingen zoeken en de waarde van hun vangst proberen in te schatten. Had mijn familie geld? Werkte ik voor een groot, vermogend bedrijf? Was ik belangrijk voor mijn regering? Een eenvoudige, gespannen opmerking van mijn moeder in het nieuws over hoe wanhopig graag ze me terug wilde, kon tot een ogenblikkelijke verhoging van het losgeld leiden.

De boodschap die de rechercheurs mijn ouders meegaven was dat ze er niet alleen voor stonden. Teams van getrainde onderhandelaars zouden elkaar in Sylvan Lake afwisselen, op matrassen op de grond slapen, de telefoons in de gaten houden en mijn ouders vierentwintig uur per dag, zeven dagen per week begeleiden, totdat het voorbij was. Samen zouden ze met de ontvoerders onderhandelen, hen tevredenstellen, onder druk zetten en vage beloften doen. Alle instrumenten zouden worden ingezet om me uit Somalië weg te krijgen.

Ontvoeringen kwamen voor, werd mijn ouders verteld, maar kwamen ook ten einde.

Het was geruststellend bedoeld, evenals die andere opmerking die de agenten maakten: Nigel en ik waren nu handelswaar. De ontvoerders hadden geld uitgegeven om ons te pakken en vast te houden. Ze hadden een investering gedaan en hadden er dus alle belang bij ons in leven te houden. Als ze ons doodden, zouden ook zij eraan verliezen.

In het huis met de golfplaten in Somalië wisten we hier natuurlijk niets van. De eerste dag en nacht in gevangenschap bracht ik afwisselend in paniek en in vertrouwen door, in de overtuiging dat aan onze beproeving snel een einde zou komen als we maar de juiste strategie zouden vinden om met onze ontvoerders te communiceren.

178

De tweede dag kwam Adam in alle vroegte naar onze kamer, vergezeld door Ali, Yahya en Ahmed, om te verkondigen dat ze een plan hadden bedacht. Hij zou onze families binnenkort bellen en om losgeld vragen. Ze zouden een dag krijgen om te betalen. Als er geen geld kwam, zouden ze ons ombrengen.

Onmiddellijk begon ik tegen te sputteren. Ik zei: 'Onze families hebben geen geld. Ze kunnen geen losgeld betalen. En bovendien is het zondag, dus zelfs al konden ze het wel, dan zijn alle banken dicht.'

Adam reageerde onbewogen. Toen Nigel vroeg waarom ze ons vasthielden, glimlachte hij en zei iets over onze regeringen die in oorlog waren met de islam. 'Jullie hebben slechte regeringen,' zei hij, waarmee hij leek te suggereren dat we het niet persoonlijk moesten opvatten. Hij voegde eraan toe dat ze geen geld van onze famílies wilden. 'Als we jullie binnen vierentwintig uur dreigen te doden, vinden jullie regeringen wel een manier om te betalen,' zei hij. Het viel me op dat hij een van zijn voortanden miste.

Ik vroeg: 'Hoeveel gaan jullie vragen?'

'Ah!' zei Adam, alsof ik hem herinnerde aan iets wat hij was vergeten te noemen. 'Daar zijn we nog niet helemaal uit.' Hij keek ons aan alsof hij onze waarde probeerde te schatten. 'Eén miljoen dollar,' zei hij terwijl hij licht zijn schouders optrok. 'Misschien twee.'

Nigel en ik bleven in een verbijsterde stilte achter terwijl de vier mannen de deur achter zich dichttrokken. Een paar minuten later hoorden we een auto het terrein verlaten.

We begonnen de machtsverhoudingen in onze groep gijzelnemers enigszins te doorzien. Adam en Ahmed waren de leiders en de oudere militair Yahya en Ali hun plaatsvervangers die toezicht hielden op de voetsoldaten, de groep van ongeveer tien jongemannen met lange benen – de jongens, zoals we ze waren gaan noemen – die met hun geweren door de tuin banjerden. De leiders kwamen en gingen in de Suzuki; ze leken ergens anders te verblijven, mogelijk in Mogadishu. Yahya had de directe leiding over de jongens. Hij gaf hun in het Somalisch voortdurend bevelen en stuurde een of twee van hen op pad om thermosflessen zoete thee of zakken gekookte spaghetti te kopen op een markt aan de andere kant van de muur.

Ali had de leiding over ons. Als zijn commandanten niet in de buurt waren, ging hij helemaal los en stormde onze kamer in en uit onder vertoon van een soort gespannen wreedheid. 'Als jullie regering niet betaalt, gaan jullie eraan,' zei hij op een gegeven moment terwijl hij vanuit de deuropening op ons neerkeek. Met een theatrale blik liet hij zijn vinger langs zijn eigen hals glijden om aan te geven dat we onthoofd zouden worden. Hij leek duidelijk te genieten van het moment en leunde naar ons toe. Hij had een hoge stem voor een man. 'Hoe voelt het om te weten dat je spoedig zult sterven?' zei hij.

De ochtend kroop voorbij. Om de zoveel uur hoorden we de oproep van een muezzin van een moskee en het geschuifel en geprevel van gebed voor onze deur. Nigel lag op zijn mat met een elleboog over zijn gezicht zachtjes te huilen alsof hij het aangezicht van zijn omgeving niet kon verdragen. De dag ervoor had Ali ons een gloednieuwe lap stof gegeven, vierkant en van lichtgewicht katoen. Die van Nigel was rood. Hij droeg hem als een rok om zijn middel, in navolging van onze ontvoerders, om zijn lichaam meer lucht te geven. Ik stikte intussen van de hitte met nog steeds een hoofddoek op en een abaya over mijn spijkerbroek en topje, maar ik had geen andere keuze dan volledig bedekt te blijven. Ik had mijn lap stof, die was voorzien van een dessin van verfijnde blauwe en witte bloemen, als beschermlaag tussen mij en de schimmelige vloermat gelegd.

Ik maakte berekeningen. In Somalië was het negen uur later dan in de Canadese Rocky Mountains. Ik vroeg me af of mijn familie nu zou slapen? Zouden de ontvoerders hen midden in de nacht opbellen? Ik vocht tegen de tranen. Achter de hoge muren, in aantal overtroffen door minstens acht personen en zonder enig idee waar we ons op de kaart bevonden, leek onze hulpeloosheid compleet.

Ali stak zijn hoofd weer om de deur. 'Hoe voelt het om te weten dat je nog maar twintig uur te leven hebt?' zei hij. Hij haalde weer een vinger langs zijn hals en voegde er een geluidseffect aan toe, een snel krassend gesis. Daarna ging hij weer weg.

Tevergeefs probeerde ik me voor zijn woorden af te sluiten en te vergeten wat ik wist: onze ontvoerders waren fundamentalisten. En fundamentalisten onthoofdden echt mensen. In Irak had ik voor een televisieverslag een keer een terrein bezocht aan de rand van Sadr City. Het was een stortplaats geworden voor de lichamen van mensen die tijdens de gevechten tussen sjiieten en soennieten waren gedood. Mijn oog was op het ontbindende lijk van een man gevallen die te midden van vuilnis op de grond lag. Zijn haar was samengeklit en zijn ogen stonden open, bruin en levenloos. Het had me een paar seconden gekost om het beeld te ordenen, om echt te beseffen wat ik zag. Het hoofd van de man was deels van zijn lichaam gesneden, de bovenste ruggenwervels glinsterden wit als baleinen in de zon.

Het was een les die ik al had geleerd en die nog altijd van toepassing was. Je weet pas wat er allemaal kan gebeuren als je het daadwerkelijk ziet.

Terwijl de tijd wegtikte, waren Nigel en ik noviteiten. Met een gewaagde nu-of-nooithouding kwamen twee van de kindsoldaten binnen met ons middageten, waarna ze onbeholpen in de deuropening bleven dralen. Ze wilden graag hun Engels oefenen.

Voor een van hen zou ik zelfs sympathie gaan krijgen. Jamal heette hij. Hij sprak maar een klein beetje Engels maar compenseerde dat met zijn enthousiasme voor het voeren van een gesprek. Hij zat in kleermakerszit op de grond in een marineblauw T-shirt en een bruine pantalon waarvan de pijpen hoog om zijn magere donkere enkels waren omgeslagen en glimlachte ons op een oprechte manier toe. Het was een tiener – achttien, vertelde hij, duidelijk nog werk in uitvoering – met lange, spichtige benen en smalle schouders die naar voren hingen, alsof hij op die manier iets van zijn aanzienlijke lengte poogde kwijt te raken. Hij had heldere ogen en kortgeknipt, donker krullend haar. Op zijn kin zaten een paar haartjes, het prille begin van een baard. Ik rook zijn aftershave, fruitig en goedkoop. Ik herinnerde me hem van een dag eerder. Hij was de gewapende man die als eerste aan mijn raam was verschenen. Zijn ogen waren onvergetelijk groot en angstig en gaven zijn onervarenheid weer. Zijn gezicht was met een sjaal omwikkeld maar die was gedeeltelijk opengevallen, waardoor ik genoeg van hem had kunnen zien om hem nu te herkennen.

De andere jongen heette Abdullah, die zwaarder gebouwd was en een donkere blik had. Hij had onze maaltijden naar binnen gedragen – opnieuw twee zakjes vette spaghetti – en ze snel in onze handen laten vallen, alsof hij bang was dat we zouden bijten.

Maar Jamal was openlijk nieuwsgierig en maar een beetje verlegen. Hij wendde zijn ogen af als hij ons vragen stelde en glimlachte naar de grond als hij naar onze antwoorden luisterde. Waar woonden we? Waren we getrouwd? Wat vonden we van Somalië? Hadden we een auto? Abdullah was ook gaan zitten, maar gaf me een ongemakkelijk gevoel. Op vlakke toon zei hij dat hij ook achttien was en jihadstrijder.

'Soldaat,' zei hij trots, terwijl hij zijn hand op zijn borst legde. Ik voelde dat hij naar me keek terwijl hij het zei, ook al probeerde ik zijn blik te mijden.

Nigel en ik lieten ons eten onaangeroerd. In hun bijzijn eten voelde als een zwakte tentoonspreiden.

Jamal, zo bleek, had zich pas verloofd.

'Is ze knap?' vroeg ik.

Schaapachtig hield hij zijn hoofd naar beneden, maar zijn grijns was onstuitbaar. 'Ja, knap.'

'Wanneer gaan jullie trouwen?'

Jamal zei: 'Na nu.'

'Snel, bedoel je?'

'Ja,' zei hij. 'Insjallah.' Terwijl hij naar woorden zocht voegde hij eraan toe: 'Het getrouwd feest is...' Hij wreef twee vingers tegen elkaar.

'Duur? Een bruiloft is duur?'

182

'Ja.' Hij straalde opgelucht omdat hij zich duidelijk had weten te maken.

Wat hij met 'na nu' bedoelde, was 'zodra deze ontvoering voorbij is', besefte ik. Het drong tot me door dat het voor Jamal niet zozeer om de jihad ging. Hij wachtte op zijn betaling zodat hij naar huis kon gaan, een bruiloft kon organiseren en met zijn meisje kon trouwen.

'Jullie hebben nog zeventien uur voordat jullie sterven,' zei Ali nadat we laat op de dag naar het toilet waren geweest en onze matten weer hadden opgezocht. Nigel lag op zijn zij met zijn gezicht naar de muur. Ik hoopte dat Ali zou vertrekken en dat Jamal met zijn relatieve vrolijkheid zou terugkomen. Nigel had zich afgesloten. De hele dag had hij niets geruststellends of hoopvols gezegd.

Ali vroeg op kwade toon: 'Hebben jullie me gehoord?'

'Ik hoorde je wel.'

'Jullie zullen spoedig sterven.'

Mijn heupen deden zeer van de druk van het beton onder mijn dunne mat. Ik voelde me uitgeput door de hitte en was zijn akeligheid meer dan zat. 'Nou,' zei ik, in de wetenschap dat ik oneerbiedig was, 'als Allah het zo wil...'

Ali ontstak meteen in woede. Hij deed een paar stappen naar voren, alsof hij me wilde slaan. 'Jij,' siste hij. 'Denk je dat dit een grap is? Als je er klaar voor bent om te sterven, zeg dat dan. Dan dood ik je nu meteen.'

Ik dook in elkaar. 'Nee, nee, nee, het spijt me,' zei ik. Mijn verandering van toon gaf precies aan hoe ik me voelde. Angst die een aantal uren aanhoudt voelt alsof je erin kunt verdrinken. Ik had er de hele dag in gepoedeld.

Nigel was op zijn mat stilletjes de andere kant op gerold en luisterde mee.

Ik zei: 'Dit is geen grap, mijn broeder. Ik wil niet sterven.' Ik boog mijn hoofd. 'Maar als het mijn tijd is, dan kan ik er niets aan doen. Dat is het enige wat ik probeerde te zeggen.'

Toen ik weer opkeek, leek Ali me aandachtig op te nemen. Zijn woede was iets afgenomen. Ik had spijt van wat ik had gezegd. Spotten met het geloof van moslims in voorbestemming – de idee dat Allah ons lot zorgvuldig gepland heeft en dat er weinig is wat wij eraan kunnen veranderen – was heiligschennis, alsof je op een rode knop drukte.

Toen kwam er een idee bij me op, een mogelijkheid. 'Als ik ga sterven,' zei ik zo kalm mogelijk tegen Ali, 'zou ik graag eerst met een imam spreken.'

Ik zag dat hij verrast zijn hoofd schuin hield. 'Nee,' zei hij na een tel. 'Dat is alleen voor moslims.'

Er waren veel dingen alleen voor de moslims in Somalië. Want iedereen was min of meer moslim.

'Nou,' zei ik, in de hoop dat het ons meer tijd zou geven als de vierentwintig uur eenmaal voorbij waren, 'misschien wil ik dan wel moslim worden voordat ik sterf.'

Die nacht laadden ze ons weer in Ahmeds Suzuki. Net als op de dag van de ontvoering werden Nigel en ik er met een groep gemaskerde mannen in geduwd, van wie we er een paar herkenden: Ahmed, Adam, Ali en Yahya. Hun geweren kletterden en sloegen tegen de patroonriemen over hun schouder. Adam reed. Abdullah, Jamals boos uitziende vriend, zat achterin met zijn AK-47 op ons hoofd gericht. Ik nam het wapenarsenaal op – alle mannen droegen een geweer – en vroeg me af of we gingen sterven.

Ahmed, die ons een uur daarvoor uit onze kamer had gehaald, had ons zijn gebruikelijke, zonnige glimlach toegeworpen en ons toegesproken met de onverstoorbare beleefdheid van een gastheer in een vijfsterrenaccommodatie.

'Is alles goed?' had ik gezegd.

'O ja, heel goed,' had hij geantwoord.

'Maar die vierentwintig uur dan?'

Hij keek bijna verrast. 'O, jullie krijgen meer tijd. Geen probleem! We brengen jullie naar een mooier huis. Sorry voor die armoedige bedden waarop jullie moesten slapen.'

We wisten niet of we hem moesten geloven. De wagen slipte

door het dorp en spatte zand op. Nigel en ik hielden elkaars hand stevig vast. Door het raam zag ik niets waaruit ik kon opmaken waar we waren, alleen maar muren en lage bosjes. Adam, met zijn Ben Franklin-bril, draaide het stuur heen en weer en voerde het toerental van de motor op om trekkracht te krijgen.

Ik vroeg Adam: 'Heb je onze families gesproken?'

'Ah, ja,' zei hij. Hij knikte naar Nigel. 'Ik heb je zus gesproken.' Er verscheen een lach op zijn gezicht, waardoor het gat van zijn ontbrekende voortand zichtbaar werd. 'Ze is... hoe noem je dat? In paniek.'

De gedachte greep me bij de keel. 'Mijn ouders?' vroeg ik.

'Je moeder, ze is goed, heel goed,' zei Adam nonchalant. Het was alles wat hij zei.

19

Het Elektrische Huis

Ons nieuwe huis was niet ver van het oude. Na een rit van tien minuten werden we weer voor een hoge muur uitgeladen en door een smalle metalen deur geleid, als een groep eenden achter elkaar, terwijl de jongens hun AK-47's naar beneden moesten houden omdat ze er anders niet door konden. We kwamen op een zanderig terrein terecht met in de verte een huis met één verdieping en een brede veranda. Over de veranda waren een paar slappe waslijnen gespannen. Vanbinnen was het niet echt een vooruitgang ten opzichte van het vorige huis, hoewel er wel elektrische verlichting was en een kleine inpandige badkamer met een toilet dat je met een emmer moest doorspoelen. Een paar jongens, die zwijgend hun geweren vasthielden, leidden ons via een gang naar een vochtige slaapkamer met twee vuile matrassen op de grond.

Over de achterwand breidde zich een woud van zwarte schimmel uit die de hele breedte van de kamer besloeg. Eenmaal alleen gelaten trokken Nigel en ik de matrassen er zo ver mogelijk bij vandaan. Om Ali met zijn obsessieve zedigheid niet kwaad te maken hielden we zorgvuldig afstand tot elkaar en gingen ieder aan een andere kant van de kamer liggen.

Adam droeg een paar plastic zakken naar binnen en gooide die met een zekere trots naar ons toe. Hij gebaarde dat we ze moesten openmaken. Nigel kreeg een paar keurig opgevouwen setjes overhemden en broeken. Voor mij waren er een herenspijkerbroek, twee herenoverhemden en een bruine rok met lovertjes in een kindermaat. Alles was gloednieuw. Adam had een notitieblok en een pen voor me gekocht, een fles Head & Shoulders 2-in-1, parfum, een stuk zeep, een tandenborstel en een grootverpakking tandpasta. Hij keek zelfvoldaan. Toen ik naar Nigel keek, zag ik dat hij net zo'n grote doos met tandpasta vasthield.

Het had er alle schijn van dat ze niet van plan waren ons metéén te doden. Ik voelde een golf van opluchting, onmiddellijk gevolgd door een gevoel van uitputting. Jezus, dacht ik terwijl ik het pak met tandpasta vasthield, hoelang zijn ze van plan ons hier te houden? Tegen Adam zei ik: 'Wauw, wat veel spullen.'

Hij leek gevleid. 'Nou,' zei hij terwijl hij zijn handen ophield, 'jullie zijn onze broeder en zuster. En zoals je ziet, is het de originele Crest-tandpasta...'

We bogen ons gemaakt enthousiast over zijn aankopen. Ik nam aan dat Amerikaanse tandpasta in Somalië niet goedkoop was en moeilijk verkrijgbaar. Anderzijds zou Adam, zoals hij het leek te berekenen, spoedig een losgeld van zeven cijfers ontvangen, waardoor alle uitgaven triviaal leken.

Hij glimlachte en wenste ons welterusten.

De daaropvolgende nachten verliepen allesbehalve vredig. We hoorden de avondgebeden, en daarna werd het stil in huis. De elektriciteit was onregelmatig. De lichten konden volkomen willekeurig uitvallen. Nigel en ik fluisterden totdat hij in slaap sukkelde en bespraken alle betekenisloze of aangename onderwerpen die we konden bedenken – onze huisdieren, onze schooltijd, onze reizen. In het donker kon ik nog net de contouren van zijn gezicht ontwaren. Slapen was voor hem een soort ontsnapping geworden. Overdag waren zijn angsten zo groot en verlammend dat ik hem als persoon amper herkende. Op de vorige locatie, in het Bommenmakershuis, had hij de kamer volledig uitgekamd op zoek naar dingen waarmee hij zichzelf kon doden – stukken elektriciteitsdraad, een ijzeren kapstok – vanuit de gedachte dat het beter was Ali en zijn wens ons te laten onthoofden een stap voor te blijven.

Terwijl ik op mijn bloemenlaken lag luisterde ik jaloers naar Nigels ademhaling. Kakkerlakken schoten in de hoeken van de kamer heen en weer. Terwijl ik op mijn zij lag, sloeg ik de twee hoeken van het laken als een cocon strak om me heen. In de badkamer van het nieuwe huis – dat ik het Elektrische Huis noemde – hadden onze ontvoerders een bruine emmer met water uit een buitenpomp neergezet dat we gebruikten om ons te wassen en om de wc door te spoelen. Voordat ik ging slapen, voordat de lichten uitgingen, plensde ik zoveel mogelijk water over mijn lichaam. Uit angst kledingstukken uit te trekken, legde ik slechts kleine stukjes van mijn lichaam bloot. Zo trok ik de abaya een stukje open om een hand over mijn sleutelbeen te laten glijden, stroopte ik de mouwen op om bij mijn armen te komen en hield ik mijn broek na het toiletbezoek lang genoeg naar beneden om me snel nat te maken tussen de benen. Het water voelde als een opluchting, hoewel ik allesbehalve schoon was. Maar het was relatief. Alles was relatief. De zorgen van de ene dag waren groter of kleiner dan die van de dag ervoor.

's Nachts leefde ik in angst om verkracht te worden. Ik was de enige vrouw in een huis met, zover ik had kunnen tellen, twaalf mannen, naast Ahmed en Adam, die ergens anders sliepen. Vier van hen waren gevangenen. Nigel en ik waren opgelucht toen we ontdekten dat Abdi en onze chauffeur Mahad en onze beveiliger Marwali in de kamer naast de onze waren gezet; ze waren dus niet vermoord. We hadden hun schoenen in de gang op de grond voor hun deur zien staan.

Het huis gonsde van wat ik alleen maar kan omschrijven als mannelijke energie, een kolkende mix van onderdrukking en jonge kracht. Ik voelde het als de jongens eten kwamen brengen, als hun ogen op mij vielen en dan snel werden afgewend, alsof de aanblik van mij, of welke gedachte daarop ook volgde, beschamend was. Ik voelde het tijdens de middagen waarop Ali op de vloer van onze kamer neerplofte en lange tirades afstak over dat de westerse landen, de christenen, schuldig waren aan de oorlog in Somalië. 'Jullie vróúwen...' zei hij op een dag tegen Nigel, terwijl

188

hij zijn handen tot kommen vormde waardoor ze op zware borsten leken. Daarna stierf zijn stem weg, de woorden ontbraken hem, zijn lippen gekruld van afkeer. Hij keek nadrukkelijk niet in mijn richting.

Maar ik voelde het het sterkst tijdens de uren in het donker, met mijn laken en polyester abaya als fragiele scheidslijn tussen mij en hen, tijdens die momenten waarop ik ergens in huis geritsel of gegrom hoorde. Ik was een misstap, een vijand van hun goede zeden, maar ook volkomen machteloos. Ze leken niet te weten wat ze met me moesten.

Op een gegeven moment zei Ahmed tegen me: 'Weet je, ons was verteld dat het om twee mannen zou gaan,' waarmee hij suggereerde dat ze oorspronkelijk van plan waren geweest de National Geographic-jongens te ontvoeren.

Halverwege de eerste week kwam Ahmed naar het huis en gaf me zijn mobiele telefoon. 'Praat met je moeder,' zei hij.

Ik nam de telefoon aan en hield hem tegen mijn oor. 'Mam?' zei ik.

En daar was haar stem, haar stem die mijn naam zei. De lijn kraakte en de verbinding viel af en toe weg, en heel even leek ze niet echt. Ahmed had de telefoon op de speaker gezet. Hij gebaarde naar me dat ik hem van mijn hoofd moest weghouden zodat hij kon meeluisteren. Er was een fractie van een seconde vertraging tussen het moment waarop mijn moeder iets zei en ik het hoorde, waardoor onze stemmen elkaar vruchteloos overlapten.

'Is alles goed met je?' vroeg ik.

'Nou, niet, niet echt... Is... is alles goed met jou?'

'Ja, met ons gaat het goed,' zei ik.

Haar stem sneed door de mijne. 'Oké.'

'Het gaat goed met ons.'

Het voelde alsof we tussen reusachtige zeegolven zwommen, elkaar dan weer wel en dan weer niet zagen en tegen muren van water riepen. Ze zei dat ze van me hield, dat de mensen thuis voor ons baden. Ze vroeg of Nigel bij me was. Ze zei dat ze probeerden wat geld bij elkaar te krijgen. Dat waren de woorden die ze gebruikte, 'wat geld bij elkaar te krijgen'. Ik kon me niet voorstellen wat dat betekende.

Ik vroeg hoeveel losgeld er gevraagd was. Mijn moeder aarzelde. 'Anderhalf miljoen,' zei ze toen. We zwegen een paar seconden. Zoveel geld zouden ze nooit bij elkaar kunnen krijgen, dat wisten we allebei. Mijn moeder stamelde. 'Amanda,' zei ze... 'Is, is, er... sorry... zijn er... eh... dingen die je kunt bedenken?'

Ik wist niet goed wat ze bedoelde. Later zou ik horen dat ze gecoacht werd door een RCMP-onderzoeker, een van de mensen die meeluisterden. Ze probeerden erachter te komen hoe hard de eisen waren, of we veilig waren en wie ons gevangenhielden. Intussen zat ik in onze kamer in het Elektrische Huis, omgeven door mijn ontvoerders – Ahmed en een aantal anderen – terwijl mijn moeders stem – blikkerig en zwak – de kamer, hun wereld binnenkwam. 'Nee...' zei ik terwijl ik de tranen achter mijn ogen voelde prikken. Ik probeerde iets te bedenken wat ik haar kon vertellen. Maar voordat ik meer kon zeggen, werd de verbinding verbroken en was ze weg.

Het idee dat Nigel en ik bij elkaar moesten zien te blijven, dat we alles moesten doen om te voorkomen dat ze ons uit elkaar haalden, werd een ware obsessie voor me. Ook al bracht hij onze ontvoerders in verwarring door in hun bijzijn openlijk te huilen, hij was hun nog altijd vertrouwder. Hij was een man en genoot dus meer respect. Omdat we samen waren, werden we min of meer gelijk behandeld. Ik klampte me hieraan vast in de wetenschap dat zijn nabijheid een garantie was voor mijn veiligheid.

Als de leiders bij het huis aankwamen, zo om de dag ongeveer, deed ik mijn best beheerst en zakelijk over te komen. Ik verkondigde steeds maar weer dezelfde boodschap: onze families hadden geen geld. Onze regeringen zouden niet betalen. Soms deed Nigel mee om de boodschap te versterken. Andere keren huilde hij stille tranen, in navolging van mijn instructie niets te zeggen wat wanhopig of emotioneel zou overkomen. Nu ik de hoop op een gemakkelijke onderhandeling had moeten opgeven, was mijn nieuwe hoop dat onze ontvoerders het na een paar weken of een maand zat zouden worden en het dan zouden opgeven. Elke dag deed ik mijn uiterste best om het hun moeilijker te maken mij – ons – te doden door vriendelijk te zijn en neutraal te blijven op het gebied van politiek en religie. Als we ze konden vervelen zonder ze te frustreren, dacht ik, zouden ze ons misschien weer bij het Shamo afleveren, als twee dozen die een maand lang hadden staan verstoffen in een magazijn.

'Hoe vergaat het jullie?' vroeg Ahmed elke keer dat hij ons begroette en in zijn schone overhemd en geperste kakibroek als een edelman een bezoek bracht aan onze donkere kamer.

Er waren twee antwoorden. Het ene, dat ik wilde uitschreeuwen, was dat onze omstandigheden klóte waren – dank u wel –, het andere was een beschrijving van de status-quo, verstoorde de basisregeling niet en leek een beter antwoord gegeven het feit dat we samen waren, twee maaltijden per dag kregen en over tandpasta voor het leven beschikten.

'Goed,' zei ik tegen Ahmed. 'Maar we willen graag naar huis.'

'Ah, ja,' zei hij dan. 'Daar wordt aan gewerkt.'

Als de leiders niet in de buurt waren, hingen de jongens rond in onze kamer, voornamelijk gefocust op Nigel. Hem keken ze recht aan. In gebrekkig Engels spraken ze over sport en auto's, wat hem voor korte perioden uit zijn depressie leek te halen. Langzaamaan leerden we hun namen. Ismaël was veertien en er was een jongen die net als de oudere commandant Yahya heette. Verder waren er nog Yusuf, twee Mohammeds en een andere soldaat die net als Jamal vriendelijk overkwam: Hassam. Ze hadden allemaal een mobiele telefoon, een AK-47 en een klein exemplaar van de koran, ongeveer zo groot als een pak kaarten, weggestopt in het borstzakje van hun overhemd.

Bij mij in de buurt waren de jongens behoedzamer. De meesten, nam ik aan, hadden nog nooit tijd doorgebracht in de nabijheid van een vrouw die geen familie was. Ik probeerde de mystiek rond mijn persoon voortdurend weg te nemen. Ik ontdekte dat het in mijn voordeel was om steeds weer te vertellen dat ik in Afghanistan en Irak had gewoond en door landen als Pakistan, Sudan en Syrië had gereisd. Ze voelden een verwantschap met deze landen, vooral met Afghanistan en Irak, waar islamitische soldaten, zoals zij het zagen, met ongelovige indringers streden. Elke keer dat ik liet doorschemeren dat ik ook maar vaag bekend was met de islamitische traditie of cultuur, opmerkte dat de ramadan binnenkort begon, herinneringen ophaalde aan de schoonheid van de Al-Aqsamoskee in Jeruzalem of aan die keer dat ik door Tora Bora had gereisd, leken ze me iets minder te wantrouwen en meer bereid om met me te praten.

Jamal was eigenlijk te vrolijk geboren voor zijn omstandigheden, zoveel was duidelijk. Mistroostigheid paste niet bij hem. Hij liep bij ons in en uit, bracht thermosflessen met thee of kleine trossen groene bananen. Vrijwel altijd had hij een uitgelaten glimlach op zijn gezicht. Er waren momenten dat hij in lachen uitbarstte, wanneer hij een van Nigels flauwe moppen had begrepen. Dan sloeg hij een hand over zijn mond alsof hij zijn grote genoegen weer probeerde in te slikken. Na een van zijn tripjes naar de markt had hij een paar pakjes sigaretten voor Nigel meegesmokkeld en je kon duidelijk zien dat hij had genoten van deze ondeugende actie.

Als Jamal op bezoek kwam, kwam Abdullah vaak mee, de Hyde bij zijn Jekyll, niet bereid te lachen of informeel te doen, maar altijd met interesse luisterend naar alles wat we zeiden. Terwijl de meeste andere jongens in onze aanwezigheid geen sjaal meer over hun gezicht droegen, hield Abdullah zichzelf zorgvuldig bedekt. Hij zat dan dicht bij me, met ogen die een emotie uitstraalden die ik niet kon duiden, zijn neus en mond verborgen achter geblokt katoen. Hij stelde me vragen over de moedjahedienstrijders in Afghanistan: wat voor geweren ze hadden, hoe ze zich kleedden, of ze auto's hadden.

Geleidelijk begonnen we informatie los te krijgen. De meeste jongens waren naar een soort trainingskamp voor toekomstige soldaten geweest. Ismaël, de veertienjarige, was ergens in de woestijn geschoold in rebellerende oorlogsvoering, net zoals de jongste van de twee Mohammeds. Jamal had zich vanuit intens verdriet en plichtsbesef bij de moedjahedien aangesloten. Zijn vader was een paar jaar eerder door Ethiopische troepen gedood, vertelde hij ons. Zijn moeder leefde nog. De herinnering aan het verlies van zijn vader was nog zo vers dat zijn ogen vochtig werden. 'Voor mij was dat begin van jihad,' zei hij.

Ahmed en Adam hadden vóór de jihad allebei als docent gewerkt. De oudere Yahya was boer geweest en een paar van de jongere jongens hadden op school gezeten. Nu werden ze betaald om te vechten, al kregen ze niet veel. Ik wist via mijn eigen onderzoek dat geld voor de opstand in Somalië vanuit andere landen binnenstroomde en verzameld werd door radicaal islamitische netwerken. Een deel, zo geloofde men, was afkomstig van de flinke sommen losgeld die werden betaald voor schepen die in de Golf van Aden door piraten werden gekaapt. Voor zover ik kon zien heerste er binnen de groep die ons vasthield een serieuze hiërarchie. De leiders – Ahmed, Adam en een derde, lange man die we Romeo zouden noemen – leken redelijk welgesteld, hadden auto's en droegen duur uitziende kleding. Commandant Yahya en Ali leken het middenmanagement te vormen, terwijl de jongens niet veel meer hadden dan een wapen, onderdak, eten en drinken, plus de overtuiging dat Allah achter hen stond.

Jihad betekent 'de strijd' in het Arabisch. Er zijn twee soorten in de islam, de grote en de kleine. Beide worden als nobel gezien. De grote jihad is de innerlijke strijd, het levenslange streven van iedere moslim een betere persoon te worden, verleidingen en verlangens te weerstaan, het geloof te onderhouden. De kleine jihad is naar buiten gericht, gemeenschappelijk en zo nodig gewelddadig – de strijd om het geloof te verdedigen en te handhaven. Voor onze ontvoerders betekende deze jihad strijden tegen de Ethiopiërs, hoewel onze ontvoering er ook onder werd geschaard. Niet alleen kwamen we uit 'slechte' landen, zoals Ali het uitdrukte, maar al het losgeld dat ze kregen, zei hij, zou teruggesluisd worden naar de grote strijd.

193

Jongemannen leken in cellen georganiseerd te zijn die indien nodig voor de strijd werden opgeroepen in de straten van Mogadishu of elders. Voor zover we begrepen, hadden de meeste jongens nog thuis gewoond tot aan de dag dat we op de weg naar Afgooye waren ontvoerd, een taak waarvoor hun cel geactiveerd was – door wie wisten we niet.

Terwijl Jamal boordevol plannen zat voor zijn leven na de ontvoering – hij zou trouwen en daarna informatietechnologie gaan studeren in India, aangezien hij had gehoord dat daar veel universiteiten waren –, leek Abdullah compleet in beslag genomen te worden door de oorlog. Op een dag vroeg ik hem wat hij later wilde worden. Hij wierp me een felle blik toe, deed alsof hij een jas aantrok en maakte het geluid van een explosie.

Het duurde even tot het tot me doordrong. 'Zelfmoordterrorist?'

Abdullah knikte. Martelaar, was hoe hij het zag. Bij de poort van het paradijs mochten soldaten van Gods leger via een speciale deur naar binnen.

Jamal schudde zijn hoofd. Hij zwaaide met zijn hand heen en weer alsof hij wilde zeggen: 'Nee, nee, nee.' Net als ik meende hij dat het leven weer normaal kon worden, dat dit allemaal teruggedraaid kon worden. 'Ik wil niet dat hij doodgaat,' legde hij uit. 'Hij is mijn vriend.'

194

20

Amina

'Waarom zijn jullie geen moslims?' wilde Ali op een ochtend weten. Hij was naar onze kamer gekomen en leek zich te vervelen. 'Waarom bidden jullie niet?'

Hij had die verwarring al eerder uitgedrukt, verbijsterd door het idee dat onze dagen niet door regelmatige gebeden werden geregeerd, terwijl zijn dagen zo keurig in vijf stukken waren opgedeeld, de uren tussen elke afspraak met Allah, van de eerste vroeg in de ochtend tot de laatste in de avond. Ali wist zeker dat onze spirituele luiheid ons een reis naar de hel zou opleveren. Hij had dit eerder ook al tegen ons gezegd, in kwade veroordeling van wie we waren, maar vandaag leek hij minder hatelijk. Het was al heet, heter dan normaal. In de kamer rook het naar wc-lucht.

Ali zat met zijn rug tegen de muur. Hij zuchtte. 'Het is beter om te bidden,' zei hij.

Ik realiseerde me dat als onze situatie omgekeerd was, als Ali degene was die gevangenzat en was losgerukt van alles wat hij kende, hij zijn afspraken zou kunnen blijven nakomen, zou kunnen blijven leven naar de dagorde die door zijn geloof was opgelegd. Ik besefte dat dat je misschien kracht kon geven, terwijl mijn eigen dagen steeds meer leken als een lang wachten op niets. Tijdens de gebedstijden hoorden we Abdi en de twee andere Somalische gevangenen in de kamer naast de onze hun Arabisch reciteren.

Met Ali over religie praten deden we behoedzaam en alleen tijdens zijn rustiger momenten, wanneer hij niet tekeerging over het een of ander. Nigel wierp op een gegeven moment op dat hij naar het boeddhisme neigde, maar dat interesseerde Ali niet.

'We weten hoe we moeten bidden, broeder,' zei ik terwijl ik expres niet naar Nigel keek, die niet met een formele religie was opgegroeid en zou kunnen gaan tegensputteren. 'We moeten alleen meer leren over hoe moslims het doen.' Ik vroeg Ali of hij een Engelstalig exemplaar van de Koran had dat we mochten lenen, gewoon om eens in te kijken.

Dit leek Ali te verheugen. 'Ik zal op de Bakaara Market kijken,' zei hij terwijl hij van mij naar Nigel keek. 'Misschien vind ik er daar een, insjallah.'

Bakaara Market was een bekende locatie in Centraal-Mogadishu, een plek waar voedsel, benodigdheden en wapens werden verkocht. Voordat we werden ontvoerd, had ik Ajoos gevraagd of we de markt konden bezoeken. Hij had alleen maar gelachen. 'Onmogelijk,' had hij tegen me gezegd. 'Bakaara Market is een basis van Al-Shabaab. Heel, heel gevaarlijk voor blanke mensen.'

'Insjallah,' zei ik terug tegen Ali.

Ik had een ballon van bereidwilligheid laten opstijgen. Van mijn tijd in Irak wist ik dat in elk geval sommige moslims het niet als een grote stap zagen als je van het christendom overstapte naar de islam. De twee religies eerden dezelfde god onder andere namen. Het moslimgeloof erkende Mozes en Jezus, *Musa* en *Isa*. Het erkende de Thora, de psalmen en het evangelie als openbaringen van God. Om je te bekeren moest je Mohammed als je profeet aannemen, degene wiens pad je bereid was te volgen.

Ik zei tegen Ali dat ik de Bijbel vele malen had gelezen. Ik vertelde hem dat ik mijn kindertijd op mijn knieën had doorgebracht, dat mijn grootouders zeer vroom waren.

Hij reageerde meteen op wat ik zei. 'Dan ben je al voor vijftig procent moslim,' zei hij. Hij gebaarde groots met één hand. 'Je hoeft alleen nog maar de *sjahadah* te zeggen' – de islamitische geloofsverklaring – 'en je zult naar het paradijs gaan.'

Nigel wierp me een venijnige blik toe. Hij wist waar ik mee bezig was en vond het maar niets. We hadden het er een paar keer over gehad om te doen alsof we de islam accepteerden, te laten blijken dat we ons wilden bekeren. Hij was er absoluut op tegen en vond het een te groot risico. Als we erop betrapt werden hun religie voor te wenden, iets wat ze serieuzer namen dan wat dan ook, zouden we zeker worden vermoord.

Ik bekeek het van de andere kant: onze ontvoerders zouden ons goed behandelen als we ons bekeerden. Ze zouden niet anders kunnen dan ons als medegelovigen te zien. Ze zouden barmhartiger moeten zijn. Voor mij was het een manier om me los te maken van mijn personificatie van westerse vrouw. Mijn vrijheid – mijn reizen en werk, mijn manier van kleden en praten, mijn leven zonder man of gezin – was een provocatie. Hoe sneller ik mezelf opnieuw kon uitvinden, hoe beter ik het zou doen.

Ali stond op, veegde het vuil van de vloer van zijn broek en verliet de kamer.

'Geen sprake van, verdomme,' zei Nigel kwaad. 'Houd hiermee op.' Hij ging weer helemaal aan de andere kant van de kamer zitten en hield zorgvuldig afstand tot de schimmel op de muur, maar ook tot mij.

Precies op tijd trad een wollig klinkende luidspreker in werking. De muezzin – een andere dan die we in het vorige huis hadden gehoord, deze klonk ouder – schraapte zijn keel een paar keer in de microfoon en begon de oproep voor het gebed te reciteren.

Nigel ademde diep uit en schudde zijn hoofd. 'Luister, bekeer jij je maar tot de islam,' zei hij, 'maar ik doe niet mee.'

We konden het ons niet veroorloven ons op te delen, zoveel wist ik wel. Ik zuchtte ook. 'Dat werkt niet, Nigel,' zei ik. 'Als ik het wel doe en jij niet, halen ze me hier zeker weg. Een moslimvrouw mag niet samenwonen met een niet-moslimman.'

'Juist,' zei hij.

En dat was dat. We waren in een impasse beland. Bekering was een zet van alles of niets, wisten we. Ik liet het onderwerp rusten.

197

Het raam in onze kamer stond in open verbinding met de buitenlucht, maar er zaten ijzeren tralies voor. Het keek uit op een ander huis. Zo nu en dan hoorden we geluiden van het gezin dat daar woonde – spelende kinderen, pratende ouders, gelach. Ik ving een glimp op van de rug van een vrouw, maar durfde niet te roepen, uit angst dat ze het op een gillen zou zetten. Ons enige contact bij het raam was met een kat, een mager oranje beest dat op een ochtend vanuit de steeg op onze vensterbank was gesprongen.

We mochten vrijelijk heen en weer lopen naar de badkamer naast onze kamer. Daar, hoog in de muur die uitzag op de tuin, tegenover de toiletpot, zat een ventilatiegat – een opening van dertig bij zestig centimeter in het beton die frisse lucht binnenliet. Nigel en ik kwamen er al snel achter dat als we onze hals uitstrekten en op onze tenen gingen staan, we een smal reepje tuin konden zien, waar onze ontvoerders hun meeste tijd doorbrachten.

Het ventilatiegat werd ons portaal, onze televisie, ons nieuwsstation. Het was iets om in de gaten te houden.

Op een ochtend wisselden we elkaar af toen er een nieuw gezicht in de tuin verscheen met een gele plastic tas. Hij was dik, van middelbare leeftijd en goed gekleed. Hij liep voorovergebogen, alsof het gewicht van zijn buik te veel voor hem was, alsof hij zijn hele leven dun was geweest en het niet gewend was zo'n zware massa mee te zeulen. Hij begroette Ali en de oude Yahya zoals gebruikelijk was tussen Somalische mannen met een omhelzing aan de ene en aan de andere kant. Even keek hij inspecterend om zich heen in de tuin en toen haalde hij een vijftien centimeter dik pak Somalische shilling-biljetten uit zijn tas, het lokale betaalmiddel. Hij gaf het aan de commandant. Nadat ze enkele minuten met elkaar hadden gesproken, vertrok hij weer.

Zo wisten we dat er een geldmannetje was – iemand die de operatie financierde of geld afleverde namens de financier. Vanaf dat moment zou de man minstens een keer per week langskomen om geld en voorraad voor onze ontvoerders te brengen. Een of twee keer zagen we dat hij een grote pan zelfgemaakt eten voor de jongens had meegebracht. We gaven hem de bijnaam Donald Trump.

Door ons spionnetje keken we naar de jongens die militaire oefeningen en fitness deden om de tijd te doden. Ze volgden het voorbeeld van de zwaargebouwde, donkerharige Yusuf en marcheerden, deden rekoefeningen en rolden met hun spierballen alsof ze onzichtbare halters vasthadden. Soms trad commandant Yahya bij worstelpartijen als scheidsrechter op en af en toe legde hij de actie even stil om een bepaalde greep te demonstreren. We zouden hem uiteindelijk de bijnaam Skids geven. De jongens klaagden soms stiekem bij ons dat hij zo streng was, dat hij altijd op de rem trapte en dat hij altijd nee zei.

Het ventilatiegat bood me dingen om naar te kijken, maar gaf me geen hoop. Ik stond op mijn tenen totdat mijn kuiten pijn deden in een poging iets te ontdekken wat op een uitweg leek. Het idee van ontsnappen voelde nutteloos. Er waren te veel mensen in een te kleine ruimte samen gestouwd om iets ongezien te kunnen doen, en er was maar één uitgang – de kleine deur in het zware metalen hek aan het einde van de tuin. Boven op de omringende muren lag prikkeldraad. Ergens daarachter verkondigde de muezzin met zijn schraperige stem weer dat het tijd was om op te staan en allemaal dezelfde kant op te knielen.

Enkele dagen nadat we het erover hadden gehad, kwam Ali's ochtends de kamer binnen met twee dikke boeken, in marineblauw leer gebonden en met verfijnd goudkleurig reliëfwerk versierd, waarop in het Engels de woorden 'De Heilige Koran' stonden geschreven. Hij overhandigde ze ons met gepaste trots, een voor mij en een voor Nigel. Ze waren gloednieuw. De pagina's waren flinterdun en de verzen gedrukt in een klein lettertype – de originele Arabische aan de ene kant, de Engelse vertaling aan de andere.

Eerlijk gezegd zou ik elk boek dat me was overhandigd hebben verslonden – alles om mijn knagende geest maar te voeden –, maar de Koran voelde op dat specifieke moment als een geschenk uit de hemel. Het was alsof ik de sleutel tot een ingewikkelde code in handen kreeg.

Tijdens de eerste zeven dagen van onze gevangenschap had ik

mijn moeder nog twee keer mogen spreken. Beide telefoontjes hadden nog geen minuut geduurd en waren alleen maar bedoeld geweest om te bewijzen dat ik nog in leven was. Nigel had één telefoontje naar zijn zus Nicky mogen plegen, kennelijk met hetzelfde doel. We waren tot de conclusie gekomen dat hulp of vrijlating er op korte termijn niet in leek te zitten.

Ik las het boek in de hoop dat ik de islam kon gebruiken om ons uit deze situatie te praten.

Nigel en ik lazen urenlang, dagen achtereen. Gedurende die tijd spraken we heel weinig. We behandelden de boeken met zorg en legden ze op de richel bij het raam als we aten of naar het toilet gingen.

Toen Ali zag hoe geconcentreerd we lazen, mochten we van hem een paar keer de tuin in en op het lage ronde muurtje zitten dat om een magere papajaboom was gebouwd. De tuin was droog en heet. De jongens hingen rond met hun geweren en negeerden ons.

Ik las de Koran pagina voor pagina en probeerde de angst die in me kolkte te negeren. Ik zocht naar elementen van logica, naar inzichten in de geest van mijn ontvoerders. Ik verbond het ene stukje informatie met het andere. De Koran was compact, soms poëtisch, soms autoritair, de boodschappen waren vaak tegenstrijdig. Er waren veel verzen over de jihad en over vijanden, maar ook vele over barmhartigheid en genade. Het paradijs werd voorgespiegeld als een weelderig stuk fruit. Vrouwen werden meestal beschreven als echtgenotes. Gevangenen werden beschreven als 'slaven waarover je beschikt.' Het boek was expliciet over wat een dergelijk bezit inhield: je was in feite eigendom van je ontvoerders. Er waren verzen waarin stond dat gevangenen barmhartig behandeld moesten worden en vrijgelaten als ze zich goed gedroegen. Andere maakten duidelijk dat alle mannen seks mochten hebben met een vrouwelijke gevangene. In een paar verzen waarin de Koran mannen verbood seks buiten het huwelijk te hebben, was aan het eind een zorgwekkende clausule bijgevoegd: 'behalve met slavinnen waarover je beschikt.'

200

We zouden ons moeten concentreren op goed gedrag en een beroep moeten doen op hun gevoel van genade. Het boek gaf ons een beetje macht. Het gaf ons taal om te gebruiken, redeneringen om toe te passen. Het was alsof we een inkijkje kregen in het besturingssysteem dat het leven van onze ontvoerders regelde.

Ik vond twee overtuigingen die mogelijk een verschil zouden kunnen maken.

'Het komt een gelovige niet toe een gelovige te doden.'

En: 'Een gelovige slaaf is echt beter dan een veelgodendienaar.'

'Nigel,' zei ik, 'ze kunnen ons niet doden als we ons bekeren.'

Ook hij had dezelfde verzen gevonden, maar toch was hij bezorgd over het risico. Bekeren zou voelen als bedriegen, zei hij. We zouden hen ermee kunnen beledigen. Het was te gevaarlijk.

Ik dacht terug aan het gorgelende, scheurende geluid dat Ali had gemaakt toen hij een vinger langs zijn hals trok en uitlegde hoe we omgebracht zouden worden. Als het ons meer macht zou geven, had ik er geen moeite mee een bedrieger te zijn.

Op de elfde ochtend van onze gevangenschap werd ik wakker in de wetenschap dat het tijd was. Er was niets veranderd, maar het voelde alsof we iets moesten doen, een soort van energieverschuiving moesten forceren. Nigel leek weg te zakken in een zware depressie. Hij zat op zijn matras somber in de Koran te lezen toen Ali de kamer binnenliep.

Toen hij, zoals gewoonlijk, over Allah en de islam begon, greep ik het moment aan en sprak de woorden zonder er te veel bij na te denken. 'Volgens mij zijn we er klaar voor om de *sjahadah* te zeggen,' zei ik tegen Ali terwijl ik mijn hoofd boog om zedigheid te tonen en ook om oogcontact met Nigel te vermijden.

Ali stak zijn verrukking niet onder stoelen of banken en beschouwde het als een persoonlijke overwinning. Hij liet zich op zijn knieën vallen en raakte met zijn voorhoofd de grond. '*Allahu Akbar*,' riep hij uit en hij herhaalde het drie keer. *God is groot. God is groot. God is groot.* Het was de eerste keer in elf dagen dat ik het gevoel had dat ik enige invloed had.

Terwijl hij weer overeind kwam, nam Ali me aandachtig op. Ik zweette en keek nadrukkelijk niet naar Nigel. Ali leek het gebrek aan verbondenheid tussen ons te voelen. Zijn stem werd ernstig, zijn woorden op mij gericht. Hij zei: 'Dit is geen spelletje, weet je. Het is iets heel serieus.'

Ik knikte en probeerde nederig en vroom over te komen. 'Ja, natuurlijk, mijn broeder,' zei ik. 'Dat begrijpen we.'

'Afgesproken dan, insjallah,' zei hij. 'Jullie kunnen voorbereidingen treffen en om elf uur worden jullie moslim.' Hij sprak het uit als moe-slim. Vervolgens verliet hij de kamer.

Nigel was woedend. Hij sloeg zijn koran dicht en keek me vol ongeloof aan. 'Wat was dat, verdomme?' zei hij. 'Overleggen we niet eerst?'

Dat hebben we gedáán, wilde ik zeggen, maar in plaats daarvan zei ik: 'Nige, we moeten dit doen. Ik weet dat het waanzin is, maar op deze manier kunnen we onszelf beschermen.'

We waren ons bewust van de risico's. In mijn koran had ik het woord gelezen dat op ons van toepassing was – dat ons zou verdoemen – als ze erachter kwamen dat we ons hadden bekeerd zonder te geloven. Hypocrieten. Vijanden van binnenuit. Zulke vijanden werden als veel kwaadaardiger en gevaarlijker beschouwd dan die op het slagveld. De Koran instrueerde specifiek dat alle huichelaars moesten worden gedood. 'Zij zijn de vijand, wees voor hen op je hoede,' luidde een vers. 'God bestrijde hen.'

Toen Ali terugkwam naar onze kamer instrueerde hij ons een setje kleren uit onze spaarzame verzameling te kiezen en met hem naar buiten te gaan zodat we ze in de tuin konden wassen. Dit alleen al voelde als een nieuwe vrijheid: onze bereidwilligheid werd met zeep beloond. De obsessie van moslims met lichamelijke reinheid zou onze situatie alleen maar verbeteren, dacht ik.

Nigel raapte zijn kleren bij elkaar en volgde me, terwijl ik Ali door de smalle gang volgde, langs de kamer waar Abdi en de anderen werden vastgehouden, langs een kleine ongebruikte keuken naar buiten, naar de betonnen veranda die uitkeek op de tuin. Toen ik me omdraaide om hem aan te kijken, wierp hij me een snelle, verrassende glimlach toe. 'In wat voor situatie breng je ons nu weer, Lindhout?' fluisterde hij.

De vraag was zowel fijngevoelig als scherp. Ons verhaal, dat was begonnen op die eerste avond dat Nigel en ik elkaar zagen op de veranda in Addis, was van meet af aan waanzinnig geweest, flitste het door mijn hoofd. Waanzinnige liefde, waanzinnige verwarring en nu misschien, waanzinnige tragedie. Hoe zou het gelopen zijn als ik me niet aan hem had voorgesteld? Stel dat ik gewoon met mijn rugzak langs hem was gelopen en hem nooit had aangesproken?

Ik durfde te wedden dat hij het verhaal en de afloop ervan in gedachten al vele malen had herschreven.

In de brandende zon boenden we langzaam onze kleren in een plastic emmer. We vulden de emmer herhaaldelijk opnieuw met water uit een kraantje onder een hoge boom en hingen ze op om te drogen. Alles in mij tintelde. Ondanks de hitte voelden mijn handen en voeten koud. Met Nigel had ik stoer gedaan over bekeren en ik had hem er voortdurend aan herinnerd dat ik al veel kennis had van islamitische culturen. Maar nu besefte ik dat ik heel weinig wist. Als het op de islam aankwam, was ik alleen maar een nieuwsgierige toerist geweest. Stiekem was ik doodsbang voor de beslissing die ik had genomen.

Terug in de kamer kregen we ieder een blikje tonijn als lunch. We douchten om beurten in de badkamer onder een dun straaltje bruin water. We kamden ons haar en trokken onze schone kleren aan die intussen droog waren. Ik droeg mijn abaya over mijn oude topje en een van de herenspijkerbroeken die ze me hadden gegeven. Alles rook heerlijk naar wasmiddel.

We zaten aan elkaar vast, Nigel en ik. Het was alsof we ons voorbereidden op een bizar soort huwelijksritueel, ons klaarmaakten om een drempel over te gaan, ons lot te bezegelen. Ik keek naar hem, hij was schoner dan hij in bijna twee weken was geweest, zijn haar nat en keurig in een scheiding, zijn ogen groot en een beetje somber, en ik voelde een oude emotie opvlammen. Hij begon een baardje te krijgen en door de laag op zijn kin zag hij er grauw uit, wat beter paste bij het kleurloze, stoffige vagevuur van het huis en de ommuurde tuin.

Toen we nog een stel waren, had ik zoveel verwachtingen gehad voor ons tweeën, zoveel manieren waarop onze levens apart of samen konden verlopen. Maar dit hier had ik nooit kunnen bedenken.

Ik vouwde mijn hidjab onder mijn kin zodat hij strak om mijn gezicht zat, mijn haar zorgvuldig uit zicht eronder weggestopt. Nigel trok een zwart katoenen overhemd aan dat hij van onze ontvoerders had gekregen. Ali kwam de kamer weer in nadat hij nieuwe aftershave had opgedaan en zijn eigen overhemd had verschoond.

Om moslim te worden hoef je alleen maar één eerlijke geloofsverklaring af te leggen. Het hoeft niet in een moskee te gebeuren of in de aanwezigheid van een imam. Er komt weinig ceremonie bij kijken. Bekeren komt neer op het uitspreken van twee simpele zinnen in het Arabisch, maar het punt is dat je de overtuiging van die woorden in je hart voelt. Het is de oprechtheid die ertoe doet.

Nigel en ik stonden plechtig met Ali in de kamer terwijl hij de woorden van de *sjahadah* in het Arabisch reciteerde en wij hem ietwat ongelijk nazeiden.

We legden de gelofte af dat we Allah als onze enige god accepteerden en Mohammed als zijn profeet.

Wat ik op dat moment voelde was geen overgave en ook geen trotsering. Het was gewoon een schaakzet, een onzeker paard dat twee stappen naar voren en één opzij deed. Het was geen geloofsverraad, van mij, Nigel of hen. Het was een manier om ons minder buitenlands te voelen, en door ons minder buitenlands te voelen hoefden we minder bang te zijn. We deden wat nodig was om te overleven.

Toen het voorbij was, liep Ali de kamer uit. Alle jongens stroomden naar binnen en schudden Nigel jubelend de hand. 'Mubarak,' zei Jamal tegen ons beiden. *Gefeliciteerd.* Een ander knikte naar me en noemde me 'zuster'. De jonge Yahya zei iets in het Somalisch, wat Abdullah vertaalde: 'Jannah, jannah. Hij zegt dat jullie naar het paradijs zullen gaan.'

Misschien was hiermee een deur op een kier gezet. In ons nieuwe leven als moslim, zo had Ali ons verteld, waren we niet meer Nigel en Amanda. We kregen nieuwe namen. Nigel werd Mohammed en ik Marium. Een paar dagen later kregen we weer nieuwe; we hadden onze ontvoerders gevraagd om namen die meer op onze oude leken. Nigel werd voortaan Noah genoemd. Mijn naam werd Amina. Ik zou er lange tijd mee leven. Veel later zou ik de Arabische betekenis opzoeken: Amina was een meisje dat, boven alles, trouw en betrouwbaar hoorde te zijn.

21

Paradijs

Nu moesten we leren bidden. Voortaan werd van ons verwacht dat we tegelijkertijd met onze ontvoerders baden. Het zou het eerste zijn wat we deden als we wakker waren geworden en het laatste voordat we gingen slapen.

De bekering tot de islam voelde als een overtocht. Het was alsof Nigel en ik elf dagen op een schip in een haven hadden gedobberd en nu aan wal gingen terwijl onze ontvoerders ons op de pier verwelkomden. Ik voelde me wankel, gedesoriënteerd. De jongens gedroegen zich bijna hartelijk en waren een stuk beleefder. In plaats van onaangekondigd onze kamer in en uit te lopen, bleven ze in de deuropening staan wachten tot wij hun toestemming gaven om binnen te komen. Abdullah, zo leek het, had zichzelf aangesteld als mijn onderwijzer, terwijl Jamal zich aan Nigel verbond. Ze deelden opdrachten uit en lieten ons regels uit de Koran uit het hoofd leren. Ze lieten ons de fysieke bewegingen bij het gebed uitschrijven – duimen bij de oren, rechterarm over de linker – en de woorden die we daarbij moesten opzeggen. Ik kreeg het gevoel dat het onderwijs voor hen een manier was om hun eigen verveling te verdrijven. Tijdens de lessen bleven de andere jongens soms in de deuropening hangen. Ze konden hun verbijstering niet verbergen als we struikelden over het Arabisch.

Moslimgebeden worden in cycli uitgevoerd, *raka'ah* genaamd. Afhankelijk van de tijd van de dag doorloop je de cyclus twee, drie

206

of vier keer – een beetje zoals je bij yoga de zonnegroet brengt. Elk gebed gaat met fysieke beweging gepaard. Je staat, je knielt, je raakt de grond met je voorhoofd en je zit in bezinning verzonken op je hielen voordat je weer helemaal opnieuw begint. Je reciteert Koranverzen uit het hoofd. Elke cyclus begint met dezelfde zeven regels uit het eerste hoofdstuk, maar daarna breid je die uit met regels uit andere hoofdstukken. Een hoofdstuk heet een soera. De vaardigste moslims kunnen uit de hele Koran reciteren en hebben alle 114 hoofdstukken van het boek – al met al ruim 6200 verzen – uit het hoofd geleerd.

Ik bad onbeholpen. Ik hield mijn duimen in een verkeerde hoek bij mijn oren of vergat mijn tenen onder me weg te duwen als ik met mijn voorhoofd de grond raakte. Doordat ze geen betekenis voor me hadden, raakten de Arabische woorden verstrikt in mijn hoofd. Er waren een paar frasen die ik tijdens mijn tijd in Irak had opgepikt, maar voor het merendeel leerden we eerder lettergrepen, die we als kralen aan elkaar regen, dan zinnen, een paar woorden per keer. *Bismillahil rahman ar-raheem. Al hamdu lillahi rabb el alameen.*

Ik erkende hoe kalm het kon klinken, het sussende stijgen en dalen van de woorden, hoe de regels als golven konden samenvloeien. Totdat er een in mijn hoofd bleef steken en weigerde eruit te komen. *Ar rah... Arahim?*

Abdullah merkte mijn vragende toon op. Heel even leunde hij dicht naar me toe. 'Nee!' snauwde hij. 'Fout.'

Hij was geen geduldige leraar.

Als het op gesproken Arabisch aankwam, had ik helemaal niets aan mijn exemplaar van de koran, aangezien het Arabisch in een niet te ontcijferen schrift werd gepresenteerd en niets fonetisch was gespeld. Dus begon Abdullah te scanderen terwijl ik in mijn notitieblok aantekeningen maakte om het later allemaal te oefenen. Aan de andere kant van de kamer zat Jamal vlak naast Nigel, zijn knieën opgetrokken tegen zijn slungelige lichaam. Hij hielp hem met veel zorg en aandacht door nieuwe verzen.

Ik keek naar Abdullah. 'Kun je dat laatste stuk nog eens doen, alsjeblieft? Langzamer?'

Hij schudde zijn hoofd, stond op en leek daarmee aan te geven dat onze les voorbij was. 'Je bent slecht, Amina,' zei hij ernstig terwijl hij zijn kin naar Nigel – Noah – uitstak, alsof hij de voorbeeldige leerling was, degene die de voorkeur genoot. Met een laatste, genadeloze stroom Arabische woorden herhaalde hij het vers opnieuw. *Ar-rahman ar-raheem. Malikee yawm ul deen. Iyyak naabudu wa iyyaka nastaeen. Ihdina assirat al moostaqeem.* En vergenoegd over zijn eigen Engelse spreekvaardigheid, voegde hij er langzaam aan toe: 'Jij bent heel domme vrouw.'

Een typisch aspect van de islam is dat het paradijs altijd lonkt. Het leven is gericht op het hiernamaals. Welke genoegens er in deze wereld ook ontbreken, welk comfort, welke rijkdom of schoonheid je tijdens je dagen en jaren op aarde ook moet ontberen, bij het betreden van het paradijs zal het je ten deel vallen. Pijn, stoutmoedigheid en oorlog zullen allemaal verdwijnen. Het paradijs is een uitgestrekte, perfecte tuin. Het is een plek waar iedereen mooie gewaden draagt, waar overvloedige banketten zijn en comfortabele banken gedecoreerd met edelstenen. Er zijn bomen, bergen van muskus en koele valleien met rivieren. Het paradijs is zo perfect dat het fruit er nooit verrot en iemand eeuwig drieëndertig blijft. Het is het einde van alle aardse misère, het portaal naar eeuwigdurende gelukzaligheid. Volgens de Koran staan bij alle acht poorten engelen om de nieuwaangekomenen te feliciteren. 'Vrede zij met jullie omdat jullie geduldig hebben volhard,' zullen ze zeggen. 'Dat is pas een goede uiteindelijke woning!'

Hoe meer ik over het paradijs las, hoe beter ik begreep dat de jongens hierop wachtten, dat ze hiernaartoe werkten met hun gebeden, alsof ze een reusachtig plan voor hun dromen opzij hadden gelegd, dat ze vooruitbetaalden via dagelijkse toewijding tot het tijd was om de engelen te ontmoeten.

Gelukkig was mijn koran voorzien van verklarende aantekeningen. Diverse passages gingen vergezeld van lange voetnoten in het Engels, waarin de islamitische *hadith* geciteerd werden, de oude teksten waarin stond wat de profeet Mohammed tijdens zijn leven had gedaan, gezegd en onderwezen. De hadith voegen context en details toe aan het woord van God zoals in de Koran beschreven. De voetnoten hielpen mij aan het antwoord op een aantal vragen terwijl ik in onze betonnen kamer in het Elektrische Huis zat te lezen. Het waren instructieve verhaaltjes die, samen met de Koran, duidelijk maakten dat wat een persoon in zijn leven doet, enorm belangrijk is in het volgende. Het Paradijs beschikt naar verluidt over zeven niveaus, en het hoogste niveau is weer verdeeld in honderd graden. De hoogste plekken zijn gereserveerd voor de allerdeugdzaamsten. De jongens in ons huis, die geen afleiding hadden en geen andere verantwoordelijkheden dan het bewaken van Nigel en mij, probeerden een goede plek in het hiernamaals voor zichzelf in de wacht te slepen. Ze hadden alle tijd om aan hun geloof te werken, om in afwachting van de dag des oordeels hun deugd te vergroten.

Als Abdullah al twijfelde aan mijn oprechtheid als moslim liet hij dat niet merken. In plaats daarvan zat hij urenlang tegenover mij, uiterst geconcentreerd te luisteren naar mijn Arabisch, zijn ogen gefixeerd op mijn gezicht terwijl ik heel langzaam vorderingen maakte. Als ik me zonder gestamel of pauzes door een paar minuten tekst had weten te werken, gaf hij me een complimentje. 'Dat is heel knap,' zei hij dan. 'Dit is goed.' Maar meestal was het slechts een kwestie van minuten voordat ik het weer verknalde. Abdullahs humeur veranderde dan op slag. Witheet van nieuwe woede stortte hij zich dan op mijn fouten. Als ik naar hem opkeek, in een poging te begrijpen wat ik verkeerd had gedaan, schreeuwde hij: 'Kijk naar beneden!' Vaak bracht hij ook zijn hand omhoog, alsof hij me wilde slaan. Zijn handen, zag ik, waren ongewoon groot.

Wanneer hij weg was, vroegen Nigel en ik ons hardop af of hij geestesziek was of mogelijk kickte op macht. Hoe dan ook leek hij te geloven dat ik zijn bezit was.

Aan het begin van de derde week van onze gevangenschap was ik dankbaar voor de uitdaging zowel een nieuwe taal als een nieuwe religie te leren. We konden er onze dagen mee vullen. Als we met z'n tweeën waren, vergeleken Nigel en ik aantekeningen van wat we in de Koran hadden ontdekt. Nigel was gefocust op het idee dat Allah veel regels had met betrekking tot beloften en eden. Als je iets in naam van Allah zwoer, was je verplicht die belofte na te komen. Zijn doel was om een van de leiders in Allahs naam te laten zweren dat ze ons zouden vrijlaten.

Zelfs tijdens de vrije uren hoorde ik de groep jongens buiten op de veranda uit de Koran reciteren, hun stemmen vervlochten in een langdurig gebrom. Hoe, vroeg ik me af, bleven ze zo gefocust? Gingen hun geloofsovertuigingen echt zo diep?

Ik had verwacht dat een van de oudere bewakers – de commandant of Ali – de gebeden zou leiden, maar het was de kleine, serene Hassam, die met zijn zestien jaar een van de jongsten van de groep was. Hassams vader, zo had Jamal ons uitgelegd, was imam in een moskee. Hierdoor wist Hassam meer van de Koran dan de anderen in het huis en dus stond hij vooraan, met het gezicht naar Mekka, en leidde de recitaties, terwijl de rest van de mannen in rijen achter hem stond. Door ons spionnetje in de badkamerventilator zag ik hem de rol van voorganger aannemen. Hij zong de gebeden met luide, heldere stem en dikte zijn handbewegingen aan zodat iedereen ze kon volgen.

Van Nigel en mij werd verwacht dat we in onze kamer baden. Nigel moest voor mij staan omdat hij een man was en dus onze leider. Zo nu en dan kwam Jamal binnen en nodigde Nigel uit om zich bij de rest van hen buiten te voegen. Nigel begreep dat hij geen nee kon zeggen en dat het een kans was om een beetje frisse lucht te krijgen. Hij keek me dan verontschuldigend aan, in de wetenschap dat ik als vrouw waarschijnlijk nooit uitgenodigd zou worden buiten te bidden, en dan ging hij.

Als ik alleen was sloeg ik mijn gebeden over. Omdat ik wist dat mijn ontvoerders druk bezig waren en me niet zouden lastigvallen, staarde ik alleen maar naar de muur.

'Dit is niet goed,' zei Donald Trump op een avond nadat hij onze kamer was binnengekomen en de staat van onze versleten matrassen en de zwarte schimmel op de achtermuur had bekeken. 'Zo kun je geen mensen opsluiten!' Zijn gezicht straalde lichte woede uit. Hij droeg een keurig roze overhemd met lange mouwen en een wijde broek met een zoom die door de Hadith werd voorgeschreven – een handbreedte boven de enkels, om te voorkomen dat de stof over de grond sleept. Hij schopte naar een voorbij kruipende kakkerlak.

Ondanks zijn voorgewende afkeuring was Donald een van de leiders van de groep die ons vasthield. Dat wisten we zeker. Donald kwam om de vijf à zes dagen langs om voorraden uit de stad te brengen. Ali was ergens in de derde week van het toneel verdwenen om redenen die we nooit te weten zouden komen.

Donalds echte naam was Mohammed, maar we hadden al een Mohammed in het huis. Donald handelde het huishoudgeld af en was westerser dan de anderen. Hoewel zijn Engels niet perfect was, kletste hij een aardig eindje weg. Hij sloot zich bij mij en Nigel aan en vertelde verhalen over wat klaarblijkelijk lange reizen door Europa waren geweest. Hij vertelde ons dat hij een tijdje in Duitsland had gewoond. Hij sprak enthousiast over de olijfolie in Italië, dat die lekkerder smaakte dan olijfolie uit de rest van de wereld. Hij had dingen gezien. Hij wist dingen. Hij wilde dat we wisten dat hij dingen wist. Hij leek te denken dat het hem van de anderen onderscheidde. Die avond kwam hij aanzetten met twee blikjes warme cola.

Hij hurkte neer voor een praatje, zijn gezicht verlicht door het peertje boven hem. 'De mensen hier zijn ongeschoold, weet je,' zei hij. 'Ze zijn alleen maar op geld uit.'

'We kunnen ze geen geld geven,' antwoordde ik. 'Er is geen geld.'

Ik dronk mijn cola langzaam op, als een cocktail.

Donald trok zijn schouders op. 'Als het aan mij lag, zouden jullie over een week vrij zijn.' Hij glimlachte en hield zijn hoofd schuin. 'Nee, over een uur.'

Ik geloofde hem absoluut niet.

Het was half september; we zaten al bijna een maand gevangen.

Het was ook ramadan, de heilige maand. Ramadan was bedoeld om reinheid en geduld te bevorderen. Er waren extra gebeden. Iedereen vastte zolang de zon op was, een restrictie die voor Nigel en mij weinig verschil maakte, aangezien we sowieso maar twee keer per dag eten kregen. Elke ochtend voor zonsopgang bracht Hassam of Jamal een paar dingen, meestal wat blikjes tonijn en een plastic zak met iets wat leek op hotdogbroodjes, hoewel ze vast voor iets anders bedoeld waren, aangezien de Koran het eten van varkensvlees verbiedt. We aten zonder enthousiasme en aten of dronken vervolgens niets meer totdat we 's avonds een soortgelijke maaltijd kregen. Mijn lichaam was niet geïnteresseerd in het voedsel dat me werd voorgezet; mijn spieren begonnen slap te worden na wekenlang te hebben gezeten. We dronken water en hunkerden naar de thee die we bij onze maaltijden kregen; door de zoetheid kreeg je energie.

Waar ik het meest naar verlangde was een reep chocolade. Soms als Nigel op zijn matras lag te dutten, vertelde ik hem lange verzonnen verhalen, zelfbedachte sprookjes die elke keer eindigden met de vondst van een halve kilo pure chocolade of een grote zak M&M's, die ik dan helemaal opat. Of ik stelde vragen: 'Wat heb je liever: een stuk chocoladetaart of ijs met warme karamel? IJs met warme Karamel of een zak Chokotoffs?' Hij gaf nooit antwoord en dat kon me ook niet schelen. Ik zwaaide mezelf met mijn hand lucht toe om koel te blijven.

In mijn versie van het paradijs was de lucht altijd koud en in de rivieren stroomde snoepgoed.

Intussen stond het zweet in mijn bh-cups en werden mijn borsten gestoomd; de huid werd sponzig en ruw. Nigel droeg al weken geen broek meer en had zich de Somalische herenrok aangemeten om koel te blijven. Ik was recentelijk gestopt met het dragen van een spijkerbroek en de zwarte abaya. In plaats daarvan droeg ik een lange vormeloze jurk van dik rood polyester die Donald tijdens een eerder bezoek voor me had meegebracht. Ik kon mezelf er niet toe brengen mijn bh af te doen. Hij voelde als bescherming.

Voordat hij na zijn bezoekjes onze kamer verliet, vroeg Donald ons altijd wat we van de markt nodig hadden. In afwachting van zijn vraag maakte ik op een gegeven moment een lijst in mijn notitieboekje. Ik zou hem die de volgende keer dat hij kwam geven en voegde er een paar fantasievoorwerpen aan toe voor mijn eigen genot: zeep, aspirine, chocoladerepen, hometrainer, wattenstaafjes voor de oren, een televisie.

Hij bestudeerde de lijst toen ik die aan hem gaf en keek verward. Ik wees elk item aan en sprak de woorden langzaam uit. 'Home-trai-ner.'

'Ah, ja, ja,' zei hij. Hij wilde niet toegeven dat hij het niet begreep.

'Denk je dat je zoiets op de markt zou kunnen vinden, Mohammed?'

'Ja, ik denk het wel. Ik denk het wel.'

Een paar dagen later bracht hij ons de zeep en wat paracetamoltabletten – zo groot dat het wel paardenpillen leken – plus een doosje wattenstaafjes en een kleine schaar, zodat Nigel zijn gezichtsbeharing kon bijwerken. Ik vroeg Donald om een nieuwe bh en een paar Engelse boeken. Nigel en ik smeekten hem letterlijk om de boeken. Meer nog dan ons lichaam begon onze geest te verhongeren.

Er was nog iets anders wat ik met Donald moest bespreken. Als ik er alleen al aan dacht, kromp ik ineen, maar ik kon er niet langer mee wachten. Ik was twee weken over tijd. Voordat ik uit Bagdad was vertrokken, had ik een korte affaire gehad met de wispelturige bureauchef – de enige lichamelijke afleiding in oorlogsgebied die ik mezelf had toegestaan – en nu, in zowat de ergste omstandigheden die je je maar kunt voorstellen, werd ik er keihard mee geconfronteerd. Ik was nooit zwanger geweest, dus ik had geen idee hoe het voelde. Was de pijn in mijn heupen een soort symptoom? Had het weeë gevoel, het zweten tijdens de hete middaguren, niets te maken met mijn omgeving en alles met een kern van leven, nog een kleine gijzelaar, binnen in me? Ik wist niet precies wat het betekende of hoe ik me eronder moest voelen. Ik wist alleen dat het een geheim was dat ik niet kon of zou moeten bewaren.

Tactvol vroeg Nigel toestemming om de kamer te verlaten zodat ik alleen met Donald kon praten. We hadden besproken hoe ik het zou aanpakken en waren tot de conclusie gekomen dat Nigel beter niet aanwezig kon zijn. Donald had in Duitsland gewoond en dus achtte ik bij hem de kans het grootst dat hij het probleem zonder uitingen van moralistische weerzin zou aanpakken. Toch was ik bezorgd over zijn reactie. Op zijn voorhoofd had Donald een gebedsteken – een donkere, leerachtige eeltknobbel, veroorzaakt door de frequentie en krachtdadigheid waarmee hij tijdens het gebed met zijn hoofd de grond raakte. Sommige vrome moslimmannen koesterden deze knobbel als een bron van trots, een teken van hun loyaliteit.

'Mohammed,' zei ik met ietwat bevende stem, 'ik moet je iets vertellen.' Ik zag dat zijn gezichtsuitdrukking ernstig werd in reactie op de toon waarop ik sprak. Er was geen weg meer terug. 'Voordat ik een goede vrouw werd, een moslimvrouw, heb ik... heb ik met iemand in Bagdad een seksuele relatie buiten het huwelijk gehad.' Ik richtte mijn blik op de grond voordat ik verderging. Ik legde de situatie uit alsof iemand die ik nauwelijks kende – de ongelovige die ik eens was geweest – mijn lichaam had geleend en er flink de bloemetjes mee had buitengezet.

'Ik moet weten,' zei ik, 'of er een baby komt.' Ik voegde er ook nog 'insjallah' aan toe, terwijl ik eigenlijk niet wist wat de gewenste uitkomst was. Zei ik: '*Als God het wil* ben ik zwanger' of 'Laat het me hoe dan ook alsjeblieft uitvinden'? Ik was zevenentwintig jaar. Ik wilde geen baby, vooral niet van een vader in wiens bed ik alleen maar was beland omdat ik me zo jammerlijk eenzaam voelde. En boven alles wilde ik niet zwanger zijn in Somalië. Alhoewel, vanaf het moment waarop we op de weg naar Afgooye in een hinderlaag waren gelokt, waren alle regels herschreven, alle prioriteiten herschikt. Misschien, dacht ik, zou een zwangerschap ons helpen vrij te komen. Misschien zou het me tot een tikkende tijdbom maken. Ik had er al heel veel over nagedacht. Ik stelde me zo voor dat ze me

214

in elk geval naar een arts moesten brengen, die ik dan zou smeken om de autoriteiten in te schakelen. Andere keren vroeg ik me af of er in Somalië wel autoriteiten waren die ons vrij zouden kunnen krijgen.

Donald reageerde rustig op het nieuws over mijn hachelijke situatie. 'Oké, oké, oké,' zei hij. Ik bezorgde hem duidelijk ongerief maar echt boos was hij niet. Ik voelde me een tiener die iets opbiecht aan haar vader. 'Baby's zijn een zegen van Allah,' voegde hij eraan toe.

Een paar dagen later kwam hij terug met een papieren zak. In de zak zat een plastic bekertje met een dekseltje dat stevig dichtgeschroefd kon worden. 'Voor je *pipi*,' zei hij.

Toen hij weg was, gniffelden Nigel en ik om het woord 'pipi'. Waar had hij dat geleerd? We lachten werkelijk om alles – om elke scheet of hik die we produceerden, om alle vreemde dingen die onze ontvoerders soms zeiden. In andere opzichten was er helemaal niets om te lachen. Behalve het plastic bekertje had Donald vol trots wat Engelstalig leesmateriaal meegebracht dat hij in een marktkraampje had gevonden. Zo kregen we een universiteitscatalogus voor Maleisische studenten, gepubliceerd door de British Education Board in Kuala Lumpur. De datum die erop stond was 1994, en er stonden studies in die voor buitenlandse uitwisselingsstudenten toegankelijk waren aan een aantal universiteiten in het Verenigd Koninkrijk. We kregen ook een paar verhalenboeken voor islamitische kinderen, die onder de vetvlekken zaten, en een *London Times*-bloemlezing die door schimmel donker was uitgeslagen. Om onbegrijpelijke redenen had hij een horloge voor ons meegenomen – een goedkoop zwart digitaal herenhorloge van Chinese makelij. Alsof ons leven er beter op werd als we wisten hoe laat het was. We lachten om dit alles voordat we weer vervielen in de sombere stilte waarin zoveel van onze tijd was gehuld.

Toen ik er klaar voor was, liep ik naar de badkamer, plaste in het bekertje, schroefde het dekseltje erop en gaf het terug aan Donald, die ermee in zijn auto stapte en wegreed.

Die avond tijdens het gebed wist ik niet zeker waarvoor ik moest bidden.

22

Vandaag is een goede dag

Ik keek naar Nigels handen. Ondanks de hitte en het vuil waren ze schoon – de nagels netjes geknipt, het Somalische stof weggeboend uit de gleuven tussen zijn knokkels. Hij was een pietje-precies. Altijd al geweest. Op bezoek in Australië had ik gezien hoe hij 's morgens zijn gezicht waste, zijn tanden floste en zorgvuldig zijn kleren uitvouwde. Toen we op een eiland voor de kust van Queensland gingen kamperen, was hij degene die het zand uit onze slaapzakken schudde en onze tent opruimde, die orde schiep in mijn rotzooi. Hier waren vooral Nigels handen schoon. Dat kwam door de *wadu*, de rituele wassing die voorafging aan de vijf bidsessies. Je waste drie keer je handen, spoelde drie keer water door je mond, snoof vervolgens water op door je neusgaten, en gooide daarna wat over je gezicht, armen, hoofd, oren en, als laatste, je voeten.

Nigel en ik voerden dit ritueel apart uit in de badkamer, waarbij we schoon water gebruikten uit de bruine emmer die de jongens buiten bij de kraan hadden gevuld. De jongens die ons gevangenhielden wasten zich buiten op de binnenplaats of in hun eigen badkamer in een ander gedeelte van het huis, evenals de drie Somalische gevangenen, zo leek het, want Nigel en ik hadden de badkamer voor ons alleen. Ik sloeg het wassen van de neusgaten altijd over, maar zorgde er wel voor dat ik snuivende geluiden maakte voor het geval er iemand luisterde. De wadu was belangrijk. Het reinigde je voordat je met God sprak. Te oordelen naar het resultaat begon Nigel aan zijn wadu als een chirurg die zich op een operatie voorbereidt. Dit onderdeel van de islam leek goed bij hem te passen. 'Reinheid is het halve geloof' had de profeet tegen zijn volgelingen gezegd. Op dat front was Nigel – tenminste wat zijn handen betrof – goed bezig.

Ik keek naar zijn handen, omdat er in deze kamer niets anders te zien viel. Soms volgden we de insecten als ze langs de ijzeren tralies voor het raam omhoogliepen. Eén keer zagen we een dikke bruine slang van ongeveer tweeënhalve meter buiten, in de steeg achter het huis, door het zand kronkelen. Verder was er weinig te zien. Ik dacht terug aan de tijd dat Nigels handen me, lang geleden leek het, zowel genot als troost hadden gegeven. Het waren bekwame handen. Handen die hamers en houten balken hadden vastgehouden, die bezig bleven tot een heel huis, inclusief vloer, dakspanten en dak, gebouwd was. In de beslotenheid van onze kamer zag ik zijn handen als een verlenging van onze geest en ons lichaam: smachtend naar een project, een doel.

Op een middag, op het heetst van de dag toen onze ontvoerders siësta hielden, liep Nigel naar de plastic zakken waar onze spullen in zaten. Hij rommelde in zijn zak, duidelijk op zoek naar iets, gedreven door een onuitgesproken idee.

Nog geen uur later speelden we backgammon. Nigel had van wattenstaafjes spelstukken gemaakt – de een speelde met de wattenkopjes, de ander met de plastic staafjes die hij ingekort had met de schaar waarmee hij zijn baard knipte. Op een blaadje uit zijn notitieboekje had hij twee rijen met driehoeken getekend en daarna had hij uit een paar tabletten paracetamol met zijn schaar een paar dobbelstenen geschaafd, piepkleine witte blokjes waarop hij met een pen op de zijkanten nummers had geschreven.

We speelden urenlang. En daarna dagenlang. Hij won. Ik won. We speelden snel achter elkaar en zonder veel te praten of commentaar te geven, als twee aapjes tijdens een psychologisch experiment. Zodra we voetstappen hoorden op de gang schoven we alles vlug onder mijn matras. Spellen werden, zoals zoveel andere

217

dingen die ons konden afleiden, als haram beschouwd. We waren er zeker van dat ze ons zouden bestraffen als ze erachter kwamen.

Donald kwam op een dag langs en gaf me een stuk papier waarop bovenaan de naam van een apotheek stond. Ik zag mijn leeftijd staan met daarachter de naam van een Somalische vrouw die hij gebruikt had om mijn urinemonster te kunnen inleveren. 'Geen baby,' zei hij.

'*Allahu Akbar*,' zei ik meteen, hoewel aan Donalds gezicht duidelijk te zien was dat dit niet gepast was. Je bedankte God niet als je een baby bespaard bleef. Een baby was een zegen, en aan zegens hield je vast, onder alle omstandigheden.

Maar toch, ik was dus niet zwanger. Het was loos alarm, hoewel ik niet ongesteld was geworden. Het leek erop dat ik gespannen was, tot aan mijn hormonen toe.

Het nieuws voelde als een opluchting, hoewel er teleurstelling achteraan kwam. Ik voelde me nog meer alleen. Achter de teleurstelling aan kwam, als een zoemend motortje, de vage, zoete herinnering aan seks – een weelderig gevoel dat bijna onwerkelijk leek.

De ramadan eindigde begin oktober. Onze ontvoerders vierden het einde van de vastenperiode – Eid – met een maaltijd van gestoofde geit. Nigel en ik kregen één klein bord vol, dat we moesten delen, met een paar kleverige dadels, een schotel met koekjes die bedekt waren met een dikke laag glazuur en zelfs een paar toffees. We hadden maar één lepel, die Nigel met een hoffelijk gebaar aan mij gaf. Het geitenvlees was verrukkelijk – zacht en geserveerd op een berg olieachtige rijst. Na de maaltijd zorgde die voor maagkrampen en heftige stuwingen in onze ingewanden. We renden om de beurt naar de wc en werden duizelig en raakten uitgedroogd. Desondanks aten we de toffees ook op, in plaats van ze te bewaren tot we ons weer beter voelden. Ze vormden eilandjes van zoetheid op onze tong. We probeerden te negeren dat onze wereld niet veel groter meer was dan onze kleine pijnstillerdobbelstenen.

Na vijf weken gevangenschap probeerde ik nog steeds vrolijk te blijven, wat Nigel enorm irriteerde. 'Vandaag wordt een goede dag,' zei ik dan als we wakker geworden waren van de eerste oproep tot gebed van de muezzin. Bijna altijd deed hij alsof hij me niet hoorde.

Er was niets goed aan onze dagen. Dat wisten we allebei, maar voor mij was hoopvol blijven een noodzaak, net als met de vuist tegen de muur slaan, voor het geval iemand het hoorde.

'Weet je,' zei ik op een dag. 'Ik kan niet tegen dat zwijgen.'

We lagen op onze mat. Hij met zijn gezicht naar de muur toe. Hij zei niets.

Ik werd emotioneel. 'Nige,' zei ik. 'We hebben elkaar nodig. We moeten met elkaar blijven praten. Ik word er gek van als je niets zegt.'

Hierna draaide hij zich met een kwaad gezicht om. 'Denk je dat het er gemakkelijker op wordt voor jou als ik ga praten?' vroeg hij. Een korte stilte volgde. 'Denk je dat het voor mij belangrijk is om het jou gemakkelijker te maken?'

We waren net een oud echtpaar, een heel oud echtpaar, bij wie alle lust lang geleden was gedoofd, en alle genegenheid verdwenen was door het voortdurende samenzijn. We leefden als buren die al tientallen jaren in dezelfde doodlopende straat woonden, in een soort wrokkige gemeenzaamheid. Het hielp ook niet dat we ondanks onze ellende te bang waren om elkaar aan te raken. We omhelsden elkaar niet, hielden elkaars hand niet vast en gaven de ander geen geruststellend klopje op de schouder. Als Nigel naar buiten werd gebracht om samen met de jongens te bidden, voelde hij zich daar niet langer ongemakkelijk bij. Hij werd na het bidden ook niet meteen naar de kamer teruggebracht. Op een dag hoorde ik hem lachen op de veranda. Ik hoorde ze allemaal lachen, samen.

Toen hij terug was in de kamer vroeg ik hem wat er zo grappig was geweest.

'O, niets,' zei hij, terwijl hij weer op zijn matras ging liggen, me reeds beu. Ik sloeg hem gade toen hij zijn ogen sloot.

Nigel had Jamal elke dag geholpen met zijn Engels, hij leerde hem woorden. Ze leken bijna vrienden te zijn geworden, terwijl Abdullah – mijn leraar – steeds enger gedrag begon te vertonen. Elke keer als hij zich tijdens de les vooroverboog om een bladzijde van mijn koran om te slaan of iets aan te wijzen, streek hij daarbij, zogenaamd per ongeluk, even met zijn hand over mijn knie of mijn schouder.

Op een dag kwam Jamal ons onverwacht een bord met gebakken vis brengen, een geschenk van Donald, die buiten op de veranda met de jongens zat te eten. Toen Jamal het bord neerzette, probeerde hij iets grappigs te doen. Hij keek naar me, glimlachte, en blies grappig zijn wangen op, alsof hij ermee wilde zeggen dat ik nog dik zou worden als ik door bleef eten.

Nigel barstte meteen in lachen uit. 'Amina is dik,' zei hij met nadruk op 'dik', en op dezelfde overdreven toon waarmee hij Jamal Engelse woorden leerde. 'Ja, dik.'

Jamal begon te giechelen. Nigel lachte nog harder.

De wreedheid ervan schokte me. Ik liep naar de badkamer en deed de deur achter me dicht. Het kon me niet schelen wat Nigel van mijn lichaam vond, als dat al de grap was. Het was de loyaliteit die me tegenstond, de mogelijkheid dat hij hun kant koos, dat ík hem niet aan het lachen kreeg maar die jongens wel.

Terug op mijn matras telde ik de keren dat Nigel me teleurgesteld had en op welke manier. Ik maakte een lijst van zijn zwakheden. Daarna maakte ik een tweede lijst, waarin ik mezelf verdedigde tegen het denkbeeldige lijstje dat hij op zijn matras over mij aan het opstellen was, alles wat hij in me verafschuwde en waarin ik tekortschoot. In mijn hoofd hadden we slaande ruzie. We riepen 'fuck you' tegen elkaar en sloegen met onze vuisten op elkaars borst tot we uitgeput waren. Daarna vielen we elkaar huilend in de armen en beloofden we beterschap. Alles gebeurde zonder woorden, zonder dat we van onze matras opstonden, zonder een echte traan. En toch hielp het.

In de tweede maand verhuisden ze ons diverse keren – van en naar het Elektrische Huis, daarna een paar weken naar een groter huis niet ver ervandaan, daarna weer terug naar het Elektrische Huis en uiteindelijk, om onbekende redenen, weer terug naar het grotere huis. Ze verhuisden ons 's nachts, dicht opeengepakt in Ahmeds Suzuki, de jongens met een sjaal om hun gezicht gewikkeld en extra kogelriemen om hun schouder, en de geweerlopen op ons hoofd gericht. Ze maakten dezelfde rit nog een keer om Abdi en de andere twee Somaliërs naar beide locaties te brengen. Of we nu kwamen of gingen, we zagen onderweg niemand.

Ik had af en toe een glimp opgevangen van Abdi en de anderen in de gang van het Elektrische Huis. Ik hoorde ze hun gebeden mompelen en zag soms een van hen uit de badkamer komen. Ze zagen er onverzorgd uit, ongezond, terneergeslagen. Voor zover ik kon zien was het in de kamer waarin zij vastgehouden werden volkomen donker. In het nieuwe huis zat Abdi soms in de deuropening, bij het licht van de gang, in zijn Koran te lezen. Een paar keer gluurde ik de gang in en stak vragend mijn duim op naar hem. Zo van: 'Alles oké? Alles goed met je?' Elke keer schudde hij triest zijn hoofd. Hij klopte op zijn buik om aan te geven dat hij honger had, dat ze geen eten kregen.

Voordat we het Elektrische Huis voorgoed verlieten, brachten twee van de jongens Nigel en mij naar de binnenplaats, waar Ahmed, Romeo, Donald en Adam al stonden te wachten met een videocamera op statief. De jongens hadden hun gezicht bedekt met hun sjaal. Zwaaiend met hun geweren omringden ze Nigel en mij en dwongen ze ons op een mat neer te knielen. Voor de lopende camera instrueerden ze ons om positieve dingen te zeggen over de islam en onze regeringen aan te sporen het losgeld te betalen. We hoefden het bedrag niet hardop te noemen, maar dat bedrag was het enige waaraan ik dacht. Ik had het onze ontvoerders ondertussen heel vaak horen noemen: $1,5 miljoen voor één gijzelaar, $3 miljoen voor twee. Vroeger, toen ik als serveerster werkte, verkocht ik de drankjes zo als er speciale aanbiedingen waren.

Ze maakten meerdere opnamen, lieten ons de tekst steeds weer

221

herhalen. De video was bestemd voor uitzending op tv, dat wist ik. Ik probeerde me mijn familie voor te stellen terwijl ze de video bekeken. Wat zouden ze zien? Nigel en ik met achter ons, in een halve cirkel, een groepje dreigende soldaten met geweren. Ik zag er bleek maar niet ongezond uit. Mijn ogen traanden voortdurend omdat ik contactlenzen droeg die ik, bij gebrek aan lenzenvloeistof, moest schoonmaken met ongesteriliseerd water uit de emmer. Ik zag mijn ouders voor de televisie zitten en beeldde me in wat ze zagen. Ik hield mijn schouders recht, ook toen Ahmed me opdroeg naar de grond te kijken. Toen ik mijn tekst opzei probeerde ik mijn stem krachtig te laten klinken – een boodschap voor mijn ouders om ze te laten zien dat ik niet opgaf.

'Goed, goed,' zei Ahmed ten slotte. Hij zette de camera uit en liet ons nog even buiten in de zon zitten. Veel later hoorde ik dat de videoband bij Al Jazeera terechtgekomen was, maar dat de omroep alleen een gedeelte ervan had vrijgegeven aan de internationale media – en, tenminste in Canada, zonder geluid. Weken nadat de film was opgenomen werd er een kort fragment van uitgezonden. Mijn ouders zouden me maar negen seconden zien, met bewegende lippen, de ogen neergeslagen, gekleed als een zedige moslim, terwijl ik door de eentonige commentaarstem van de nieuwslezer niet te horen was.

Tijdens de laatste nachtelijke rit van het Elektrische Huis naar de nieuwe locatie gebeurde er iets moois: Nigel pakte zonder dat iemand het merkte mijn hand en hield die vijf minuten lang vast.

Het nieuwe huis noemden we het Ontsnappingshuis, maar die naam zouden we het pas later geven.

Onze kamer in dit huis was ruim, meer ter grootte van een woonkamer dan een slaapkamer. Er lagen twee splinternieuwe matrassen op de vloer van vijf centimeter dik schuimrubber, ze zaten nog in plastic, en er hingen twee klamboes tegenover elkaar, met spijkers aan de muur bevestigd, boven elke matras een. Er lagen tegels op de vloer en er zaten twee ramen in de kamer, beide voorzien van metalen luiken, en als die open waren met decoratief rasterwerk. Het ene raam keek uit op een tuin waar een schuurtje stond van golfplaten, de deur was afgesloten met een hangslot. Het andere raam keek uit op een steeg met aan de overkant een hoge witte muur.

Elke avond kwam een van de jongens om de luiken voor onze ramen dicht te doen. 's Morgens kwam er iemand om ze weer open te doen. Als er niemand was trokken Nigel en ik aan het rasterwerk om te zien of het meegaf, maar het zat op vier punten verankerd in beton, er was geen beweging in te krijgen. Af en toe stak ik een vinger door de openingen naar buiten om in elk geval dat deel van mezelf van de vrijheid te laten proeven.

We hadden natuurlijk ook door die ramen naar buiten kunnen roepen. En iemand had ons misschien ook wel gehoord, maar zowel Ahmed als Romeo had ons gewaarschuwd dat we in een buurt zaten waar het wemelde van aanhangers van Al-Shabaab. Met andere woorden: we waren omringd door grotere vijanden dan onze ontvoerders, omdat zij slechts een rebellerende groep waren die alleen opereerde. Al-Shabaab zou ons, volgens Romeo, met alle plezier als gevangenen overnemen, en ons meteen inpikken als we hun aandacht trokken.

Daarom hield ik me maar stil. Mijn wantrouwen groeide er alleen maar door. Als ik helemaal links voor het raam ging staan dat uitkeek op de steeg kon ik over een schutting heen in de tuin van een ander huis kijken, waar ik op een dag een vrouw zag die de was ophing. Ze droeg een vrolijk bedrukte wijde lange jurk en een sjaal om haar hoofd die haar hals onbedekt liet. Ze stond met haar rug naar me toegekeerd en bewoog zich langzaam, alsof ze tijd genoeg had en genoot van het alleen-zijn. Ze hing een wit shirt aan de waslijn en daarna nog een. Ze hing oma-achtig ondergoed op, een lichtgeel kinderjurkje, een paar vrolijk gebloemde hidjabs, een mannenbroek en iets wat leek op een katoenen nachthemd. Toen ze klaar was zag ik haar hele familie aan de waslijn wapperen.

Het was zes weken geleden dat ik met mijn moeder had mogen praten, maar ik had het gevoel dat ze mijn gedachten kon horen als ik die rechtstreeks tot haar richtte. Ik stuurde haar elke dag ge-

223

dachten. Ik vertelde haar dat ze sterk moest blijven en ik hoorde haar hetzelfde tegen mij zeggen. Ik kon wel raden wat er thuis gebeurde. Mijn ouders hadden weinig keus. Ik wist dat ze zouden bekijken of ze hun enige bezit – het huis van mijn vader en Perry in Sylvan Lake, omringd door bloembedden die mijn vader al jaren trouw bijhield – zouden moeten verkopen om het losgeld bijeen te krijgen. De gedachte alleen al maakte me misselijk, het gaf me een schuldgevoel. Vanaf de eerste dag had ik mijn ontvoerders ervan proberen te doordringen dat onze families niet konden betalen. Als deze ontvoering, zoals ze zelf steeds zeiden, politieke gronden had, dan bestraften ze de verkeerde mensen. Ahmed had me vaak gerustgesteld: 'Maak je geen zorgen. We zijn alleen geïnteresseerd in geld van jullie regering. We willen jullie families niets aandoen.'

Ik geloofde wat hij zei, omdat ik het wilde geloven, ook al zei Nigel dat ik gek was. Zijn familie had meer geld. Toen zijn ouders met pensioen gingen hadden ze hun boerderij met winst verkocht. Hij dacht dat ze in elk geval genoeg geld hadden om te onderhandelen. Wat onuitgesproken bleef was dat het geld misschien toereikend was voor zijn vrijlating, maar niet voor die van mij.

In dat laatste telefoongesprek met mijn moeder had ik geprobeerd te benadrukken dat mijn ouders voorlopig niets moesten doen, niet moesten speculeren met het kleine beetje vermogen dat ze hadden. 'Ik weet niet wat jullie doen om geld bij elkaar te krijgen, maar stop ermee,' zei ik. 'Verkoop niets.'

Niet omdat ik dacht dat onze regering wel met het geld over de brug zou komen. Ik koesterde nog steeds hoopvol het idee dat we onze ontvoerders konden uitputten door niets te doen. Nigel en ik leden geen honger. We hadden elkaar. We redden ons wel. Ik geloofde nog steeds dat wachten de beste strategie was.

Jamals vriendin heette Hamdi. Ze woonde ergens in Mogadishu. Jamals moeder had haar voor hem uitgekozen. Nu ze verloofd waren mocht Jamal haar af en toe zien. Voorafgaand aan de ramadan

224

was er een verlovingsfeest geweest met beide families. Jamal was een paar dagen afwezig geweest en teruggekomen met een nieuw kapsel en een verliefde blik in zijn ogen.

'Hoe gaat het met Hamdi?' vroeg ik.

'Ah,' zei hij, terwijl hij een grijns probeerde te onderdrukken. 'Zo mooi.'

Met Eid mocht Jamal geschenken naar Hamdi sturen. Hij had een nieuwe hidjab en chocola voor haar gekocht, wat een volwassen gebaar leek voor een tiener die, zoals hij zelf had toegegeven, tot twee maanden geleden nog nooit met een meisje had gepraat dat geen familie was. 'Vrouwen zijn *ex-pen-sive*,' had hij verklaard. Hij was er trots op dat hij het woord in het Engels kon uitspreken. Hij wist dat we erom zouden lachen.

Hij leek overweldigd te zijn door alles wat hem te wachten stond, nu en in de toekomst. Hij vertelde dat wanneer het zover was, en ze gingen trouwen, het een bescheiden bruiloftsfeest zou worden, omdat grote samenkomsten in Mogadishu soms de aandacht trokken van de Ethiopische troepen. Ik had het gevoel dat Jamal het zo opwindend vond om te trouwen dat hij het liefst de hele stad had uitgenodigd. Maar de twee families wilden geen risico nemen. Jamal had er geen moeite mee. Hij wilde alleen Hamdi.

Nigel en ik zochten naar gelegenheden om Hamdi's naam te noemen, al was het alleen maar om de emotie op Jamals gezicht te zien. Hij wilde dolgraag haar naam horen maar was te verlegen om die zelf uit te spreken. Soms, als hij naar de markt ging om eten te kopen, vergat hij de hotdogachtige broodjes die een vast bestanddeel waren van onze maaltijd.

'O, Hamdi,' verzuchtten we dan theatraal met de rug van onze hand tegen ons voorhoofd gedrukt wanneer hij weer eens terugkwam zonder broodjes, de spot drijvend met zijn dagdromerij. Hij moest er elke keer om lachen.

Af en toe, als ik door het raster naar buiten keek naar het weinige dat ik van de buitenwereld kon zien, probeerde ik me voor te stellen hoe Hamdi eruitzag. Was ze lang, slank of mollig? Was ze stil of brutaal? Was ze bang voor wat haar te wachten stond, of verlangde ze ernaar getrouwd te zijn? Ik vroeg me af hoe goed Jamal haar kende, of zijn opwinding met liefde te maken had, of alleen met het vooruitzicht van liefde. Hij zei het niet maar ik vermoedde dat hij de lange dagen in het huis alleen doorkwam door aan Hamdi te denken.

Ondertussen had hij de universiteitscatalogus ontdekt die Donald Trump ons als leesvoer had gebracht, en die bestemd was voor Maleisische studenten die in Engeland wilden studeren. Op elke pagina stonden een paar foto's van studenten in kleren die allang uit de mode waren. De studenten droegen boeken onder hun arm en liepen over paden die een vierkant grasveld doorkruisten, omringd door gotische gebouwen.

Jamal bladerde op een morgen door de catalogus en keek gefascineerd naar de foto's. Hij draaide het boekje naar me om, zodat ik de bladzijde kon bekijken die zijn interesse had gewekt. Er stond een foto op van een groep studenten die bij een vijver zat, waarin een paar zwanen dreven. 'Ziet Canada er zo uit?' vroeg hij.

'Ja, maar deze catalogus gaat alleen over Britse universiteiten.' Ik zat op mijn matras en Nigel stond bij het raam stil in de Koran te lezen.

Jamal, met gefronst voorhoofd, volgde met zijn vinger de Engelse tekst, alsof hij die las. 'Ik heb gehoord,' zei hij, 'dat Canada mooier is dan Brits. Omdat Brits, Londen...' Zoekend naar het juiste woord, wees hij naar de muren en het plafond van de kamer.

'Beton?'

'Ja, beton. Londen is van beton.'

Hij wilde de wereld veroveren. Ik begreep dat wel. Hij liet zich meevoeren.

'Londen is heel mooi, Jamal,' zei ik. 'Je zult het daar leuk vinden. De gebouwen zijn heel oud. Er wonen veel moslims.'

Hij dacht even na. 'Maar,' zei hij toen, terwijl hij als een schoolmeester zijn vinger opstak, 'het is geen moslimland. En het is beter om in een moslimland te wonen.'

Ik wist wat ik hierop moest zeggen – dat hij natuurlijk gelijk had – maar omdat het Jamal was deed ik het niet.

226

Nigel en ik hadden van vermoeidheid een bepaalde routine ontwikkeld. We leefden als een gezin van twee. We namen verantwoordelijkheden op ons. Ik schonk de thee in en Nigel waste onze kleren. We deden om de beurt de afwas in een emmer. We hadden samen twee tinnen borden en één lepel. Van het eten dat we kregen stelden we menu's samen en we aten aan een vierkant stuk bruin linoleum, ter grootte van een tafelblad, dat de jongens in onze kamer hadden gegooid. Soms aten we broodjes gevolgd door tonijn, soms aten we tonijn gevolgd door broodjes. Als we meer kregen, een ui of een papaja, gebruikte ik de steel van de lepel om ze klein te snijden, waarna Nigel – zich voordoend als chef-kok in een kookprogramma – alles met veel show door elkaar gooide om daar zijn wereldberoemde tonijnsalade van te maken. Af en toe bracht Jamal ons een paar verlepte slabladen, en dan zette ik mijn serveersterstem op om de schotel van de dag aan te prijzen: tonijnsalade geserveerd op een bedje van sla.

's Morgens maakten we ons bed op en praatten we over waarover we die nacht gedroomd hadden. Ik had levendige dromen over vrienden van vroeger aan wie ik jarenlang niet meer gedacht had. Rhianna, mijn beste vriendin van de middelbare school, maakte regelmatig haar opwachting, evenals mijn familie – grootouders, neven en nichten en tantes. In mijn dromen was ik altijd vrij, maar zelfs terwijl ik droomde realiseerde ik me dat niets echt was.

Nigel en ik praatten op een heel andere manier met elkaar dan we gewend waren. Ik vertelde hem hoe geschokt en woedend ik was geweest toen hij er in Ethiopië over gelogen had dat hij getrouwd was. Hij vertelde mij over de maanden die hij in Australië had doorgebracht, over zijn scheiding en de gevoelens van schaamte. Hij praatte over zijn vriendin Erica in Schotland, een Australische die daar als kok op een groot landgoed werkte. Ze had een hond. Ze was aardig. Hij miste haar en had er spijt van dat hij zo stom was geweest om halsoverkop naar Afrika te vertrekken en haar alleen achter te laten.

We hadden eerlijke gesprekken over geld, over hoeveel onze fa-

227

milies konden opbrengen. Ik dacht dat mijn familie ongeveer vijftigduizend dollar bij elkaar kon krijgen. Hij zei dat zijn ouders meer konden vrijmaken. We vertrouwden erop dat beide families met elkaar zouden praten. Elke avond, voordat we gingen slapen, draaide ik me om naar Nigel en zei: 'Nu zijn we weer een dag dichter bij onze vrijheid.'

Op een morgen, in de derde week van oktober, stormden de jongens onze kamer binnen. Abdullah, Mohammed, de jonge Yahya en Hassam verschenen plotseling, terwijl wij op de grond zaten te ontbijten. We keken geschrokken op.

'Jullie moeten opstaan,' zei Hassam.

'Wat is er aan de hand?' vroeg ik.

'Opstaan,' zei hij, kortaf nu.

Het viel me op dat hij de enige was die geen geweer bij zich had. Ik begon te trillen. We gingen staan. Abdullah en Mohammed doorzochten woedend onze spullen, alsof ze een tip hadden gekregen. Ze haalden onze tassen leeg, keerden de matrassen om, op zoek naar iets, wát wist ik niet. We hadden niets te verbergen, hield ik mezelf voor. Behalve het backgammonspel, dat verstopt zat in een van de boeken en dat ze volgens mij toch niet zouden herkennen. Maar zeker weten deed ik het niet. Het kon net zo goed iets heel anders zijn.

De jongens zeiden niets. Hassam stond met een grimmig gezicht voor ons, terwijl de andere drie het weinige dat we bezaten doorwoelden. Ze gooiden alles op de vloer en begonnen daarna spullen de kamer uit te brengen. Mijn rugzak ging de gang op. Nigels cameratas. Onze notitieboekjes en de plastic tassen met onze toiletspullen en kleren. Alles ging de kamer uit. Als laatste pakte Yahya Nigels matras op en sleepte die naar de deur.

Toen pas besefte ik wat er gebeurde. Abdullah haalde Nigels klamboe van de muur en nam die mee de gang op. Naast onze kamer bevond zich een kleinere slaapkamer. We hadden er al vaak naar binnen gegluurd op weg naar de badkamer. Aan de andere kant van de muur hoorde ik iemand hameren – waarschijnlijk Abdullah die de klamboe ophing. Daarna kwamen ze terug om Nigel te halen. Met hun geweerlopen op zijn borst gericht dirigeerden ze hem de deur uit. Ze haalden ons uit elkaar. Zonder uitleg, zonder een woord te zeggen. Ik keek naar de achterkant van Nigels shirt terwijl hij wegliep. Er was geen afscheid. Hij was opeens weg.

23

Zij is schuld

Heel lang bleef ik op mijn matras liggen in de hoop dat de situatie teruggedraaid zou worden. Ik wachtte tot een van de jongens Nigels matras weer terug zou brengen en een andere Nigel weer de kamer in zou duwen, zich verontschuldigend misschien zelfs dat het nooit de bedoeling was geweest om hem weg te halen. Ik verwachtte geluid te horen – geschuifel, gekraak – ten teken dat er iets ging veranderen, dat we gauw weer herenigd zouden worden, onze spullen zouden terugkrijgen, onze routine weer konden oppakken. In plaats daarvan bleef het stil in huis. Een drukkende stilte die in me neerdaalde. Ik was alleen.

Een uur verstreek en daarna nog een. Alleen voelde als een vreemd land. Als een onbekende planeet – een waarop alleen ik mij bevond met mijn matras en blauwgebloemd laken, omgeven door vier muren die als hoge bomen in een donker bos omhoog rezen. Zonder Nigel was er niets meer te zeggen, niemand meer om naar te kijken, niemand meer die zich bewoog. Alleen in die grote kamer voelde ik me heel klein.

Ik had geen idee waarom ze deze dag uitgekozen hadden om ons uit elkaar te halen. Misschien had het te maken met het feit dat het acht weken geleden was dat we ontvoerd waren en niets erop wees dat er losgeld betaald zou worden. De frustratie onder onze ontvoerders leek toe te nemen. De middag ervoor was er commotie ontstaan voor het huis en waren enkele leiders gearriveerd. We hadden gehoord hoe ze op de veranda een lang en intens gesprek hadden gevoerd met kapitein Skids. Ik vroeg me af of de leiders hem misschien verteld hadden dat hij zich erop moest voorbereiden dat het lang zou duren, dat we langer dan verwacht zouden blijven. Skids leek ons nu al als een last te zien. Hij toonde geen interesse in Nigel en mij, en in waar we vandaan kwamen. Hij sprak geen Engels en was onvriendelijk. Ik vroeg me af of hij degene was geweest die erop gestaan had dat Nigel en ik gescheiden zouden worden, uit machtsvertoon. Om te kunnen zeggen: ik ben hier de baas.

Later die dag bracht Jamal mijn rugzak en mijn plastic tassen met toiletspullen, kleren en Engelse boeken terug en liet ze met een resolute plof op de grond vallen. Ik staarde naar het gaatje in de muur waar de spijker had gezeten waaraan Nigels klamboe had gehangen. Als hij hier was geweest had ik iets bemoedigends en opgewekts gezegd om niet neerslachtig te worden. Iets als: kom op, we moeten alleen deze morgen zien door te komen. Of: vertel me eens van de mooiste verjaardag die je ooit hebt gehad. Het had geen zin. Mijn keel zat dichtgeknepen. Rustig worden, zei ik tegen mezelf. Rustig worden, rustig worden.

Ik ging rechtop zitten, pakte het notitieboekje met spiraalband dat ik gekregen had voor mijn islamitische lessen en sloeg het open op een lege pagina. 'Breadbeard,' schreef ik, een koosnaam die ik in Ethiopië voor Nigel gebruikt had. 'Hou vol. Geef niet op. We komen hieruit en zullen onze familie terugzien. Ik zit aan de andere kant van de muur en stuur je mijn liefde.'

Ik las het briefje een paar keer over. Het was een boodschap die ik hem elke dag persoonlijk had meegegeven. Geloofde ik er zelf in? Ik wist het niet. Maar het voelde goed om het op te schrijven. Ik voegde er nog een regel aan toe, in hetzelfde kriebelige handschrift: 'Spoel dit meteen door de wc nadat je dit gelezen hebt.'

Ik scheurde het blaadje uit het notitieboekje en haalde de witte randen eraf tot alleen het beschreven gedeelte over was. Daar maakte ik een prop van ter grootte van een potloodgummetje en klopte toen, voordat ik me weer bedacht, op de deur om te vragen of ik naar de badkamer mocht.

De jongens waren te lui geworden om met ons mee te lopen, zoals ze de eerste weken hadden gedaan, in de andere huizen. Wanneer een van ons op de deur klopte, keek de bewaker die dienst had en gewoonlijk buiten op de veranda zat, om de hoek de lange gang in en knipte dan een paar keer luid met zijn vingers om aan te geven dat we konden gaan. De gang in het huis was L-vormig, mijn kamer bevond zich in de hoek. Een bewaker die buiten op de veranda zat kon mijn deur nog wel zien, maar niet de rest van het korte gedeelte van de L waar Nigels nieuwe kamer was en de badkamer.

Toen ik het knippen hoorde liep ik met het propje papier losjes in mijn hand de gang op. De soldaat die zojuist met zijn vingers had geknipt was nergens te zien. De gang was ongeveer vijf meter lang en had dikke blauwgeverfde muren en een witte tegelvloer. Nigels kamer bevond zich rechts van mijn kamer.

Toen ik langs zijn openstaande deur liep keek ik snel opzij om er zeker van te zijn dat hij alleen was, en schoot toen het propje tussen duim en wijsvinger de kamer in. Terwijl het propje over de vloer vloog, zag ik Nigel op zijn matras liggen, met zijn gezicht naar het plafond en waarschijnlijk in slaap. Ik liep verder naar de badkamer, mijn hart bonsde in mijn keel en ik hoopte vurig dat hij het briefje zou vinden voor een van de jongens het deed.

Ik wist dat hij, door de ligging van onze kamers, onmogelijk een antwoord terug kon sturen. Nigel hoefde nooit langs mijn deur te lopen. De communicatie kon maar van één kant komen.

Weer terug in mijn kamer maakte ik me zorgen over deze nieuwe situatie. Ik stelde me Nigel voor aan de andere kant van de muur, bezig met zijn eigen zorgen, hoewel ik instinctief wist dat ik nu kwetsbaarder was dan hij. De muur was groen en er zaten scheuren in het pleisterwerk. Ik vermoedde dat hij ongeveer dertig centimeter dik was. Bij wijze van experiment gaf ik er met mijn vuist een roffel op. Het geluid was zacht en leek niet ver door te dringen in de dikke muur.

Een moment lang bleef ik, verlamd door de stilte die volgde, zitten.

232

Toen hoorde ik, vanaf de andere kant, twee korte kloppen. Verheugd veerde ik op. Nigel had me gehoord. En ik kon hem horen. Ik had daarna wel de hele dag op die muur willen kloppen, wat ik waarschijnlijk ook gedaan had als niet om de twee uur een van de jongens op de veranda zich overeind hees en met zijn geweer in de hand door de gang ging lopen. Ik was bang dat we nog verder uit elkaar gezet zouden worden als ze ons bij het kloppen betrapten. Daarom antwoordde ik Nigel alleen met een korte klop en hielden we ons daarna stil.

We konden nu min of meer met elkaar communiceren, maar dat was ook alles.

Het werd avond en ik probeerde in het pikkedonker de paniek op afstand te houden. Tot nu toe hadden onze ontvoerders me niet aangeraakt. Na de betasting van Ali op de eerste dag was ik met rust gelaten. Niettemin was ik me er elke seconde van bewust dat ik een vrouw was. Ik wist wat er in de Koran stond over gevangengenomen vrouwen, hoe ze als echtgenotes behandeld konden worden, maar ik wist niet hoe letterlijk dit opgevat werd door de mannen die ons gevangenhielden. De gevangenen die beschreven werden in de Koran waren meestal mannen die in de zevende eeuw op het slagveld krijgsgevangen genomen waren, en oorlogsweduwen die met geweld uit hun dorp weggehaald waren om elders huishoudelijk werk te verrichten. Het leek een overblijfsel uit lang vervlogen tijden en eeuwenoude veldslagen. Toch omschreven de leiders van onze groep Nigel en mij zo, als ze schouderophalend tegen ons zeiden dat we onze situatie niet persoonlijk moesten nemen: we waren slechts pionnen in een religieuze oorlog, in een oud verhaal dat zich nu in deze tijd afspeelde.

Ik bracht de nacht door in die grote kamer, maar kon niet slapen. Het tolde in mijn hoofd. Ik wilde heel graag met Nigel praten, een echt gesprek met hem hebben. Tijdens de rituele wassing voorafgaand aan het avondgebed had ik de badkamer die Nigel en ik gebruikten eens goed bekeken. Er zat een wc in, er hing een gammel plastic medicijnkastje boven de porseleinen wasbak waarop een vierkant stuk aluminiumfolie was geplakt dat als

233

spiegel dienstdeed. Er zat ook een raam in de badkamer, op ongeveer tweeënhalve meter hoogte, voorzien van tralies en met een brede vensterbank ervoor. De volgende ochtend na het ontbijt schreef ik Nigel opnieuw een briefje dat ik op dezelfde manier in zijn kamer gooide en waarin ik een nieuw idee voorstelde: ik zou een briefje in de badkamer achterlaten, op de vensterbank, en daarna in mijn kamer op de muur kloppen om hem te laten weten dat het daar lag. Wanneer hij het briefje dan gelezen had tijdens zijn bezoek aan de badkamer en het door de wc had gespoeld, kon hij, terug in zijn kamer, op de muur kloppen om mij te laten weten dat hij het gelezen had. Omgekeerd kon hij hetzelfde doen.

We testten het uit. Ik liet een briefje achter en klopte op de muur. Veertig minuten later klopte Nigel twee keer op de muur. Het was maar een kleine overwinning, maar wel een belangrijke. We begonnen brieven uit te wisselen – korte, opbeurende berichten en tekeningen – een of twee keer per dag. We verstopten ze niet langer op de vensterbank maar in een gloeilampfitting in het medicijnkastje, waar ze minder gauw ontdekt zouden worden. Ik schreef Nigel briefjes waarin ik hem opdroeg in zijn kamer naar iets moois te zoeken, hoe klein het ook was. Ik maakte een tekening van ons tweeën in een vliegtuig, ieder met een glas champagne in de hand, klinkend, terwijl we comfortabel eerste klas uit Afrika wegvlogen. In een tekstballonnetje boven Nigels hoofd stond: 'Nog een glas?'

Nigels briefjes aan mij waren teder en grappig en gingen meestal over de toekomst – wat we zouden doen, wat ze zouden eten als we weer vrij waren. Hij maakte een tekening van ons als twee vrolijke toeristen die naar giraffen wezen in het nationale park van Nairobi. Ik prentte de inhoud van elk briefje in mijn hoofd voordat ik het verscheurde, de snippers in de vieze wc-pot gooide en ze met water uit de emmer wegspoelde.

We klopten verschillende keren per dag over en weer op de muur in onze kamer. Klop, klop, als een hartslag.

Ben je daar? Ik ben hier.

234

Nu we aparte kamers hadden was de dagelijkse routine ook voorbij. Het leek alsof onze ontvoerders zichzelf nieuwe taken hadden opgelegd. Jamal hing niet langer in mijn kamer rond. Abdullah hield er niet langer toezicht op dat ik Koranverzen uit het hoofd leerde; hij was vervangen door Hassam, die vroeg in de middag kwam en eerst bij Nigel langsging en daarna bij mij. Hassam was klein voor zijn leeftijd. Onder andere omstandigheden zou ik hem waarschijnlijk grappig gevonden hebben. Zijn wangen zaten onder de acne. Hij had een mooie, brede glimlach en leek overal voor in te zijn. De andere jongens vonden het leuk om hem op te pakken en over hun schouder te gooien.

'Oké, vandaag is les,' zei hij dan. 'Vandaag is les hoe goede moslim te worden.' Hij praatte over Allah als beschermer en over bidden als het rechte pad naar het paradijs. Op onze ontvoering reageerde hij bijna verontschuldigend. 'Het is het geld, niet islam,' zei hij een keer. Abdullah was altijd wispelturig en dwingend wanneer ik de tekst van de Koran opzei, maar Hassam was ernstig en geduldig. Hij zong de versregels voor alsof het muziek was en moedigde me aan op dezelfde manier van toonaard te veranderen, van hoog naar laag.

'Lahuma fis-samawati wa ma fil-'ard,' zei hij dan, waarna hij wachtte tot ik het herhaalde. 'Hem behoort wat in de hemelen en wat op de aarde is,' betekende het.

Nigel en ik hadden vaak gepraat over voor welke ontvoerder we de meeste angst hadden. Zoals de jonge Mohammed, met zijn afhangende schouders en dicht bijeen staande ogen, als die van een rat. Mohammed zei heel weinig tegen ons. In het begin had hij weleens vermanend zijn vinger naar ons opgestoken en afkeurende geluiden gemaakt, alsof hij wilde zeggen: 'Jullie zijn slechte mensen.' Toen we zijn naam nog niet kenden, noemden we hem altijd de zoon van Satan vanwege de haat die we in zijn ogen zagen. Boven aan ons lijstje stond Abdullah met zijn kille blik en grillige humeur die niets liever deed dan fantaseren over het plegen van een zelfmoordaanslag en daarbij heel veel mensen te doden.

Dat ik Abdullah nu minder vaak zag en Hassam juist vaker zou

235

een opluchting, zelfs een troost geweest zijn, als ik me niet voortdurend zorgen had gemaakt nu Nigel uit de kamer weggehaald was.

Ik vond het verschrikkelijk om alleen te zijn. Er waren dagen dat niemand met me praatte, dat Jamal het eten bracht zonder een woord te zeggen en Hassam niet kwam opdagen. Het isolement gaf me het gevoel langzaam in een diepe, dompige put weg te zakken. Ik begreep nu pas echt wat er met selffulfilling prophecy bedoeld werd, iets wat je in films vaak ziet, bijvoorbeeld wanneer een kerngezonde man in een gekkenhuis wordt opgesloten en dan echt gek wordt. Mijn gedachten gingen met me op de loop. Zou er iemand reageren als ik riep? Kon het ze wat schelen als ik doodging? Alles wat ik Nigel verteld had, elke opbeurende opmerking over hoe dit zou aflopen en dat we binnenkort ergens aan een zwembad zouden zitten met sandwiches en bier leek nu een farce.

Alle moed die ik tijdens de jaren dat ik gereisd had als een muur om me heen had opgebouwd begon af te brokkelen.

Het gedrag van de jongens veranderde ook. Het fatsoen nam af. Ik mocht elke dag voor het middaggebed douchen en liep dan naar de betegelde ruimte met raam aan het einde van de gang naast de badkamer, waarvoor ter afscheiding alleen een dun katoenen gordijn hing bedrukt met rode hibiscusbloemen. Er zat een douchekop aan de muur en een kraan die wanneer je hem opendraaide soms een dun straaltje bruin water produceerde en soms helemaal niets. Meestal waste ik me met het water uit de emmer die bij de kraan buiten door een van de jongens gevuld was. Ik genoot van het douchen, van de koelte van het water, van mijn natte haar dat glad aanvoelde en van de melkachtige geur van de Duitse zeep die Donald had meegebracht. In het begin was ik voorzichtig tijdens het wassen, arm voor arm, been voor been, maar nu voelde ik de pure behoefte om me uit te kleden en me er helemaal aan over te geven. Ik verheugde me op die vijf minuten onbespiede naaktheid en het straaltje water over mijn lichaam, zelfs als het roestwater was. Het was de enige manier om iets van plezier te ervaren.

236

Het gordijn was echter dun. Zowel de jongens als ik leken dit op hetzelfde moment ontdekt te hebben. Wanneer het late ochtendlicht door het raam van de doucheruimte naar binnen viel, was mijn silhouet door de stof heen te zien. Ik kon er zelf ook doorheen kijken en zag de schaduwen aan de andere kant. Hassam was de eerste die ik op handen en voeten om de hoek zag gluren, alsof hij onder het gordijn door wilde kijken. Toen ik de volgende dag weer ging douchen hoorde ik gegrinnik en zag ik twee bekende figuren – Jamal en Abdullah – rondhangen bij de doucheruimte.

Omdat ik te nerveus was om 's nachts de hele nacht door te slapen, lag ik vaak in de namiddaghitte te doezelen op mijn matras en viel ik af en toe in slaap, met een zeurende hoofdpijn vanwege uitdrogingsverschijnselen en zwetend, tot mijn kleren en het laken op mijn bed doorweekt waren. Op een dag schrok ik wakker toen twee jongens met geweren de kamer binnenstormden – Abdullah en Mohammed –, opgewonden en met een wilde blik in de ogen. Ze deden de deur achter zich dicht.

'Mohammed, Abdullah,' zei ik met licht trillende stem, terwijl ik rechtop ging zitten. 'Is er een probleem?'

Ik noemde mijn ontvoerders bij elke gelegenheid die zich voordeed bij hun naam. Met opzet. Om ze eraan te herinneren dat ik ze zag, dat ik ze kende, en om ervoor te zorgen dat ze mij zagen. Ik buitte elke kans uit. De traditionele Arabische begroeting is *Asalaamu Alikum*, wat betekent: 'vrede zij met u'. Ik had het voor het eerst in Bangladesh gehoord en daarna in Pakistan, Afghanistan, Egypte, Syrië en Irak. Er bestond een informelere versie van: het eenvoudige *Salaam* en een langere versie: *Asalaamu Alikum Wa Rahmatulah Wa Barakatuh*: 'Moge de vrede en genade van Allah met u zijn'. Ik kende de Koran ondertussen goed genoeg om te weten dat Allah hier een regel voor had. Ik had die ontdekt in een van mijn soera's: 'En wanneer men jullie met een groet begroet, groet dan op een betere manier terug of beantwoordt de groet.' Ik had het uitgeprobeerd op de jongens en gezien dat het werkte. Een lange begroeting werd beantwoord met een lange begroeting. Ik paste het voortdurend toe, wierp iedereen die mijn kamer binnenkwam de extra woorden voor de voeten, om ze te dwingen langer mijn aanwezigheid te voelen – me als mens aan te spreken – in die extra paar seconden.

Vandaag was er echter geen begroeting. Abdullah deed een stap in mijn richting, met zijn geweer op mijn borst gericht. 'Andere kant,' zei hij nors, om aan te geven dat ik op mijn buik op de matras moest gaan liggen.

Ik kwam in een vrije val terecht, het ene na het andere valluik opende zich. Langzaam draaide ik me om. Ik drukte mijn voorhoofd tegen het laken en legde mijn handen plat naast mijn gezicht. De twee jongens stonden aan weerszijden van mijn bed, hun geweren boven mijn hoofd. Ik kon Abdullahs blote enkel zien, haarloos, de kleur van donkere koffie, misschien vijftien centimeter bij me vandaan. Steeds verder viel ik naar beneden. Ik hoorde hun ademhaling. Ik sloot mijn ogen en wachtte op wat er ging komen.

Mohammed zei: 'Je bent slechte vrouw.'

Abdullah zei: 'Jij bent het probleem.'

De loop van een geweer werd in mijn nek geduwd. Ik probeerde aan niets te denken. De twee praatten Somalisch met elkaar, alsof ze nog niet wisten wat ze hierna zouden doen, alsof ze overlegden tot hoe ver ze konden gaan. Er volgde een korte stilte.

Toen trapte Mohammed me keihard tegen mijn ribben. De pijn schoot door de hele linkerkant van mijn lichaam. Ik barstte in tranen uit. 'Jij bent slecht,' zei hij nog eens. 'We zullen je doden, insjallah.' Ik zag hoe ze hun voeten omdraaiden en wegliepen. De deur ging open en sloot met een klik. Het werd stil in de kamer. Ze waren weg.

Twintig minuten later, toen Jamal zijn hoofd om de deur stak, huilde ik nog steeds. De aanblik van mijn tranen leek hem verlegen te maken. Voordat hij zich kon omdraaien begroette ik hem uitgebreid in het Arabisch en wachtte ik tot hij hetzelfde zou doen. Ik vatte moed en zei: 'Alsjeblieft, Jamal, vertel me wat er aan de hand is.'

Zijn gezicht kreeg een onbestemde uitdrukking en hij leek bijna met tegenzin antwoord te geven. Hij zuchtte. 'Waarom jij je moeder vertellen niet geld betalen?' zei hij. Hij schudde zijn hoofd, alsof hij machteloos was en ik het allemaal aan mezelf te danken had. Hij draaide zich om. 'Wij nu heel lang hier, omdat zij niet betaalt,' zei hij. 'Soldaten heel boos.'

Ik kon bijna horen hoe deze theorie tot stand gekomen was. Ik hoorde Ahmed met fluweelzachte stem zijn standpunt verkondigen aan kapitein Skids. En Skids zou alles aan de andere jongens doorverteld hebben, met in gal gedoopte woorden. Zij is schuld aan je frustratie en ellende. Zij is schuld aan twee maanden stilstand, verveling en heimwee. En zij is ook schuld aan alles wat je nu niet hebt en niet hebt kunnen doen. Want zij heeft haar moeder opgedragen om niets te betalen.

24

Maya

Er woonde een klein meisje in het huis aan het einde van de steeg dat ik vanuit mijn raam kon zien, het dochtertje van de vrouw die ik in haar tuin de was had zien ophangen. 's Middags, tijdens de lome, hete uren, wanneer mijn ontvoerders op de veranda in de schaduw een dutje deden, luisterde ik naar het meisje dat aan het spelen was terwijl haar moeder pannen afwaste of de was ophing. Ze gilde, was brutaal en werd soms driftig, en riep dan *maya*, Somalisch voor 'nee'. Ik kon wel de hele middag naar dat stemmetje luisteren. Soms boog ik me zover naar voren dat ik opzij door het raster naar buiten kon kijken en over de schutting heen een glimp opving van het hoofd van de moeder of van haar kleding, een stukje gele of donkerblauwe stof. Donald had me een ronde poederdoosspiegel gegeven, die klein genoeg was om door de openingen te steken. Wanneer ik hem op een bepaalde manier scheef hield, had ik beter zicht op de tuin, hoewel ik dat niet vaak deed, uit angst dat het zonlicht in de spiegel weerkaatste en iemand mijn uitgestoken witte hand zou zien. De buitenwereld – de dreiging om vanuit gevangenschap opnieuw ontvoerd te worden, door een andere groep die het op westerse dollars voorzien had of die me voor de lol zou vermoorden – boezemde me angst in.

Het dochtertje van de buurvrouw kon ik niet zien, hoewel ik, oordelend naar haar stem, vermoedde dat ze ongeveer twee jaar oud was. Ze leek voortdurend heen en weer te rennen, de tuin te verkennen, en riep elke keer als haar moeder haar wilde intomen: *maya*.

De moeder probeerde haar dochter te leren hoe je een gesprek voerde.

Iska warran? zei ze dan tegen het meisje. Ik wist van Jamal dat dit 'Hoe gaat het met jou?' betekende.

Als het meisje inschikkelijk was zei ze haar moeder na. *Iska warran?*

Waan fiicanahay. 'Met mij gaat het goed.'

Waan fiicanahay, herhaalde het meisje.

Waan fiicanahay, fluisterde ik hen na.

Veel van wat ze zeiden kon ik niet verstaan, maar de toon herkende ik wel. Een moeder en haar kind, een mengeling van liefde en wrevel. Soms hoorde ik een mannenstem in de tuin en de stem van een oudere vrouw, misschien de grootmoeder. Soms hoorde ik meerdere vrouwenstemmen – vriendinnen van de moeder van het meisje, vermoedde ik – babbelen en lachen. Het geluid maakte me jaloers. Iedereen leek dol te zijn op het kind. In gedachten zag ik ze allemaal voor me. Ik stelde me voor dat ze vriendelijk en open waren, mensen die me niet zouden verraden. In gedachten volgde ik ze door de achterdeur naar binnen om met ze aan tafel te gaan zitten en mee te eten, waarbij als uit het niets een vrouw in het wit verscheen die me in perfect Somalisch vroeg: 'Hoe gaat het met je?' Ik ben er nooit achter gekomen hoe het kind echt heette. Voor mij bleef ze Maya.

Abdullah had 's middags vaak dienst als bewaker. Hij spookte dan door de gang buiten onze kamers. Soms opende hij onverwacht mijn deur, liep naar binnen en staarde me bewegingloos en zonder iets te zeggen minutenlang aan, met zijn geweer in de hand. Of hij kwam binnen en begon mijn tassen te doorwoelen, alsof hij iets zocht. In de eerste week nadat ik van Nigel gescheiden was deed hij dit één keer, twee keer en toen een derde keer. Hij smeet met afgemeten geweld mijn spullen op de vloer. En hield in mijn aanwezigheid zijn sjaal voor zijn gezicht, hoewel de anderen dat allang opgegeven hadden en met onbedekt gezicht rondliepen.

Ik groette Abdullah elke keer. Ik keek naar hem als hij in mijn kamer rondliep. Hij was groter dan de andere jongens en had een brede borstkas en lange armen. Zijn ogen waren donker en stonden ver uit elkaar. Hij had een diepe, barse stem, die achter zijn sjaal wat gedempt klonk. Ik probeerde een gesprek af te dwingen, zijn interesse te wekken om Engels te praten. 'Ik vraag me af wat we vanavond eten,' zei ik luid en langzaam. 'Ik begin honger te krijgen. Heb jij ook honger, Abdullah?' Meestal reageerde hij er niet op.

Later besefte ik pas dat dit rumoerige doorzoeken van mijn spullen niets anders was dan een test. Abdullah wilde weten hoeveel lawaai hij kon maken zonder dat de andere jongens wakker werden, of Nigel alarm sloeg aan de andere kant van de muur. Hij was aan het uittesten hoe ver hij kon gaan in die stille uren.

Omdat ik niets anders had om me af te leiden, begroef ik me in de boeken die Donald ons weken geleden gegeven had – de muffe, antiquarische boekjes waar we eerder zo hard om hadden moeten lachen. Er zat een universitaire reader tussen uit het begin van de jaren tachtig, met gekopieerde artikelen over het Britse Hogerhuis en de slechte Britse economie, gevolgd door lijsten met vragen en schrijfoefeningen met open plekken die ingevuld moesten worden. Er zat ook een in het Engels geschreven boek met verhalen bij over twee islamitische tweelingbroers die moesten leren om vriendelijk te zijn. En de universiteitscatalogus, bedoeld om rijke Maleisische jongens en meisjes over te halen in Engeland te gaan studeren, waarvan de bladzijden muf roken en door vocht aan elkaar plakten. Ha, ha, ha. Nigel en ik hadden de boekjes minachtend doorgebladerd. We hadden de schoonste bladzijden er uitgescheurd en ze gebruikt als bord voor onze tonijn met ui. We hadden de spot gedreven met Donald omdat hij de boeken zo trots overhandigd had, omdat hij er geld aan uitgegeven had en dacht dat ze nuttig waren. We hadden de spot gedreven met Somalië, omdat het zich deze rotzooi had laten aansmeren en het verkocht.

Lachen met Nigel gaf me eenzelfde gevoel van welbehagen als het eten van spinaziesalade of een plak cake thuis in Canada.

Nu zat ik met die boeken op mijn matras en las ik elk woord en elke bladzijde. Ik bestudeerde een verbleekte cartoon van Margaret Thatcher, gekleed in een keurig mantelpakje met een rond hoedje op het hoofd. Terwijl het golfplaten dak boven mijn hoofd kraakte en zich uitzette in de middagzon, beantwoordde ik braaf de vragen aan het eind van elk artikel in de reader. Werd dit artikel vanuit een objectief of een subjectief standpunt geschreven? Licht je antwoord toe. Ik zag nu ook wel de charme van de universiteitscatalogus in. Het boekje bevatte een lijst met universiteiten in Londen, Manchester, Oxford, Wales en andere steden waar ik nog nooit van gehoord had. Wie had ooit gedacht dat Engeland zo groot was? De tekst was niet bijster interessant – informatie over klasgrootte en vakkenaanbod – maar de foto's waren in kleur, enigszins vervaagd maar nog steeds levendig. De gebouwen zagen er statig uit. Ik keek naar het gras en de bloemen, naar de glimlachende studenten die over de paden liepen met een schooltas over hun schouder, pratend over abstracte en boeiende onderwerpen, zo stelde ik me voor.

De studenten op de foto hadden de universiteit al tien jaar verlaten. Ze woonden in een huis, hadden een baan, een hond, kinderen. Ik vroeg me af waarom ik dat zelf niet gedaan had? Waarom had ik mijn spaargeld uitgegeven aan vliegtickets in plaats van een studie? Voor de lol stelde ik mezelf voor in een collegezaal, een studentenhuis, een kelderkroeg, laat op een donderdagavond. Ik vond het wel bij me passen. Het voelde als een plan. Ik plaatste mezelf op dat grasveld, met geborsteld haar en een nieuwe laptop onder mijn arm.

De deur van mijn kamer ging open en weer dicht. Ik keek op van de catalogus en zag Abdullah. Hij droeg een paarse sarong en een hemd dat flodderig om zijn lijf hing en vergeeld was van het zweet. Hij keek me dreigend aan door de spleet in zijn sjaal. Deze keer deed hij niet alsof hij mijn kamer doorzocht, maar zette hij zijn geweer tegen de muur. 'Ga staan,' zei hij.

Toen ik me niet verroerde, zei hij het nog een keer.

Het maakte niet uit dat ik voor dit moment bang was geweest. Dat ik het gevoel had gehad dat dit zou gebeuren. De situatie veranderde er niet door. Hierop kon je je niet voorbereiden.

Ik liet het boek van mijn schoot glijden en kwam langzaam overeind. Ik beefde over mijn hele lichaam en had het gevoel dat mijn keel dichtzat. 'Alsjeblieft,' zei ik. 'Doe het niet.'

Abdullah reageerde door zijn rechterhand om mijn hals te leggen en me achteruit te duwen, tot ik met mijn rug tegen de muur gedrukt stond. De muis van zijn hand zat klemvast tegen mijn luchtpijp en duwde mijn kin omhoog. Ik begon te huilen terwijl zijn lange vingers mijn gezicht aftastten, mijn mond bedekten en zich in mijn oogholtes boorden. Het voelde alsof ik stikte. 'Niet doen. Alsjeblieft, niet doen,' zei ik met mijn mond tegen zijn handpalm gedrukt, happend naar adem. 'Kop dicht, kop dicht,' zei hij, terwijl hij zijn hand nog wat vaster om mijn hals klemde. Zijn sarong was nu af. Hij droeg er shorts onder met elastiek in de boord. Met zijn vrije hand betastte hij zichzelf onder zijn short. Ik voelde me licht in het hoofd worden, kon geen gedachten meer vasthouden. Ik merkte dat hij de zoom van mijn Somalische jurk vastpakte en die omhoogtrok. Ik bleef doorpraten, op gedempte toon, terwijl ik tevergeefs wild met mijn armen om me heen sloeg en naar hem uithaalde. 'Niet doen. Alsjeblieft, niet doen.' Hij sloeg met zijn vuist tegen de zijkant van mijn gezicht. Ik verstarde. 'Kop dicht ik maak je dood,' zei hij. Kopdichtikmaakjedood. Toen drong hij bij me naar binnen en wilde ik alleen nog sterven.

Na tien seconden was het voorbij. Na tien onmogelijk lange seconden. Daarna opende de aarde zich en vormde zich een kloof tussen mij en de persoon die ik geweest was.

Toen hij me losliet, zakte ik als een lappenpop in elkaar op de grond.

Abdullah wikkelde zijn sarong weer om zijn middel en pakte zijn geweer. Hij opende de deur en keek de gang in. Ik hield mijn handen voor mijn gezicht en vroeg of ik naar de badkamer mocht. Ik wilde me wassen, ik wilde huilen, me verstoppen. Hij keek weer de gang in. 'Ga,' zei hij. Maar voordat hij me liet gaan, richtte hij zijn geweerloop op mijn borst, en raakte me bijna weer aan. 'Als je hierover praat, maak ik je dood,' zei hij. Ik wist dat hij het zou doen.

25

Catch 22

Er was niets veranderd en toch was alles anders. De zeegroene verf op de muren was hetzelfde, de ramen met hun rasters en luiken, de laag vuil op de vloer, het golfplaten dak. Het blikje tonijn ter grootte van een hockeypuck dat Jamal om etenstijd bracht was hetzelfde. De oproep tot gebed vanuit de moskee bij ons huis was hetzelfde, en het opdreunen van Koranverzen door de jongens buiten, dat tot achter in de gang te horen was, was hetzelfde. Wat anders was, was ik.

Ik lag op mijn matras zonder me te bewegen. Ik hield mijn ogen dicht, één arm over mijn gezicht geslagen. Mijn rug deed pijn. Tussen mijn benen voelde het rauw en gevoelig. Het leek alsof ik uit mijn eigen lichaam verdreven was, alsof ik niet meer in mijn eigen huid paste. Wat eerst buiten me was geweest was nu binnen in me, als een wrede verpletterende kracht. Ik was een geest die door de ruïnes van een verwoeste stad dwaalde.

Ik zou Abdullah gehaat moeten hebben, maar ik haatte mezelf meer. In gedachten liep ik elke fout na die ik ooit gemaakt had, alles wat verkeerd aan me was. Waarom was ik naar Somalië gegaan? Waarom? Acht weken lang had ik mezelf voorgehouden dat dit alles maar tijdelijk was, maar nu voelde het als een onwrikbare realiteit. Wat ook niet hielp was dat elke minuut op de vorige leek, dat elk uur leek op het uur dat net verstreken was. Ik was alleen en had niets meer. Alle angsten die ik ooit doorstaan had, kwamen terug

246

– duisternis was eng, geluiden waren eng. Ik voelde me weer een kind. De paniek sloeg met hoge, krachtige golven door me heen. Logisch nadenken kostte me grote moeite. Ik probeerde mezelf te kalmeren, het enige wat ik wilde was het onvermijdelijke te bespoedigen. Ik dacht aan het blauwgebloemde laken dat op mijn matras lag en vroeg me af of dat lang genoeg was om me eraan op te hangen. Ik dacht aan de indeling van de badkamer, of daar iets scherp, stomp of hoog genoeg was om vanaf te springen of als wapen te gebruiken om mezelf uit deze wereld te helpen. Hij kon me niet doden als ik hem voor was en het zelf deed, redeneerde ik.

Twee dagen lang bleef ik op mijn matras liggen. Ik stond alleen op om naar de wc te gaan, water te drinken en zogenaamd te bidden, niet in staat om zelfmoord te plegen maar zonder enige lust om verder te leven.

Op de derde morgen liet ik, omdat ik niet wist wat ik anders moest doen, een nietszeggend briefje voor Nigel achter in de badkamer, waarin weinig meer stond dan een geveinsd zonnig 'hallo'. Misschien ging de zon echt weer schijnen als ik net alsof deed. Ik klopte op de muur om hem te laten weten dat er een briefje lag. Daarna ging ik weer op mijn matras liggen en wachtte ik tot hij het gelezen had en ook op de muur klopte. Ik keek de kamer rond met zijn smerige vloer en vaalgele licht dat door het raster voor het raam naar binnen viel en probeerde een positieve gedachte te forceren. Die moest er zijn. Die zou komen. De verwachting was er.

Later die morgen stond ik op en begon ik te lopen. Eerst één rondje door de kamer en daarna nog een. Lopen voelde goed. Het gaf me wilskracht. Ik liep rustig, op blote voeten, en hield daarbij de zoom van mijn jurk vast om niet te struikelen. Terwijl ik rondjes liep, praatte ik tegen mezelf, waarbij ik de trilling van het geluid tot onder in mijn benen voelde.

Ik kom hieruit. Het komt weer goed met mij.

De woorden boden troost. Ik herhaalde ze als een mantra onder het lopen. Voor deze ene keer was ik blij dat de kamer zo groot was. Nu ik eenmaal liep, had ik geen reden meer om op te houden.

247

Hassam stak op een gegeven moment zijn hoofd om de deur, alsof hij verwachtte me bij het uit het hoofd leren van een nieuwe soera te helpen. Ik had mijn koran op de vensterbank laten liggen en maakte geen aanstalten die te pakken. Hassam keek verbaasd maar zei niets en verdween weer. Ik was er zeker van dat geen van de jongens wist wat Abdullah gedaan had.

Toen het middag werd – de hete, stille uren die ik nu vreesde – liep ik nog steeds, zwetend als een olympische marathonloper. Jamal bracht thee en een fles water. Mohammed opende de deur een paar keer, lachte smalend en verdween daarna weer. Ondertussen bereidde ik me voor op mijn vrijheid. Ik had alle onzekerheid opzijgezet, evenals alle wanhoop en zijdelings gemarchandeer. Ik dacht niet langer: als ik hieruit kom, zal ik vriendelijker, geduldiger en loyaler zijn, maar wanneer, wanneer ik hieruit kom. Wanneer ik hieruit kwam, zou ik vaker mijn vader omhelzen. Zou ik mijn moeder meenemen naar India, omdat ze daar altijd al naartoe had gewild. Zou ik gezonder gaan eten, met een studie beginnen, op zoek gaan naar een man die echt van me hield, en dingen doen die echt belangrijk waren. Ik stelde me Somalië voor als een verhaal dat ik aan mijn vrienden zou vertellen. Geen vrolijk verhaal, natuurlijk, maar wel een met een einde. Terwijl ik rondjes liep in mijn kamer gaf ik mezelf een toekomst als beloning. Hou vol, zei ik. Hou vol, hou vol.

Het duurde een paar dagen voordat Abdullah terugkwam, laat in de middag, en me net als de vorige keer tegen de muur duwde, zijn hand om mijn hals legde en alle vastberadenheid die ik opgebouwd had ongedaan maakte. Enkele dagen daarna was hij er weer, en nog vele middagen daarna. Elke keer voelde het alsof ik beroofd werd, alsof hij me iets afnam dat van levensbelang was. Soms sloeg hij me alleen en verliet hij daarna weer de kamer.

Zes, zeven uur per dag liep ik rondjes. Soms snel, soms langzaam. Mijn voetzolen werden dikker. Er vormde zich een pad in de kamer, een ovaal, een atletiekbaan in het klein. Ik nam pauzes om water te drinken en naar de wc te gaan. Ik stopte wanneer er gebeden moest worden, maar zat dan op mijn matras en nam niet langer de moeite om te doen alsof ik bad. Ik veranderde diverse malen per dag van richting om de druk weg te nemen van de voet die aan de binnenkant van de baan liep. Voor een buitenstaander zal ik eruitgezien hebben als een gestoord wild dier in een te kleine kooi, maar ik voelde, ik geloofde, dat ik steeds sterker werd. Ik kom hieruit. Het komt goed met mij. Ik deed het horloge dat Donald ons weken geleden gegeven had om mijn pols. Opeens werd tijd belangrijk. Het stelde me in staat een dagindeling te maken. Ik keek dan op mijn horloge en dacht: o, het is acht uur. Dan ga ik lopen tot twaalf uur, klop daarna op de deur en ga douchen. Terwijl ik liep verdween de wanhoop. Mijn lichaam veranderde in één bonk spieren. Hassam onderbrak het lopen van tijd tot tijd om me te helpen bij het uit het hoofd leren van de Koranverzen. Ik vond troost in mijn rondjes. Elke keer als ik de kleine Maya in de tuin opstandig een kreet hoorde slaken, vuurde ik haar in stilte aan.

Toen Donald weer eens op bezoek was, smeekte ik hem of ik meer tijd met Nigel mocht doorbrengen. Ik vroeg hem waarom we van elkaar gescheiden waren, waarna hij even met zijn ogen knipperde en kalm uitlegde dat ongetrouwde mannen en vrouwen volgens de islam niet samen mochten wonen.

Dat wist ik natuurlijk wel. Het was tegenstrijdig. Nu ik me bekeerd had moest ik me ook aan de regels houden. Dat er genoeg gematigde moslims ter wereld waren die net zo dachten als ik, deed niet ter zake. Mijn ontvoerders waren fundamentalisten. Als ik hun standpunten bekritiseerde, zou ik als ongelovige gezien worden. Toch wist ik nog steeds niet waarom ze ons zo lang samen in een ruimte opgesloten hadden en nu pas die regel toepasten.

Donald sprak op bemoedigende toon. Hij wees de kamer rond. 'Dit is een goede plek,' zei hij. 'Het is beter zo voor iedereen.'

Ik wist dat hij dat zelf niet geloofde. Donald liet duidelijk merken dat hij ontzet was over de manier waarop we leefden – niet alleen Nigel en ik maar iedereen in het huis. Hij maakte vaak opmerkingen over het vuil en het gebrek aan meubilair. Wanneer hij ons bezocht – vermoedelijk kwam hij met de auto vanaf zijn huis in Mogadishu waar hij een vrouw had die voor hem kookte – nam hij soms schotels met gebakken vis mee en stoofpotten voor de jongens. Bij mij deed hij net alsof hij aan al mijn wensen tegemoet wilde komen. Elke keer vroeg ik hem om dezelfde dingen – om met mijn moeder te bellen, een grote reep chocola, meer en gevarieerder eten. Hij knikte dan alsof hij het allemaal begrepen had, maar hij ondernam niets.

'Hoe gaat het?' vroeg hij elke keer nadat we elkaar op islamitische wijze begroet hadden.

'Niet goed,' zei ik dan. 'Ik moet naar huis.'

Zijn antwoord was steeds hetzelfde. 'Ik denk dat het gauw zal zijn. Insjallah.'

Het woord 'islam' komt uit het Arabisch en betekent 'onderwerping' of 'overgave'. Ik zag steeds weer hoe zich dat openbaarde bij mijn ontvoerders. We moesten allemaal wachten op wat er zou komen, zonder te klagen.

Vandaag besloot ik een risico te nemen. 'Nee, het is niet beter dat we van elkaar gescheiden zijn,' zei ik. 'Een van de jongens komt bij me langs.' Ik noemde geen naam, omdat ik ervan overtuigd was dat Abdullah me zou doden als ik hem rechtstreeks beschuldigde. 'Hij doet dingen die haram zijn.'

Donald begreep wat ik zei. Hij zat op de vloer, in het midden van mijn kamer, één knie opgetrokken, en leek wat verlegen te zijn met de situatie maar niet uit het veld geslagen. Ik voelde de tranen prikken in mijn ogen en keek hem smekend aan. De leiders van de groep hadden altijd een wereldser indruk gemaakt dan de soldaten. Zij zouden beslist afkeuren wat Abdullah deed. Ik wist niet of Donald de zaak wilde onderzoeken, of de jongens wilde berispen, of dat hij veranderingen zou doorvoeren om me beter te beschermen, bijvoorbeeld door Nigel weer terug te brengen naar mijn kamer.

'Ik ben je moslimzuster,' vervolgde ik. 'Je moet me helpen. Allah zegt dat moslims elkaar moeten helpen. Je staat toch ook niet toe dat je dochter of je vrouw wordt aangedaan wat mij wordt aangedaan? Alsjeblieft, zorg dat het ophoudt. Ik moet naar huis, ik wil weer bij mijn familie wonen. Het is hier te gevaarlijk bij deze soldaten.'

Hij schraapte zijn keel een paar keer, wees toen naar mijn koran die opengeslagen op de matras lag en gebaarde dat ik het boek aan hem moest geven. Dat deed ik en ik zag hoe hij zijn benen kruiste en het boek voorzichtig op zijn schoot legde. Hij sloeg de bladzijden om en nam vluchtig de Arabische tekst door. 'Ah,' zei hij na een paar minuten, waarna hij de Engelse vertaling erbij zocht. 'Hier.'

Hij draaide het boek om, zodat ik kon zien welk gedeelte hij met zijn vinger aanwees. Hoofdstuk 23, vers 1 tot en met 6. Ik kende de passage. Die kwam me zelfs akelig bekend voor, het was een van de passages in de Koran, waarin vrouwelijke gevangenen – 'slavinnen waarover zij beschikken' – een uitzondering op de regel leken te zijn bij het betrachten van goed gedrag en zelfbeheersing. Ik werd er elke keer onrustig van als ik het las en nu kwamen de woorden aan als knuppelslagen.

Het zal de gelovigen welgaan,
 Die in hun salaat deemoedig zijn
Die geklets mijden,
Die de zakaat opbrengen
En die hun schaamdelen kuis bedekt houden
Behalve bij hun echtgenotes of slavinnen waarover zij beschikken, dan valt hun niets te verwijten.

'Zie je wel,' zei Donald, 'wat met jou gebeurt is niet verplicht, maar wel toegestaan.' Hij vouwde zijn handen als een oude, wijze man, alsof hij me net iets interessants had bijgebracht. 'Het is niet verboden.'

Ik begreep dat de jongens in het huis de instructies in de Koran letterlijk namen, maar ik had gedacht dat de leiders – en vooral Donald die in Europa had gewoond – wat ruimte voor interpretatie zouden openlaten, dat ze het door de lens van voorbijgegane eeuwen bekeken, net als mijn vrome christelijke grootouders deden bij het Nieuwe Testament, waarin even provocerende regels voorkwamen over slavernij en de behandeling van vrouwen, en dat ze kieskeurig waren door het goede te behouden en het slechte af te wijzen. Donald wilde er echter niets van weten. Zijn oordeel: niet afkeurenswaardig.

'Maar,' zei ik, nog een poging wagend, 'ik lijd pijn. Het is een probleem wat hier gebeurt.'

Hij gaf de koran aan me terug en ging staan. Daarna zei hij hetzelfde wat ik steeds tegen mezelf had gezegd, hoewel het, komend van hem, aanvoelde als een klap in het gezicht. 'Insjallah, zuster Amina, het komt goed met je. Geen probleem.'

Het werd november. Ik hield obsessief de dagen bij, vinkte de verjaardagen van vrienden die ik miste af, en stelde me het wisselen van de jaargetijden voor in Alberta. Ik realiseerde me dat het gauw Kerstmis zou zijn. In gedachten vertrouwde ik erop dat ik dan weer veilig thuis zou zijn. Elke vrijdag wasten de jongens in het huis hun kleren en gingen ze om de beurt naar de moskee – nog zo'n aanduiding dat er weer een week voorbij was. Elke dag liep ik mijn rondjes tot ik uitgeput was, en wachtte en hoopte ik op verandering. Steeds weer dacht ik terug aan het laatste gesprek – als je het zo kon noemen – dat ik begin september met mijn moeder had gehad, en waarin ik haar op het hart had gedrukt om niets te verkopen, en niet te betalen.

Mijn moeder. Ik vormde me een beeld van haar, van top tot teen, van haar donkere glanzende haar tot de versleten bruine cowboylaarzen die ze zo graag droeg. Ik zag haar bijna voor me staan in de kamer. De laatste keer dat ik haar gezien had was tijdens de vakantie, bijna een jaar geleden, vlak voordat ik naar Irak vertrok. We waren samen thuisgebleven op oudejaarsavond, in haar appartement in Canmore, en hadden films gekeken – zij op de bank en ik liggend op de vloer –, we hadden beiden allang geen behoefte meer aan drukke feestjes en om lallend af te tellen tot het twaalf uur was. Mijn moeder was net vijftig geworden. Ik was nu net zo oud als zij toen ze zwanger van mij was. En zij was nu net zo oud als mijn oma toen was. Als de wegtikkende seconden op een wijzerplaat. Jong, middelbare leeftijd, oud.

Af en toe kwam een van de leiders naar het huis om me een vraag te stellen van over de continenten, een die zowel iets intiems had als houvast bood en rechtstreeks van thuis kwam.

Welke prijs had mijn vader kortgeleden gewonnen? 'Buurten in bloei', voor tuinieren.

Waar bewaart oma haar snoepjes? 'In een pot die de vorm van een pompoen heeft.'

Mijn antwoorden waren het bewijs dat ik in leven was, dat het nog steeds zin had om over mijn vrijheid te onderhandelen. Voor mij waren de vragen ook cadeautjes, ze nodigden me uit aan mijn oma's nette huis in Red Deer te denken, of aan de wuivende dahlia's in mijn vaders achtertuin. Ze herinnerden me eraan dat ik een leven buiten deze kamer had gehad.

Ik praatte voortdurend met mijn moeder. Ik stelde me voor dat de gedachten tussen ons zich als spinrag over de oceaan uitspreidden. Zij stuurde liefde, dat wist ik. En ik stuurde berichten terug. Ik hou van je, ik hou van je. En: het spijt me, het spijt me echt. En een gedachte die haar beslist moest bereiken en het tegenovergestelde was van mijn eerdere smeekbede aan haar: haal me hier alsjeblieft uit. Zoek een manier om te betalen. Verkoop alles.

Zelfs bij de gedachte eraan voelde ik pijn. Elke keer als Abdullah mijn kamer binnenkwam, moest ik mezelf ervan overtuigen niet te willen sterven.

Wanneer ik geen rondjes liep of uitrustte op mijn matras stond ik vaak aan het raam rechts bij de muur, waar het licht op de vensterbank viel, wat het lezen in de Koran, of in een van Donalds nuffige boeken gemakkelijker maakte. Soms, meestal 's morgens, hoorde ik het geluid van mortiervuur en raketten die insloegen in gebouwen niet ver van het huis waar wij zaten. Ik vermoedde dat we vastgehouden werden in een voorstad aan de rand van Mogadishu. Het was niet duidelijk wie er tegen wie vocht – Al-Shabaab tegen de Ethiopiërs, of de ene militie tegen de andere. Het enige wat ik hoorde was het geluid. De beschietingen laaiden plotseling op en hielden na een poosje even abrupt weer op. Daarna bleef het urenlang stil in de buurt, griezelig stil zelfs, terwijl de mensen zich in hun huis verscholen en wachtten tot alles weer rustig was. Ik dacht aan Ajoos, onze tussenpersoon in het Shamo Hotel, wiens mobiele telefoon voortdurend rinkelde – vrienden en familieleden die hem van minuut tot minuut op de hoogte hielden over waar er gevochten werd, welke straten wel veilig waren en welke niet, over wie er die morgen gedood waren en wie er ontsnapt waren.

Soms stond ik aan het raam en hoopte ik balorig dat een raket op ons huis zou neerkomen, zodat het dak instortte, de kamers zich vulden met rook en we allemaal in shock rondrenden. Het kon me niet schelen wie erbij om het leven kwamen. Ze verdienden het allemaal. Als ik het overleefde was dat misschien mijn kans om te ontsnappen.

Op een dag ving ik door het zijraam een glimp op van een man, misschien een buurman. Hij leek ongeveer even oud te zijn als ik. Hij liep door de verwaarloosde tuin van het aangrenzende huis naar een schuurtje en praatte met een andere man wiens gezicht ik niet kon zien. Hij zag eruit als een goed mens. Ik zag het aan zijn soepele gang en de manier waarop hij losjes en gemoedelijk zijn arm om de schouder van zijn vriend had geslagen.

Mijn eenzaamheid moet hem als een soort radiogolf door de ether bereikt hebben, want hij draaide zich plotseling om naar het raam waar ik half verscholen achter het raster stond, bijna alsof ik hem geroepen had. We keken elkaar recht aan, en schrokken allebei. Ik dook weg, mijn hart ging als een razende tekeer. Ik was bang dat mijn ontvoerders, als ze wisten dat ik door de buren gezien kon worden, de luiken voor mijn ramen gesloten zouden houden. Maar door de blik van de man was ook mijn onzichtbaarheid verdwenen. Ik vroeg me af of hij het aan iemand zou vertellen, en of er daardoor iets zou veranderen.

Maar er veranderde niets. De weken verstreken zonder dat er

iets gebeurde. Ik keek niet langer uit dat raam.

Als ik voor het andere raam stond, dat uitkeek op de steeg, kon ik in de Koran lezen en de buitenlucht door het rasterwerk naar binnen voelen sijpelen. Ik genoot van de kleinste luchtdrukveranderingen, bijvoorbeeld wanneer de luchtvochtigheid bijna op zijn hoogst was en ik de eerste vleug van een opkomende wind kon voelen. Ik stelde me voor dat ik de ronding van de aarde kon zien, de gebogen lijn tussen mij en mijn oude leven. Ergens ver weg vormde zich misschien wel een koele luchtstroom die zich over de oceaan in mijn richting bewoog, scherend over de palmbomen en de woestijn. Het weer veranderde zelden, maar wanneer het veranderde, had het soms een symbolische lading en verplaatste zich iets van daar naar hier.

Op een middag begon het licht te regenen, de druppels vielen op de betonnen muur aan de overkant van de steeg. Ik stond voor het raam, met mijn ellebogen rustend op de vensterbank, en luisterde naar het getik van de regen op het dak. De lucht was matgrijs. De wind kwam in vlagen, ruiste door de bladeren van de bomen die ik niet kon zien, en sproeide de regen zijwaarts tegen de muur.

'God, wat mooi,' zei een stem luid en duidelijk en hij drukte precies uit wat ik op dat moment dacht.

De stem was niet van mij. Maar ik kende die stem wel. 'Nige?'

'Trout?' zei de stem.

Een seconde lang zwegen we allebei, van pure schrik. Hij stond misschien drie meter bij me vandaan, in zijn kamer voor het raam. De smalle steeg en het feit dat de golfplaten daken van ons huis en het naastgelegen huis elkaar iets overlapten, zorgden voor een perfecte akoestiek. Onze stemmen bleven hangen onder de overkapping van de daken en weerkaatsten van de hoge muur aan de overkant. Wanneer ik voor mijn raam stond en hij voor zijn raam, kon ik hem duidelijk horen en hij mij. Een klein natuurwondertje. We hadden hier weken gezeten zonder het te weten, maar nu hadden we het ontdekt.

26

Een feestmaal is een feestmaal

Ik zag de toekomst zo voor me: Nigel en ik zouden altijd goede vrienden blijven. Onze romantische relatie was voorbij, maar daarvoor was iets anders in de plaats gekomen. We waren vrienden, echte vrienden, beste vrienden, voorgoed verankerd in elkaars leven. Het kon toch ook niet anders? Niemand die we hierna in ons leven nog zouden ontmoeten, zou immers weten hoe het was om naar het Arabische gezang van de jongens buiten op de veranda te luisteren, of hoe het was als je leven gereguleerd werd door het onverschillige knippen van hun vingers. Ik vond dat we dit niet mochten vergeten en dat we erover moesten praten wanneer we weer vrij waren. We zouden ieder een eigen bestaan opbouwen en een blijvende liefde voor elkaar koesteren. We zouden nog jarenlang op elkaars veranda neerploffen.

Urenlang praatten we met elkaar, ieder voor zijn eigen raam, van en naar de vensterbank lopend, op zachte toon en met onze koran opengeslagen voor het geval er iemand binnenkwam. Ik was doodsbang om betrapt te worden, maar we kenden de gewoonten van onze ontvoerders en hun ontstellende luiheid om van de veranda af te komen. Er waren overdag momenten dat we er zeker van konden zijn dat er niemand in het gedeelte van het huis kwam waar wij verbleven.

Mijn raam bevond zich ongeveer op schouderhoogte en om Nigel goed te kunnen horen en hij mij moest ik op mijn tenen gaan staan en mijn nek uitsteken naar het raster. Zo bleef ik staan tot mijn voeten pijn begonnen te doen. Als het tijd was voor een korte pauze, zei ik iets van: 'Oké, ik praat straks verder met je' of 'ik ga nu eten', alsof ik op kantoor was en naar mijn bureau terugslenterde. Aan het einde van ons gesprek zei ik vaak: 'Nige, ik hou van je.'

En hij zei dan: 'Kop op, Trout' en: 'Ik ook van jou.'

Nigel en ik waren, toen we nog een kamer deelden, vaak prikkelbaar en geïrriteerd geweest en hadden weinig rekening met elkaar gehouden, maar we waren nu blij dat we elkaar hadden. Ik klampte me aan zijn stem vast alsof het een touw was.

We herhaalden oude verhalen en voegden er elke keer nieuwe details aan toe. We deden woordspelletjes en vertelden elkaar elke belegen mop die ons maar te binnen wilde schieten. We bespraken onze nachtelijke dromen, onze omgang met de jongens, zelfs onze stoelgang. Nigel dacht graag aan mooie vrouwen om de tijd te verdrijven. Cate Blanchett was zijn favoriet. We vroegen ons hardop af hoe het ervoor stond met de onderhandelingen over het losgeld. We dachten dat onze beide families samen een half miljoen dollar zouden kunnen opbrengen – een bedrag dat onze ontvoerders toch zeker zouden accepteren. We spraken over de toekomst alsof die elk moment zou beginnen. Nigel zei dat hij zich weer op zijn fotografie wilde storten en misschien zelfs naar Afghanistan zou gaan. Ik wilde terug naar Canada. Wanneer we dit hardop tegen elkaar zeiden, leken het beloften die zeker uit zouden komen.

Beelden van thuis dwaalden voortdurend door mijn hoofd. Ik voelde me vervreemd van mijn broers. Mijn grootouders werden oud. Ik wilde vrienden bezoeken. Ik dagdroomde over kou en sneeuw en de schoonheid van de winter. Ik zag mezelf naar Vancouver verhuizen, voor mij de mooiste stad ter wereld. Tijdens mijn rondjes door de kamer vergat ik de omgeving en stelde ik me voor in Stanley Park over de paden te lopen, door bossen met hoge cederbomen en langs de gebogen zeedijk bij de Stille Oceaan.

Er gebeurt iets met je wanneer je de meeste tijd alleen bent, wanneer je geen afleiding hebt. Je geest wordt sterker – gespierder zelfs. En neemt het heft over. Een maand nadat Nigel en ik in aparte kamers waren gezet voelde ik een nieuwe energie. Het leek op fysieke kracht, maar ook weer niet. Als ik mijn hand een paar centimeter boven mijn been hield kon ik de inwendige warmte ervan voelen. Die energie in mijn handen voelde vreemd, maar gaf me ook kracht, als een stuk gereedschap dat ik kon gebruiken zodra ik wist hoe ik ermee om moest gaan. Ik wist niet of het goed, slecht of sowieso iets was – of het een middel was om te overleven, of de eerste tekenen van krankzinnigheid. Op een morgen at ik een blikje tonijn leeg en hield daarna een uur lang de lepel omhoog om te zien of ik hem met mijn geest kon ombuigen. Het lukte niet, zelfs geen millimeter, maar toch leek het niet zo'n maf, onmogelijk idee meer. Later, toen ik Nigel bij het raam vertelde van mijn kermisstunt, bekende hij dat hij zelf ook aan het experimenteren was en via geestkracht belangrijke boodschappen over losgeldbetaling probeerde over te brengen aan zijn ouders thuis.

'Wie haat jij het meest?' vroeg Nigel me op een dag.

We stelden elkaar dit soort vragen voortdurend. Ze fungeerden als aanzet voor menig gesprek bij het raam. Voor ons ging een gesprek maar twee richtingen op, over en weer. We brachten onze tijd door met herinneringen of vooruitzichten. Wat is het mooiste land dat je ooit bezocht hebt? De beste seks die je ooit gehad hebt? Wat ga je als eerste eten wanneer we vrij zijn? Waar verheug je je het meest op: een warme douche, of slapen tussen frisse schone lakens?

Nu vroeg hij naar het heden, naar onze ontvoerders. Over het antwoord hoefde ik niet lang na te denken. Abdullah haatte ik het meest. Ik haatte alles aan hem, van zijn haarloze oksels tot zijn vieze adem. Ik haatte zijn wreedheid en zijn gewelddadigheid. Ik haatte de middagen, omdat ik nooit wist of hij zou komen of niet, om me weer pijn te doen. Hij kwam ongeveer drie van de vijf dagen, en wanneer hij niet verscheen, bracht ik die middagen door in grote angst, terwijl de adrenaline door mijn aderen gierde. Als

258

hij wel kwam en mijn kamer binnensloop terwijl de anderen sliepen, had ik levendige fantasieën over hoe ik hem zijn geweer zou ontfutselen en hem een kogel door het hoofd zou jagen, zodat de hele buurt opschrok en te weten kwam wat voor vreselijke dingen hij met me deed. Ik wilde hem vermoorden. Ik wilde dat hij stierf. Die gedachten hielpen me om een paar minuten door te komen, maar geen uren. Hoewel ik dat juist nodig had, iets om de uren door te komen, heel veel uren. Die haat was er altijd, als een meer van borrelende hete lava, waarboven ik op het slappe koord balanceerde. Ik zag de lava wel, maar wilde er niet in ondergedompeld worden. Ik wist dat ik het niet lang zou volhouden. Ik praatte veel liever over eten, seks en goede voornemens.

'Ik geloof niet dat ik dit spel kan spelen,' zei ik tegen Nigel. 'Laten we maar ophouden.'

Hoewel we over van alles spraken, had ik hem niet over Abdullah verteld. Ik wilde hem er niet mee vergiftigen. Hij kon toch niets doen, hoewel ik me afvroeg of hij de geluiden door de muur heen kon horen.

Zijn relatie met de jongens was sowieso anders dan die van mij. Nigel was om fit te blijven yoga gaan doen in zijn kamer. Hij had me verteld dat Hassam en Abdullah op een dag zijn kamer waren binnengekomen en hem zijn yogaoefeningen hadden zien doen. Ze hadden zelfs meegedaan, en serieus geprobeerd om de bewegingen na te doen. Ze waren daarna nog een paar keer teruggekomen om nieuwe houdingen te leren, waarbij ze lachend hun dunne benen onder de mannenrok in de boomhouding probeerden te wurmen. Voor mij was het een teken dat ze zich stierlijk verveelden. En dat het aan mijn kant van de muur nooit zo zou worden als aan zijn kant.

Terwijl de weken verstreken verlangde ik naar dingen die groot en abstract waren: vrijheid, comfort, veiligheid. Specifieke verlangens betroffen vooral eten: halfdoorbakken biefstuk, zakken snoep, koud bier in een voorgekoelde kroes. Twee uur lang kon ik in gedachten bezig zijn met het samenstellen van een maaltijd, tot in het kleinste detail. Ik kon in vervoering raken over het maken van een omelet, bijvoorbeeld, of het in stukken snijden van een verse groene paprika, het gesis van boter die smolt in de pan, het citroengeel van geklutste eieren in een kom. Maar bovenal verlangde ik naar een omhelzing, verlangde ik ernaar om iemand in de armen te vallen, iemand die om me gaf.

Het kwam nooit bij me op om naar iets te verlangen dat van thuis kwam. Maar halverwege november kwam Donald Trump mijn kamer binnen met een grote, stevige gele plastic tas en een kleinere, zwarte tas.

'Er is een pakje gekomen uit Canada,' zei hij. Langzaam legde hij de inhoud op het vierkante stuk linoleum op de vloer. Hij haalde een paar doosjes met pillen tevoorschijn. Op elk doosje zat een getypt etiket met aanwijzingen: Noroxin, 400 mg (bacteriële infectie – twee maal daags innemen), Roxithromycin, 150 mg (behandeling van lichte tot matige keel-, neus-, oor-, luchtweg- en huidinfecties - en genitale urineweginfecties – om de twaalf uur 1 tablet innemen), enzovoort. Er zaten een paar potloden en pennen bij, een notitieboekje, een nagelknipper, een paar flessen bodylotion van St. Ives, een met plakband omwikkeld pakketje met vijf setjes katoenen ondergoed, elastieken haarbandjes, tandzijde, diverse pakken maandverband, een plastic doos met vochtige doekjes, en een pak Engelse volkoren koekjes. Daarna gaf hij me een kleine zwarte etui waarin een bril zat met een zwaar montuur en voorgeschreven glazen en – o, mijn hart sloeg over – een paar boeken.

'Je hebt geluk,' zei Donald, voordat hij de kamer weer verliet.

Toen hij weg was zat ik vol ongeloof naar alles te kijken, mijn ogen vulden zich met tranen. Ik was bijna bang om iets aan te raken. Er zat een boek met kruiswoordpuzzels bij, een Somalische taalgids en Nelson Mandela's autobiografie *Long Walk to Freedom*, deel een en twee, zo'n negenhonderd pagina's in totaal. Ik hoorde Donald buiten op de gang op Nigels deur kloppen, en hoopte dat dit betekende dat Nigel een soortgelijke oogst zou binnenhalen.

Enige tijd later stonden we samen bij het raam, het duizelde ons nog allebei. Nigel had ook medicijnen, toiletartikelen en schrijfgerei gekregen. Hij had ook een recent nummer van *Newsweek* gekregen, een paar sudoku's, twee boeken van Ernest Hemingway – *The Snows of Kilimanjaro* en *The Green Hills of Africa* – en Khaled Hosseini's tweede roman over Afghanistan: *A Thousand Splendid Suns*. Hij had, net als ik, een pakketje met vijf setjes ondergoed gekregen, maar iemand – Adam? Donald? – had het opengemaakt en een setje voor zichzelf ingepikt. We zouden pas later ontdekken dat onze ontvoerders al onze verzorgingspakketten grondig doorzochten en er sommige medicijnen en brieven van thuis uit haalden.

Ik las het eerste deel van Mandela's autobiografie in minder dan drie dagen uit en begon meteen daarna aan het tweede deel, dat ging over de zevenentwintig jaar die hij in Zuid-Afrika gevangen zat. Ik werd gegrepen door het verhaal, las het als een boodschap die rechtstreeks aan mij gericht was. Mandela schreef dat hij en zijn medegevangenen briefjes voor elkaar achterlieten onder de rand van de toiletpot. Zijn geheugen speelde hem soms parten. Hij twijfelde soms aan zijn geestelijke vermogens. 'Sterke overtuigingen zijn het geheim om ontberingen te kunnen overleven,' schreef hij. 'Zelfs wanneer je maag leeg is, kan je geest nog vol zijn.' Donald Trump had me in het begin een kleine zaklantaarn gegeven, die ik nog nauwelijks gebruikt had om de batterijen te sparen, maar nu las ik tot diep in de nacht, waarbij de woorden helder verlicht werden door de smalle stralenbundel van de zaklantaarn.

Nigel en ik gebruikten de hoge vensterbank in de badkamer als overdrachtsplek om onze boeken te ruilen. We lazen en puzzelden. We lachten om een dun boekje dat in mijn pakket had gezeten. Het was getiteld: *5-Minute Stress-Busting: Instant Calm for People on the Go* en er stonden zinnen in als: 'Onze snelle levensstijl, de druk om er altijd goed uit te zien en in alles succesvol te zijn, betekent dat stress hand over hand toeneemt.' Dat stress hand over hand toeneemt. Ja, dat klopte. Hoewel we er de spot mee dreven, lazen we het boekje van begin tot eind. We hielden een tweepersoons boekenclub bij onze vensterbank. We bespraken elk detail van het boek, zelfs hoe we ons voelden op het moment dat we bepaalde passages lazen. *The Green Hills of Africa* stond vol met beschrijvingen over koken en eten, wat een kwelling was voor ons, maar waar we niettemin eindeloos op terugkwamen daar bij ons raam. In *News-week* stond een omslagverhaal over groene energie, waar we experts in werden, hoewel onze kennis gebaseerd was op één artikel. Er stond ook een foto in van soldaten in Afghanistan die gemaakt was door een vriend van Nigel, een collega-fotograaf, waar hij van opvrolijkte, blij van werd, omdat het een link was met de werkelijkheid.

Het leek alsof we geen maaltijd maar een feestmaal voorgezet hadden gekregen. We herkauwden elk woord, en hadden het gevoel dat elk woord opgeschept was door mensen die heel veel van ons hielden, hoewel ik er vrijwel zeker van was dat de pakketten afkomstig waren van de Canadese ambassade en niet van mijn familie. Mijn brillengazen hadden de juiste sterkte voor mijn ogen, maar op de koker waar de bril in zat stond het logo van een winkel in Nairobi. En na alle afleveringen van *Oprah* die mijn moeder en ik samen hadden bekeken, alle beduimelde zelfhulpboeken die we in de loop der jaren aan elkaar hadden uitgeleend, had ze me vast geen handleiding 'stress weg in vijf minuten' toegestuurd om de tijd door te komen. Later zou ik ontdekken dat ik gelijk had: het pakket was vanuit Nairobi naar de internationale luchthaven van Mogadishu gestuurd en samengesteld door agenten van de RCMP die samenwerkten met de Australische Federale Politie. Het pakket was geadresseerd aan Adam Abdule Osman, de ontvoerder die mijn moeder een paar keer per week opbelde, de man met de Ben Franklin-bril die ons op de tweede dag van onze gevangenschap had bezocht, maar zich sindsdien zelden meer liet zien.

Adam was de verbindingsman. Hij leek zijn zaken grotendeels vanuit zijn huis in Mogadishu te regelen, terwijl zijn twee kleine kinderen door de kamer renden. In de transcripties van de telefoongesprekken met mijn moeder, die ik later pas zou lezen, noemde hij haar vaak 'mama' en had hij een paar keer gevraagd of ze het goedvond dat hij met me trouwde. Toen ze hem eraan herinnerde dat hij al een vrouw had, herinnerde hij haar eraan dat zijn religie het mannen toestond om vaker dan een keer te trouwen.

Als Adam zich er al zorgen om maakte gepakt te worden, dan was dat hem niet aan te zien. Hij belde mijn moeder op, herhaalde de losgeldeis en vertelde haar dat mijn gezondheid achteruitging. De rechercheurs leken het erover eens te zijn dat hij een schuilnaam gebruikte. Of er gesproken was over een undercoveroperatie om hem op te pakken als hij het pakket van de luchthaven ophaalde, wist ik niet. Bovendien was het waarschijnlijker dat hij, juist om dat te voorkomen, iemand betaald had om dat te doen.

De schaduwzijde van het ontvangen van zo'n pakketje was dat het mij duidelijk maakte dat niemand dacht – onze familie niet, onze regering niet en onze ontvoerders niet – dat we binnenkort vrij zouden komen. Een feestmaal is alleen een feestmaal, realiseerde ik me al gauw, als het kort duurt. Hoewel ik voortdurend last had van hoofdpijn en diarree bewaarde ik de doosjes met medicijnen; ik had ze naast elkaar op een rij tegen de muur gezet, naast mijn matras. Ik begon het lezen te beperken tot een paar hoofdstukken per dag. Nelson Mandela hielp me de ochtenden door te komen, en Hemingway, met zijn paginalange wellustige dialogen tussen mannen en vrouwen, suste me 's nachts in slaap. Ik bleef onze situatie als tijdelijk zien, maar zorgde er wel voor niet alles te verkwisten wat we hadden, met uitzondering dan van de volkoren koekjes die ik binnen een paar dagen verslonden had. Het verzorgingspakket had me even in een juichstemming gebracht en toen onderuitgehaald. Alles had twee kanten. De grens tussen volhouden en in wanhoop raken was nauwelijks te trekken.

Ondertussen was de huid langs mijn bovenlip ruw geworden en gaan jeuken. In mijn ronde spiegeltje zag ik witte uitslag, een soort schimmel. Elke dag leek die schimmel iets verder over mijn gezicht te kruipen, zich langzaam te verspreiden, rondom mijn neus en kringelend over mijn wang omhoog, wat ik een angstaanjagend gezicht vond. Ik probeerde de uitslag te bestrijden met antibiotica uit mijn verzorgingspakket, maar die hielp niet. Daarna wreef ik de plekken in met mijn nieuwe huidcrème, maar daar werd het alleen maar erger van. Het leek of Somalië bezig was me levend op te eten.

Op een dag schreef ik Nigel in een moment van zwakte een briefje en liet het achter in de badkamer. Ik voelde me depressief – te depressief om bij het raam met hem te praten. In het briefje verontschuldigde ik me eerst voor mijn neerslachtigheid en voegde er daarna ter verklaring aan toe: 'Ik krijg 's middags onwelkom bezoek in mijn kamer.' Ik klopte op de muur om Nigel te laten weten dat het briefje er lag. Niet lang daarna klopte hij om te laten weten dat hij het gekregen had.

Tijdens ons volgende gesprek bij het raam was hij stiller dan anders. Misschien had hij het al steeds vermoed.

'Wie is het?' vroeg hij uiteindelijk. 'Is het Abdullah?'

'Ja, maar ik wil er niet over praten.'

'Wat doet hij met je? Ver...' Nigels stem stierf weg. 'Hoe lang al?' Het klonk bedroefd.

Heel even wilde ik alles vertellen, hem meedogenloos met alle details om de oren slaan, om hem in huilen of in woede te horen uitbarsten, of hem alles te zien riskeren door met de jongens op de vuist te gaan. Maar ik had er meteen spijt van dat ik erover begonnen was. Het was niet eerlijk jegens Nigel en voor mij werd alles er alleen maar echter door. Toen hij nog iets wilde vragen, onderbrak ik hem. 'Echt, Nige, laat maar, vergeet wat ik gezegd heb,' zei ik, hoewel ik wist dat hij dat niet zou doen.

Ik besloot vol te houden. Vooral omdat ik geen andere keus had.

Op de honderdste dag van onze gevangenschap – 1 december – liet ik opnieuw een briefje voor Nigel achter in de badkamer. 'Gefeliciteerd! Je hebt het honderd dagen uitgehouden,' schreef ik. 'We moeten positief blijven. En blijven geloven dat heel veel mensen aan de andere kant van de wereld hun uiterste best doen om ons vrij te krijgen, zodat we met kerst weer veilig thuis zijn.' Zoals altijd hielp het opschrijven van dit soort verlangens me om erin te geloven. Ze maakten daardoor een beetje aanspraak op de waarheid.

27

De woestijn

'Sta op, we gaan,' zei iemand in het donker. Ik sliep. Het was laat. De deur van mijn kamer stond open. Een van de jongens scheen met zijn zaklantaarn in mijn gezicht. Het was Hassam. Ik zag kapitein Skids achter hem staan. 'We gaan,' zei Hassam nog een keer. Hij richtte de zaklantaarn op de rand van de matras waar ik mijn spullen bewaarde – mijn boeken, toiletartikelen en kleren. 'Kleed je aan, dan gaan we.'

Ik ging rechtop zitten. Ik hoorde meer geluiden in huis, heen-en-weergeloop. Ze brachten ons naar een nieuwe plek. Dat was eerder gebeurd, altijd plotseling en altijd 's nachts. 'Vertrekken we?' vroeg ik aan Hassam, Skids negerend omdat zijn kille blik me nerveus maakte. 'Moet ik al mijn spullen meenemen?'

Hassam werd ongeduldig. 'Nee, nee,' zei hij. 'Alleen aankleden.'

Ik dacht erover na wat dit betekende. 'O, mijn hemel, worden we vrijgelaten?'

'Ja, ja, snel nu,' zei Hassam. Hij hief zijn handpalm omhoog naar het plafond, alsof hij me wilde aansporen, me uit de dood wilde laten herrijzen.

Er ging vuurwerk af in mijn hoofd, met luide knallen en vol kleur en licht. Blijdschap, ongeloof. Ik pakte de spijkerbroek die altijd naast mijn matras lag en trok die over mijn heupen, onder de rode jurk die ik zowel overdag als 's nachts droeg. Ik krabbelde overeind en zocht naar een hoofddoek. Daarna volgde ik Skids door de donkere gang, terwijl Hassam met zijn geweer achter me liep. Met één hand hield ik de boord van mijn spijkerbroek vast, zodat hij niet afzakte. Toen ik zag dat Nigels deur dicht was, draaide ik me om naar Hassam en vroeg voor alle zekerheid: 'We worden toch vrijgelaten? Ja?' Hassam zweeg.

Op de binnenplaats stond Ahmeds Suzuki klaar, met draaiende motor. Hassam gebaarde dat ik op de achterbank moest gaan zitten. Ik zag Abdullah uit het huis komen en een sjaal om zijn gezicht wikkelen, zijn sarong had hij verruild voor een broek, wat de jongens altijd deden wanneer ze het huis verlieten. Daarna zag ik Ahmed naar buiten komen. Hij had nog nooit in mijn aanwezigheid zijn gezicht met een sjaal omwikkeld, maar nu droeg hij er een die zijn hele hoofd bedekte. Alleen in de auto voelde ik alle optimisme vervliegen.

Toen schoof Abdullah naast me op de achterbank en ging Ahmed achter het stuur zitten. 'Abdullah, Ahmed,' zei ik, 'is alles oké?'

Geen van tweeën gaf antwoord. Alsof ik er niet bij was. Het plafondlampje brandde toen Ahmed de sleutel in het contact stak en de auto in zijn achteruit zette. Een van de jongens deed achter ons het hek open. Het portier ging open en Skids gleed naast me op de achterbank, ook zijn hoofd was volledig met een sjaal omwikkeld.

Ik voelde paniek in me omhoogkomen en vroeg: 'Wat gebeurt er? Waar is Nigel? Gaat hij ook mee? Waar gaan we naartoe?' Mijn stem leek eerder dan mijn hersens waar te nemen dat er echt gevaar was. De woorden kwamen er op hoge, schrille toon uit.

Met zijn arm op de rugleuning van de stoel naast zich reed Ahmed achteruit door het openstaande hek de onverharde weg op. Niemand gaf antwoord op mijn vragen. Niemand vertelde me waar Nigel was.

Nu reden we, de drie mannen en ik, ploegend door het rulle zand, zigzaggend door een doolhof van hoge muren. Mijn gezonde verstand zei me dat ik moest opletten waar we waren, welke straat waar naartoe leidde, voor het geval ik de kans kreeg om te vluchten, nu, of later. Maar alles zag er hetzelfde uit. De koplampen beschenen alleen wit beton als we een hoek omsloegen, van de ene ongemarkeerde straat naar de volgende. Ik keek over het dashboard heen naar buiten toen er wat struiken opdoken, maar die waren even snel weer uit het zicht verdwenen. Na een paar minuten rijden zette Ahmed de auto stil voor de ingang van een donkere omheinde binnenplaats, waar een man stond te wachten. Ik zag meteen dat het de man van het geld was, Donald Trump. Ik was blij dat zijn gezicht niet bedekt was en dat hij geen geweer droeg.

Donald opende het portier van de Suzuki en nam zwijgend naast Abdullah plaats. Nu zaten we met z'n vieren opeengepakt op de achterbank en zat alleen Ahmed voorin.

De auto reed slingerend weg. Ik richtte mijn aandacht op Donald en klampte me nog steeds vast aan het idee dat ik misschien vrijgelaten werd. 'Wat is er aan de hand, Mohammed?' vroeg ik, hem met zijn echte naam aansprekend. 'Waar gaan we naartoe? Wat is er aan hand?'

Hij bleef recht voor zich uit kijken terwijl ik tegen hem praatte en deed alsof hij me niet hoorde. Ik zag zijn ogen over het dashboard dwalen – nerveus, leek het –, maar hij weigerde me aan te kijken. 'Waar brengen ze me heen, Mohammed?' vroeg ik. 'Waar is Nigel? Toe, zeg het me. Ik ben toch je zuster?' Opnieuw voelde ik panische angst in me omhoogkomen. Zou ik verkocht worden? Ze hadden er al een paar keer mee gedreigd dat als er geen losgeld betaald werd, ze hun verlies altijd konden compenseren door ons aan Al-Shabaab uit te leveren. Ik vroeg me af of dat nu aan de hand was. Het verklaarde waarom Nigel niet bij me was: ik zou gedood worden, of aan nieuwe ontvoerders doorverkocht worden. Nigels familie had geld, mijn familie niet. Daarom hielden ze hem vast en deden ze mij van de hand.

Op dat moment volgde ik mijn instinct en deed iets wat onislamitisch was. Ik stak mijn arm uit, over Abdullahs benen heen, en legde mijn hand op Donalds onderarm, terwijl ik doorpraatte, gewoon om me aan iemand vast te houden die misschien naar me zou luisteren. Hadden we niet ooit een discussie gehad over wat goede olijfolie was? Had hij me niet een blikje cola en een zwangerschapstest gebracht? Ik huilde nu. Zijn arm voelde stijf aan onder mijn vingers.

'Alsjeblieft,' zei ik, 'zeg tegen ze dat ze me niet moeten doden. Vertel me alsjeblieft wat er aan de hand is. Waar is Nigel? Kun je ze niet tegenhouden? Word ik verkocht? Ben ik al verkocht? Is alles oké?'

Donald trok, verlegen met de situatie, zijn arm terug en schraapte zijn keel. 'Ehhh,' zei hij, terwijl hij ongerust naar Ahmed keek. 'Ik weet het echt niet. Alles is oké, insjallah, maar ik weet het echt niet.'

Daarna zweeg hij.

Een minuut later stopte de auto opnieuw. Nu stonden we voor een smalle doorgang met aan weerszijden muren. Ik dacht dat het de toegang was naar het Elektrische Huis, dat we ongeveer zes weken geleden verlaten hadden, en waar Nigel en ik backgammon hadden gespeeld. Er stonden twee mannen op ons te wachten. Ze gingen naast Ahmed voor in de auto zitten, ook zij hadden beiden hun hoofd met een sjaal omwikkeld. De ene was Romeo, ik herkende hem aan zijn lange bovenlijf en geelgeruite sjaal, die hij normaal om zijn hals droeg. De andere man had ik nooit eerder gezien – hij was gezet, had brede schouders, zag er imponerend uit.

Geen van de nieuwkomers keek naar me, alsof ze daarover van tevoren geïnstrueerd waren. Niemand groette. Niemand zei iets.

We stoven het pikkedonker in en volgden een zandweg in het schijnsel van de koplampen. Ik boog me iets naar voren, om niet te dicht tegen Abdullah en kapitein Skids aan te hoeven zitten, en legde ter ondersteuning mijn hand op het dierenvel dat voor me over het middenpaneel lag. We leken over een soort markt te rijden. Ik zag gesloten kiosken, gemaakt van sloophout en oud ijzer. Er stonden hutjes, geconstrueerd van boomtakken en kartonnen dozen, van oude kratten en golfplaten. Elk bouwsel, groot en klein, leek met stokken en afval in elkaar gezet te zijn. Lege plastic waterflessen rolden over straat. Snippers papier vlogen door de lucht, in het licht van onze koplampen. Voor ons doemde een enorm kampvuur op dat oranje afstak tegen de donkere hemel. Het vuur was zo hoog als een toren en leek bijna een illusie. Maar toen we dichterbij kwamen zag ik dat het echt was, een enorm vreugdevuur dat bovenin een regen van vonken verspreidde, hoog boven de menselijke gestalten die eromheen stonden.

Ahmed minderde geen vaart toen hij het vuur naderde. Hij scheurde erlangs, de schouders laag over het stuur gebogen. Ik keek voor Skids langs door het zijraampje naar buiten. Zo'n vijftien tot twintig jonge mannen stonden in kleine groepjes langs de rand van het inferno. Voor zover ik kon zien droegen de meesten een geweer, dezelfde die mijn ontvoerders hadden, aanvalswapens.

Ongeveer twintig meter verderop passeerden we een kleiner vuur, waar ook een groep mannen omheen stond. En in de verte waren nog meer vreugdevuren. Ik zag bewegende schaduwen op straat, van mensen die doelloos rondliepen, alleen maar jonge mannen. Het leek wel alsof we door een met fakkels verlichte grot reden.

Donald zag me kijken. Zonder oogcontact te maken zei hij: 'Kijk rustig rond. Zie je dit? Zie je de bendes?' Zijn stem was fel en vol minachting. 'Dacht je soms dat je in Parijs was, of in Toronto? Nou, niet dus. Dit is Somalië.'

Hij sprak het laatste woord uit zoals iedereen het uitsprak, met vurige trots en de klemtoon op elke lettergreep: So-ma-li-je.

We reden verder. Voor mij voelde het alsof ik door de ruimte viel, door een immense ongestructureerde leegte tuimelde, zonder dat ik me ergens aan kon vasthouden, zonder dat ik mezelf kon tegenhouden. Na een paar minuten verdween de bewoonde wereld door het autoraam uit het zicht, de mensen, de houten hutten en het rondslingerende afval, en reden we door landelijk gebied, over een verharde weg, door een donker, uiterst stil stukje platteland. Na een poosje draaide Ahmed aan het stuur en sloegen we een zandweg in. Ik wist niet wat ik ervan moest denken. Ik kon me geen enkele voorstelling maken van wat er ging gebeuren. Zou er een uitwisseling met Al-Shabaab plaatsvinden in de woestijn – ik tegen een stapel bankbiljetten? Was het mogelijk dat ze me ombrachten en hier achterlieten, om Nigels familie onder druk te zetten, zodat die meer geld betaalde en sneller? In mijn hoofd laaiden vuren op die even snel weer doofden. Ahmed rukte kalm aan het stuur alsof hij precies wist waar hij naartoe reed, terwijl hij de struiken ontweek die in het licht van de koplampen opdoken en de banden het rulle zand opwierpen. Vijfenveertig minuten reden we nu al, maar in die tijd had hij nog geen woord gezegd.

Plotseling trapte hij op de rem, en de auto kwam tot stilstand. Ik hoorde hoe hij de motor afzette. Een moment lang bleef het stil in de auto. Ik begon weer te huilen. En ik hoorde mezelf praten, de stilte doorbreken. 'Wat gebeurt er? Waarom zijn we hier? Wat gaan jullie doen? Doe me alsjeblieft geen pijn.'

Niemand keek me aan. Een voor een duwden ze hun portier open en stapten ze uit. Ik bleef voorovergebogen op de achterbank zitten en had het gevoel dat ik moest overgeven. Iemand begon aan mijn arm te sjorren.

De maan stond aan de hemel, een smalle schijf blauwig licht. De sterren vormden een schitterend tapijt. Het viel me op. Ik weet niet waarom. De hemel was daarboven en ik was hier, half in de auto en half erbuiten. Het was Donald die aan mijn arm trok. 'Kom,' zei hij. Ik hield me met beide handen vast aan het handvat aan de binnenkant van het portier. Hij trok harder, probeerde me uit de auto te slepen. 'Kom, kom op,' zei hij. Het klonk nors, hij was het zat. Mijn voeten gleden door het zand. Ik liet het handvat los.

Ik stond nu. We liepen langs struiken met scherpe doornen naar een open plek waar een acaciaboom stond, een knoestig exemplaar dat door de maan beschenen werd. De mannen die in de auto hadden gezeten waren er al, alleen Donald en Abdullah brachten me naar de boom. Het was duidelijk dat ze een plan hadden, dat ze besproken hadden hoe ze het zouden doen. Ze stonden naast elkaar op een rij, met ernstige, onverbiddelijke gezichten, alsof het een ceremonie betrof. Er stonden geen andere auto's, en er waren geen andere mensen. Ik liet het idee varen dat ik verkocht

271

zou worden aan Al-Shabaab, hoewel het de hoopvolste optie was geweest. Dit was het dan. Ik ging sterven.

De woorden stroomden uit mijn mond. Ik praatte meer tegen mezelf dan tegen hen. Ik mis mijn moeder, ik mis mijn vader. Ik wil mijn familie terugzien. Alleen nog eenvoudige verlangens. Ik weet nog dat ik beefde en huilde en voortdurend het gevoel had dat ik viel, een val zonder einde. Ik herinner me elke stap nog die ik zette in de richting van de open plek. Hoe ik me aan Donald vastklampte toen we de boom bereikt hadden, hoe hij zijn handen op mijn schouders legde en me – zachtjes leek het – omdraaide, zodat mijn gezicht afgewend was van de rij mannen die me ontvoerd hadden. Hoe ik zijn shirt vastpakte toen hij me naar beneden duwde, hoe ik de stof van zijn shirt hoorde scheuren en opeens op mijn knieën in het zand lag, met mijn rug naar de groep toegekeerd. Ik voelde het grove woestijnzand door mijn spijkerbroek heen. Ik herinner me nog dat de grond warmte afgaf van overdag.

Iemand kwam achter me staan, trok mijn hoofddoek van mijn hoofd, pakte mijn haar vast en trok mijn hoofd achterover. Een dik, koud voorwerp werd tegen mijn keel gedrukt, een mes dat zo lang was dat ik vanuit mijn ooghoek het ronde uiteinde van het lemmet kon zien. Ik moest kokhalzen. De man die mijn haar vasthield gaf opnieuw een ruk aan mijn hoofd en draaide het lemmet zo dat het langs de linkerkant van mijn hals lag, tegen het zachte gedeelte, de halsader. Ik realiseerde me dat het mes gekarteld was, ik voelde de scherpe punten in mijn huid. Ik smeekte ze om het niet te doen. Ik dacht aan de keren dat Abdullah met een handgebaar een onthoofding had nagedaan. Ik dacht aan de onthoofde Iraakse man die ik gezien had. Ik bleef doorpraten en uitte een gedachte die ik nooit eerder had gehad, maar die nu door wanhoop zekerheid was geworden: jullie mogen dit niet doen. Ik heb nog geen kinderen gekregen. Ik wil kinderen.

Was dat mijn stem? Ja, ik had het echt gezegd.

Er was geen uitweg meer. Ze hadden al zo vaak gezegd dat ze me zouden doden, en nu gingen ze het doen. In mijn lichaam sloegen de stoppen door. Mijn spieren verstijfden. Ik hoorde hoe ik inademde.

Achter me waren de mannen aan het praten, in het Somalisch. Donald en Skids waren het oneens over iets, en Ahmed bemoeide zich ermee. Er vielen harde woorden. De man die mijn haar vasthield, liet plotseling los. Ik viel voorover in het zand.

Toen ik mijn hoofd omdraaide om te zien wat er aan de hand was, hoorde ik Donalds stem. 'Jij, omdraaien,' zei hij grimmig.

Ze ruzieden nog een paar minuten door, terwijl ik in het zand lag te huilen, te janken als een gewond dier, niet meer in staat een woord uit te brengen. Ik weet nog precies hoe het klonk, ik herinner me de waanzin die erin doorklonk. Ik weet niet hoeveel tijd er verstreken was, maar toen ik opnieuw achteromkeek zag ik Skids zijn telefoon tevoorschijn halen en een nummer intoetsen. Hij praatte met iemand – met Adam, zo bleek later. Donald liep naar me toe. Hij bukte zich en keek me voor het eerst die nacht recht aan. Ik zag zelfs angst in zijn ogen, angst om mij. 'Hoeveel geld heeft je familie?' vroeg hij.

'Dat weet ik niet. Dat weet ik niet,' zei ik, moe van het huilen. 'Zoveel als jullie willen. Alsjeblieft, maak me niet dood. Jullie krijgen je geld. Echt.'

'Ze willen een miljoen dollar,' zei Donald. 'Wees maar blij dat ik hier ben. Ik heb ze gevraagd je nog een kans te geven. Je hebt zeven dagen de tijd. Als het geld er dan niet is, word je gedood.'

Even later overhandigde hij me Skids' telefoon en hoorde ik de stem van mijn moeder aan de andere kant van de lijn.

273

28

Gesprek met thuis

ROYAL CANADIAN MOUNTED POLICE

LEGAAL ONDERSCHEPPEN VAN TELEFOONLIJN

Zaak	Lindhout
Telefoonlijn	403-887-■■■
Sessie	1122
Datum	zaterdag, 13 december 2008
Begintijd	12:04:24 uur MST
Richting	inkomend
Van	Adam ABDULE OSMAN
Telefoon	2521537■■■
Locatie	onbekend
Naar	Lorinda STEWART
Telefoonlijn	403-887-■■■
Locatie	Avenue 3939 50, Sylvan Lake, Alberta

(Onverstaanbaar gesprek op de achtergrond)

ABDULE OSMAN   (Schraapt zijn keel)

STEWART   Hallo?

ABDULE OSMAN   Hallo?

274

STEWART   Hallo Adam.

ABDULE OSMAN   Oké, we willen praten, en Amanda (geluid valt even weg), en dan...

(Buitenlandse stemmen op de achtergrond)

[Doorverbinding naar een tweede telefoon]

ABDULE OSMAN   En dan op die tijd, er is weinig tijd.

STEWART   Oké.

ABDULE OSMAN   Verdoe onze tijd niet en verdoe uw tijd niet. Er is weinig tijd. Begrepen?

STEWART   O, ik begrijp het...

(Buitenlandse stemmen op de achtergrond)

LINDHOUT   (Huilt) Mama?

STEWART   Amanda. (Huilt) Amanda, ik hou van je. (Huilend) Amanda... Amanda, hoe gaat het met je?

(Op de achtergrond: buitenlands)

LINDHOUT   Mam, luister. Luister naar me, oké?

STEWART   Oké.

LINDHOUT   ... goed, oké?

STEWART   Oké, ik luister, lieverd.

LINDHOUT   (Huilt) Als, als jullie niet binnen een week (snikt) een miljoen dollar betalen, word ik gedood, oké?

(Op de achtergrond: buitenlands)

LINDHOUT   Ze hebben me vannacht hiernaartoe gebracht om me te doden (snikt) en, maar, maar ze hebben me nog één kans gegeven, om jullie te bellen. (Huilt)

STEWART   Amanda, h-hou vol. Hou vol, lieverd. We...

LINDHOUT   (Huilt)

STEWART   ... we doen...

LINDHOUT   Mam.

STEWART   ... alles wat we kunnen

LINDHOUT   Mam, luister naar me. We hebben... een week, oké? En ik wil niet... ik voel me zo ellendig. Ik kan gewoon niet geloven dat ze dit doen, maar (snikt) ik... ik vind het heel erg dat ik jullie dit aandoe. (Huilt)

STEWART	Amanda, Amanda, maak je alsjeblieft geen zorgen om ons. Maak je geen zorgen om ons.
LINDHOUT	(Huilt)
STEWART	We houden van je.
LINDHOUT	(Huilt)
STEWART	Je moet...
LINDHOUT	Ik weet dat ik...
STEWART	... volhouden en...
LINDHOUT	(Onverstaanbaar)
STEWART	... gezond blijven.
LINDHOUT	(Huilt) Kunnen jullie ze binnen een week betalen?
STEWART	Amanda, we doen er alles aan om het geld bij elkaar te krijgen, want de...
LINDHOUT	(Huilt)
STEWART	... regering wil niet betalen. We praten nu weer met de bank.

(Verbinding wordt verbroken)

29

Kerstmis

Later, veel later die nacht, brachten ze me terug naar mijn kamer. Ik kroop op mijn matras en trok het blauwgebloemde laken over me heen, en was te uitgeput om de klamboe dicht te trekken. Het was stil geworden in het huis. Ik had geen kracht meer om me af te vragen wat er net gebeurd was, of alles misschien in scène was gezet – een nepexecutie bij maanlicht, bedoeld om me precies zover te krijgen als ik gegaan was: dat ik over een afstand van tienduizend zeemijlen jankend mijn doodsangst had overgebracht.

De volgende ochtend, nadat Hassam de luiken voor mijn ramen open had gedaan, liep ik naar de vensterbank en wachtte op Nigel. Toen hij ook bij het raam stond vertelde ik hem van de afgelopen nacht, opnieuw in tranen, maar het gedeelte over het gekartelde mes op mijn keel liet ik weg – enerzijds, vermoed ik, om hem te beschermen, hij kon beter niet weten dat het mes bestond, en anderzijds omdat ik nog niet zover was om me dat beeld weer voor de geest te halen. Ik vertelde hem alleen dat ze gedreigd hadden me te doden. Ik liet hem in de veronderstelling dat ze daarvoor hun geweer gebruikt hadden. Het verhaal opnieuw aan Nigel vertellen werkte niet verzachtend. Hij had gehoord dat ze me weggehaald hadden, zei hij, en had daarna heel lang gehuild. We begrepen allebei dat we op nieuw en gevaarlijker terrein terechtgekomen waren met onze ontvoerders. De afloop was in zicht. De groep had een terechtstelling geoefend. Mijn terechtstelling. Ik probeerde er niet aan te denken, maar het lukte me niet de gedachte af te schudden. Ik huilde de hele morgen, onbeheerst en zonder dat het opluchting bood.

Hassam verscheen later die middag in de deuropening met een kan thee. Hij wachtte en keek me bijna bezorgd aan. Ik lag nog steeds op mijn matras en huilde nog steeds – het onbeheerste snikken van vanmorgen had plaatsgemaakt voor een schijnbaar eindeloos opwellen van tranen. Aan Hassams gezicht zag ik dat hij, hoewel hij hier achtergebleven was, wist waar ik geweest was en wat er gebeurd was.

'Wil je naar buiten?' vroeg hij. Het klonk eerst als een wrede grap, als een verwijzing naar de afgelopen nacht, maar toen realiseerde ik me dat hij het meende.

'Naar buiten? Vandaag? Nu? Ja, graag,' zei ik. Ik wees naar mijn koran om aan te geven dat ik die mee wilde nemen en zei nog nasnotterend: 'Ik kan buiten ook leren.'

Hassam knikte. 'Ik vraag,' zei hij, waarna hij de deur dichtdeed.

Ik had weinig hoop. Iedereen die *5-MinuteStress-Busting: Instant Calm for People on the Go* heeft gelezen, weet dat hoop snel kan vervliegen. Tijdens mijn leesweken, nadat het verzorgingspakket gearriveerd was, was ik hierin de volgende passage tegengekomen: 'Mensen die gedurende een lange periode geconfronteerd worden met emotioneel veeleisende situaties kunnen "een burn-out" krijgen – een toestand van fysieke, mentale en emotionele uitputting. Men ervaart een gevoel van hopeloosheid, desillusie en cynisme (boven op de gebruikelijke fysieke, mentale en emotionele symptomen van stress).'

Ik kon het alleen maar beamen.

Tot mijn grote verrassing kwam Hassam me tien minuten later halen. Hij gebaarde dat ik mijn koran moest pakken en hem moest volgen, de gang door, langs Nigels kamer, de badkamer en de douche, naar een deur die vrijwel nooit gebruikt werd. Het felle daglicht verblindde me, mijn ogen, die gewend waren aan de schaduw, brandden, ik zag alleen nog gele vlekken. Toen die verdwenen waren, zag ik dat we op een kleine binnenplaats waren opzij van het huis en uit het zicht van de veranda waar de jongens en de kapitein zich ophielden, maar wel omringd door dezelfde muren. De zon scheen fel door de bladeren van een papajaboom die uit de vuile grond omhoogkwam en waaraan een paar donkergroene vruchten hingen.

Nu we buiten waren leek Hassam bijna verlegen te zijn. Hij had zijn geweer meegenomen en gebaarde naar me dat ik in de schaduw van de boom moest gaan zitten, op een omgekeerde emmer. Daarna liep hij naar een ijzeren hek met hangsloten dat toegang gaf tot de weg. Ik was de afgelopen nacht hierlangs weggevoerd, maar nu zag alles er heel anders uit. Hassam ging, nog steeds met zijn geweer in de hand, naast het hek tegen de muur zitten, zo'n acht meter bij me vandaan. Zoveel ruimte had ik in vier maanden niet meer om me heen gehad.

Ik ging op de omgekeerde emmer zitten, legde mijn handen op de omslag van de koran en keek ernaar, naar de blauwe aderen die onder de matte huid doorliepen. Ik keek omhoog naar de papajaboom met zijn gebogen takken en grillige bladeren. Een paar wolken dreven als witte popcorn voorbij tegen een helderblauwe hemel. In daglicht was mijn jurk psychedelisch rood. De muren rondom de binnenplaats waren wit geverfd met een babyblauwe rand langs de bovenkant, onder de rollen prikkeldraad. Een weggewaaide plastic tas zat erin vast. Alles voelde scherp, vreemd en onwerkelijk aan. Hassam zat naast het hek tegen de muur en leek diep in gedachten verzonken, zijn ogen naar de hemel gericht. Ik had mijn koran nog steeds niet opengeslagen en hij had nog niet één keer mijn kant op gekeken. We bleven ongeveer twintig minuten buiten, Hassam en ik, waarbij ieder zoiets als een moment voor zichzelf had gehad. Lang genoeg om mijn bleke wangen, neus en zelfs mijn vingertoppen door de zon pijnlijk te laten verbranden om vervolgens nostalgisch roze te kleuren.

Nigel had gezegd dat ik alles op orde moest brengen voor het geval ze me zouden doden. Dat ik moest opschrijven wat ik nog tegen mijn familie wilde zeggen. Of ik moest het tegen hem zeggen, bij het raam, en dan zou hij – als hij het wel overleefde en vrijkwam – het aan mijn familie vertellen. Mijn laatste gedachten, verontschuldigingen, een gekwelde liefdesverklaring, mijn testament, dat ik afstand deed van al mijn wereldse goederen, wat dan ook. Dit was de gelegenheid. Ik probeerde me niet beledigd te voelen door het idee dat ik zou sterven en hij zou blijven leven. Hij was gewoon praktisch, zei ik tegen mezelf.

'Denk er maar over na en laat het me weten,' zei hij.

'Dat wil ik niet,' zei ik.

Nigel was voor mij alleen nog een stem, zonder lichaam, een soort krachtveld. Ik nam aan dat hij het ook zo ervoer. Vrijwel elke interactie tussen ons werd verklankt in de zachte akoestiek van de steeg achter het huis.

Eén keer, toen ik terugkwam van de badkamer, had Nigel de deur van zijn kamer opengezet en stond hij in de deuropening op me te wachten. Ik probeerde niet al te verschrikt te kijken toen ik zag hoe erg hij veranderd was in de acht weken dat we elkaar niet meer gezien hadden. Hij droeg een mouwloos wit hemd en een sarong om zijn middel. Hij was broodmager, had een zware baard en een grauwe huidskleur. Zijn blauwe ogen traanden en het oogwit was geel, iets wat je vaak bij heel oude mannen ziet. Ik was zelf net zo'n verschrikking. Ik zag het aan Nigels gezicht. Ik was bleek en verzwakt en ik had in mijn spiegeltje gezien dat de witte schimmel zich verder over mijn gezicht had verspreid en zich als kronkelige lijntjes opgedroogd zout op mijn wangen had vastgezet. Toen ik bij zijn deur was vormde ik met mijn lippen de woorden 'Kijk dan', met andere woorden: 'Moet je zien wat er van mij geworden is'. Daarna haalde ik glimlachend mijn schouders op en hij deed hetzelfde. Er was toch niets aan te doen. We dachten liever aan elkaar als stem die door de steeg weerklonk.

Voordat ik verder liep, waagde ik het erop Nigels hand te pakken en die vast te houden. Dertig seconden lang bleven we zo staan, de handen ineen, zonder iets te zeggen.

Zeven dagen verstreken. Ik wachtte gespannen tot Donald, Ahmed of Romeo kwam om me mee te nemen. De zevende nacht

280

ging tergend langzaam voorbij. Op de achtste dag werd ik 's morgens wakker in mijn kamer en voelde ik niets dan doodsangst. Automatisch begon ik te rekenen: toen Donald gezegd had dat mijn familie een week de tijd had om het losgeld op te hoesten, moest hij bedoeld hebben dat ze zeven dagen zouden wachten en me daarna zouden doden. Wat betekende: vandaag. Maar ook de achtste dag ging voorbij en daarna de negende. Een vage hoop vlamde op, als een gloeiend kooltje in een bijna uitgedoofd vuur. Ik wachtte op een teken. Geen van de leiders had ons huis bezocht. De telefoon van de kapitein rinkelde niet. Ik bespioneerde de jongens door het sleutelgat in mijn deur, wat een gecomprimeerd beeld opleverde van hun leven op de veranda. Ik zag ze bidden, slapen, eten en theedrinken. In de namiddagen, na theetijd, schaarden de jongens zich vaak rond kapitein Skids, die dan op een laag rond muurtje zat dat in betere tijden waarschijnlijk als plantenbak had gefungeerd. Dan gaf hij les in militaire zaken. Soms stond hij op en demonstreerde hij een gevechtsoefening met een geweer.

Ik zag hoe de jongens de lange uren probeerden door te komen. Wanneer ze niet zaten te bidden, of naar Skids luisterden, trokken ze uiterst nauwkeurig met hun vingernagels de haren uit hun oksels, volgens de regels der hygiëne van de profeet.

Ik wachtte steeds wanhopiger op een teken dat de dreiging geweken was. In de taalgids die in mijn verzorgingspakket had gezeten, stonden Somalische zinnen met de Engelse vertaling ernaast. Er stonden zinnen in als: 'Vermindert de pijn hierdoor?' en 'Niet schieten, alstublieft, we doen ons uiterste best om levens te redden.' De gids was duidelijk bestemd voor buitenlandse dokters en verpleegkundigen die medisch missiewerk deden in Somalië. Ik bestudeerde de zinnen, zoekend naar een manier om kapitein Skids te bereiken, die zelden naar mijn kamer kwam, maar de enige was die wist hoe de onderhandelingen over het losgeld vorderden. Door een mengelmoes van Somalische woorden en zinnen over te schrijven op een notitieblaadje stelde ik een brief samen die bedoeld was om naar nieuws te informeren, maar ook om hem gerust te stellen dat mijn ouders al het mogelijke deden om het geld bij elkaar te krijgen. In het briefje stond zoiets als: 'Vrede zij met u. Het is een week geleden. Wat is de situatie? Vertel het me, alstublieft. We doen ons uiterste best om levens te redden.' Ik ondertekende het briefje met 'Amina'.

Later die dag klopte ik op mijn deur en wenkte ik Jamal om bij me te komen. Ik overhandigde hem het briefje en vroeg hem het, alsjeblieft, aan de kapitein te geven en, alsjeblieft, om antwoord te vragen. Jamal bestudeerde de tekst, begon te glimlachen en daarna te giechelen.

'Is het oké zo?' vroeg ik.

Jamal vermande zich en vouwde het briefje dubbel. 'Ja, oké,' zei hij grijnzend. 'Ik zal geven.'

Een paar minuten later hoorde ik de jongens lachen op de veranda. Door mijn sleutelgat zag ik hoe mijn briefje van hand tot hand ging, en hoe ze zich proestend over mijn samengeraapte Somalische zinnetjes bogen. Al gauw lagen ze dubbel van het lachen, er heerste grote hilariteit, uitgelatenheid, terwijl de brief werd herlezen en geïnterpreteerd. Ik had ze sinds we hun gevangenen waren niet eerder zo hard horen lachen. Ik ving een glimp op van kapitein Skids, en zelfs hij bulderde van het lachen. De jongens praatten opgewonden met elkaar, maakten elkaar aan het lachen en bedachten vermoedelijk een hele reeks bijkomende grappen over mij en mijn briefje. Het was mijn geschenk aan hen, besloot ik, als kleine afleiding op een snikhete dag. Ik had de boodschap afgeleverd en wist nu dat er niets op zou volgen. Ik zou geen antwoord krijgen.

Nou, graag gedaan, dacht ik bij mezelf vanachter mijn deur. Geniet er maar van, stelletje klootzakken.

Eerder in december hadden onze ontvoerders opnieuw Eid gevierd. De feestdag komt twee keer per jaar voor op de moslimkalender – de eerste keer om het einde van de ramadan te vieren, de vastenperiode, en de tweede keer twee maanden later, rond de hadj, de jaarlijkse pelgrimstocht naar Mekka. Dit was de tweede

Eid, genaamd Eid al Adha. Beide werden op dezelfde manier gevierd. De jongens wasten zich en kleedden zich met veel zorg aan, er was eten in overvloed en er werd veel gebeden. Ik bespioneerde de festiviteiten door mijn sleutelgat en zag onze ontvoerders komen en gaan, van en naar de moskee, terwijl Skids wegging en terugkwam met een grote pan met eten. Hij kwam me persoonlijk een tinnen bord met een paar stukken geitenvlees brengen, en bracht Nigel ook een bord. Jamal gaf ons ieder drie in folie gewikkelde toffees. Later die dag werden we opgehaald om samen met de hele groep in de grote lege kamer voor in het huis te bidden. Omdat ik een vrouw was, werd er van me verwacht dat ik helemaal achterin ging zitten, wat een grote opluchting was. Ik was zo lui geworden wat het bidden betrof, dat ik bang was dat ze zouden merken dat ik bijna vergeten was hoe het moest. Als achterblijver, en enige op de laatste rij, hoefde ik ze alleen maar na te doen.

Terug in onze kamers aan ons raam, namen Nigel en ik een besluit – een klein maar tegelijk groot besluit – namelijk om onze toffees voor later te bewaren, voor kerst. Was het pessimisme of pragmatisme dat ons ervan overtuigd had dat we voor die tijd niet thuis zouden zijn? Ik weet het niet, maar het was zo'n bittere, ellendige gedachte, dat ik vond dat we er tenminste op voorbereid moesten zijn. Ik kon het idee niet verdragen dat ik de kerstdagen niet bij mijn familie maar hier, opgesloten in een snikhete kamer, zou doorbrengen, met niets anders dan een matras, een klamboe en een stuk bruin linoleum op de vloer, nog steeds overgeleverd aan Abdullahs misbruik en hopend op een uitweg.

Alleen met Kerstmis kwamen mijn broers thuis, waren mijn grootouders, mijn vader en Perry er, aten we samen mijn moeders gebraden kalkoen, maakten we foto's en voelden we ons een gewone harmonieuze familie. Terwijl kerst steeds dichterbij kwam, leek er ondanks mijn bijna-executie nog steeds geen verandering gekomen te zijn in de impasse tussen onze ontvoerders en onze regeringen, en onze ontvoerders en onze families. Nigel en ik begonnen plannen te maken. We hadden om te beginnen de toffees. Ik bewaarde de mijne bij mijn spullen uit het verzorgingspakket,

283

naast de bodylotion van St. Ives. We spraken af elkaar geschenken te geven en een verhaal voor elkaar te schrijven – een verhaal over de mooiste kerst die we ooit meegemaakt hadden, met uitgebreide details, vooral in het gedeelte dat over eten ging.

Ik zwoegde op mijn verhaal, haalde oude herinneringen op aan de kerst toen mijn moeder me getrakteerd had op een reisje naar Disneyland, dat ze betaald had met het geld uit de echtscheidingsregeling met mijn vader. Ik schreef het allemaal op, voor Nigel, maar ook voor mezelf. Voor zijn geschenk nam ik een witte plastic fles, model zandloper, waar hoestsiroop in had gezeten en die uit mijn verzorgingspakket kwam. Ik tekende een glimlachend gezicht op het bovenste gedeelte en gebruikte een van mijn zwarte sokken om er een kleine sweater van te maken, compleet met lange mouwen. Ik maakte van een wattenstaafje een naald en mijn tandzijde deed dienst als draad. Ik gebruikte daarvoor Nigels schaartje dat hij, op mijn verzoek, in de badkamer op de vensterbank had achtergelaten. Op de voorkant van de sweater borduurde ik drie woorden: 'Mijn Kleine Vriend'. Daarna maakte ik voor Nigel een kerstkaart waarin ik zijn nieuwe speelmaatje flink aanprees. 'Voel je nooit meer alleen: je kleine vriend is hier!' Daarna nam ik als cadeaupapier een leeg vel, tekende er gestreepte zuurstokken op en verpakte daarin Nigels geschenk. Om alles bij elkaar te houden bond ik er tandzijde omheen. Tot slot maakte ik van papier een sok voor hem, dichtgenaaid met tandzijde, waar ik de drie toffees in stopte.

Op kerstochtend liep ik driest de gang door met een bobbel onder mijn jurk en legde alles op de hoge vensterbank in de badkamer – het geschenk, de sok en zelfs het notitieboekje met mijn verhaal erin. Ik klopte op de muur om Nigel te laten weten dat hij alles kon ophalen. Een poosje later klopte hij, ten teken dat ik zijn geschenken kon halen: ook ingepakt, samen met een mooi versierde papieren sok waar zijn toffees in zaten.

We brachten de morgen door met het zingen van kerstliedjes – 'Hark the Herald Angels Sing', 'Joy to the World'. We zogen op onze toffees en lieten ze een voor een op de tong smelten tot ze niet groter waren dan een zoutkorrel. Nigels verhaal ging over de kerst toen zijn broer en zus en hij voor hun ouders vliegtickets naar Ierland hadden gekocht. We stelden elkaar bij het raam vragen over hoe het verder ging, om het verhaal te rekken. Ik hield van hem die dag, ik hield meer van hem dan ik ooit van iemand gehouden had, het was een liefde die dieper ging dan die tussen een jongen en een meisje. Ik hield van hem als mens.

Gelukkig lieten onze ontvoerders ons met rust. We zongen 'Little Drummer Boy' en 'Silent Night', schor van emotie. Daarna pakte Nigel bij het raam zijn kleine vriend uit met een vrolijk 'ah' en mocht ik ook mijn geschenk openmaken. Hij had voor zijn sok twee notitieblaadjes gebruikt en die helemaal ingekleurd met rode balpeninkt. Uit de blaadjes had hij twee sokhelften gescheurd en die ook met tandzijde aan elkaar genaaid, voor de witte bontrand bovenaan had hij een vochtig doekje gebruikt waarvan hij een reep had afgescheurd en verkreukeld had laten opdrogen. In de sok zat een kartonnen doosje, waar een flesje eau de toilette in had gezeten dat Nigel maanden geleden van Donald had gekregen, ingepakt in zelfgedecoreerd papier. In het doosje zat een armbandje dat hij voor me had gemaakt van de ringen van zijn blikjes tonijn die hij bewaard had, ingenieus aaneengeregen met draad en versierd met kleurige kwastjes van draad die hij uit de zoom van zijn sarong had getrokken, aan elke schakel van de armband zat een kwastje. Het was duidelijk dat hij er dagenlang mee bezig was geweest om de piepkleine knopen ter grootte van een maanzaadje erin te leggen. Het was met zorg gemaakt, en uitsluitend van materialen die hij tot zijn beschikking had. De armband was mooier dan alles wat bij Tiffany in de vitrines lag. Mooier dan alles wat ik ooit eerder cadeau had gekregen.

30

Ontsnapping

Was er een uitweg? Die moest er zijn. In januari begonnen we te praten over hoe we konden ontsnappen. Het begon op de dag dat Nigel vertelde dat hij het raam in de badkamer eens goed bekeken had. Hij dacht dat we erdoorheen zouden kunnen klimmen.

Ik had dat raam ook goed bekeken, heel vaak zelfs, maar mij leek het onmogelijk. Het raam zat ongeveer op tweeënhalve meter hoogte, ingebouwd in de dikke muur, en het liep door tot aan het plafond, met een vensterbank ervoor die ruim een halve meter diep was, bijna een alkoof. Wat achter die alkoof zat, was niet echt een raam. Het was eerder een wand van bakstenen met openingen die dienden als ventilatiegaten. De bakstenen waren op elkaar gemetseld. En alsof dat nog niet genoeg was, zaten er horizontaal voor die bakstenen vijf ijzeren stangen die in de zijmuur verankerd waren.

'Ben je gek geworden?' zei ik tegen Nigel. 'Dat lukt nooit. Hoe moeten we daardoorheen komen?'

'Klim maar eens op die vensterbank,' zei hij. 'Ik heb die bakstenen bekeken. De specie verkruimelt. We kunnen die ertussenuit schrapen.'

'Ja, maar die stangen...'

'Ik denk dat ik ze los kan wrikken. Ze zitten niet zo vast. Volgens mij moet dat lukken,' zei hij, niet helemaal overtuigd.

Ik twijfelde. Het was om meerdere redenen een krankzinnig

286

idee. De meest voor de hand liggende reden was dat als we tijdens onze ontsnappingspoging betrapt werden, onze ontvoerders ons vast en zeker zouden doden, of zwaar zouden straffen. Bovendien had ik, toen ze me mee de woestijn in hadden genomen, de buitenwereld gezien – onze directe omgeving –, een landschap met grote vreugdevuren waar jongens met geweren rondliepen. We konden er dus niet zeker van zijn dat we een veilig onderkomen zouden vinden. En dan waren de drie Somalische mannen die samen met ons gevangen werden gehouden er nog: Abdi, Marwali en Mahad. Wat zou er met hen gebeuren als het ons lukte om weg te komen. Ik was ervan overtuigd dat ze dan gedood zouden worden. En het leek me onmogelijk dat we alle vijf tegelijk zouden kunnen ontsnappen.

Ik kende de drie Somaliërs nauwelijks maar voelde enige verwantschap met hen, en ik voelde me er verantwoordelijk voor dat ze gevangengenomen waren. Wanneer ik door de gang liep, keek ik altijd even naar hun deur, waar hun schoenen – twee paar sandalen en een paar hoge wandelschoenen die van Abdi waren – altijd netjes naast elkaar op een rij stonden, zodat ze die meteen aan konden schieten wanneer ze naar buiten naar hun badkamer gingen. Af en toe zag ik een van hen daar in de deuropening zitten, lezend in de Koran, of bezig een kledingstuk te verstellen. Wat ik van ze wist, wist ik alleen van deze glimpen die ik van ze opving, van de geluiden in de gang en van het weinige contact dat we met ze gehad hadden voordat we ontvoerd waren. Abdi leek me een echte huisvader. Marwali, de chauffeur van het Shamo Hotel, was onstuimiger. Ik herkende zijn lach. Hij lachte vaak, ondanks de omstandigheden. Mahad, van het ziekenhuis dat we op de dag van onze ontvoering wilden bezoeken, leek heel religieus, en droeg vrijwel de hele dag hardop uit de Koran voor.

Terwijl de vijfde maand van gevangenschap zich aandiende bleef Jamal onze beste bron van informatie over hoe het stond met de ontvoerders en onze familie thuis.

'Is er nog nieuws?' vroeg ik op een ochtend toen hij het eten binnenbracht.

'Er is geen nieuws,' zei hij, terwijl hij zijn hoofd schudde, en hij voegde er met een zucht aan toe: 'Insjallah, is dit gauw voorbij.'

Toen ik hem vroeg wanneer de leiders weer op bezoek kwamen, tuitte hij zijn lippen en betrok zijn gezicht. 'Dat weet ik niet,' zei hij. Ze waren al bijna een maand niet meer geweest.

Alleen omdat Jamal graag Engels sprak en in onze kamers rondhing om te kletsen wisten we dat de jongens zich ook min of meer gegijzeld voelden en onder de plak zaten bij de kapitein en de leiders van de groep, die zich steeds minder vaak lieten zien. Het eten was slecht, zei Jamal. Yahya, die niet ouder was dan achttien of negentien, had eerder die maand de geboorte van zijn eerste kind gemist, hoewel Skids hem daarna wel een paar dagen vrij had gegeven om naar huis te gaan. Jamal had vrij gevraagd om met Hamdi te trouwen, maar Skids had geweigerd en gezegd dat hij moest wachten tot het losgeld binnen was en 'het programma' – iedereen noemde onze gevangenschap 'het programma' – afgesloten was.

We wilden allemaal dat dat gauw was, iedereen in het huis wilde dat. 'Gauw' was het laatste waaraan ik dacht als ik 's nachts ging slapen en het eerste als ik 's morgens wakker werd. Gauw, gauw. Ik geloofde nog steeds dat we geen bakstenen uit het badkamerraam moesten pulken, maar erop moesten vertrouwen dat 'gauw' niet lang meer op zich liet wachten.

Tot ik op een dag door de gang liep, op weg naar de douche, en merkte dat het ongewoon stil was, stiller dan normaal. Het was 14 januari, een woensdag. De schoenen voor de kamerdeur van Abdi, Marwali en Mahad waren verdwenen. Het leek erop dat de mannen weggehaald waren. Ik hoopte dat ze vrijgelaten waren, hoewel ik wist dat dat onwaarschijnlijk was. Onze ontvoerders zouden niet willen dat er drie getuigen vrij rondliepen.

Later vroeg ik Abdullah wat er met onze Somalische collega's was gebeurd. Hij aarzelde geen moment, bracht zijn vinger naar zijn hals en bewoog die, zichtbaar ingenomen met zichzelf, langs zijn keel. Mijn gedachten gingen terug naar de woestijn, naar die eenzame acaciaboom in het maanlicht. Waren de leiders midden in de nacht gekomen om ze mee te nemen? Hoe kwam het dat ik niets gehoord had? Vertelde Abdullah wel de waarheid? Toen Nigel en ik weer bij het raam stonden, zei hij tegen me dat hij ook naar de verblijfplaats van de mannen geïnformeerd had. Jamal had een vaag antwoord gegeven, en gesuggereerd dat ze misschien wel vrijgelaten waren, maar Abdullah had hetzelfde, onmiskenbare handgebaar gemaakt: keel doorgesneden. Mijn maag draaide zich om. Het laatste leek het meest waarschijnlijk: de Somalische mannen waren gedood. En het was onze schuld. Vóór onze ontvoering had Abdi me trots foto's van zijn kinderen laten zien – twee jongens en een meisje, glimlachende kinderen in schooluniform die nu, door toedoen van mij, geen vader meer hadden.

Het greep me aan. De verdwijning van Abdi en de anderen zei iets over onze ontvoerders. Het geld om onze groep onder te brengen en te eten te geven leek bijna op. De wanhoop sloeg toe. Dat ze hun landgenoten, en medemoslimbroeders, konden doden, voorspelde weinig goeds voor Nigel en mij. Voor mij was het duidelijk: we moesten hier weg.

Het kostte enige moeite om me aan het raam in de badkamer op te hijsen en te zien wat de mogelijkheden waren. Ik moest op de toiletbril gaan staan, mijn handen op de vensterbank zetten en me opduwen, zoals je deed als je uit het zwembad kwam. De alkoof voor het raam was niet diep genoeg om er helemaal in te kunnen zitten, dus boog ik me naar voren, steunend op mijn ellebogen, met mijn buik tegen de rand van de vensterbank gedrukt, terwijl mijn benen boven de grond bungelden.

Met mijn borst tegen de vensterbank gedrukt en mijn gezicht dicht bij het raam zag ik meteen dat Nigel gelijk had. De bakstenen waren slordig op elkaar gemetseld. De specie verkruimelde toen ik eraan kwam, liet los in stroompjes wit poeder. Ik had een nagelknipper meegenomen uit mijn kamer en gebruikte het puntige gedeelte, waarmee je het vuil onder je nagels weghaalde, om tussen de ijzeren stangen door wat dieper in het cement tussen de bakstenen te porren, wat enige beweging tot gevolg had en grotere scheuren deed vermoeden. Met ijverig krabben leek het mogelijk een paar rijen bakstenen te verwijderen en een opening te maken die net groot genoeg was voor ons.

De ijzeren stangen waren een lastiger obstakel. Die waren bijna een meter lang en leken diep in de zijmuren verzonken te zijn, hoewel ik zag dat Nigel er al eentje had losgewrikt. Hij had me bezworen dat hij er minstens twee uit los kon trekken. Ik liet me weer op de badkamervloer zakken en zat onder het gruis en de spinnenwebben. Voor het eerst in maanden dacht ik, terwijl ik haastig terugliep naar mijn kamer, niet aan gevaar, honger of zorgen maar alleen nog aan het idee dat we een opening naar buiten konden maken, een gat waar we doorheen konden kruipen.

We begonnen een plan te bedenken, aan het raam in onze kamer. Op welk tijdstip van de dag moesten we gaan? Wat moesten we meenemen? Welke richting moesten we op rennen? Wie moesten we aanklampen en wat moesten we tegen hem of haar zeggen? Er moest zoveel overwogen worden. We overlegden of we het beste 's nachts konden ontsnappen; de bewakers sliepen dan en we zouden minder tumult veroorzaken als we over straat renden. Maar als ik terugdacht aan de vreugdevuren leek 's nachts mij gevaarlijker om buiten te zijn. En misschien moesten we wel tumult veroorzaken. Misschien moesten we juist wel schreeuwen en zichtbaar zijn, en iemand dwingen om de autoriteiten te bellen, wie dat in deze contreien ook mochten zijn. Of moesten we een sympathiek persoon aanspreken en die smeken om zijn mobiele telefoon te mogen gebruiken, in de hoop dat er genoeg beltegoed op zat om een minuut met Canada of Australië te bellen? Of een goedkoper telefoontje naar Ajoos, wiens nummer ik op een stukje papier had geschreven en verstopt had. Of naar de Somalische directeur van het Wereldvoedselprogramma in Mogadishu, wiens nummer ik ook bij me had toen we ontvoerd werden.

Nigel en ik waren het erover eens dat we zo snel mogelijk afstand moesten creëren tussen onze ontvoerders en ons en niet moesten opvallen in de massa. Voor mij, in mijn abaya en hidjab, was dat niet zo moeilijk, alle vrouwen op straat zagen er zo uit.

Maar Nigels bleke huid was moeilijker te verstoppen. We overwogen of ik hem een van mijn Somalische outfits moest lenen, zodat hij kon doorgaan voor een heel lange vrouw, maar zelfs mijn langste abaya kwam tot halverwege zijn kuiten. We wisten ook dat een als vrouw verklede Nigel een averechtse uitwerking kon hebben. Elke optie die we overwogen leek een doodlopende weg. Elk idee leek een gok, waarbij het op talloze manieren fout kon lopen.

Urenlang bespraken we het plan. Ondertussen wisselden we elkaar af in de badkamer, waar we ons op de vensterbank hesen, met een nagelknipper in de hand, en telkens vijf of tien minuten lang gehaast specie weg krabden. Het was dankbaar werk, zoals opereren of goud delven. Soms kwam er alleen wat stof los, andere keren lukte het me met zorgvuldig wrikken een mooi gaaf stuk cement los te peuteren.

Omdat mijn kamerdeur vanaf de veranda te zien was, moest ik voorzichtiger zijn – eerst kloppen om toestemming te vragen om mijn kamer te verlaten, nooit te lang in de badkamer blijven, kleren afkloppen, zodat er geen wit speciepoeder meer te zien was voordat ik weer de gang in liep. Ik merkte ook hoe verzwakt ik was, ondanks het urenlange, doelbewuste rondjes lopen. Mijn benen waren sterk, maar de spieren in mijn armen waren slap en krachteloos. Halverwege de tweede dag zakte ik telkens door mijn ellebogen wanneer ik me probeerde op te hijsen en moest ik het krabben opgeven.

Nigel werkte stug door. Het was voor hem ook gemakkelijker om onopvallend naar de badkamer te glippen en daar langer te blijven. Ik hield dan de wacht voor mijn sleutelgat om meteen zodra een van de jongens zijn kant op liep de aandacht af te leiden. Met behulp van mijn medische taalgids stelde ik een berichtje samen dat ik op een stukje papier schreef, en dat ik mee wilde nemen als we gingen ontsnappen, verstopt in de zak van mijn spijkerbroek die ik onder mijn rode abaya droeg. 'Help me, alstublieft. Ik ben moslim. Wees niet bang.' Ik herhaalde de Somalische lettergrepen steeds weer, omdat ik niet honderd procent zeker was van wat ik zei: Fadlan i caawi. Waa islaan. Ha baqin. Op een ander stukje papier schreef ik een paar Somalische telefoonnummers over uit mijn eigen notitieboekje, en stopte dat ook in mijn broekzak.

Bij elk bezoek aan de badkamer keek ik omhoog naar het raam om te zien hoe ver Nigel gevorderd was. Hoewel hij voorzichtig te werk ging, alle bakstenen weer terug op hun plek zette en de gleuven met los cement opvulde, kon je toch aan de wat scheefstaande bakstenen en hoopjes losse specie op de vensterbank zien dat er iets niet klopte. Ik putte troost uit het feit dat de jongens maar een of twee keer per week in onze badkamer kwamen – hoofdzakelijk om de grote emmer die er stond mee te nemen en opnieuw met water te vullen. Toch vond ik dat we een enorm risico namen. Sinds Abdi en de anderen weg waren, was ik te gespannen om veel te eten en nu verdroeg mijn maag helemaal niets meer.

Aan het begin van de derde dag deelde Nigel mee dat hij de laatste baksteen losgepeuterd had. Nu ging hij de strijd aan met de ijzeren stangen, maar een ervan had hij al losgewrikt en hij dacht dat met een tweede het gat groot genoeg was om erdoorheen te kruipen. Maar eerst moesten we elkaar opnieuw beloven dat we echt zouden ontsnappen. Als hij de twee stangen er eenmaal uit gesjord had, zouden de zijmuren kunnen instorten. Het puin in de badkamer zou dan niet meer gemaskeerd kunnen worden. We hadden dan geen andere keus meer dan te vluchten.

We besloten diezelfde avond nog, om acht uur, via het raam naar buiten te glippen, direct na het laatste avondgebed. We hadden in de afgelopen drie dagen nauwelijks geslapen en in een voortdurende roes van adrenaline geleefd. Het leek zinloos nog langer te wachten. Bovendien was ik bang dat onze nervositeit ons dan zou verraden.

We hoopten dat de duisternis voor camouflage zou zorgen. Nigel zou zich voordoen als een oude, zieke man. Hij zou een laken over zijn hoofd doen zodat zijn gezicht niet te zien was, en een deken om zijn schouders slaan waarin hij zijn handen kon verstoppen. Ik zou hem zogenaamd begeleiden en mijn handen in de plooien van zijn deken verbergen. We zouden met opzet voorovergebogen lopen, alsof we ons haastten om bij een dokter te komen. In mijn rugzakje zat een koran om te bewijzen dat we moslims waren en geen vijanden. We zouden op zoek gaan naar een huis dat er gastvrij uitzag, een huis waar vrouwen en kinderen woonden, en daar aankloppen. Mijn aandacht ging vooral uit naar het vinden van een vrouw. Ik had al in vijf maanden niet meer met een vrouw gesproken. Een vrouw zou ons niet wegsturen.

We rekenden erop dat die nacht precies zo zou verlopen als alle andere nachten in het huis, die beheerst werden door de geestdodende routine van bidden gevolgd door eten, gevolgd door bidden, gevolgd door slapen, en waar iedereen aan deel zou nemen, behalve de twee jongens die wachtdienst hadden en buiten in het donker zouden zitten kletsen.

Ik schrok dan ook toen Jamal een vol uur eerder dan gewoonlijk mijn kamer binnenkwam met het eten.

'Asalaamu Alikum,' zei hij met een lome glimlach.

Allerlei gedachten schoten door mijn hoofd. Vermoedden ze iets? Wat was er aan de hand? Ik was de afgelopen week zo angstig geweest dat ik het gevoel had dat ik een andere geur verspreidde, een die me verried en onze plannen in het water deed vallen.

Ik beantwoordde Jamals begroeting, maar was doodongerust.

Hij gebaarde dat ik mijn bord moest pakken en op de vloer moest leggen. Daarna opende hij een plastic tas en schoof iets op het bord – een lang stuk gefrituurde vis, bruin en glanzend van de olie. Uit zijn broekzak kwamen twee kleine citroenen die hij naast de vis legde. Ten slotte haalde hij twee gekookte eieren tevoorschijn en legde die ook op het bord.

Allemaal proteïnen. Hij had zich zorgen gemaakt om mijn eetlust. Dit was een geschenk, en Jamal was er trots op. 'Lekker?' zei hij, wijzend naar de vis. 'Kan ik voor jou kopen elke dag op de markt, maar alleen 's avonds. 's Morgens maken ze die niet.'

We stonden een paar seconden lang naar elkaar te kijken. Toen riep ik mezelf tot de orde: Hou daarmee op! 'O, Jamal, wat aardig van je,' zei ik, terwijl ik het bord oppakte. Ik glimlachte dankbaar naar hem, maar voelde me ook wat schuldig. Ik hoopte dat de leiders hem niet al te zwaar zouden straffen als ik weg was.

Weer alleen ging ik op de vloer zitten en dwong mezelf iets te eten, niet alleen omdat het brandstof was, maar ook om geen argwaan te wekken. Daarna voerde ik plichtmatig het ritueel uit van de laatste bidsessie van de dag. Na afloop klopte ik, zoals ik met Nigel had afgesproken, op mijn deur en duwde ik hem iets open om te zien wie er reageerde. Het was Abdullah die de gang in keek, wat betekende dat hij die nacht wachtdienst had. Dat was een tegenvaller. Abdullah was niet zo lui als de anderen. Hij dwaalde graag door het huis.

'Mukuusha,' zei ik in het Somalisch, wijzend naar mijn maag. Badkamer. 'Ik ben misselijk. Heel misselijk.'

Zonder te aarzelen knipte Abdullah met zijn vingers om aan te geven dat ik kon gaan. Normaal ging ik na het laatste gebed niet meer naar de badkamer, maar maagproblemen namen ze altijd serieus. Bovendien kon ik daardoor langer wegblijven. Jamal had me met zijn gefrituurde vis een dienst bewezen.

Langzaam verliet ik mijn kamer en liep rustig in de richting van de badkamer. Eerder die avond had ik mijn rugzak onder mijn abaya meegesmokkeld en die op de vensterbank in de badkamer achtergelaten. Nigel stond in de deuropening van zijn kamer op me te wachten. Eenmaal uit het zicht van Abdullah versnelden we onze pas. Ik dacht dat we tien, hooguit vijftien minuten hadden, voordat hij in de gaten kreeg dat ik niet teruggekomen was en naar binnen zou lopen om naar me op zoek te gaan.

In de badkamer trok ik het gordijn dicht, terwijl Nigel op de wc-bril ging staan en de ijzeren stangen begon te verwijderen. Hij was al eerder de badkamer in geglipt om wat voorwerk te doen, had de stangen uit de muur getrokken, ze daarna teruggeplaatst en slordig vastgezet met losse brokken cement. De muren aan weerszijden van het raam zagen er, ondanks zijn pogingen om alles gaaf te houden, nogal gehavend uit, met gaten in het pleisterwerk waar de stangen hadden gezeten. Het plan was nu om alles weg te halen, maar dit heel stil te doen.

Binnen een minuut had Nigel de eerste stang er al uit gewipt en aan mij gegeven. Daarna volgde de tweede, die koel aanvoelde in mijn handen. Ik legde beide stangen naast de wastafel op de vloer en voelde me duizelig van de zenuwen. Snel hees Nigel zich omhoog tot hij op zijn buik in de alkoof lag en zijn benen boven de vloer bungelden, waarna hij vlot de bakstenen uit het raam verwijderde en ze aan de buitenkant op de vensterbank legde. Ik hoorde hem hijgen. De eerste baksteen ging eruit, toen de tweede, de derde, de vierde. Toen ze er allemaal uit waren, liet hij zich weer zakken. We waren klaar. Het was tijd om te gaan. Nigel schoof zijn vingers in elkaar, zodat ik zijn handen als opstapje kon gebruiken, en duwde me omhoog naar de circa vijfenveertig centimeter grote opening in het raam.

Ik keek misschien twee seconden door het gat naar buiten, maar dat was lang genoeg om alles te zien. Ik zag de steeg onder me, de duisternis van een dorp zonder verlichting, en daarachter onzekerheid. We hadden uitgerekend dat het ongeveer drieënhalve meter diep was, van het raam tot de grond, omdat het huis gebouwd was op een betonnen fundering. We hadden ons er zorgen om gemaakt dat we onze enkels konden breken. We hadden ons om heel veel dingen zorgen gemaakt, en terwijl ik naar de opening in het raam keek, leken ze er ook allemaal te zijn, daar aan de andere kant van het raam, waar onze vrijheid lag. Ik draaide me, zoals afgesproken, om en stak beide voeten tussen de overgebleven stangen door naar buiten – twee stangen boven me en een onder me. Daarna zou ik me langzaam laten zakken. De lucht buiten was koel en vochtig. Ik voelde een bries langs mijn enkels gaan. Maar verder kwam ik niet: ik duwde maar kreeg mijn achterwerk niet tussen de overgebleven stangen door. Ik duwde nog een keer, maar het lukte niet. De opening was te smal. En als ik er niet door kon, lukte het Nigel helemaal niet.

Achter me hoorde ik Nigel onrustig worden. 'Toe nou, kom op nou,' fluisterde hij.

'Het lukt niet. Het gaat niet.' Ik duwde opnieuw met mijn achterwerk tegen de stang om hem te laten zien dat ik knel zat. Hij zag er verslagen uit, zijn voorhoofd glom van het zweet. 'Kun je er nog een stang uit halen?' vroeg ik.

'Niet nu,' siste hij. 'Dat maakt te veel lawaai.'

De vensterbank lag vol met bakstenen en brokken cement. Abdullah begon zich waarschijnlijk af te vragen waarom ik nog niet terug was in mijn kamer. We zaten vast – zowel letterlijk als figuurlijk – we hadden het verknald.

Nigel gebaarde dat ik weer naar beneden moest komen. 'Ga terug naar je kamer,' zei hij. 'Snel. Dan maak ik dit weer in orde.'

'En mijn rugzak?'

'Laat maar hier,' zei hij. 'Die neem ik wel mee. Ga nou maar, snel.'

Ik liep zo nonchalant als ik kon terug naar mijn kamer en sloot met veel lawaai de deur, om Abdullah te laten weten dat ik terug was. Ik ging in het donker op mijn matras liggen en probeerde rustig na te denken. Nigel was nog steeds in de badkamer, ik hoorde hem luid kotsen, zijn zenuwen speelden hem parten. Er klonk geschuifel op de gang. Door mijn sleutelgat zag ik Abdullah door de gang lopen met een zaklantaarn. Nigel moest het licht ook gezien hebben, want binnen een paar seconden was hij de badkamer uit en mompelde hij iets over misselijkheid en dat hij meer water nodig had om de wc door te spoelen. Er volgde een gesprek, het licht verdween en kwam na een paar minuten weer terug, en niet lang daarna was Nigel weer alleen terug in de badkamer.

Ik wist dat het een kwestie van uren was voordat ons plan ontdekt zou worden – voordat een van onze ontvoerders de slordige hoop stenen en gebogen stangen zou zien, of het hele stomme scenario gewoon van mijn gezicht af zou lezen.

Nadat Hassam bij zonsopgang de luiken voor ons raam had geopend, voordat het bidden begon, hadden Nigel en ik een gesprek waarin we overeenkwamen dat we meteen moesten vertrekken. We pasten ons plan snel aan. Door de oproepen tot gebed van de muezzin wisten we dat er een moskee in de buurt was. Daar zouden we naartoe rennen, besloten we. Het leek de beste optie, een plek waar veel mensen waren. Nadat Jamal het eten had gebracht, waarbij ik elk oogcontact met hem probeerde te vermijden, trok

296

ik mijn spijkerbroek aan onder mijn rode abaya. We wachtten tot het middaggebed, tot het heet was en de jongens na het bidden een dutje deden. Ik klopte op mijn deur om naar de badkamer te gaan. Nigel was daar al en hield mijn rugzak in de hand. Eerder die morgen had hij een derde stang uit de muur getrokken. Overal lag puin nu. Ik wachtte tot hij de bakstenen verwijderd had. Mijn hart bonsde in mijn keel, maar deze keer aarzelde ik niet. Ik stak eerst mijn ene been uit het raam en daarna het andere. Toen draaide ik me om op mijn buik, hield me vast aan de overgebleven stang en liet me zover mogelijk zakken, zodat de afstand tot de grond zo klein mogelijk was, en sprong.

Nigel sprong meteen na me. We kwamen beiden zacht neer in het zand, hoewel de impact van de sprong me even de adem benam.

Ik wist echter meteen toen ik neerkwam dat er iets mis was. Niets zag eruit zoals ik verwacht had. Niets leek op hoe ik het in gedachten vorm had gegeven. Ik had een omgeving gecreëerd, een mise-en-scène waar we doorheen zouden rennen, gebaseerd op het beperkte gerasterde uitzicht door mijn kamerraam. Ik herinnerde me iets van de autorit naar het huis. Ik herinnerde me dat ik kamelen had gezien, mensen die op straat liepen, rijen struiken en een armoedig dorpje met kronkelweggetjes en plekken waar je je kon verstoppen. Ik dacht dat we dat allemaal zouden zien als we buiten waren. Maar nu, terwijl ik naar links en naar rechts keek, naar de uiteinden van de steeg, zag ik tot mijn ontzetting dat ik me vergist had. Links stond een scheefgezakte schutting gemaakt van stukken gekleurde golfplaat en oude, platgeslagen olieblikken. Rechts stond een rij hutten, eveneens gemaakt van golfplaat, en van jutezakken en sloophout. Er was nergens plantengroei te zien, op een paar lage, bladerloze doornstruiken na. Alarmerender was de plotselinge verschijning van een broodmager kind, een jochie van ongeveer zeven jaar, in korte broek en met een holle rug en grote ogen, dat maar een paar passen bij me vandaan stond en me verschrikt aanstaarde, alsof hij elk moment zou gaan schreeuwen.

297

Ik keek de jongen aan, glimlachte vriendelijk en legde mijn vinger tegen mijn lippen. Het kind keek van mij naar Nigel en zette steeds grotere ogen op. Daarna rende hij hard weg, zonder te schreeuwen, ongetwijfeld naar de eerste de beste volwassene die hij kon vinden.

Het leek alsof er een startpistool was afgegaan. Het spel was uit. Een seismische storing had de lucht in beweging gebracht en golfde over de daken naar de veranda waar onze ontvoerders lagen te dutten. Alles gebeurde daarna instinctief. De kleuren vervaagden en de wereld stond op zijn kop. Nigel en ik keken elkaar niet eens aan. We begonnen alleen als gekken te rennen.

31

Mijn zuster

De jongen was naar rechts weggehold, en Nigel en ik stormden naar links, langs de muur van het huis de steeg door die ongeveer tien meter lang was. Onze voeten gleden weg in het rulle, brandende zand. We droegen teenslippers die het rennen bemoeilijkten. En het ook onmogelijk maakten om Nigels hoofd bedekt te houden met het laken dat we hadden meegenomen, zodat hij voor een zieke Somalische man kon doorgaan en ik voor zijn zorgzame begeleidster. Er kon niets meer geveinsd worden. Elke strategie die we bedacht hadden was vergeten. Alle logica was opgeheven. We strompelden verder door de vrije buitenlucht alsof onze botten tijdens al die maanden in het huis van rubber waren geworden.

De steeg kwam uit op een zandweg met wielsporen waaraan hutten stonden en een paar marktkramen; erachter was het land vlak en bruin.

Nigel schreeuwde – wat ook al niet volgens plan was – tegen iedereen die hij zag. I caawin, I caawin, Somalisch voor 'help mij'.

Ik raakte in een blinde paniek, zag nauwelijks meer waar we langs renden, alleen flitsen – van een half ingestorte muur, een paar nerveuze geiten, een man die in een gewelfde deuropening stond, een ezel die met twee dunne stokken ingespannen was voor een kar. We renden door dit landschap waar we ons zo lang een voostelling van hadden gemaakt, en vielen totaal uit de toon, ik achter Nigel aan, terwijl Nigel schreeuwde, de hete lucht langs ons streek en alles even onwerkelijk was als in een nare droom. Voor ons liep een groepje vrouwen in de zon, hun knalroze en gele hidjab wapperde achter hen in de wind. We schreeuwden en begonnen harder te rennen – goddank, een paar vrouwen. De vrouwen keken nu achterom naar ons, mompelden iets tegen elkaar en wezen, waarbij hun gezicht achter hun sluier leek te zweven. Toen ze zagen dat we op hen afkwamen rennen, vluchtten ze weg.

Iedereen die ons zag, vluchtte weg. De straat werd steeds leger, de mensen voor ons vlogen alle kanten op. Later besefte ik pas dat als je in een land als Somalië rent, iedereen aanneemt dat je voor gevaar wegrent. Dus ren je zelf ook weg.

Bij de hoek aangekomen, gingen we instinctief linksaf en stormden een brede straat in. Ik zocht naar de moskee maar zag hem nergens. We hadden onze ontsnapping met opzet tijdens het middaggebed gepland, omdat we wisten dat de moskee dan vol mensen zou zitten, en we rekenden op wat sympathie van hun kant. Uiteindelijk keek Nigel achterom en zag hij over mijn schouder, als een breinaald tegen de blauwe lucht afgetekend, een minaret. We draaiden ons om en renden ernaartoe. De moskee was nog honderd meter voor ons, toen nog vijftig, toen nog tien.

Verderop zag ik een jongeman staan die ons belangstellend gadesloeg. Ik herkende hem meteen. Het was de buurman die ik maanden geleden door mijn raam had gezien, de man die me vanuit zijn tuin recht aangekeken had.

Ik stormde op hem af, terwijl ik mijn hoofddoek strakker om mijn hoofd trok om er als een echte moslim uit te zien, en zei in een waterval van woorden: 'Help ons, help ons, alstublieft, spreekt u Engels?'

Hij leek niet verrast te zijn en knikte.

'U hebt mij eerder gezien,' zei ik. 'Weet u dat nog? Het raam?'

Hij knikte opnieuw. Nigel was ondertussen bij ons komen staan.

Ik praatte door, zorgvuldig mijn woorden kiezend in het Engels, en probeerde tegelijkertijd wat op adem te komen. 'We zijn moslims. We zijn ontvoerd. Ze houden ons hier al vijf maanden vast. Kunt u met ons meegaan de moskee in?'

De man aarzelde een moment, alsof hij overwoog wat zijn opties waren. Ik had het idee dat hij zich schuldig voelde, omdat hij al die maanden naast ons had gewoond en niets had gedaan om ons te helpen.

'Kom maar mee,' zei hij.

Nigel en ik renden, met de man tussen ons in, de laatste paar meters naar de moskee. We hadden hem ieder bij een arm vastgepakt en sleurden hem bijna mee, alleen al om te voorkomen dat hij van gedachten zou veranderen.

De moskee was een hoog, breed gebouw, groen en wit geschilderd, met een halve maan erbovenop, en houten treden die naar een platform en de ingang leidden. Het platform stond vol met schoenen, wat betekende dat de moskee vol met mensen was. Terwijl ik achter de buurman en Nigel aan de treden opliep, voelde ik iets van opluchting, een gevoel dat me zo vreemd was geworden dat ik het bijna niet herkende.

Op hetzelfde moment kwam er iemand de hoek om vliegen. Ik draaide me om en zag dat hij op ongeveer negen meter afstand was blijven staan, stokstijf en met open mond. Het was Hassam – de marktjongen en mijn leermeester van de Koran – maar nu slechts een magere gedaante in het zand. Hij droeg een wit mouwloos hemd dat los om zijn magere lijf hing en een sarong, geen broek, wat erop wees dat hij het huis halsoverkop had verlaten. De uitdrukking op zijn gezicht was er een van ongeloof en woede, maar ook van angst om zichzelf.

Daarna kwam er nog een ontvoerder de hoek om – Abdullah – met onbedekt gezicht en zijn geweer in de hand.

Ik vloog de moskee in en vergat mijn schoenen uit te doen. Het eerste wat ik zag was een zee van mannen – knielend, zittend, rondlopend in kleine groepjes. Er lagen rijen bidmatten op de betonnen vloer. Sommige mannen keken om. Een paar gingen staan. De moskee bestond uit één grote ruimte met een gewelfd plafond, ongeveer ter grootte van een sportzaal. Ik hoorde mezelf

301

Somalische, Engelse en zelfs een paar Arabische woorden roepen, hoewel ik verlamd van angst was. 'Help!' riep ik. En: 'Moge de zegen van Allah met u zijn!' En: 'Ik ben moslim!' En: 'Help me, alstublieft!' En: 'Help me!' En: 'Help ons, alstublieft!' Nigel deed hetzelfde.

De mannen dromden om ons heen, met verbaasde en verontruste gezichten. Ik zag onze buurman met een aantal van hen praten, druk gebarend en naar ons wijzend, alsof hij ze uitlegde wat hij wist. Opeens stond Abdullah voor me. Hij was ook naar binnen gestormd, op de voet gevolgd door Jamal, beiden droegen een sarong.

Abdullah wilde me vastgrijpen maar ik dook weg en voelde zijn hand van mijn schouder glijden. Ik rende naar een hoek van de zaal, waar een groep mannen op de vloer zat, en gooide er elk Arabisch woord uit dat ik kende, terwijl ze hun bebaarde gezichten naar me ophieven en me stomverbaasd aankeken. Jamal had Nigel te pakken gekregen en tegen een muur geduwd. Hij sloeg Nigel herhaaldelijk en met volle kracht met gebalde vuisten tegen het hoofd. Ik zag dat Nigel terug probeerde te slaan. 'Jamal! Jamal!' riep hij de hele tijd. Alsof hij hem eraan wilde herinneren dat ze toch ooit vrienden waren geweest.

Vlak voordat Abdullah me opnieuw kon grijpen, dook ik door een openstaande zijdeur naar buiten, zonder erover na te denken of het een goed of slecht idee was om de moskee te verlaten, maar puur in een vlaag van wanhoop en doodsangst.

Die doodsangst zette zich om in snelheid. Met Abdullah twee passen achter me sprong ik over de drie treden heen en kwam neer in het zand, in het felle licht van de middagzon. Ik schopte mijn teenslippers uit en spurtte weg, maar nu ging het veel sneller en lichter. Hij achtervolgde me. Er stonden struiken langs de zijkant van de moskee waar ik als een gazelle doorheen rende, zonder zelfs de doornen te voelen die – vijf centimeter lang en zo recht als naalden – in mijn enkels en blote voeten prikten. Eén schoot zelfs als een torpedo onder de nagel van mijn grote teen. Een geweerschot weerklonk, de kogel suisde over mijn hoofd door de lucht. Ik keek achterom en zag dat Abdullah was blijven staan en op me geschoten had. Hij schoot opnieuw. Mijn enige gedachte was: terug naar de moskee. Nigel was daar. En binnen was het veiliger dan buiten. Ineengedoken begon ik aan de eindspurt van twintig meter, in een boog om Abdullah heen, die naar me toe wilde rennen maar gehinderd werd door het gewicht en de omvang van zijn geweer. Ik rende opnieuw via de doornstruiken de treden op en de moskee in.

De sfeer binnen was vreemd rustig. Nigel had Jamal van zich af weten te slaan en zat nu, ogenschijnlijk kalm in het halfronde gedeelte van de zaal dat dienstdeed als kansel van de imam, omringd door een groep van misschien vijftien bebaarde mannen, van wie de meesten stonden. Ik voegde me snel bij Nigel en zag dat Jamal en de jonge Mohammed onrustig om de groep heen liepen, met een woedend gezicht en de hand op hun geweer. Ik wist niet wat er gebeurd was, maar de dynamiek in de moskee was veranderd. De rollen leken omgedraaid. Iemand had de jongens op hun plaats gezet. Ik liet me op mijn knieën vallen, naast Nigel, die met een aantal van de mannen Engels sprak; het klonk alsof hij zich verdedigde tegen hun scepsis over zijn moslimgeloof.

Ik pakte mijn rugzak, waarin mijn koran zat en twee Engelstalige boeken die onze ontvoerders me gegeven hadden, een kleine paarse paperback met als titel *Hidjab*, die in Saudi-Arabië gedrukt was en waarin gepleit werd voor de volledige bedekking van het lichaam van een vrouw, en een die gebaseerd was op de Hadith, maar ook ging over de gewoonten van islamitische vrouwen.

Ik haalde de boeken tevoorschijn en gaf ze aan de mannen die om ons heen stonden. 'Ziet u? Ziet u wel?' zei ik. 'Wij zijn goede moslims. Help ons, alstublieft.' Ik smeekte ze. En ik herinnerde ze eraan dat moslims elkaar hielpen. Dat was hun plicht.

Een paar van hen begonnen mijn boeken voorzichtig door te bladeren, bekeken belangstellend de inhoud, en gaven ze daarna door. Naast de kansel bevond zich een groot, laag raam. Ik zag hoe een vrouw, geheel in het zwart gekleed, erdoorheen naar binnen gluurde, tot een van de mannen naar het raam beende en de ijzeren luiken dichtsloeg.

Abdullah was ook weer de moskee binnengekomen. Ik zag hoe hij zich tussen de groep omstanders mengde, met zijn geweer schuin in mijn richting, zijn haar en wangen nat van het zweet. Dit was de eerste keer in vijf maanden dat ik hem zonder een sjaal om zijn gezicht zag. Ik kende zijn ver uiteen staande ogen, maar de ronding van zijn brede voorhoofd en zijn brede, laaggeplaatste neus brachten er verband in. Hij had kortgeknipt krullend haar en een vlassig baardje waardoor hij er jonger uitzag dan hij was.

Toen hij me door die zee van mannenschouders heen zag zitten, begon hij spottend te lachen. Ik wendde snel mijn gezicht af.

Nigel zei ondertussen hardop als een schooljongen een soera op voor de verzamelde toeschouwers. Tientallen nieuwe mannen kwamen de zaal binnen, sommigen met een sjaal voor hun gezicht en een wapen in de hand. Wie waren zij? Het verbaasde me hoeveel mannen om ons heen Engels bleken te spreken. Ik herinnerde me dat Ajoos verteld had dat tijdens het bewind van Siad Barre, dertig jaar geleden, het onderwijs in Somalië hoge prioriteit had. Zowel jongens als meisjes leerden toen Italiaans en Engels op school.

Een van de mannen deelde ons mee dat iemand met de plaatselijke imam belde, die in het naburige dorp was, en dat deze zou komen om ons verhaal aan te horen en een oordeel te vellen. 'Insjallah, alles komt goed,' zei hij, gebarend dat we op de vloer moesten blijven zitten. 'Insjallah, misschien over een kwartier.'

Ik was opgelucht. Een imam zou ons vast willen helpen. Ik hoorde Abdullah en Jamal – op beleefde toon – redetwisten met enkelen van de mannen.

Plotseling baande een vrouw zich een weg door de menigte heen, te midden van alle chaos en geruzie, en duwde met haar ellebogen de gewapende mannen opzij. Ik herkende haar meteen. Het was de vrouw die zojuist door het raam naar binnen had gekeken. Ze droeg een zwarte abaya, een hidjab en een nikab, zodat alleen haar ogen te zien waren. Alle mannen in de moskee staarden haar aan. De vrouw zag niemand. Ze liep naar me toe en knielde zonder iets te zeggen naast me neer. Ik stak automatisch mijn hand naar haar uit. Haar vingers sloten zich om de mijne. Even voelde ik me veiliger dan ik me in tijden gevoeld had.

Haar ogen waren bruin en zo vertrouwd dat het leek alsof ik ze kende. De bovenkant van haar handen was beschilderd met roestbruine henna, in sierlijke patronen, een versiering die vrouwen bij elkaar aanbrengen. Ze sprak Somalisch tegen de mannen om haar heen. Ik sloeg haar gade, de zenuwen gierden door mijn keel. Ik verstond niet wat ze zei, maar ik wist dat ze me hielp. Ik hoorde aan haar stem dat ze ontzet was. En toen ze me aankeek, zag ik de emotie in haar ogen.

Zonder na te denken streek ik met mijn vingers over haar gezicht. Ik voelde de warmte van haar wang door de stof heen. Te midden van alle herrie in de moskee trok ik haar naar me toe.

'Spreekt u Engels?' vroeg ik.

'Een beetje,' zei ze, terwijl ze dichter naar me toe schoof. 'Ben je moslim?'

'Ja. Ik kom uit Canada.'

'Dan ben je mijn zuster,' zei ze. 'Mijn zuster uit Canada.'

Ze stak haar armen naar me uit en ik liet me erin vallen. Ik drukte mijn gezicht in het kussen van haar zachte, mollige lichaam dat naar seringen rook. Haar armen sloten zich behaaglijk om me heen. Mijn waakzaamheid verslapte, mijn afweer brokkelde af. Ik begon te huilen. Terwijl de mannen om ons heen verder kakelden, drukte de vrouw me nog dichter tegen zich aan. Ik had me in een halfjaar, en langer zelfs als ik de eenzame maanden in Irak meetelde, niet zo beschermd gevoeld als nu. Ik wilde eeuwig in haar armen blijven liggen. En haar alles vertellen. Ik hief mijn hoofd op om haar aan te kijken en vertelde haar met trillende stem dat ik gevangen werd gehouden, dat ik naar huis wilde. De woorden 'naar huis' maakten me opnieuw aan het huilen. Ik wees naar Abdullah die zo'n drie meter bij ons vandaan stond en dreigend naar ons keek. 'Hij misbruikt me,' zei ik, opeens wanhopig nu. 'Hij verkracht me.' Om er zeker van te zijn dat ze me begreep, gebruikte ik er gebarentaal bij.

Ik zag de ogen van de vrouw groot worden. Haar blik ging van

305

mij naar Nigel, die knikte alsof hij mijn woorden bevestigde.

'O, *haram*,' zei de vrouw, '*haram, haram.*' Ze keek woedend omhoog, drukte mijn hoofd tegen haar borst en streelde mijn haar. Ze riep geagiteerd iets in het Somalisch. De mannen om ons heen vielen stil. De vrouw sprak razendsnel en op schrille toon. Ze hief een vinger op en schudde die naar de mannen, alsof ze een berisping uitdeelde. Ik voelde dat er een rilling door haar lichaam ging en zag dat haar ogen vol tranen stonden. Nigel zat stil naast ons, met gebogen hoofd, en staarde naar de vloer.

De dynamiek in de zaal veranderde opnieuw. Ahmed en Donald Trump waren de moskee binnen gemarcheerd, slonzig gekleed en met een woedende blik in de ogen, samen met kapitein Skids die met zijn pistool zwaaide alsof het een vlag was. Hoewel ze zich al een maand lang niet hadden laten zien, leken ze er bij een crisis in een mum van tijd te kunnen zijn.

Ahmed keek zoekend om zich heen tot hij me gevonden had. Hij wees naar me en schreeuwde: 'Jij! Jij hebt een groot probleem veroorzaakt!' Er kwamen steeds meer mensen de zaal binnen, allemaal mannen. Het nieuws dat er buitenlanders in de moskee waren ging duidelijk als een lopend vuurtje door het dorp. De sfeer was drukkend, onrustig. Toen klonk een luide knal, ergens in de zaal ging een geweer af.

Het geluid doorbrak de impasse en maakte een einde aan de status-quo. Mensen sloegen op de vlucht, renden in paniek alle kanten op. Er viel nog een schot. Ik zag hoe Abdullah zich door de menigte heen drong, mijn richting op, het hoofd gebogen als een stier. Ik schreeuwde toen hij een duik nam en probeerde hem weg te trappen, maar hij was te sterk. Hij had mijn voeten te pakken. Zijn geweer hing over zijn schouder en klapte tegen mijn benen, terwijl ik trapte om los te komen. Ik voelde hoe ik uit de armen van de Somalische vrouw wegleed. Abdullah sleurde me nu in de richting van de zijdeur. Ik zocht verwoed naar houvast. Ik herinner me niet dat een van de omstanders hem probeerde tegen te houden.

Alleen de vrouw probeerde dat.

Zij greep een van mijn polsen en trok me terug, waarbij ze haar lichaam als tegenwicht gebruikte, en liet een stortvloed van Somalische woorden op de menigte los. Een paar minuten lang werd ik heen en weer getrokken, tussen Abdullah die aan mijn benen trok en de Somalische vrouw die, met haar beide handen om mijn linkerarm geklemd, ook niet van plan was me los te laten. Toen een andere man Abdullah te hulp kwam door mijn linkerbeen vast te pakken, waardoor ik met een plotselinge ruk een halve meter naar voren schoot, moest mijn beschermster me wel loslaten. Ik zag haar voorover vallen. Onverschrokken wierp ze zich opnieuw op me en greep me stevig boven mijn ellebogen vast. Nu werden we beiden – als aan elkaar gekoppelde treinstellen – centimeter voor centimeter over de vloer van de moskee gesleept. Mijn schouders deden zo'n pijn dat ik dacht dat mijn armen uit de kom zouden schieten.

Uiteindelijk kon ze me niet langer vasthouden. Ik voelde hoe de krachten zich verplaatsten toen ze losliet en Abdullah en de andere man meer vaart maakten. Mijn rode abaya sleepte over de vloer. Toen we bij de deur waren, lukte het me mijn hoofd op te tillen en achterom te kijken. De vrouw lag languit op de vloer en huilde. Haar hoofddoek en nikab waren in de strijd gescheurd en afgegleden, waardoor haar hoofd en gezicht onbedekt waren. Ik zag dat ze ongeveer even oud was als mijn moeder, begin vijftig, en een vriendelijk rond gezicht had met een hoog voorhoofd en dunne vlechtjes in haar haar. Ze hield nog steeds haar armen naar me uitgestrekt. Er stonden drie mannen met geweren om haar heen.

Om mijn verdrijving uit de moskee te bespoedigen, tilde iemand me ruw bij mijn schouders op en bracht me naar buiten, de treden af en vandaar naar een ommuurde binnenplaats. Ik schopte van me af, draaide heen en weer en stootte mijn ellebogen aan het harde zand. Eenmaal buiten liet de man die mijn schouders had vastgepakt me vallen.

Mijn abaya was omhooggeschoven tot boven mijn middel. Mijn spijkerbroek die toch al wijd zat omdat ik zo mager was geworden, zakte steeds verder af terwijl Abdullah me meesleepte, met mijn benen onder zijn armen geklemd, alsof hij een kar achter zich aan meetrok. Toen hij me de binnenplaats over sleurde door het vuile zand, voelde ik dat mijn gerafelde ondergoed ook afzakte. Ik was nu vanaf mijn buik tot aan mijn knieën praktisch naakt.

Ik strekte mijn hals om te zien of iemand me wilde helpen, of ik kon ontsnappen, maar er stonden alleen een kleine twintig mannen op me neer te kijken. Voor hen was ik niet meer dan een schouwspel. Opeens voelde ik iets nats op mijn buik en ik realiseerde me dat er op me gespuugd werd. Ik hoorde gemompel maar verstond niet wat er gezegd werd. We waren ondertussen bij een ijzeren hek gekomen dat naar de openbare weg leidde, waar zich een nog grotere menigte verzameld had. Ik greep een spijl van het hek vast en klampte me er met beide handen aan vast.

Abdullah draaide zich om, om te zien waarom hij niet vooruitkwam. Achter hem, door de spijlen van het hek heen, zag ik een blauwe truck staan met draaiende motor. Ik voelde een bijna dierlijke kracht in me opkomen. Ze kregen me niet naar die truck toe. Opnieuw klonk er vanuit de moskee een geweerschot. Nigel, was het eerste wat ik dacht. Ze hebben Nigel gedood. De gedachte zoog alle lucht uit me weg, een dodelijk vacuüm. Abdullah trok aan mijn benen maar ik hield de spijl vast en probeerde me los te schoppen. Ik zag een vrouw met een smal gezicht naar me kijken. Ze maakte deel uit van de menigte die buiten voor het hek stond. Haar gezicht was volkomen uitdrukkingsloos. Ik schreeuwde in het Engels tegen haar: 'Waarom help je me niet?'

Ze leek aangeslagen. 'Ik spreek geen Engels,' zei ze in vlekkeloos Engels.

Opeens voelde ik een explosie van pijn in een van mijn handen. Iemand had hard tegen mijn knokkels getrapt. Ik gilde en liet de spijl los. Toen werd ik overeind gehesen en naar de truck geleid, een vierdeurs met dubbele cabine. Abdullah duwde me op de achterbank, maar terwijl hij dat deed, zag ik mijn kans schoon en trapte hem zo hard in zijn kruis dat hij achteroverviel.

Ik duwde het portier aan de andere kant open, sprong uit de

truck, trok mijn broek op en rende weg, deze keer rechtstreeks de menigte in, met zwaaiende armen en een pieptoon in mijn oren. Ik begon luidkeels de eerste soera uit de Koran op te zeggen, het Arabische gebed dat alle moslims uit het hoofd kennen, en probeerde oogcontact te maken met iedereen die ik tegenkwam. *Bismillahi ar-rahman ar-raheem. Al hamdu lillahi rabbi al-alamin. Ar rahman ar-raheem. Maliki yami d-di.n Iyaka na'budu wa iyyaka nasta in. Ihdina s-sirat al-mustaqim...* Ofwel vertaald: In de naam van God, de erbarmer, de barmhartige. Lof zij God, de Heer van de wereldbewoners, de erbarmer, de barmhartige, de heerser op de oordeelsdag. U dienen wij en U vragen wij om hulp. Leid ons op de juiste weg...

Ik zei het snel, in gebrekkig Arabisch en zo luid mogelijk, maar ik zei het tegen hen – schreeuwde het tegen hen – tegen die tientallen omstanders, om iets te bewijzen: dat ik misschien niet volmaakt in het geloof was, maar dat de affiniteit er wel was. En dat ik ook zonder die affiniteit, en als buitenlandse met vet haar en vieze kleren aan, nog steeds een mens was.

Niemand verroerde zich. Niemand reageerde. Ze keken naar me en leken vooral bang te zijn, terwijl ik de Arabische woorden de leegte in schreeuwde. Ik schreeuwde tot ik er schor van werd, ook nog toen iemand me van achteren beetpakte, me optilde en naar de truck terugbracht, ook nog toen Nigel door twee mannen de moskee uit geleid werd en onze richting op kwam lopen. Ik was gerustgesteld toen ik hem zag, maar tegelijkertijd sloeg de angst weer als een mokerslag toe. Nog maar drie kwartier geleden waren we door dat badkamerraam naar buiten gekropen. Was het ons gelukt om weg te komen, maar niet heus. We waren de rivier maar half overgestoken.

Nigel leefde nog, ik leefde nog, maar nu wachtte ons zeker de dood.

32

Het Verwaarloosde Huis

Nigel en ik hielden elkaars hand vast, terwijl we samen met de jonge Mohammed opeengepakt op de achterbank van de truck zaten. Ik was stomverbaasd toen er twee mannen uit de moskee – norse kerels die twintig minuten geleden nog onze vrijheid bepleit leken te hebben – bij onze ontvoerders in de auto stapten. Blijkbaar waren ze overgelopen en hadden ze zich bij de bende aangesloten. De ene man ging achter het stuur zitten, naast Skids en Abdullah, de andere schoof zonder een woord te zeggen naast Nigel op de achterbank. Jamal klom in de slaapcabine. De portieren werden dichtgeslagen. De motor brulde. Diverse mensen in de menigte wuifden ons uit.

Waar we ook naartoe gingen, niets zou meer zijn zoals het was. Ik begon te beven en toen te praten, in een laatste poging om schaamte af te dwingen. Ik richtte me in het bijzonder tot de jonge Mohammed, maar ook tot de rest en met name de nieuwkomers.

'Hoe kunnen jullie ons dit aandoen?' zei ik, opzij kijkend naar Mohammed die strak voor zich uit keek. 'Jullie zeggen dat jullie gelovigen zijn, maar dat zijn wij ook. Jullie houden ons gevangen en dat mag niet.'

Hij had me diverse malen geslagen voordat hij me in de auto had geduwd. Mijn kaak deed pijn. Ik verwachtte dat hij me opnieuw zou slaan, maar dat deed hij niet. Hij bleef recht vooruitkijken, terwijl de truck door het zand naar voren stoof. Niemand in de auto zei iets. Nigel kneep in mijn hand. Door de voorruit zag ik Ahmed en Donald voor ons rijden in een stationcar, in een wolk van geel stuifzand.

Na ongeveer tien minuten jakkeren door kuilen en gaten klapte een van de banden van de truck, hij kwam denderend tot stilstand. Het toeval wilde dat we gestrand waren voor een roze gebouw waarop 'Universiteit van Mogadishu' stond, wat voor mij de bevestiging was dat het huis waarin ze ons gevangen hadden gehouden dicht bij – zo niet midden in – de stad lag. De muren van het gebouw zaten vol kogelgaten, het studentenleven hier was geen pretje. De jongens dirigeerden ons met hun geweer naar buiten in de richting van Ahmeds stationcar, die naast de truck stond. Ahmed stapte uit. Over zijn schouder ving ik een glimp op van palmbomen en lage gebouwen. Ik voelde opnieuw de neiging om de benen te nemen, als een lichte kriebel in mijn keel, als een kans die afgewogen werd, als een raket die in het wilde weg werd afgeschoten.

Maar opeens voelde ik me doodmoe. Ik had geen vechtlust meer.

We stapten bij Donald in de auto, terwijl Ahmed bij de gestrande truck bleef. Skids, die op de stoel naast de bestuurder zat, draaide zich om, wees naar Nigel en mij en zette daarna kil zijn wijsvinger tegen zijn slaap, alsof hij de trekker van een revolver overhaalde.

'Ze gaan ons doodschieten,' zei ik volkomen overbodig tegen Nigel want de boodschap was duidelijk genoeg geweest.

Ik zag dat een van de mouwen van Nigels overhemd er bijna afgescheurd was. Zijn huid zag er kleurloos, wasbleek uit. Op hetzelfde moment gaf Mohammed Nigel een harde stomp in zijn gezicht. Nigel sloeg zijn handen voor zijn ogen. Ik zag hoe hij tegen zijn tranen vocht.

Een tweede vuistslag bleef hem bespaard, omdat Mohammeds mobieltje rinkelde, het gekwaak van kikkers. Zonder naar Nigel te kijken haalde hij het toestel tevoorschijn en nam op.

Fluisterend begon ik Nigel te vertellen wat hij tegen mijn familie moest zeggen, mocht hij het overleven en ik niet. Natuurlijk dat ik van ze hield, dat het me speet dat ik ze met zoveel problemen had opgezadeld en zoveel ellende had bezorgd. Ik vertelde hem dat hij tegen mijn moeder moest zeggen dat ze naar India moest gaan, omdat ze me dan beter zou begrijpen. 'En zeg tegen mijn vader en Perry dat ze Thailand moeten bezoeken,' zei ik, 'omdat ze het daar heel erg naar hun zin zullen hebben.'

En Nigel deed hetzelfde en gaf mij boodschappen mee voor zijn ouders, zijn broer en zus, zijn vriendin – liefdevolle, spijt betuigende, hopeloze berichten, net als die van mij.

Mohammed zong liefdevol een Somalisch liedje in zijn telefoon. Ik dacht dat ik aan de andere kant van de lijn een kind hoorde brabbelen, en hoorde lachen om alles wat Mohammed zei.

We reden door de straten, langs eucalyptusbomen en voorthobbelende minibusjes en langs kapotte autobanden die her en der langs de weg lagen. We passeerden gebouwen die witgekalkt waren en verweerd door de zon, als oude botten. Ik zag mannen die kruiwagens voortduwden, vrouwen die met volle emmers water sjouwden, en kinderen die naar het voorbijdenderende verkeer keken. Voor mij was alles een gesloten deur, het herinnerde me eraan dat Somalië geen boodschap had aan onze aanwezigheid hier.

Na enige tijd stopten we om benzine te tanken bij een oude vrouw die op een hoek van de straat stond met een aantal jerrycans. Skids gaf haar door het opengedraaide autoraam wat bankbiljetten, waarna ze een van de jerrycans pakte om onze tank te vullen. Nigel en ik zaten, duidelijk zichtbaar, op de achterbank. Ik keek de vrouw smekend aan en zag hoe ze ons even opnam en toen wegliep.

We reden verder. Het leek wel of we doelloos rondjes reden. Ik wist zeker dat ze tot het donker zouden wachten voordat ze ons ombrachten. En dat duurde nog uren.

Donald, die in de afgelopen maanden wat empathie had getoond, zat achter ons in de auto. Ik nam het risico, draaide me om en pakte hem bij zijn mouw. 'Je moet ons helpen,' zei ik. Hij keek naar buiten en deed alsof hij me niet hoorde. 'Toe, alsjeblieft,' voegde ik eraan toe.

Donald werd kwaad. 'Denken jullie dat jullie de enigen zijn?' zei hij vinnig. 'Er zijn mensen uit Duits, uit Italiaans. Die gaan allemaal zo naar huis.' Hij had het over andere gijzelaars, over wie hij waarschijnlijk in de krant had gelezen. Hij vervolgde: 'Niemand wil voor jullie betalen. En nu heb jij problemen gemaakt.' Hij trok zich los.

Ik liet me tegen de rugleuning vallen en voelde dat de pijn het begon over te nemen van de adrenaline. Mijn rug en achterwerk waren geschaafd door het sleuren over de grond. Mijn voeten waren opgezwollen en zaten onder het opgedroogde bloed van het rennen door de doornstruiken. Ik voelde ze vaag kloppen, alleen daardoor wist ik dat het mijn voeten waren.

We reden straat in straat uit, totdat we eindelijk onze bestemming bereikten – een ommuurd huis dat, in tegenstelling tot de andere huizen waar we gezeten hadden, bewoond werd. Er stonden kinderschoenen buiten voor de deur. En er hingen vrouwenkleren aan de waslijn. Donald en Skids voerden ons snel via een lage gang en langs enkele gesloten deuren naar een achterkamer. Daar lieten ze ons achter, bewaakt door Abdullah en Mohammed. Er werd gekookt in het huis, ik rook etensgeuren.

Ik vermoedde meteen dat we in het huis van de kapitein waren. De kamer waarin we stonden was een slaapkamer, maar niet zomaar een, dit was een echt boudoir, met chintz gordijnen voor de ramen, een roze gebloemde sprei over een queensize bed, en een houten toilettafel waarop potjes crème, haargel en flesjes parfum stonden, netjes op een rij naast elkaar.

We stonden in het interieur van iemands leven, van iemands huwelijk, van iemands zoetgeurende roze nest. Ik hoorde voor in het huis een vrouw luid en woedend Somalisch praten, waarschijnlijk protesteerde ze tegen de onverwachte komst van twee buitenlanders en een mini-militie van ongewassen tieners met geweren.

Donald kwam de kamer weer binnen. 'Zitten,' zei hij, wijzend naar de vloer.

Nigel en ik gingen tegenover het bed tegen de muur zitten, waarna Donald met zijn ondervraging begon. Mohammed en Abdullah stonden naast ons, alsof ze op bevelen wachtten. Kapitein Skids stelde de vragen in het Somalisch, op nijdige toon, waarna Donald ze, op even nijdige toon, vertaalde.

'Waarom zijn jullie weggelopen?'

'Hoe zijn jullie naar buiten gekomen?'

'Wie heeft jullie geholpen?'

'Willen jullie soms dood?'

We beantwoordden elke vraag meer dan een keer, waarbij Donald ons uitmaakte voor stommelingen en slechte moslims. Nigel en ik verontschuldigden ons en bezwoeren hen dat niemand ons geholpen had. En we zeiden dat we niet dood wilden, maar alleen naar huis.

Skids wees naar me, zijn vinger trilde van woede.

Donald herhaalde wat hij zei in het Engels. 'Jíj was het,' zei hij. 'Dit was jouw plan.' Ze waren ervan overtuigd dat ik de boosdoener was. Ik was en bleef in hun ogen een slechte vrouw die niet te vertrouwen was.

Ze sloegen ons herhaaldelijk. Toen ik me van pijn vooroverboog, sloeg Mohammed me met de kolf van zijn geweer tussen mijn schouderbladen.

Uiteindelijk brulde Donald me de vraag toe die hij voor het laatst had bewaard: 'Waarom,' brieste hij, 'zei je dat we jou neuken?'

De woorden schokten me. Donald vervolgde: 'Weet je wel wat neuken is? Dat hadden we kunnen doen, *subhanallah*, maar dat hebben we niet gedaan. Je liegt!'

De beschuldiging bleef in de lucht hangen. Ik zag hoe Abdullah me een waarschuwende blik toewierp. De anderen keken me doordringend aan.

Ik dacht snel na. Dit was hét moment om Abdullah te beschuldigen. Toch deed ik het niet. Ik was bang. En ik wist absoluut zeker dat hij alles zou ontkennen. Bovendien zou ik er sowieso de schuld van krijgen.

Ik zei tegen Donald: 'Die vrouw sprak geen Engels. Ze begreep me niet. Ik zei tegen haar dat ik bang was voor de jongens, dat ik bang was dat ze me iets wilden aandoen. Ik heb dat woord nooit gebruikt. Het is een fout woord. Zoiets zeg je niet. Ik ben een moslim.' Ik wendde me tot Nigel. 'Zeg tegen ze dat ik dat woord nooit gebruikt heb. Zeg het!'

Nigel zei niets.

Skids en Donald overlegden met elkaar. Abdullah en Mohammed sloegen me op mijn hoofd en mijn schouders. Ik voelde me duizelig worden, alsof de grond onder me wegzakte. Toen Donald door de kamer begon te lopen, stak ik mijn hand uit en pakte zijn broekspijp, om hem te dwingen me aan te kijken. 'Help me, alsjeblieft. Alsjeblieft.'

'Ze geven je toch de schuld,' fluisterde Nigel tegen me. 'Ik denk dat je deze keer de schuld maar op je moet nemen.'

Deze woorden zouden me heel lang bijblijven. Heel, heel lang. Bij alles wat er nog zou komen, zou ik zijn woorden steeds weer door mijn hoofd laten gaan, als een gladde steen in mijn hand, zoekend naar een barst die er niet in zat.

Ik denk dat je deze keer de schuld maar op je moet nemen.

'Dat kan ik niet,' fluisterde ik tegen Nigel.

Donald en Skids vervolgden hun ondervraging. De jongens gingen door met slaan. De hele tijd zweeg Nigel erover dat het zijn idee was geweest om uit het raam te klimmen, dat we de hele onderneming samen hadden bedacht. Hij had er opeens part noch deel aan.

Het enige wat hij op een gegeven moment tegen Donald zei, met een stem die schor van angst klonk, was: 'Het spijt me. Ik weet niet waarom ik het gedaan heb. Ik had niet moeten luisteren.' Niet naar mij moeten luisteren, bedoelde hij. Want ik nam deze keer de schuld op me.

Wat ik voelde jegens Nigel? Haat, liefde, verwarring, afhankelijkheid, alles door elkaar heen, als een wirwar van draden die ik op dat moment niet kon ontwarren en apart kon onderzoeken. Hij was

315

Nigel en ik was Amanda, en we zaten hier samen gevangen. Als ik er goed over nadacht, verschilde het niet veel van hoe ik me als kind had gevoeld, gevangen in een grillig, onevenwichtig gezinsleven. Het valt niet mee om kwaad te worden op iemand die je hard nodig hebt.

Ik weet niet meer hoelang de ondervraging doorging, zeven minuten, vijftien of vijftig. Wat ik wel weet is dat het voelde alsof ik door een draaikolk naar beneden werd gezogen, het oneindige donker in, en ik elk contact met de wereld verloor.

En dat ik dacht: nu gaan we dood. Ze beuken net zolang op ons in tot we geen antwoord meer geven. Ze gaan pas weg als we dood zijn.

Uiteindelijk deelde Donald mee dat hij weg moest. Hij schudde zijn hoofd alsof hij schoon genoeg van ons had en moe was. Hij zat op de rand van het bed, op de gebloemde sprei.

Ik wilde niet dat hij vertrok. Ik vertrouwde Skids nog minder dan Donald. 'Ga alsjeblieft niet weg,' zei ik zwak. 'Ga niet weg.'

Donald keek me bijna vaderlijk aan en klopte met zijn hand op het bed, ten teken dat ik naast hem moest gaan zitten. Mohammed leek er bezwaar tegen te willen maken, maar Donald gebaarde dat hij moest zwijgen. Ik krabbelde met moeite overeind en ging niet al te ver van Donald verwijderd op het bed zitten. Mijn ribben deden pijn bij elke beweging.

Hij raakte even licht met zijn hand mijn opgezwollen wang aan, waardoor de pijn opvlamde. 'Je gezicht ziet er niet goed uit,' zei hij. En voegde eraan toe dat hij weg moest en dat het hem speet. 'Ik weet niet wat er met jullie gaat gebeuren,' zei hij, 'maar het is niet goed.'

Zijn mobieltje rinkelde en hij nam op met een kort *Salaam*. Terwijl hij naar me keek, hield hij de telefoon op enige afstand van zijn oor. Ik hoorde een vrouwenstem aan de andere kant van de lijn razendsnel praten. 'Hoor je?' zei Donald tegen me, terwijl hij opstond en me een snelle glimlach toewierp. 'Ik ben te laat. Ik moet gaan.'

Na Donalds vertrek kwam Hassam met een bruine papieren

zak in de hand de kamer binnen. Hij gaf de zak aan kapitein Skids, die de inhoud op een hoop op de vloer legde: twee lange kettingen en vier hangsloten, waarschijnlijk gekocht op de markt. De kettingen waren dik, zagen er zwaar uit en waren donkergrijs van kleur, kettingen waarmee je twee enorme deuren zou kunnen afsluiten. Ik zag hoe Hassam naar me keek, de nieuwe blauwe plekken opnam en inschatte wat er was gebeurd. Ik meende heel even iets van schrik of medeleven op zijn gezicht te zien.

Skids tilde de kettingen op en leek tevreden te zijn over het gewicht. Hij gaf ze aan Mohammed, die voor me neerknielde. Hij legde het ene uiteinde van de ketting om mijn rechterenkel en zette het vast met een hangslot en het andere uiteinde van de ketting om mijn linkerenkel en zette dat ook vast met een hangslot, zodat om beide enkels nu een band van koude gladde schakels lag, en mijn voeten door ongeveer vijftien centimeter ketting met elkaar verbonden waren. Hij deed hetzelfde bij Nigel.

Daarna waren we beiden geboeid. Ik vermeed het om Nigel aan te kijken, omdat ik het te verwarrend vond om hem nog als bondgenoot of zelfs als medeslachtoffer te zien. Ik voelde me meer dan ooit alleen – gevangen in mijn lichaam, in mijn leven. Ik kon lopen, maar alleen langzaam en met onhandig kleine pasjes, waarbij de schakels in mijn huid drukten. Rennen was onmogelijk. We waren totaal aan ze overgeleverd. Welk spel we ook met ze gespeeld hadden, we hadden verloren.

33

Documenten

Toen het avond werd haalden onze ontvoerders ons uit de kamer met de chintz gordijnen. Ik vermoedde dat de vrouw die in het huis woonde – en die bij onze aankomst zo woedend was geweest – de mannen opgedragen had hun gasten ergens anders onder te brengen. Voordat we weggingen liet ze door Jamal op een dienblad een maaltijd naar ons toe brengen: een groot bord spaghetti en een karaf versgeperst sinaasappelsap met twee plastic bekers erbij. Zo chic hadden we in maanden niet gegeten. Door mijn pijnlijke kaak kon ik bijna niet kauwen, maar het eten – de smaak van noedels – en gewoon uit een beker drinken maakten veel goed.

Abdullah keek toe, terwijl we aten en leek ingenomen te zijn met zichzelf. Plotseling vroeg hij: 'Jij neuken veel mannen?' Het klonk bijna nonchalant, maar hij probeerde duidelijk een nieuw werkwoord uit. Ik wist dat het een vraag was die hij nooit had durven stellen als een van de andere ontvoerders erbij was geweest. 'Hoeveel? Hoeveel mannen jij neuken?'

Ik zei niets.

Abdullah keek naar Nigel. 'Jij,' zei hij. 'Hoeveel vrouwen jij neuken?'

Nigel nam een hap van zijn spaghetti. Zijn gezicht was opgezwollen van de vele slagen. 'Vier?' zei hij, alsof hij raadde naar het goede antwoord.

Abdullah grijnsde. 'Ah, vier!' zei hij. 'Veel!' Ogenschijnlijk tevreden leunde hij daarna weer tegen de muur.

Nigel en ik aten zwijgend verder.

Vreemd genoeg brachten ze ons die avond weer terug naar het Ontsnappingshuis, het huis waar we een aantal uren geleden nog door het raam van de badkamer naar buiten waren geklommen. Teruggaan naar dit huis leek voor hun riskant. De hele buurt wist immers nu van Nigel en mij – iedereen was getuige geweest van onze spectaculaire ontsnappingspoging – dus onze ontvoerders hadden óf niets te vrezen óf ze handelden uit wanhoop. Het kwam mij voor dat ze nergens anders naartoe konden.

Mijn kamer zag er nog precies zo uit als toen ik hem verlaten had – mijn boeken, kleren, potjes crème en doosjes medicijnen lagen naast de matras. Het blauwgebloemde laken lag opgevouwen op het bed. De luiken voor de ramen waren gesloten.

Ik ging liggen, waarbij de ketting om mijn enkels ongemakkelijk op en neer schoof. Mijn lichaam was nog klam na een dag hevig zweten en ik voelde een zeurende pijn in mijn armen en benen. Tijdens de ontsnapping was ik mijn teenslippers kwijtgeraakt en mijn rugzak, mijn bril, mijn koran en de twee instructieboekjes voor de islamitische vrouw. Ik vocht tegen de doodsangst en moest steeds denken aan de vrouw in de moskee – hoe moedig het van haar was geweest om me te helpen, en dat het zeker gevolgen voor haar zou hebben. Ik hoopte dat het goed voor haar zou aflopen.

Toen Jamal later langskwam vroeg ik hem of ik naar de badkamer mocht. Hij liep achter me aan de gang door, met de loop van zijn geweer tussen mijn schouderbladen gedrukt. Toen ik het gordijn opzijschoof, stokte mijn adem even bij het zien van de enorme rotzooi die Nigel en ik achtergelaten hadden bij de ontsnapping. Overal lagen brokken specie en baksteen. Het gat dat we in het raam gemaakt hadden leek enorm groot, alsof het met geweld was gebeurd, als een open wond, een gekartelde doorgang naar de duisternis erachter. Ik kon me voorstellen dat het voor degene die het ontdekt had een schok was geweest.

Terwijl ik op de wc zat, stond Jamal aan de andere kant van het gordijn te wachten. Ik kon hem horen ademen en voelde me ongemakkelijk, omdat ik wist dat hij me kon horen plassen.

Terug in mijn kamer wachtte ik de hele nacht tot ze me kwamen halen, waarbij mijn gedachten ongewild afdwaalden naar dat lege stuk woestijn met die knoestige acaciaboom, en naar dat mes op mijn keel.

Tot de muezzin aarzelend begon te zingen. De zon viel door een kier van het gesloten luik naar binnen en bescheen de felgroene muren. Ik was toch in slaap gevallen. Maar nu was ik wakker, en ik leefde nog. Ik hoorde geluiden, alsof iedereen in het huis op was, zich waste, aan het bidden was, zoals elke dag. Buiten op de veranda hoorde ik mensen praten.

Ik voelde grote opluchting.

Misschien zijn we er dan toch mee weggekomen, dacht ik.

Het zou mooi zijn als slechte dingen zich alleen in de schaduw zouden afspelen, als het leven zich eenvoudig zou laten opsplitsen in licht en donker. Wat zou ik het geweldig gevonden hebben als het zonlicht dat die morgen over het huis, de buurt, de buren en de hele stad Mogadishu stroomde, een afleidend, opbeurend effect had gehad.

Het leek zo'n moment waarop niemand wist wat er nu ging gebeuren, hoe het nu verder moest. Ik hoorde het gemompel van onze ontvoerders buiten op de veranda, die kennelijk een groepsoverleg hadden. Gisteren was beslist een slechte dag geweest. Hun twee geldkraantjes hadden pootjes gekregen en de benen genomen.

Even later brachten kapitein Skids en Abdullah me eten. Skids hield zich nooit met alledaagse dingen bezig en Abdullah bracht nooit mijn eten. Maar daar stonden ze in mijn kamer, met een bijna vriendelijk gezicht terwijl ze een ontbijt voor me neerzetten dat gerust overvloedig genoemd mocht worden: een rijpe gele mango, een hotdogbroodje en een kop warme thee.

'Eet op,' zei Abdullah, deze keer zonder een spoor van woede in zijn stem. 'We wachten.'

Mijn hart begon sneller te kloppen. Wachten op wat? Ik keek naar het eten, naar de kop thee. De aanblik maakte me duizelig. Ik rammelde van de honger. De ontsnappingspoging had veel van mijn krachten gevergd.

Skids knikte kort en verliet de kamer. Abdullah keek me opnieuw vreemd vriendelijk aan, draaide zich om en volgde hem.

Toen ze weg waren brak ik een klein stukje van het broodje af, at het op en spoelde het weg met een slokje thee. Ik vroeg me af of Nigel hetzelfde ontbijt had gekregen. Of ze ook op hem wachtten.

Ik schilde de vrucht met mijn vingers en zoog het achtergebleven vruchtvlees van de schil. De mango was vanbinnen oranje, bleekoranje langs de schil, dieporanje bij de pit. De zoete smaak was weldadig, hoewel die mijn lege maag niet vulde. Ik wist genoeg over honger om te weten dat het zinloos was om eten naar binnen te schrokken, tenzij je een dier was en in een groep leefde. Als je alleen was, was het zowel voor de ziel als het lichaam beter om zolang mogelijk over een maaltijd te doen.

Ik peuzelde het hotdogbroodje hapje voor hapje op, afgewisseld met stukjes fruit. Aan de andere kant van de muur hoorde ik een geluid – een kreet van pijn. Ze waren in Nigels kamer, realiseerde ik me.

Na ongeveer tien minuten verscheen Abdullah opnieuw in de deuropening, ogenschijnlijk kalm. 'Is het lekker?' vroeg hij. Het klonk alsof hij het echt wilde weten.

Ik knikte en gebaarde dat ik de maaltijd nog maar half ophad. Hij liep weer weg en liet de deur van mijn kamer openstaan.

Ik at de rest van mijn broodje op door er piepkleine stukjes af te breken, ter grootte van een parel. Toen ik het broodje ophad, maakte ik met mijn tong en mijn tanden de pit van de mango schoon, tot op de houten kern. En ik dronk het laatste restje thee op.

Abdullah en Skids kwamen me halen. Abdullah had een AK-47 bij zich. Skids een pistool.

Abdullah vroeg: 'Ben je klaar nu?' Hij gaf te kennen dat ik moest opstaan en hem naar de gang moest volgen. Skids zei iets in het Somalisch tegen hem. Abdullah wees naar mijn matras, toen naar zijn *macawii* – de katoenen sarong die hij droeg – en daarna weer naar mijn matras. Ze wilden dat ik het blauwgebloemde laken dat op mijn bed lag meenam. De lap stof was ongeveer net zo groot als een macawii.

We liepen de gang in, in de richting van de veranda, langs de kamer waar Abdi en de andere Somalische gegijzelden gevangen hadden gezeten. De ketting om mijn enkels hinderde elke stap die ik zette en bracht me soms uit mijn evenwicht. Ik leidde met mijn ene voet en sleepte de andere erbij, in een soort vermoeiende schuifelgang. Ik was op blote voeten en droeg nog steeds de kleren waarin ik ontsnapt was – de rode abaya, met een groen topje eronder, de wijde spijkerbroek en een zwarte hidjab over mijn hoofd –, alles was vuil na mijn vernederende en onvrijwillige vertrek uit de moskee.

Halverwege de gang verloor ik mijn evenwicht en viel ik hard op mijn heup. Skids keek toe terwijl ik overeind probeerde te krabbelen, waarbij het korte stukje ketting tussen mijn geketende voeten het me onmogelijk maakte om mijn gewicht te verplaatsen. Ik dacht iets van trots in zijn ogen te bespeuren toen hij zag hoe moeilijk het voor me was om te lopen.

Ze leidden me via twee openslaande deuren een grote, lege kamer binnen. Ik was hier één keer eerder geweest, in december tijdens Eid, samen met Nigel, toen onze ontvoerders ons uitgenodigd hadden om samen met hen te bidden en Eid te vieren, ofwel de bereidheid van Abraham om zijn eigen zoon aan God op te offeren. De kamer baadde nu in het zonlicht. De muren waren geel geverfd. Ik had op die feestdag achter mijn ontvoerders gestaan en naar hun rug gekeken. Ik had geknield op de betonnen vloer gezeten en het daglicht door de twee ramen in de linkermuur naar binnen zien vallen, en ik was gefascineerd geweest door de aanblik van de enige boom in de tuin – door alles wat zij zagen en ik niet.

Deze keer duwde Abdullah me helemaal naar voren. Skids sprak opnieuw Somalisch, waarna Abdullah alles wat hij zei ten behoeve van mij vertaalde. 'Je bent een slechte vrouw,' zei hij met stemverheffing. 'Je bent weggelopen. Heb je documenten?'

'Documenten?' zei ik. 'Nee, ik heb geen documenten.'

'Je liegt,' zei Abdullah.

Ik realiseerde me dat ze Nigels kamer doorzocht hadden en het stuk papier gevonden hadden, waarop hij in het Somalisch een paar zinnen had geschreven, waarin hij om hulp vroeg. Het was nauwelijks een document te noemen, maar onze ontvoerders waren altijd al geobsedeerd door papieren waarop iets geschreven was. Die werden steevast 'documenten' genoemd. Het geschreven woord bezat voor hen een vreemde macht.

Skids kwam dichterbij, het was de eerste keer in vijf maanden dat hij op armslengte afstand van me stond. Wat ik in zijn ogen zag, beviel me niet. Instinctief stak ik mijn hand uit om hem weg te duwen, maar dat leek hem alleen maar aan te sporen. Hij pakte met zijn vrije hand de kraag van mijn rode abaya en sloeg me met de kolf van zijn pistool op mijn hoofd. Ik voelde de pijn tot in mijn tanden, ogen en vingertoppen. Mijn eerste gedachte was dat mijn hersens beschadigd waren.

Ik viel opzij, maar Skids hield de kraag van mijn jurk nog steeds vast. Hij trok me eraan omhoog en schoof toen de abaya over mijn hoofd, waarbij zijn vingers langs mijn topje streken dat onder de zweetvlekken zat. Toen ik me verzette, sloeg hij me opnieuw.

'Alsjeblieft, niet doen,' zei ik.

Skids blafte Abdullah een bevel toe en ik begreep nu waarom ik het blauwe laken van mijn bed mee had moeten nemen. Terwijl Skids mijn armen vasthield, pakte Abdullah de gebloemde lap katoen, wikkelde die om mijn hoofd en knoopte hem stevig vast in mijn nek. Nu zag ik alleen nog blauw licht. Ik voelde handen op mijn lichaam. Mijn topje werd stukgetrokken. Ik wrong me in allerlei bochten om hun handen te ontwijken, maar die kwamen nu van alle kanten. Iemand sloeg me opnieuw op mijn hoofd. Ik werd duizelig, proefde braaksel in mijn keel omhoogkomen en zakte in elkaar. Er waren nieuwe stemmen bij gekomen in de kamer. Meer mensen die Somalisch spraken. Ik hoorde Mohammed en Yusuf. De kamer leek vol mannelijke energie. Ik hoorde zelfs de stem van Hassam, de zachtaardige marktjongen, en vooral dat maakte me moedeloos. Niet hij, dacht ik bij mezelf, niet Hassam.

Iemand sjorde aan mijn spijkerbroek en trok hem naar beneden tot de ketting om mijn enkels. Het was warm in de kamer en ik was, op de doek om mijn hoofd en de spijkerbroek om mijn enkels na, naakt. Mijn huid prikte. Ik probeerde met mijn armen mijn borsten en heupen te bedekken. Bij mijn voeten voelde ik twee handen friemelen. Ik hoorde gemompel en toen een collectief 'ah'. Iemand noemde de naam Ajoos, de tussenpersoon van het Shamo Hotel.

Ik verloor alle moed. Ze hadden de broekzakken van mijn spijkerbroek doorzocht, wist ik nu, en hadden daarbij mijn enige smokkelwaar gevonden: de twee stukjes papier waarop ik wat zinnen in het Somalisch en een paar telefoonnummers had geschreven. Ik had de papiertjes zo klein als zonnebloempitten opgerold en ze in het kleine driehoekige voorvakje van mijn spijkerbroek gestopt.

Mijn ontvoerders praatten luid nu, opgewonden, bijna triomfantelijk, alsof ze met deze vondst toestemming hadden gekregen om door te gaan.

En dat deden ze. Ze gingen door. Fouilleren, noemden ze het, wat ze die morgen in die kamer met me deden. Maar in werkelijkheid werden er grenzen overschreden. Alle jongens waren er. Ik begreep later pas hoe belangrijk dat was. Het voorkwam dat ze in de daaropvolgende maanden over elkaar zouden oordelen. Samen waren ze naar die duistere kant overgestapt en hadden ze voorgoed hun waardigheid verloren. Ze waren allemaal even schuldig. Het bloeden hield geen uren- of dagen- maar wekenlang aan.

34

Nieuwe regels

Daarna ging ik de duisternis in. Letterlijk: een kille zwarte leegte met vier muren eromheen, in de vorm van een nieuwe kamer in een nieuw huis. Dit huis leek ver buiten Mogadishu te liggen, dieper het land in, ergens in de catacomben van een ander witgekalkt dorp. Slechts enkele uren na wat er in de gebedskamer was gebeurd, brachten ze Nigel en mij heimelijk 's nachts naar deze nieuwe locatie. Ik voelde me als verdoofd tijdens de rit. Mijn lichaam was kapot. Het bloed sijpelde onder mijn abaya naar beneden. Alles was zo bont en blauw dat ik bij elke beweging een nieuwe pijnscheut voelde. Mijn geest leek in een net gevangen te zitten, hoog opgetakeld boven alles wat er gaande was.

Nigel zat zo te hijgen naast me dat ik bang was dat ze hem daarom zouden slaan. Hij droeg geen shirt, maar de reden daarvan wilde ik liever niet weten.

Achter in de auto, waar de jongens zaten, geweer in de hand, hoorde ik gerammel van pannen en geritsel van plastic tassen, wat betekende dat het een verhuizing voor langere tijd was.

Ik zag vrijwel niets van het nieuwe huis. Ik werd haastig van de auto naar de deur geleid en vervolgens een lange gang in.

Voordat we naar binnen gevoerd werden, draaide ik me om naar Nigel en zei: 'Niet opgeven. We komen hieruit, Nige. Ook al zien we elkaar misschien voorlopig niet meer.' Mijn ogen vulden zich met tranen bij de gedachte. Nigel kreeg ook tranen in zijn ogen. Ondanks alles wilde ik tegen hem aan kruipen.

Ze brachten me naar een donkere kamer zonder ramen, gooiden mijn schuimrubber matras naar binnen, de tassen met mijn spullen en het vierkante stuk bruine linoleum dat ook nu weer meeverhuisd was. De kamer was groot. Mijn matras lag in een hoek, de andere muren leken ver weg. Er hing een zure lucht, een mengeling van urine en verrotting. De kamer leek luchtdicht afgesloten te zijn, als een grot, als een opslagruimte, zonder licht en afgezonderd van de rest van het huis. Er zat een badkamer in, in een alkoof naast de deur, die muf en ongebruikt rook.

Gedurende de tweeëntwintig weken van mijn gevangenschap had ik vaak de gedachte gekoesterd dat Nigel en ik gevonden zouden worden, dat een mobiele telefoon getraceerd zou worden, dat Canada of Australië misschien soldaten of huursoldaten zou sturen om ons te bevrijden, of dat iemand – de vrouw van een van onze ontvoerders, zijn moeder, of een ander familielid – erachter zou komen en ze daardoor gedwongen werden er een eind aan te maken. Mijn hoop was al minder geworden, maar in deze bedompte, nieuwe ruimte was die helemaal vervlogen.

Ik had veel bloed verloren, gloeide van de koorts en mijn hele hoofd deed pijn. Ik was ervan overtuigd dat ik doodging, en dat het een langzaam proces was. Terwijl ik op mijn matras lag, klampte ik me vast aan elk geluid dat ik hoorde: het gescharrel van een rat in een hoek van de kamer, een spijker die in de muur geslagen werd – misschien om een klamboe op te hangen. En ik hoorde nog iets, een licht gekuch dat uit de gang kwam, van iemand die ik niet kende. Het was duidelijk een vrouw die kuchte, maar dat leek me onmogelijk. Ik vroeg me af of ik hallucineerde.

Uiteindelijk viel ik in slaap met de gedachte dat de ochtend wel enige verlichting van de pijn zou brengen, en ook wat licht in de duisternis. Toen ik wakker werd baadde ik in het zweet, had ik last van koude rillingen en een droge mond en voelde ik overal de doffe pijn van blauwe plekken. Vanaf mijn matras kon ik alleen onder de deur van mijn kamer een streepje daglicht zien.

Dit was het Duistere Huis. Hier golden nieuwe regels. En mijn ontvoerders maakten me die meteen duidelijk. Ik mocht niet praten, en ook niet rechtop zitten op mijn matras, ook niet heel even. Ik mocht alleen steunend op mijn elleboog eten en drinken op de matras. Elke overtreding leverde een pak slaag op. Mijn gevangenis had niet meer de omvang van een kamer, maar was gekrompen tot de grootte van een matras van negentig centimeter breed en twee meter lang. Ook kreeg ik geen flessen met gefilterd water meer van de markt. Elke morgen kreeg ik nu dezelfde tweeliterfles, die waarschijnlijk gevuld werd met water uit een buitenkraan, want het smaakte naar ijzer en ik proefde gruis op mijn tong.

Op de tweede middag kwam Abdullah met een zaklantaarn in zijn hand mijn kamer binnen. Toen hij zag dat ik op mijn rug lag gaf hij me woedend een schop. 'Omdraaien,' zei hij, terwijl hij me met zijn voet op mijn zij duwde. 'Alleen zo. Geen oefeningen doen.'

Hij schopte me nog een keer, om duidelijk te maken dat het hem menens was.

Ik realiseerde me dat ze me in het vorige huis dagelijks mijn rondjes hadden zien lopen, in de weken voorafgaand aan onze ontsnappingspoging. Ik dacht terug aan Abdullahs van woede vertrokken gezicht toen hij me in de moskee achterna had gezeten en gemerkt had hoe sterk mijn benen waren toen hij me over de binnenplaats achter zich aan had gesleept. Hij wilde niet het risico lopen dat het nog een keer gebeurde. Ze zouden alles doen om me zwak te houden. Ik mocht niet op mijn rug liggen, omdat ze bang waren dat het me sterk zou maken. Ik zou rek- en strekoefeningen kunnen doen, dachten ze waarschijnlijk, en een andere manier vinden om ervandoor te gaan.

Vijf keer per dag mocht ik de paar meter naar de wc strompelen, met de ketting om mijn enkels, en met een jongen met geweer in de buurt. In de badkamer zat een klein ventilatiegat hoog in de muur waardoor overdag een zwak mozaïek van licht naar binnen viel, net genoeg om een westerse wc-pot die niet doorgetrokken kon worden, een wastafel zonder stromend water en een roestige douchekop in de hoek te kunnen ontwaren. Het water zat in een kruik die telkens bijgevuld werd en binnen om de hoek van de deur werd neergezet.

Na het wassen werd ik geacht te gaan bidden. Wat ik graag deed nu, omdat het voor afwisseling zorgde en buiten de bezoekjes aan de badkamer de enige momenten waren waarop ik mocht staan. Meestal stonden er een paar ontvoerders achter me als ik bad, die me met hun zaklantaarn of het beeldschermpje van hun mobiele telefoon bijlichtten en toekeken terwijl ik de woorden mompelde op mijn vierkante stuk linoleum dat ik als bidmat gebruikte. De ketting om mijn enkels drukte telkens in mijn huid als ik ging staan of neerknielde. Ik kon na een gebedssessie dan ook niet meer op mijn hielen zitten.

De jongens dreven de spot met mijn gebrekkige Arabisch. Ze aapten de toon na waarop ik de woorden uitsprak.

'Je bent een slechte moslim, Amina,' zei Abdullah tegen me, zijn lach klonk als een zweepslag in de duisternis. 'Jij bent liegende vrouw.'

Op de vierde dag was ik ziek van het vuile water, mijn maag en ingewanden borrelden. Ik gebruikte de plastic fles om op de vloer te kloppen, ten teken dat ik vaker naar de wc moest. Soms stonden de jongens het toe, soms niet. Ze lieten de deur van mijn kamer nu op een kier staan, zodat ze geluidloos naar binnen konden glippen om me in mijn slaap te overrompelen. Een paar keer werd ik wakker omdat Abdullah en de jonge Mohammed mijn spullen tegen de muur gooiden en wilden weten of ik 'documenten' had, terwijl ze me met hun zaklantaarn in het gezicht schenen. Na de verhuizing naar het Duistere Huis waren mijn boeken en medicijnen me afgenomen. Mijn wattenstaafjes en bodylotion had ik nog wel. En één stel schone kleren, een flesje parfum en een grote tube tandpasta. Dat was alles.

Het enige wat nieuw was, was een overhemd van Nigel dat op een of andere manier tussen mijn spullen was geraakt. Het was het overhemd dat hij tijdens onze ontsnapping had gedragen – het

328

was paars, er zaten scheuren in en één mouw miste. Ik nam het mee naar bed, sliep ermee en hield het dicht tegen me aan gedrukt.

Ik dommelde meestal met een zweverig gevoel in mijn hoofd en gloeiend van de koorts in slaap. In het donker voelde het of mijn lichaam langzaam ineenschrompelde. Eén keer werd ik in paniek wakker omdat iemand me steeds in mijn zij trapte. Het was Mohammed. Het duurde een paar seconden voor ik begreep waarom hij dat deed. Ik was in mijn slaap op mijn rug gerold en overtrad daarmee de regel: geen oefeningen doen. Hij schopte net zolang tegen mijn ribben tot ik weer op mijn zij ging liggen.

Een paar keer hoorde ik vaag het gerammel van Nigels enkelketting in de gang. En ik hoorde ook voortdurend dat onbekende gekuch in het huis. Het klonk schor, kortademig en kwam beslist van een vrouw. Ik hoorde het zowel 's nachts als overdag, wat deed vermoeden dat ze in het huis woonde. Wie ze ook was, het klonk alsof ze erg ziek was. Het bracht me in verwarring. Waarom was hier een vrouw? Was zij ook een gevangene? Was ze de vrouw van een van de ontvoerders? Een dienstbode? Ik brak me er het hoofd over, hoewel ik wel wist dat geen enkele vrouw, onder welke omstandigheden ook, me zou kunnen bevrijden. Wie ze ook was, ze kon waarschijnlijk net als ik, geen kant op.

Wanneer je voortdurend omringd bent door duisternis, wordt tijd een surreëel, rekbaar begrip. Als de blaasbalg van een accordeon die in- en uitgetrokken wordt. Een uur is niet meer te onderscheiden van een nacht of een dag.

Mijn matras dreef als een vlot midden op een zwarte oceaan. De duisternis om me heen had inhoud, gewicht, en ze was zo dik als teer, bleef vastzitten in mijn keel en verpestte mijn longen. Ik moest mezelf trainen die duisternis in te ademen. Er waren momenten dat die agressief leek, me probeerde op te slokken. Ik hield dan een hand voor mijn gezicht, maar zag niets. Of ik zwaaide met mijn armen om wind te maken, in een poging om zo enige

329

macht over het donker uit te oefenen. En soms drukte ik in de holte van mijn nek, gewoon om mezelf eraan te herinneren dat ik een lichaam had.

Acht dagen verstreken er, negen, tien. Ik probeerde niet geobsedeerd te raken door tijd, maar zonder het ritme van dag en nacht was dat bijna onmogelijk. De enige gedachten die ik had waren: niet in paniek raken, niet gek worden. Ze bleven maar door mijn hoofd cirkelen, als miniatuurtreintjes die steeds dezelfde rondjes reden. Blijf rustig, zei ik tegen mezelf. Dit is maar tijdelijk. Dat moet wel. Ze brengen ons binnenkort ergens anders naartoe. Ik telde de dagen aan de hand van de oproepen tot gebed. Die klonken zo dichtbij dat het leek alsof de moskee naast ons huis stond, letterlijk achter de muren van mijn kamer. De zangstem van de muezzin klonk oud en onaangenaam.

Mijn ogen moesten zich inspannen in het duister, waardoor ik vrijwel voortdurend hoofdpijn had. Ik hield ze uiteindelijk maar gesloten, wat ook moeite kostte, omdat mijn hersens er niet op ingesteld waren. In plaats daarvan concentreerde ik me op mijn gehoor, dat steeds scherper werd. 's Middags hoorde ik het blikkerige geluid van een radio die op de BBC Somali Service afgestemd was. De presentator sprak Somalisch en ik luisterde of ik woorden herkende. Mijn Somalische woordenschat was beperkt, de meeste woorden had ik opgepikt tijdens de eerste paar dagen in Mogadishu met Abdi en tijdens de eerste weken van gevangenschap, toen onze ontvoerders het nog leuk vonden om met ons in gesprek te gaan. Ik wist dat *bariis* rijst was en *basal* ui. Ik wist dat *biyo* water was. Ik kende de Somalische woorden voor hotel, journalist, badkamer en moskee. Ik wist hoe je in het Somalisch zei: 'Hoe gaat het met u?' en 'Met mij gaat het goed' en 'Help' en 'We doen ons uiterste best om levens te redden'. Maar op de radio hoorde ik er weinig van terug. De woorden die ik het vaakst hoorde waren de namen van steden en van beroemde mensen. Na dagen luisteren meende ik de Somalische nieuwslezer Mogadishu, Ethiopië, Duitsland en George Bush te horen zeggen. De woorden kwamen door hun vertrouwdheid bijna over als voedsel.

Soms hoorde ik het gekletter van potten en pannen in huis, vergezeld van het gekuch van de vrouw. Ik begon te vermoeden dat ze kokkin was, en ingehuurd was om de maaltijden voor de jongens te bereiden en de afwas te doen. Ik hoorde hoe ze met volle tassen naar het einde van de gang liepen waar waarschijnlijk de keuken was. Af en toe ving ik de geur van gebakken uien op. Ik kwam tot de conclusie dat ze een weduwe moest zijn die dringend om werk verlegen zat. Geen enkele Somalische vrouw van aanzien – getrouwd of ongetrouwd, jong of oud – zou bij een groep jonge mannen in huis mogen wonen. En ik wist dat er in Somalië geen gebrek aan weduwen was.

De woorden en de geluiden die ik hoorde gingen soms over in dromen. Eén keer, toen ik mijn ogen dicht had, meende ik Nigel te horen lachen, maar ik vertrouwde het niet helemaal. Ik wilde het horen, realiseerde ik me. Ik voelde me gewoon ellendig en ongelooflijk eenzaam. Ik zag Nigel voor me, in een donkere kamer ergens aan de andere kant van het huis. In gedachten stuurde ik hem boodschappen toe, waarin ik hem op het hart drukte om vol te houden, niet op te geven. Ik kon niet boos op hem blijven, omdat hij mij de ontsnappingspoging in de schoenen had willen schuiven. Hij was ook gewoon bang. Ik begreep dat wel. Het deed er ook niet toe. Ik stelde me voor dat hij me in gedachten boodschappen terugstuurde.

Op de moeilijkste momenten drukte ik huilend zijn gescheurde overhemd tegen me aan. Ik legde mijn wang tegen de stof en rook de zweetgeur van zijn lichaam. We hadden een verleden nu, een dat jaren terugging. We hadden gedeelde ervaringen, hoewel ik me op dat moment, met mijn neus in zijn overhemd gedrukt, alleen de paranoia van onze ontsnapping en wilde spurt naar de moskee kon herinneren. Het was geen mooie herinnering, maar hij had een elektrische lading, een gevoel waar ik behoefte aan had. Hoelang hadden we die dag hoop gehad? Tien minuten? Twaalf? Ik zou nu met drie seconden al genoegen nemen. Ik smachtte naar nog één zo'n bevrijdende, tot mislukken gedoemde, volkomen geschifte maar niet helemaal onmogelijke kans om te ontsnappen en probeerde die, omdat me niets anders overbleef, in het donker uit de vezels van dat overhemd op te snuiven.

35

Een huis in de hemel

Twee weken verstreken er, toen drie. En toen was er bijna een maand voorbij.

Ik gleed in dat bedompte duister steeds verder weg in een toestand tussen zijn en niet-zijn, in een toestand van leegte waarin grenzen steeds meer vervaagden. Ik zag strengen blauw draad, kleine pluimachtige spinnakers die voor mijn gezicht zweefden, of ik mijn ogen nu open of dicht had. Soms vroeg ik me af of ik blind was geworden. Soms vroeg ik me af of ik nog leefde.

Was dit de hel?

Het was geen onredelijke gedachte.

Langzamerhand kreeg ik weer een soort dagelijkse routine, hoewel aan alle kanten ingeperkt door de duisternis en de regels. Toch putte ik troost uit alles wat ik voor mezelf kon doen. Ik zette mijn kleine verzameling toiletartikelen op een rij aan het hoofdeinde van mijn matras. Ik gebruikte de bodylotion 's morgens, na mijn bezoek aan de badkamer, voor mijn handen, onderarmen en mijn gezicht. Mijn ontvoerders hadden me een scheermesje gegeven, verpakt in een papieren hoesje, waarmee ik elke dag mijn schaamstreek kon scheren, zoals in de conservatieve islamitische mandaten over lichaamshaar beschreven stond. Ik deed dit in het zwakke licht van de badkamer, testte de scherpte van het mesje uit op mijn huid en wist dat ik er waarschijnlijk mijn polsen mee kon doorsnijden, als ik dat wilde. Het was een gedachte die sluimerde, een idee, maar daar bleef het ook bij.

Elke morgen, na mijn bezoek aan de badkamer, gebruikte ik vijftien cruciale seconden om snel mijn bed op te maken, voordat ik weer ging liggen. Ik stopte het onderlaken onder de zijkanten van de matras, streek met mijn hand de kreukels glad, vouwde mijn gebloemde bovenlaken in een platte rechthoek en legde het aan het voeteneinde. Dit markeerde voor mij het begin van een nieuwe dag.

Om de tijd door te komen haalde ik herinneringen op aan alles wat me verbond met de buitenwereld: het was februari, bijna maart. In Canada zouden de Rocky Mountains nu met een dikke laag sneeuw bedekt zijn. Mijn moeder zou een sjaal dragen. Mijn vaders tuin zou er verdord en bruin uitzien. De trottoirs van Calgary zouden schoongeveegd worden door de winterse rukwinden. Wol, wind, verdorde bloemen. Ik probeerde ze op mijn huid te voelen. Ik had zoveel winters buiten Canada doorgebracht, in verre landen waar het zelden koud was, dat ik nu vooral dit jaargetijde wilde voelen: de gezelligheid van een warm, veilig huis en de kou buiten.

De ratten in mijn kamer werden steeds brutaler. Ik werd soms wakker van hun harige vacht of als er een in het donker over mijn benen rende. Ik zocht naar elk speldenpuntje licht, de kleinste beweging in dat zwarte vacuüm, maar vond niets. Mijn benen deden pijn van het gedwongen stilliggen. Ik draaide van mijn rechterzij op mijn linkerzij en weer terug. Ik voelde me suf en ziek. Van het water dat ze me brachten, dronk ik zo weinig mogelijk. En ik at met dezelfde terughoudendheid het ontbijt dat me elke morgen werd voorgezet: droog brood, rijst met kamelenvet erover en bananen.

Alle geluiden van buiten leken uit een andere wereld te komen. Alleen de nurkse stem van de muezzin klonk helder en duidelijk, en de voetstappen – het geschuifel van sandalen naar mijn deur. Als ik dat hoorde, begon mijn hart te bonzen. Ik geloof niet dat ik nog zoiets als gewone angst voelde. Wat ik nu voelde wanneer iemand dicht bij me kwam, was een explosie van panische doodsangst. Wanneer ik voetstappen hoorde, wist ik nooit wie er kwam en met welke reden.

Meestal was het Abdullah. De anderen kwamen ook in mijn kamer, soms om zogenaamd te controleren of ik mijn lichaamshaar wel afschoor, maar meestal om me te misbruiken. Misschien was ik vóór de ontsnapping nog een soort curiositeit voor die jongens geweest – een buitenlandse met wie ze hun Engels konden oefenen en punten konden scoren bij Allah omdat ze me onderricht gaven in de islam –, nu was dat niet meer zo. Ze behandelden me nu als oorlogsbuit. De een was erger dan de ander. Een paar, zoals Hassam en Jamal, lieten me met rust. Maar als groep leken ze te geloven dat ik hen beschaamd had door ze in de moskee valselijk te beschuldigen, en dat rechtvaardigde dat ze alle waardigheid en zelfbeheersing, als individu en als groep, konden laten varen.

Abdullah kwam soms een paar keer op een dag. Hij opende dan de deur en verblindde me met het licht van zijn zaklantaarn. Daarna ging hij op zijn knieën op mijn matras zitten, meestal zonder iets te zeggen. Hij betastte me niet zozeer maar greep me eerder. Als hij een van mijn borsten gevonden had, kneep hij erin alsof hij hoopte dat die open zou barsten. Soms zei hij snerend tegen me dat ik 'vies' was, en 'open' omdat ik, in tegenstelling tot vrijwel alle Somalische vrouwen, niet besneden was – mijn schaamlippen en clitoris waren, in een draconische poging om mijn eer te beschermen, er niet afgesneden en mijn vagina was niet dichtgenaaid.

Soms bond Abdullah met het blauwgebloemde laken mijn handen vast op mijn rug, zodat ik hem niet kon wegduwen als hij me bijna smoorde. Ik sloot me af voor de geluiden die hij maakte.

De dood begon een welkom alternatief te worden. Het moest beter zijn dan dit. Ik wist niet hoe ik zou sterven – ik had niet de behoefte om zelf een eind aan mijn leven te maken, zelfs niet met het scheermesje – maar ik voelde de dood dichtbij, op me wachten. Doodgaan zou geen moeite kosten, loslaten wel.

Elke dag, zelfs elk uur voelde ik de druk op mijn borst toenemen, alsof een boomtak zich in me doorboog. Ik voelde dat ik bijna het punt bereikt had waarop ik de spanning niet langer kon verdragen en er iets zou knappen in mijn hoofd. Die gedachte bracht me volkomen van mijn stuk. Wat zou er dan gebeuren? Wat lag er aan de andere kant? De dood? Waanzin? Ik wist het niet.

Ik bleef stil liggen terwijl Abdullah zijn gang ging, maar inwendig bleef ik me verzetten, bleef ik vechten om weg te komen. Ik probeerde de druk te verlichten, want ik wilde niet naar die andere kant. Meestal legde hij zijn zaklantaarn op de grond. Als hij dan over me heen bewoog, ingespannen en met het puntje van zijn tong uit zijn mond, scheen het licht van de zaklantaarn omhoog en weg van ons, waardoor ik dingen zag die ik anders nooit zag – de donkere houten balken aan het plafond, en stofdeeltjes die als diamantjes in de lucht hingen. Ik richtte al mijn aandacht daarop. Om aan de schok van wat er van me geworden was te ontkomen.

In gedachten bouwde ik een trap. En aan het einde van de trap stelde ik me kamers voor. Die waren ruim en licht en hadden hoge ramen en er waaide een koele bries doorheen. De ene kamer ging over in de andere, tot ik een heel huis gebouwd had, met gangen en nog meer trappen. Ik bouwde zo talloze huizen, het ene na het andere, tot ze een stad vormden – een rustige, sprankelende stad aan de oceaan, een stad als Vancouver. Ik verplaatste me ernaartoe en woonde er, onder die weidse hemel in mijn hoofd. Ik kreeg vrienden, las boeken en rende door het smaragdgroene park langs de haven. Ik at pannenkoeken met stroop, ging in bad en zag hoe de zon door de bomen scheen. Het was geen verlangen, geen waanzin. Het bracht verlichting. Alleen zo hield ik het vol.

Zodra hij weg was kwamen de andere emoties weer terug. Ik huilde elke keer, in verwarring, omdat woede en wanhoop elkaar afwisselden. Het voelde alsof ik aan een oceaan vol haat stond waar ik mijn tenen in had gestoken.

Dag in dag uit verzamelde ik zoete herinneringen waaraan ik me laafde. Ik dacht terug aan de gelukkige momenten in mijn leven en ontvouwde die tergend langzaam, omdat tijd het enige was dat ik in overvloed had. Ik dacht terug aan mijn eerste grote liefde

Jamie, met zijn grote bos haar, tweedehandskleren en gitaar.

'Waar wil je dan naartoe?' had hij me op een middag gevraagd in een park bij de rivier in Calgary, nog voordat we samen ooit ergens geweest waren, of iets gezien hadden met z'n tweeën.

'Maakt me niet uit,' had ik gezegd. 'Overal is goed.'

Het was het goede antwoord.

Ik herinnerde me weer het schurende gevoel van de zware rugzak op mijn schouders, de benzinedampen van Pakistaanse jingle trucks, de treinstations en de kebab van lamsvlees, en de vlammend rode tent waarin ik geslapen had op de rivieroever in Khartoem. Ik dacht terug aan de week waarin ik samen met Kelly in Nepal naar het basiskamp van de Mount Everest gelopen was, aan de eerste nachten die ik in Amanuddins huis in Kabul had geslapen. Ik herinnerde me weer hoe het was om in Calcutta handenvol gesuikerde pistachenoten in mijn mond te stoppen en in Beiroet driehoekjes zacht pitabrood in een kom roomzachte hummus te dopen, gegarneerd met een toefje munt. Ik dacht terug aan Dan Hanmer – die stille, netjes geklede Brit die jaren geleden in Guatemala bij dat donkergroene meer had gezeten en Kelly's hand had vastgehouden. Ik herinnerde me de zwembaden waarin ik een duik had genomen, de koude flesjes Fanta aan het einde van een lange busrit, het begin van elk gesprek in de ontbijtzaal van een tweesterrenhotel, waar ook ter wereld.

Ik dacht aan mijn vaders lach en mijn moeders kookkunsten, aan de sterrenhemel boven Sylvan Lake. Ik sloot vrede met iedereen die ooit een vijand was geweest. Ik vroeg om vergiffenis voor alle ijdele of egoïstische dingen die ik in mijn leven had gedaan. In het huis in de hemel gingen alle mensen van wie ik hield aan tafel voor een groot feestmaal. Ik voelde me veilig en beschermd. Hier zwegen alle stemmen in mijn hoofd die angst verspreidden en doodswensen uitten. Eén stem bleef over. Een kalme, krachtige stem die me heilig was.

Die stem zei: *Zie je wel? Het gaat goed met je, Amanda. Het is alleen je lichaam dat lijdt, maar jij bent niet alleen je lichaam. Verder gaat het goed met je.*

337

Het leven werd daarna draaglijker – niet gemakkelijker, alleen beter uit te houden. Hoewel ik honger had, onder de blauwe plekken zat en koorts had die niet wilde zakken, ging het verder goed met me. Ik was alleen en mijn voeten waren geboeid, maar verder ging het goed. Daardoor raakte ik niet in paniek. Die had een plek gekregen. Het was alsof die stem stilletjes een paar belangrijke dingen veranderd had. Alsof ik in die verstikkende duisternis meer ruimte had gekregen, wat frisse lucht. Ik herinnerde mezelf eraan adem te blijven halen. En legde een hand op mijn borst om er zeker van te zijn dat ik ook telkens uitademde. Adem in, adem uit.

Ik volgde mijn ademhaling van minuut tot minuut, van uur tot uur, van dag tot dag, van week tot week, terwijl de jongens mijn kamer in- en uitgingen, terwijl mijn haat jegens hen toe- en afnam, en ik het gevoel had dat ik op handen en voeten uit een zwart gat kroop – deze eindeloze afgrond waarin ze me elke keer weer duwden als ze me verkrachtten, sloegen of uitscholden. Het was gemakkelijker voor hen, wist ik nu, om op een bepaalde manier aan me te denken, om niet te erkennen dat ik ook een mens was, net als zij, want als ze dat wel deden – als ze erbij zouden stilstaan wat ze deden – zou er in hun hoofd misschien ook iets knappen.

Met deze ademhaling kies ik voor vrede, met deze voor vrijheid. Of het nu de tiende of de duizendste keer was, het werd er nooit gemakkelijker op om hun wreedheden te ondergaan. Het effect was steeds hetzelfde: het vrat aan me en bracht me tot moedeloze wanhoop. Ik had altijd gedacht dat mensen in wezen goed waren. Dat had ik overal ter wereld ook gezien. Maar ik kon niets goeds ontdekken in deze jongens, in geen van mijn ontvoerders. Als mensen zo monstrueus konden zijn, had ik me misschien volkomen vergist. Maar in zo'n wereld wilde ik niet leven. Dat was de angstigste en meest ontwrichtende gedachte van allemaal.

Tijdens de tweede maand in het Duistere Huis kwam Yusuf – de lange jongen die de anderen soms gymles gaf op de binnenplaats – op een dag mijn kamer binnen met de helft van een papaja, dwars opengesneden, zodat de zaden in het midden een donkere ster vormden. Ik staarde naar het fruit en toen naar Yusuf, die een sarong droeg en een wit shirt met dunne zwarte strepen. Niemand had in weken naar me geglimlacht, maar hij glimlachte. Ik verwachtte dat hij naar me zou uithalen, of de vrucht weer zou afpakken, maar dat deed hij niet. Ik wist van eerdere pogingen om met hem te praten dat hij vrijwel geen Engels sprak. Hij klopte op zijn borst om me duidelijk te maken dat het fruit een geschenk van hem alleen was en ging daarna een halve meter bij me vandaan zitten, terwijl ik een hap nam.

Heel zacht zei ik: 'Bedankt.' Ik schrok van het geluid van mijn eigen stem. Ik had wekenlang nauwelijks een woord gezegd.

Yusuf glimlachte opnieuw. Terwijl ik verder at, boog hij zich voorover, stak zijn arm uit en hield zijn onderarm in het licht van de zaklantaarn naast de mijne. 'Zwart,' zei hij, wijzend naar zijn arm. Daarna wees hij naar mijn arm. 'Wit,' zei hij. En terwijl hij me recht aankeek, voegde hij eraan toe: 'Geen probleem.'

Ik nam aan dat hij wilde zeggen dat onze huidskleur niet belangrijk was.

Toen hij wegging, moest ik huilen. Het was ook zo'n vreemd voorval geweest. Yusuf was net zo schuldig als de andere jongens, maar dit kleine gebaar van vriendelijkheid bleef me bij.

De kalme, krachtige stem bleef ook. Die vertelde me om naar het goede te blijven zoeken, omdat het goede er altijd was. Op echt moeilijke dagen, wanneer de druk in mijn hoofd weer zo toenam dat ik bang was dat er iets zou knappen, stelde die stem me een vraag: gaat het op dít moment goed met je?

Het antwoord werkte kalmerend: ja, op dít moment gaat het goed met me.

Ik dacht aan alles waarvoor ik dankbaar was – mijn familie thuis, de zuurstof in mijn longen en begon een ritueel. Elke avond na de gebedssessie van zes uur ging ik op mijn matras liggen om in stilte mijn eigen gebed op te zeggen, waarbij ik iedereen in mijn familie bij naam noemde, me hun gezicht voor de geest haalde en God vroeg hen te beschermen. Ik deed hetzelfde voor Nigel en zijn familie en voor al mijn vrienden. Ik noemde de mensen met wie ik in Bagdad had samengewerkt, de Somaliërs die ik tijdens de eerste dagen in Mogadishu ontmoet had. Ik bad voor de buurman die Nigel en mij tijdens onze ontsnapping had proberen te helpen en vooral voor de vrouw die zich in de moskee aan me vastgeklampt had. Ik hoopte dat ze leefde en ongedeerd was. Ik duwde het schuldgevoel dat erop volgde meteen weg.

Ik probeerde te benoemen wat er goed was geweest aan de dag die net voorbij was. Ik zocht naar de momenten waarop mijn ontvoerders menselijkheid hadden getoond: ik ben er dankbaar voor dat Jamal vandaag mijn eten heeft neergezet en het niet naar me toe heeft gegooid. Ik ben er dankbaar voor dat Abdullah me begroette met *Asalaamu Alikum* toen hij mijn kamer binnenkwam. Ik ben blij dat ik de jongens vandaag een paar seconden lang heb horen lachen en dollen in de gang, omdat het mij eraan herinnerde dat er ergens in ieder van hen een onbezorgde tiener schuilgaat.

In de context van het leven dat ik vroeger leidde, waren dit kleine dingen, onbeduidende dingen zelfs, maar hier, en onder deze omstandigheden, betekenden ze alles voor me. Door me te concentreren op alles waarvoor ik dankbaar was, lukte het me de spanning te verminderen. Elke keer als mijn ontvoerders me in dat zwarte gat gooiden, vond ik een andere weg om eruit te klimmen. Het was niet gemakkelijk – geen enkele keer – maar deze manier van denken werd mijn ladder, mijn deuropening.

Je kunt overal naartoe, zei ik tegen mezelf. Overal.

36

Gevaar komt gauw

In Alberta was de lente net begonnen. Mijn moeder verbleef nog steeds op het onderduikadres in Sylvan Lake, niet ver van het huis van mijn vader en Perry. Aan de muur hing een kalender waarop alle 207 dagen die ik nu gegijzeld was met een X waren gemarkeerd. De onderhandelaars van de RCMP bleven haar vierentwintig uur per dag bijstaan. Ze onderhandelde zelf echter niet meer. Na de laatste keer dat mijn moeder en ik elkaar gesproken hadden – in december, toen de ontvoerders me in de woestijn gedreigd hadden te onthoofden en me daarna de telefoon in handen hadden gedrukt – hadden de rechercheurs hun strategie gewijzigd en haar geïnstrueerd de telefoon niet meer op te nemen als ze een Somalisch telefoonnummer op het scherm zag. Het idee was dat als ze niet meer opnam Adam gedwongen zou worden om met agenten van de Canadese inlichtingendienst in Nairobi te onderhandelen. Dit zou, zo geloofde men, minder emotionele manipulatie tot gevolg hebben en meer schot in de zaak brengen.

Adams frustratie over de nieuwe situatie was merkbaar. Hij belde mijn moeder soms wel tien keer per dag en hing op zonder een voicemailbericht achter te laten. Nu hij geen contact meer met haar kreeg via de telefoon stuurde hij boze e-mails vol spelfouten naar het Hotmail-adres dat mijn moeder in de herfst gebruikt had om het verzorgingspakket naar ons toe te sturen. Eén bericht, dat in januari verstuurd was, ongeveer ten tijde van onze

341

ontsnapping, vatte samen wat hij in eerdere e-mails ook al had gezegd: 'Gevaar komt gauw voor Amanda en Nigel als jullie het losgeld dat wij willen niet betalen!!!!!'

In de bijna zeven maanden dat de ontvoering nu duurde, hadden de gijzelnemers hun losgeldeisen nauwelijks bijgesteld. Ze bleven aandringen op $2 miljoen voor ons beiden, wat lager was dan de eerste eis van $3 miljoen. Adam had in het begin van de onderhandelingen een eenmalig aanbod van $250.000 afgeslagen, in ruil voor Nigel en mij, een bedrag dat bijeengebracht was door de Canadese en Australische regering en technisch gezien als 'onkosten' kon gelden, zodat beide landen hun officiële beleid konden verdedigen dat er geen losgeld betaald werd. Dit was hun enige aanbod. Elke andere oplossing zou door middel van diplomatie tot stand moeten komen.

Voor mijn ouders was het niet duidelijk wat die diplomatie precies inhield. Soms werd hun verteld dat de regering geld beschikbaar zou stellen, bijvoorbeeld voor een ziekenhuis in Mogadishu, om zo de plaatselijke autoriteiten te mobiliseren. Of ze kregen te horen dat Canadese regeringsonderhandelaars hadden geprobeerd om druk uit te oefenen op clanoudsten en andere Somalische leiders om onze vrijlating af te dwingen. Maar met een Somalische regering die voortdurend in gevaar verkeerde, en door berichten dat de groep die ons vasthield geen banden had met welke clan dan ook, liep het steeds op niets uit.

De impasse hield aan. Adam bleef mijn moeder opbellen, zonder succes. Er kwamen andere telefoontjes uit Somalië en vreemden lieten voicemailberichten achter, waarin ze beweerden nieuws te hebben, of een manier wisten om ons vrij te krijgen. Mijn moeder begreep nooit hoe deze mensen aan haar nummer kwamen, en wat ze wilden – spanden ze met de ontvoerders samen, of waren het eerlijke mensen die haar wilden helpen. Als de telefoon overging, barstte ze meestal in huilen uit.

Hoop die maandenlang gekoesterd wordt, wordt vanzelf een kwelling. Aan het eind van de middag, als het in Somalië nacht was en er waarschijnlijk toch geen nieuws kwam, verliet mijn moeder het huis om even op adem te komen. Ze ging dan boodschappen doen of wandelde in haar eentje door de besneeuwde bossen om haar hoofd leeg te maken. Een onderhandelaar bleef achter in het huis en hield de wacht, hoewel niemand precies wist waarop er gewacht werd.

Wat mijn ouders op de been hield, wat hun de kracht gaf om door te gaan, was het feit dat anderen hoopvol bleven. De regeringsonderhandelaars die dagelijks vanuit Ottawa belden om de laatste stand van zaken door te geven, kwamen met vage maar geruststellende berichten. Ze kregen te horen dat Nigel en ik te eten kregen. We mochten oefeningen doen. Toen mijn moeder in het begin haar bezorgdheid had geuit over mijn veiligheid als vrouw hadden de onderzoekers haar snel gerustgesteld: onder vrome moslims werd verkrachting als een grotere misdaad gezien dan moord, hadden ze gezegd. De kans dat ik misbruikt zou worden, was dan ook niet groot.

De agenten van de inlichtingendienst zinspeelden erop dat er achter de schermen hard gewerkt werd, maar dat ze daarover geen informatie mochten geven. Volgens mijn moeder luidde de boodschap uit Ottawa bijna dagelijks dat de oplossing van deze zaak 'heel, heel dichtbij' was. Ze leefde voor die woorden – 'heel dichtbij' – zonder te weten wat ermee bedoeld werd.

Er ontstond frictie tussen mijn familie en die van Nigel over hoe het nu verder moest. Onze families spraken zelden rechtstreeks met elkaar, omdat ze geïnstrueerd waren om op de bemiddelaars van beide regeringen te vertrouwen. Nigels oudere broer Hamilton had zich, gedesillusioneerd omdat er zo weinig schot in de zaak zat, in Australië gewend tot ene Michael Fox. Fox was een soort veiligheidsexpert annex premiejager, die een netwerk van contacten had in Somalië en geloofde dat hij in elk geval Nigel vrij kon krijgen als de familie Brennan vijfhonderdduizend dollar bij elkaar kreeg. Dat betekende wel dat ze zich daarmee distantieerden van het beleid van de Australische Federale Politie, maar de familie Brennan had toch al haar twijfels over hoe effectief een regering in situaties zoals deze kon zijn. En ze hadden geld op de bank, zoals Nigel me al verteld had, van de verkoop van hun boerderij. Bovendien hadden andere familieleden onroerend goed dat als onderpand kon dienen voor een lening. Er was in de familie Brennan wel een verschil van mening ontstaan over hoe er omgegaan moest worden met het gebrek aan geld in mijn familie. Als Fox gelijk had en als ze het geld voor Nigels vrijlating bij elkaar kregen, waarom, zo vroeg zijn broer zich af, zouden ze zich dan nog verantwoordelijk voelen om mij vrij te krijgen?

Begin maart hoorde mijn moeder dat Hamilton een deal had gesloten met Michael Fox, dat hij ermee akkoord ging dat Fox naar Somalië afreisde om met het geld van de familie over Nigels vrijlating te onderhandelen. Ze was er kapot van. Ze hield boze telefoongesprekken met zowel Hamilton als Nigels moeder, waarin ze volhield dat de ontvoerders het geld zeker zouden aannemen, Nigel zouden vrijlaten en mij zouden doden.

Later die maand kwamen de beide families tot een compromis. De familie Brennan stemde ermee in om niet met Fox in zee te gaan en opnieuw haar hoop te vestigen op de regeringsonderhandelaars die aan de zaak werkten, en te hopen op een doorbraak.

Maar toen verscheen er een blogbericht op internet dat bij mijn ouders grote paniek en verwarring veroorzaakte. Een Amerikaanse blogger meldde dat ik zwanger was. Het bericht – dat op een website stond die over oorlogen en inlichtingendiensten ging – was kort en bevatte niets specifieks. Hij meldde dat de informatie afkomstig was uit Mogadishu, uit betrouwbare bron, maar waarschuwde zijn lezers er meteen voor dat het niet meer dan een gerucht was.

De onderhandelaars van de RCMP die bij mijn moeder thuis waren, drukten haar op het hart dat het waarschijnlijk alleen een roddel was, een van de vele onbevestigde berichten die uit Somalië overgewaaid waren sinds we ontvoerd waren. Het was heel goed mogelijk, zeiden ze, dat het verhaal door de ontstemde Adam of een van zijn vrienden de wereld in gestuurd was om vaart te zetten achter de onderhandelingen.

344

Somalië leek een fabriek van geruchten, met een handvol nieuwswebsites en ongekwalificeerde bloggers, die berichten uitbraakten die voor betrouwbare informatie moesten doorgaan, grotendeels ten behoeve van de circa miljoen Somaliërs die het land ontvlucht waren en over de hele wereld verspreid woonden. En ook, zo bleek, ten behoeve van mijn moeder, die elke morgen door slecht vertaalde berichten scrolde over ontwikkelingen in de burgeroorlog, clanpolitiek en de piratenkwestie, en de steeds groter wordende verbondenheid tussen Al-Shabaab en Al Qaida. De media in Somalië werkten meestal ondergronds en onofficieel. Al-Shabaab was overgegaan tot het bombarderen van radiomasten en het vermoorden van journalisten die slechts hun werk probeerden te doen. Sommige nieuwswebsites werden naar verluidt geleid door bepaalde clans en waren dus partijdig in hun berichtgeving. Wat wel of geen waarheid was, was moeilijk vast te stellen.

Nieuws over Nigel en mij was altijd vaag en versnipperd, afkomstig van een blogger, of via een mysterieus netwerk van informanten doorgegeven aan de Canadese of Australische inlichtingendienst. Iemand had ons zien zitten op de achterbank van een auto. Er waren ook andere, dubieuzere berichten, zoals dat waarin stond dat ik met veel plezier Engelse les gaf aan Somalische kinderen. Later zou ik me erover verbazen hoe accuraat sommige berichten waren, hoe er toch iets van waarheid uitgelekt was, ondanks onze totale geïsoleerdheid. Mijn ouders kregen bijvoorbeeld te horen dat ik mijn enkel verstuikt had in het Ontsnappingshuis tijdens het rondjes lopen, wat waar was. Mijn ouders werd ook verteld dat mijn ontvoerders me ijs, een zeldzaamheid in Somalië, gebracht hadden, wat ook waar was.

Wat mijn moeder zowel verontrustte als geruststelde was het specifieke van deze berichten. Ondanks het kromme Engels werd het nieuws vaak op een kille, zelfverzekerde toon gebracht. Meestal beschouwde ze het als bewijs dat ik nog leefde en dat ik tenminste door mensen gezien was in Somalië, hoewel het ook leek alsof ik gehersenspoeld was, omdat de vrouw die in het nieuws beschreven werd niet leek op de dochter zoals zij haar kende. Een van de wat uitgebreidere berichten die op een Somalische nieuwswebsite werd gezet toen we ongeveer een jaar vastzaten, luidde als volgt:

De journalist Amanda Lindhout is geen christen meer ze heeft zich afgewend van haar geloof in de Drie-eenheid en aanbid nu één God en dat is Allah de hoogste ze bid nu vijf keer en is heel tevreden met haar huwelijk met een van haar ontvoerders je kunt je niet voorstellen hoe ze samen lachen en glimlachen via gebaren omdat het echtpaar elkaar niet verstaat in taal, zei Hashi, een van de ontvoerders van Amanda Lindhout, vrijdag tegen Waagacusub Website.

Een verslaggever van Waagacusub Website die in een huis woont een paar meter verwijderd van het huis waar Amanda woont heeft van dichtbij de situatie van de twee journalisten gevolgd en heeft bevestigd dat Amanda vrolijk is in een bepaald huis in Suuq Holaha in het noorden van Mogadishu en regelmatig haar vrouwenwerk doet zoals wassen, koken en het huis schoonhouden waarin ze woont.

De verslaggever voegde er ook aan toe dat hij niet genoeg bericht heeft over de Australische freelance journalist maar er zeker van is dat hij in dezelfde omgeving woont met Amanda. Amanda draagt een grote zwarte sluier, er is bijna geen deel van haar lichaam te zien en ze leert nu de Heilige Koran.

Ik kan met zekerheid zeggen dat we niet in Mogadishu waren toen dit artikel werd gepubliceerd. Het is ook goed om te melden dat ik niet zwanger was, niet getrouwd was, en zeker niet vrolijk was. Ik kookte niet, en maakte ook niet schoon in huis, behalve één keer, op een middag, na bijna twee maanden in het Duistere Huis te hebben gezeten, toen Jamal en Abdullah me opdroegen mijn badkamer schoon te boenen. Ik denk dat ze geloofden me daarmee te vernederen, maar na wekenlang in het stikdonker op mijn matras te hebben gelegen, werden dat de mooiste tien minuten die ik die winter meemaakte. In het spinraglicht van het ventilatiegat, sopte ik met water uit een bruine emmer en waspoeder de vuile badkamer uit, blij dat ik wat bewegingsvrijheid had en om

346

het feit dat ik de badkamer alleen voor mezelf en niemand anders mooier maakte. Overdreven langzaam haalde ik de lap over de wastafel en de roze plastic wc-bril, en gooide extra veel waspoeder in de wc-pot waar het meteen strepen trok door de vieze vlekken.

Abdullah en Jamal zaten buiten in de zwak verlichte gang tegen de muur, vlak bij mijn kamer. Ze waren diep in gesprek en spraken Somalisch op een toon die ik lang niet gehoord had, als twee vrienden die aan het kletsen waren. Ze klonken opgewekt, alsof ze vergeten waren dat ik voortdurend vijandig bejegend moest worden.

Ik nam mijn kans waar, stak mijn hoofd om de deur, hield de doos met waspoeder omhoog en zei: 'Mag ik alsjeblieft hiermee mijn kleren wassen in de emmer?'

Ik had sinds de ontsnapping niet meer mogen douchen en geen schone kleren mogen aantrekken. Als ik me waste, deed ik dat gehurkt naast de wc bij de waterkruik – een gele plastic container, waar ooit bakolie in had gezeten, waarvan de bovenkant afgesneden was maar het handvat nog intact was – met behulp van een rood plastic kopje. Ik waste me altijd gehaast, was zuinig met water en gebruikte nooit meer dan twee volle kopjes per keer, omdat ik wist dat het, wanneer de container leeg was, dagen kon duren voordat de jongens de moeite namen hem weer bij te vullen. Maar ik rook kennelijk wel zo vies dat mijn ontvoerders soms met een flesje eau de toilette mijn kamer binnenkwamen dat ze voor zich uit hielden om een lekker geurend pad vrij te spuiten door de stinkende duisternis.

Maar die dag overlegden Abdullah en Jamal, terwijl ze naast mijn deur in de gang op de grond zaten, even over mij en mijn kleren. Ondertussen zag ik nog net de schaduw van een magere gedaante wegschieten achter een lichtgekleurd gordijn dat tegenover mijn kamer voor een deuropening hing. Iemand had daar gestaan – misschien om ons af te luisteren – en was daarna weggelopen. Het was de vrouw – het moest haar wel zijn –, de onzichtbare andere vrouw in het huis. Waarschijnlijk bevond haar slaapkamer zich achter het gordijn. Dat verklaarde ook waarom ik haar zo vaak hoorde kuchen.

347

'Vijf minuten,' zei Abdullah, mijn gedachten onderbrekend. 'Snel.'

Met de ketting om mijn enkels lukte het me niet om mijn spijkerbroek uit te krijgen, maar ik deed wel de rode abaya, mijn topje en bh uit en trok daarna de zwarte jurk aan die ik op de dag van onze ontsnapping gedragen had. Terug in de badkamer gooide ik de kleren in het overgebleven water in de bruine emmer, strooide er met gulle hand waspoeder overheen en begon elk kledingstuk snel maar zorgvuldig te kneden, tot mijn vingertoppen ervan gloeiden, wat een goed teken was omdat het betekende dat het krachtig spul was. Het idee alles straks weer schoon op mijn huid te voelen, leek een groot geschenk.

Toen ik klaar was, hing ik de bh over een stang naast de wastafel. Ik liep de gang weer in en hield de druipende jurk en top omhoog naar de jongens, om aan te geven dat ze ergens opgehangen moesten worden om te drogen. Ik wilde ze aan Jamal geven, maar hij deinsde ervoor terug. De twee jongens begonnen druk in het Somalisch te overleggen. Geen van tweeën wilde mijn kleren aanraken.

Na enige discussie werd me meegedeeld dat ik de kleren zelf mocht ophangen. Dat was een grote beslissing. Er werden nog een paar jongens met geweer opgetrommeld. Ik mocht, voor het eerst in twee maanden, mijn kamer verlaten, strompelend, vanwege de ketting tussen mijn enkels, en met de rode jurk in mijn handen. Terwijl de jongens me omringden en de lange gang in duwden, werd het licht dat door de openstaande deur voor me naar binnen viel steeds intenser. Mijn ogen leken te exploderen. Ik zag lichtflitsen – een vernietigend fel wit licht met blauwe en oranje strepen. Ik kon alleen de omtrekken van mensen zien die langs de muur stonden.

Iemand schreeuwde in mijn oor: 'Snel, snel, snel.'

Ik had me vaker een voorstelling proberen te maken van de indeling van het Duistere Huis, maar nu werden mijn hersens overspoeld met informatie. Ik zag deuren, ramen en hoeken. Ik woonde in dit huis zonder te weten hoe het eruitzag. Opeens stond ik buiten, op een zonovergoten terras, voor een witgeverfde muur. Het licht maakte me duizelig. Mijn voetzolen verbrandden door de hitte van de cementen vloer. Ik voelde de tranen over mijn wangen stromen. De enorm blauwe hemel boven me was te overweldigend. Iemand gaf me een duw.

'Snel, nu, nu. Hier ophangen.'

Voor me hing een lege waslijn. Ik gooide de rode abaya en top eroverheen en werd meteen daarna weer naar binnen geduwd.

De lucht voelde klam aan en daarna verstikkend. Ik schuifelde door de gang, gehinderd door de ketting tussen mijn voeten en met zonnevlekken voor mijn ogen, en probeerde alles in me op te nemen wat ik zag. We liepen links langs een grote kamer waar de jongens, zo leek het, verbleven, en daarna langs een openstaande deur rechts. Deze kamer was kleiner en had een raam waardoor genoeg licht naar binnen viel dat mijn ogen er pijn van deden, en er zat iemand in de kamer. Het was Nigel, badend in het zonlicht, zittend op een matras met zijn blauwe klamboe om zich heen gewikkeld. Hij las een boek en keek niet op toen ik langs schuifelde. Ik zag aan zijn gespannen houding dat hij wist dat ik het was die voorbijliep, maar waarschijnlijk was hij te bang om op te kijken.

Ze brachten me terug naar mijn kamer en schenen me bij met hun zaklantaarn, zodat ik mijn matras in dat donkere hol terug kon vinden. Ik was elk gevoel voor richting kwijtgeraakt. Mijn hart bonsde. De kamer leek nog donkerder dan voor die tijd. Mijn ogen hadden moeite om eraan te wennen. Later gooide iemand – ik kon niet zien wie – mijn droge abaya en top vanuit de deuropening de kamer in. De kledingstukken wogen bijna niets meer nu al het vuil eruit gewassen was, ze roken naar zeep en waren nog warm van de zon.

Nog uren daarna lag ik op mijn matras na te genieten van die halve minuut die ik in de buitenlucht had doorgebracht. Maar ik was ook nog steeds verbijsterd over de aanblik van Nigel. Ik probeerde hem niet te haten om wat ik gezien had. Hij had boeken, een raam, een klamboe om de muggen op afstand te houden. Ik vroeg me af of hij goed te eten kreeg, of onze ontvoerders vriendelijk tegen hem waren, of hij zich zorgen om me maakte, of hij wist hoe verschillend onze situatie nu was. Ik vroeg me af wat er gebeurd zou zijn als hij wel opgekeken had, of die blik een troost voor me geweest zou zijn, of me een inkijkje in zijn gedachten had gegeven.

Ik wist het niet, en zou het ook nooit weten.

Ik dacht voortdurend aan Nigel in de dagen daarna en kwam uiteindelijk tot de conclusie dat ik geen andere keus had dan blij voor hem te zijn, ook al werd ik tegelijkertijd verteerd door bittere jaloezie. Voor mezelf was ik blij dat ik die dag iets anders gezien had dan alleen mijn kamer. Het herinnerde me eraan dat er een hemel was, dat er oceanen en zelfs continenten waren. Ik maakte een nieuwe plattegrond van het Duistere Huis, plaatste Nigel met zijn boeken voor in het huis, waar ook de jongens sliepen, en de keuken en de kuchende vrouw dichter bij mij achter in het huis, schoof alle kamers als puzzelstukken in elkaar en drukte ze met een ferme klik vast, wat enige voldoening gaf.

37

Geknapt

Op een dag verscheen Skids in de deuropening van mijn kamer in het Duistere Huis met een mobiele telefoon in zijn hand. Aan de andere kant van de lijn was een man die Engels sprak met een zwaar accent en zei dat hij op de Somalische ambassade in Nairobi werkte. Met krakende stem stelde hij me een vraag, de eerste in vele maanden, waarvan het antwoord als bewijs moest dienen dat ik nog in leven was. Sinds de dag van onze ontsnappingspoging had ik geen andere stemmen meer gehoord dan die van mijn ontvoerders.

'Zeg eens,' zei de man, 'waar nam je moeder je mee naartoe toen je negen jaar oud was?'

Het antwoord was Disneyland. Californië. Met het vliegtuig.

Nadat Skids de telefoon weer meegenomen had, huilde ik anderhalve dag aaneengesloten, het lukte me niet mijn emoties in toom te houden.

Toch bracht het telefoontje ook hoop. De stem aan de telefoon was van een ambassade gekomen. En een ambassade betekende orde. Zelfs terwijl ik huilde klampte ik me vast aan die strohalm, trok ik me eraan op. Ik overtuigde mezelf ervan dat de vraag een zorgvuldig verwoord signaal was dat Nigel en ik spoedig naar huis zouden gaan. Mijn moeder had de vraag gesteld, ik had hem beantwoord. Ze herinnerde me met opzet aan een reis die we gemaakt hadden. Het moest wel een aanwijzing zijn om me te laten weten dat ik gauw de reis zou maken waarnaar ik het meest verlangde. Ze – onze familie, onze regering – moesten de laatste fase van onderhandeling bereikt hebben. We konden elk moment vrijkomen. Ik wist het gewoon.

De daaropvolgende dagen lag ik in het donker te wachten. Ik liet die gevoelens tot me doordringen en was er zeker van dat dit mijn laatste uren als gijzelaar waren. De deur zou zo openzwaaien.

Het duurde ongeveer een week voordat de hoop volledig vervlogen was. Het vliegtuig was gekeerd en zonder mij teruggevlogen. Ik voelde mijn gedachten wegvloeien, wegstromen bijna, in de duisternis om me heen. Ik had mezelf voor de gek gehouden. Ik was alleen, echt alleen. Die geestelijke verbondenheid met mijn moeder was een hersenschim. Dat begreep ik nu wel. Een diepe wanhoop overviel me.

Mijn gedachten neigden naar het irrationele. Emoties kwamen in vloedgolven en overvielen me wanneer ik ze niet verwachtte. Gedachten aan Nigel kwamen onverwacht opzetten zonder dat ik me ertegen kon verzetten. Dan voelde ik opeens genegenheid voor hem en maakte ik me zorgen om hem. Hoe komt hij hierdoorheen? Wat zegt hij tegen zichzelf? Maar die gevoelens werden bijna altijd verjaagd door een verlammende dosis zwartgalligheid. Hij heeft mij de schuld in de schoenen geschoven van de ontsnapping. Hij zit daar lekker in zijn kamer in de zon boeken te lezen.

Wanneer ik kwaad was, spaarde ik niemand. Ik had ook alle tijd om mensen in gedachten uit te foeteren, vooral mijn ontvoerders. Ik liet mijn fantasie de vrije loop en stelde me voor dat ik onzichtbaar was en door het huis liep en een voor een mijn ontvoerders vastbond. Soms stelde ik me voor dat ik een geweer pakte en iedereen overhoopschoot. De enige die ik oversloeg was de andere vrouw in het huis, de kokkin. En Nigel natuurlijk.

Ik voelde nu voortdurend een scherpe pijn in mijn linkerzij, waardoor ik ineengedoken op mijn matras lag, met mijn knieën opgetrokken, stijf tegen mijn ribben gedrukt. De spanning in mijn lijf werd ondraaglijk, als een draad die strakgetrokken werd.

Wat ik ook deed, niets leek verlichting te brengen. Ik was me voortdurend bewust van die druk.

Op een middag hoorde ik het sloffende geluid van sandalen over de vloer in de gang, voor mijn kamer. Ik zette me schrap en wachtte op wie er zou komen.

Het was Abdullah. Hij liep rechtstreeks naar mijn matras. 'Hoe gaat het?' zei hij. En daarna: 'Ik wil. Doe omhoog.'

Hij wilde dat ik de abaya omhoogtrok tot aan mijn middel, zodat hij mijn spijkerbroek los kon maken. Ik ging op mijn rug liggen, draaide mijn hoofd opzij en kneep mijn ogen stijf dicht.

Toen lag hij boven op me. Ik haatte hem met elke vezel van mijn lichaam. Ik wilde dat hij doodging en legde mijn handen tegen zijn borst om een soort barrière tussen ons te creëren. Het krijste in mijn hoofd. Ik voelde wat er gebeurde – de strakgespannen boog stond op het punt van knappen. Ik kon mezelf er niet bovenuit tillen, het lukte me niet de spanning te verminderen. Zo te leven kon ik niet langer verdragen. Het bonsde in mijn hoofd. De waanzin nam bezit van me. Ik voelde het. Mijn hoofd bonsde ervan.

Ik duwde harder tegen Abdullahs borstkas. Opeens gebeurde er iets. Mijn handpalmen werden gloeiend heet, er vond een soort overdracht plaats, een korte schok gevolgd door een vreemde kalmte die zich verspreidde. Ik zat niet meer in mijn eigen lichaam. Ik was ergens anders, mijn geest leek zich als een gewelf van lichtjes boven me uit te strekken. Beelden trokken aan me voorbij, scènes uit verhalen die Abdullah me maanden geleden verteld had. Als een rauwe weergave van zijn leven. Ik zag hem als kleine jongen in de richting van een explosie rennen, nadat hij zich gerealiseerd had dat zijn geliefde tante getroffen was. Ik zag hoe hij een deel van haar been – het enige wat van haar overgebleven was – opraapte en mee naar huis nam, omdat hij niet wist wat hij anders moest doen. Ik zag hem een paar jaar later dekking zoeken achter een vrachtwagen, terwijl een groep gewapende rebellen langs de huizen trok en zijn buren afslachtte.

Eén seconde lang begreep ik zijn lijden. Als in een vlaag. Maar zo helder en duidelijk dat ik ervan schrok. Het was angst en pijn die in de korte tijdspanne van zijn leven steeds groter waren geworden. Het was woede en hulpeloosheid. Van een kleine jongen die zich achter een vrachtwagen had verstopt.

Dat was de jongen die mij misbruikte. Zijn droefheid onder de mijne begraven.

Toen hij weg was deed mijn hele lichaam pijn, zoals altijd. Ik was volkomen in de war. Wat was er net gebeurd? Ik wist het niet. Op het moment zelf was het volkomen rationeel en zelfs diepzinnig geweest, als het opzijschuiven van een zwaar gordijn, als een flits van een verborgen waarheid. Maar nu begon mijn geest te analyseren, ik probeerde het voorval structuur te geven en in woorden te vatten, maar het lukte me niet er vorm aan te geven of het te verklaren. Ik moest ermee leren leven, met dit nieuwe gevoel, hoe gecompliceerd het ook was.

Maar uiteindelijk hielp het me. Omdat ik hierna enige compassie voor deze jongens kreeg, iets wat ik nooit verwacht had in gevangenschap te zullen voelen.

38

Omar

De oorlog om ons heen woedde steeds heftiger. Somalië was in 2009 in politiek opzicht voortdurend in beweging. De president van de wankele overgangsregering was eind 2008 onverwacht opgestapt en had een machtsvacuüm in Mogadishu achtergelaten. Het naburige Ethiopië, dat twee jaar lang geprobeerd had de nieuwe Somalische regering overeind te houden, had dit opgegeven en zijn troepen teruggetrokken. In het hele land werd gevochten, waarbij vooral Al-Shabaab en andere islamitische groeperingen om de macht streden door straat voor straat elkaar te bevechten, terwijl een paar duizend vredesstrijdkrachten van de Afrikaanse Unie – met name uit Uganda en Burundi – probeerden de rest van de nog functionerende regering in Mogadishu overeind te houden.

Het enige wat ik wist was dat de gevechten ons leken te achtervolgen. In de buurt waar het Duistere Huis stond was het eerst rustig geweest, maar na een maand hoorde ik bijna dagelijks het geluid van inslaande mortiergranaten en afketsende geweerkogels – het fluiten en suizen van een steeds dichterbij komende oorlog.

Onze ontvoerders maakten zich er kennelijk zorgen om want ze verhuisden ons naar een nieuwe locatie, deze keer naar een huis dat eruitzag als een villa. Ik zat naast Nigel in de auto, maar toen ik opzij keek en hem vroeg: 'Is alles goed met je?' sloeg Yahya me tegen de zijkant van mijn hoofd. 'Niet praten!' schreeuwde hij.

Het nieuwe huis was L-vormig en had een tuin die omsloten was door hoge muren. Het was het grootste en mooiste huis dat ik tot nu toe in Somalië had gezien, met een voordeur met sierlijk houtsnijwerk en een vierkant tuinhuis in een hoek van de verwaarloosde tuin. Ik zou het later het Positieve Huis noemen.

Abdullah en Yahya leidden me een lange betegelde gang door. Ik liep ongemakkelijk vanwege de enkelketting, en voorovergebogen omdat mijn ribben pijn deden. Tijdens mijn verblijf in de donkere kamer was ik zo hard tegen mijn mond getrapt dat twee kiezen los waren gaan zitten. Eén kies was er al uit gevallen en de andere was ontstoken. Het tandvlees eromheen was opgezwollen en ik had last van pijnscheuten in mijn kaak die erger werden als ik me bewoog. Maar ik bleef alert toen we het nieuwe huis binnengingen, de verandering van omgeving zette al mijn zintuigen op scherp.

Het was duidelijk dat er een gezin in het huis gewoond had en dat het, in tegenstelling tot de andere huizen waar we gezeten hadden, pas kortgeleden door de bewoners verlaten was. Het had nog een zekere frisheid, de vloertegels waren wit en schoon. Ik kon de energie, het geluk van de mensen die er gewoond hadden, bijna nog voelen. We liepen langs kamers die vol stonden met meubilair. Ik zag een bank, een lamp. En een luxe matras met houten hoofdeinde. Aan het einde van de lange gang gingen we rechtsaf een kortere gang in. Ik werd naar de achterste kamer aan de linkerkant gebracht.

Het was een kleine kamer met een raam met zware luiken ervoor. In een hoek stond een ijzeren stoel met rechte rugleuning. Eén poot miste en uit de kapotte stoelzitting puilde gele vulling. Langs de muur lag, als een lange sigaar, een opgerold Perzisch tapijt.

Aan de muur rechts van het raam hing een grote geplastificeerde poster in felle kleuren van een hangbrug. Ik had dit soort posters vaker gezien, in goedkope restaurants en hostels waar rugzaktoeristen zich ophielden, met foto's van historische gebouwen en landschappen in onwerkelijke, veel te felle kleuren. Ik had ze altijd kitscherig en bespottelijk gevonden, maar hier hing er een voor me aan de muur: een gigantische brug over een brede rivier met uitbundig groene heuvels die oprezen naar een orchideekleurige lucht bij zonsondergang. Ik hunkerde naar kleur en was gebiologeerd door de geometrie van de kabels en de pijlers.

Ik bekeek de brug, de stoel, het tapijt en het raam dat langs de randen van de gesloten luiken wat licht binnenliet. Alles was even prachtig. Alles had iets hoopvols.

De jongens hadden mijn schuimrubber matras naar binnen gegooid, samen met twee plastic tassen waarin mijn spullen zaten en een paar lakens, en waren toen weer vertrokken. Het leek erop dat dit mijn nieuwe thuis was. Toen ik het bed opmaakte zag ik iets uit het opgerolde tapijt steken – een stukje papier, een hoek van een envelop, leek het. Mijn hart sloeg even over.

Ik had geen idee wat er in die envelop zat. Een boodschap voor mij? Een plattegrond? Het deed er ook niet toe. Het stukje papier was in elk geval niet van mijn ontvoerders. Het was achtergelaten door andere mensen, door mensen die een ander leven leidden. Het bevatte een stukje normaliteit. Met trillende vingers trok ik het stukje papier naar me toe. Het was inderdaad een envelop, een langwerpige, zo een waarin pas afgedrukte foto's zitten. In deze envelop zat maar één kleurenfoto – een pasfoto met witte rand van een jongen – en een velletje papier waarop wat Somalische woorden geschreven stonden en een naam, Omar, vermoedelijk die van de jongen.

Hij was ongeveer negen jaar oud, droeg een shirt met kraag en had een ernstig gezicht. Hij had kort stekelig haar en donkere kringen onder zijn grote bruine ogen. Zijn hals was lang als een bloemstengel. Ondanks die ernstige blik leek hij lief en onstuimig, alsof hij er ouder uit wilde zien dan hij was, de reis waardig waarvoor de foto gemaakt was.

Ik keek tien seconden lang naar Omars foto, stopte hem daarna terug in de envelop en legde die terug op de vloer alsof hij radioactief was. Wat hij ergens ook was. Mijn ontvoerders zouden de foto vrijwel zeker als een document beschouwen, en documenten waren een probleem.

Nadat ik mijn laken over de schuimrubber matras had gelegd ging ik liggen. Toen pakte ik de envelop opnieuw. Het was onweerstaanbaar. De jongen was onweerstaanbaar. Ik hield het footje vlak voor mijn gezicht, zodat ik Omar beter kon zien, en hij mij, beeldde ik me in. We bestudeerden elkaar kalm en daarna stopte ik hem, bang dat iemand in de deuropening zou verschijnen, terug in de envelop en schoof die onder mijn matras. Mijn hart bonsde in mijn keel. Ik wist dat ik geslagen zou worden als de jongens me met de foto betrapten. Toch kon ik er geen afstand van doen. Ik had het gevoel dat Omar door mij beschermd moest worden. We waren bondgenoten geworden. Hij had zijn huis verlaten en door de onnavolgbare logica van dit land woonde ik hier nu in zijn plaats. Het was mogelijk dat zijn vader een militie leidde en hijzelf al aanhanger van de jihad was. Maar iets zei me, misschien was het wanhoop, dat het niet zo was.

Om de paar minuten moest ik Omars foto even onder mijn matras vandaan halen om hem te bekijken. Ik probeerde, ondertussen steeds de deur in de gaten houdend, de details van zijn jongensgezicht, zijn smalle kin en de schelpvormige boog van zijn mond in mijn geheugen te prenten.

Ik had de envelop net weer onder de matras verstopt toen Abdullah en Yahya terugkwamen. Abdullah keek me kwaad aan, alsof hij de schuld van mijn gezicht had afgelezen, en beval me op te staan. Ik was er zeker van dat hij een van zijn documentfouilleringen zou uitvoeren, maar in plaats daarvan gebaarde hij dat ik mijn spullen moest pakken. Ze hadden besloten me naar een nieuwe kamer te brengen in een ander gedeelte van het huis.

Deze kamer zou leeg zijn, op een kartonnen doos na vol met witte porseleinen borden en een boeket blauwe plastic bloemen dat erbovenop lag. Deed je de deur open dan keek je in de gang tegen een muur aan. In deze kamer zou ik ook zo'n superkitscherige poster aan de muur aantreffen, dit keer een met een hoop fruit erop – een ananas, rode appels, bananen en een met dauwdrup-

358

pels bedekte tros dikke groene druiven – alles in felle kleuren, met een hemelsblauwe achtergrond. Ik zou er vanaf mijn matras naar kijken, en het zou een marteling zijn. Het zou mijn nu al razende honger nog groter maken, tot een van de jongens, misschien omdat hij vermoedde dat het eetlust opwekte, of omdat hij bang was dat de afbeelding een belediging voor Allah was, de poster zou weghalen.

Maar eerst moest ik nog bedenken, terwijl me opgedragen werd mijn spullen te pakken, wat ik moest doen met mijn buit. Ik bracht de laatste dertig seconden in Omars kamer door in een panische tweestrijd – zal ik of zal ik niet – terwijl ik langzaam onder het toeziend oog van Abdullah en Yahya het laken van mijn matras trok en tijd probeerde te winnen. De envelop met de foto lag onder mijn matras. Ik dacht dat ik hem, afgeschermd door het laken, snel kon oppakken en in een van mijn plastic tassen kon gooien, voordat een van de jongens het in de gaten had. Ik kon Omar dan meenemen, wat ik graag wilde, en het zou veiliger zijn dan de envelop op de vloer te laten liggen, want dan zou uitkomen dat ik hem verstopt had.

Maar voor nadenken was er geen tijd. Met een snelle beweging pakte ik de tassen en de matras op en liep snel, voor zover de ketting om mijn enkels dat toeliet, en gehoorzaam naar de deur. Omar bleef liggen, ergens tussen de kapotte stoel en het opgerolde tapijt in, onder de hangbrug in zuurstokkleuren, met zijn gezicht omhoog in de papieren envelop, en werd voor de tweede keer alleen achtergelaten. Ik verliet de kamer zonder achterom te kijken en gelukkig deden mijn ontvoerders hetzelfde.

39

Het Positieve Huis

We bleven ongeveer twee maanden in het Positieve Huis, maar ook daar kwamen de gevechten steeds dichterbij. Ik hoorde buiten voor mijn raam geweervuur. De jongens leken opgewonden te zijn door de oorlog. Er was een nieuwe president aangesteld om de overgangsregering in Mogadishu te leiden – Sheik Sharif Sheik Ahmed, een voormalige aardrijkskundeleraar die een paar jaar geleden een coalitie van islamitische groeperingen in Mogadishu had gevormd en korte tijd de warlords in de stad onder controle had weten te houden. De jongens waren opgetogen over hun nieuwe president. In de week dat Sheik Sharif door het Somalische parlement gekozen was – we zaten toen nog in het Duistere Huis – had Abdullah tegen zijn gewoonte in een paar minuten met me gepraat over hoe blij ze waren dat de Ethiopische troepen weg waren en ze nu een sterke moslimleider hadden. De strijd was voorbij, zei hij. De duizenden mensen die Mogadishu ontvlucht waren, zouden naar huis terugkeren. Sheik Sharif zou alle islamitische facties verenigen door middel van de sharia.

'Het vechten zal ophouden,' had Abdullah zelfverzekerd voorspeld. Het vooruitzicht van vrede leek hem te bevallen. Ik vertrouwde erop dat de nieuwe politieke orde hoop bood voor Nigel en mij.

Maar het enige wat ik door de muren van het Duistere Huis had kunnen horen waren meer gevechten.

Toen we in het Positieve Huis aankwamen, merkte ik dat de jongens niet alleen het geloof in hun nieuwe president alweer verloren hadden, maar hem nu als vijand zagen. Hun optimisme was omgeslagen in somberheid. Tijdens Sheik Sharifs eerste weken als president had hij zich gematigd getoond en – wat voor mijn ontvoerders weerzinwekkender was – als coalitievoorstander. Hij was bereid steun te zoeken bij buitenlandse regeringen en had gezegd dat hij vrede wilde sluiten met Ethiopië, dat een overwegend christelijk land was. In het Positieve Huis zaten de jongens 's middags aan de radio gekluisterd wanneer op de BBC Somali World Service het nieuws werd voorgelezen. De oorlog escaleerde zelfs, de islamieten van de harde lijn verzetten zich tegen de nieuwe president en zijn ideeën over vrede. Al-Shabaab en Hizbul Islam, een andere rebellerende groep, openden nieuwe aanvallen op de vredestroepen van de Afrikaanse Unie die de regering in de hoofdstad beschermden. De vredestroepen vochten terug. Nadat een explouderende bermbom een truck met soldaten van de Afrikaanse Unie had geraakt, hadden die naar verluidt het vuur geopend en daarbij meer dan twaalf omstanders gedood.

Hierna bestempelden de jongens de nieuwe president als een *kafir* – een ongelovige – en was de jihad weer volledig terug.

Er werd weer met me gepraat, meer dan sinds de ontsnappingspoging. Alle regels bleven – ik mocht zonder hun toestemming niet rechtop op mijn matras zitten, en mocht alleen op mijn zij liggen –, maar de haat van de jongens had zich verplaatst en leek nu meer gericht te zijn op de politiek en minder op het doel om mij te laten lijden. Ze weerden het daglicht uit mijn kamer, duwden zelfs plastic tassen in de kieren als de luiken dicht waren om elk straaltje zonlicht tegen te houden. Tevergeefs. Ik hoorde en zag meer dan ooit tevoren. Duisternis was voor mij relatief geworden.

Romeo kwam vaker en bleef dan drie of vier dagen achtereen, waardoor de sfeer in het huis veranderde. Als leider stond hij de jongens en kapitein Skids ook meer vrijheden toe. Ze kregen nu allemaal dagen en nachten vrij om naar huis te gaan en bij hun gezin te kunnen zijn. Ze kwamen dan terug met kortgeknipt haar, een schoon shirt aan en goedgehumeurd. Soms hadden ze een zak met fruit of gebakken vis bij zich om met iedereen te delen. Af en toe namen ze, als traktatie, iets voor mij mee – een toffee of een doormidden gesneden, rijpe, paarse passievrucht.

Vanaf mijn matras kon ik via de deuropening helemaal de gang in kijken, waar ik soms een glimp opving van de kamer waar Nigel zat. Het leek een grote ruimte, een woonkamer, en hij was gemeubileerd. Ik zag een bruine bank tegen een muur staan. De jongens brachten er regelmatig tijd door om met Nigel te praten. Ik hoorde soms flarden van hun gesprek. Nigel vertelde hun dat hij graag huizen wilde bouwen, dat hij zelfs in Somalië huizen wilde bouwen. Ik hoorde hem vragen aan de jongens of hij op de bank mocht slapen, maar dat mocht niet van ze. Hij mocht echter wel de kussens eraf halen om er een bed op de vloer van te maken.

Ze leken het regelmatig over vrouwen en islam te hebben. 'Wij noemen dat "masturbatie",' hoorde ik Nigel op een dag luid en duidelijk zeggen. De jongens moesten erom giechelen. Ze plaagden elkaar ermee en maakten grappen over het extra wassen na een zaadlozing dat volgens de islam verplicht was. Een van hen kreunde overdreven luid alsof hij klaarkwam, waarop nog meer gelach volgde.

Nu Romeo in het huis was en de oorlog om ons heen oplaaide, kreeg Abdullah toestemming om zich een of twee keer per week overdag als soldaat bij de milities aan te sluiten die tegen de troepen van de Afrikaanse Unie vochten. Dit was een onderdeel van zijn jihad. Van de jongens in het huis leek hij de enige te zijn die graag aan straatgevechten deelnam. Hij kreeg dan 's avonds een telefoontje van een commandant en bereidde zich urenlang voor op de volgende dag. Hij futselde aan zijn wapenuitrusting, sleepte alles soms mee naar mijn kamer om op te scheppen. Dat waren de enige momenten dat ik met Abdullah kon praten, dat hij me toestond een vraag te stellen of een opmerking te maken over wat hij zei. Hij stond dan in mijn deuropening zijn geweer schoon te maken met een vette lap en praatte ondertussen over hoe hij de volgende dag, als Allah het wilde, een hoop vijanden zou doden.

362

'Insjallah,' zei hij op een van de eerste avonden dat we zo'n gesprek hadden, 'zal ik morgen dood zijn.'

Ik reageerde automatisch door er bezwaar tegen te maken – niet omdat ik niet wilde dat hij doodging, maar omdat het de enige fatsoenlijke reactie was. 'Dat moet je niet zeggen!' zei ik. 'Je wilt niet sterven. Denk aan je moeder. Ze zal diepbedroefd zijn.'

Abdullah schudde zijn hoofd. 'Nee, dat is beste manier.' Waarna hij er een van zijn favoriete opmerkingen aan toevoegde. 'Je bent een slechte moslim.' Hij pakte zijn geweer en liep de kamer uit. Een paar minuten later kwam hij terug met Nigels koran met blauwleren omslag. Hij legde zijn geweer neer, ging naast mijn matras op de vloer zitten en bladerde door het boek tot hij uiteindelijk de juiste passage gevonden had. Hij wees de desbetreffende regel aan in de Engelse vertaling. 'Wie op Gods weg strijdt en gedood wordt of de overwinning behaalt, hem zullen Wij een geweldig loon geven.'

Ik had die zin eerder gelezen. Ik wist dat de jongens geloofden dat het paradijs hun beloning zou zijn, dat het voor hen vaststond dat elke opoffering voor hun hete, hongerlijdende land hun voor eeuwig een plek op de met edelstenen bezette bank in *Jannah* zou opleveren. Dit was hun geloofsovertuiging. Abdullah herinnerde me eraan dat ik dat ook zou moeten geloven.

Romeo was met zijn vierentwintig jaar niet alleen ouder dan de jongens, maar leek ook een andere achtergrond te hebben. Hij was ontwikkeld, sprak moeiteloos Engels met een hoekig, schools accent, zoals in India Engels gesproken werd. Hij droeg een spijkerbroek, een mooie sjaal en rook naar dure eau de toilette. Hij beweerde dat hij voor ingenieur gestudeerd had en vertelde van zijn reizen naar Kenia.

's Middags kwam hij vaak bij me langs en ging dan tegenover me tegen de muur zitten. Hij keek me dan recht aan en doorspekte zijn verhalen met westerse clichézinnen. 'Begrijp je wat ik bedoel?' zei hij dan nadat hij me iets verteld had. Of: 'Snap je?'

Hij kwam niet vriendelijk op me over, maar praten met mij leek zijn ego te strelen. Hij vertelde me dat hij het achtentwintigste kind van het gezin was. Zijn vader was getrouwd geweest met vier vrouwen. Na de dood van zijn vader was iedereen behalve Romeo vanuit Mogadishu naar de noordelijke stad Hargeisa gevlucht. Hij zei dat hij zelf niet getrouwd was en eerst zijn opleiding wilde voltooien. Hij volgde een schriftelijke cursus aan de Universiteit van Jemen. En hij wilde nog een graad halen in informatietechnologie en vervolgens met computers werken. Hij had zich aangemeld bij diverse universiteiten.

'Je ziet er heel mooi uit,' zei hij op een dag. 'Heel gezond.' Hij boog zich naar me toe. 'Weet je, voordat we jou meenamen, zag je er niet goed uit. Je zag er slecht uit.' Hij wees naar zijn voorhoofd en toen naar dat van mij, en deed het epileren van wenkbrauwen na, wat volgens de Hadith een daad van ijdelheid was en daarom verboden. In mijn vorige leven had ik vlijtig en zelfs fanatiek mijn wenkbrauwen geëpileerd. Na acht maanden gevangenschap zagen ze er nu uit als dikke, rechte harige rupsen. Romeo sprak zijn goedkeuring erover uit. 'Allah maakt je zo mooi,' zei hij. 'Als je hier weggaat zal iedere man zich gelukkig mogen prijzen jou als vrouw te krijgen.'

Ik zou er alles voor overgehad hebben om met een pincet mijn wenkbrauwen te fatsoeneren. Ik was ijdel, en bleef ijdel, hardnekkig ijdel. Ik had wel in de hel willen branden voor een mooi gebogen wenkbrauw.

In werkelijkheid was ik een wrak. Mijn lichaam takelde af. Sommige tanden waren afgebroken door het slaan. Mijn ribben deden altijd pijn, omdat er steeds weer tegenaan getrapt werd. Mijn haar viel bij bosjes uit. Ik kreeg maagkrampen van het drinken van vuil water. De jeukende huidschimmel had zich over de linkerkant van mijn gezicht, mijn hals en mijn borst verspreid. Er sijpelde op sommige plekken pus uit mijn huid.

Toch had ik geen medelijden meer met mezelf. Ik begon in de gesprekken die ik 's avonds regelmatig met mezelf hield verklaringen af te leggen. Ik had het Duistere Huis overleefd, herinnerde ik mezelf eraan, en dit huis zou ik ook overleven. Ik richtte me vooral op mijn lichaam. In plaats van te denken: ik hoop dat mijn maagkrampen ophouden en dat ik morgen geen last meer heb van diarree, werd ik stoutmoedig. Ik verklaarde alles tot feit. Mijn spijsverteringsorganen zijn gezond. Het eten dat ik krijg is voedzaam. Mijn huid is gezond, glad en genezen. Ik deed dit elke dag en maakte punt voor punt een scan van mijn lichaam - een ritueel, een herrijzenis. Ik heb scherpe ogen. Een gezond gebit. Een volle bos met haar. Een sterke geest. Ik richtte me vooral op mijn voortplantingsorganen, waarover ik me de meeste zorgen maakte. Ik was sinds we ontvoerd waren niet meer ongesteld geweest. Ik voelde pijn die ik niet kon thuisbrengen. Ik probeerde er niet aan te denken. Mijn organen zijn beschermd, zei ik tegen mezelf. Mijn eierstokken zijn intact. Het gaat goed met me.

Op een morgen kwam Skids mijn kamer binnen en gooide een plastic zakje op de vloer. In het zakje zat een plat doosje met een illustratie van bananen en sinaasappels erop, waarin doordrukstrips met capsules zaten. De bijsluiter leek in het Chinees geschreven te zijn. Het doosje was halfvol. Onder in het plastic zakje vond ik een stukje papier, een etiket van een apotheek, voorgedrukt in het Engels en ingevuld met pen. Op het etiket stond:

Naam: Sahro

Leeftijd: 34

Naast het woord 'Vrouw' stond een vinkje.

Het was een geschenk. De pillen waren een geschenk, maar dat ik nu haar naam kende betekende meer voor me. Sahro, 34 jaar. Het moest haar wel zijn, de vrouw die mijn nachten in het Duistere Huis met haar gekuch onderbroken had, de verder zwijgende kokkin van mijn ontvoerders. Ze had me horen hoesten en wilde me helpen. Zij had de pillen aan kapitein Skids gegeven, dat wist ik zeker, en tegen hem gezegd dat ik ze moest hebben. Misschien had hij eerst tegengesputterd, maar nadat ze had aangedrongen had hij toegegeven. Ik zag de hele scène voor me. Ze trok zich mijn lot aan, en dat was het belangrijkste. Ik nam elke morgen een van Sahro's pillen in. Ze leken niet te helpen, maar in elk geval hadden we nu een band.

De badkamer in het Positieve Huis was buiten. Om er te komen moest ik een lange wandeling maken door de gang, dan rechtsaf de korte gang in, langs Omars kamer, die nu gebruikt werd als keuken, en dan via een deur naar de badkamer in de tuin. De jongens hadden me een paar schoenen gegeven – een paar afgedragen en veel te grote gele teenslippers. 'HAPPY 2008' stond op de zool gedrukt, met een stel ballonnen ernaast.

Ik liep met gebogen hoofd en werd elke keer gevolgd door een van de jongens. Ik moest van hen naar de grond blijven kijken. Een paar keer had ik, als we langs Omars kamer liepen, de voeten van de kokkin – Sahro, 34 jaar – gezien, die in de deuropening stond en kennelijk naar me keek. Ze stond zo dichtbij dat ik haar had kunnen aanraken. Ik kon alleen de zoom van haar gebloemde jurk zien, die over de vloer sleepte en haar voeten verborg, naar islamitisch gebruik.

Op een dag keek ik, in een opwelling van moed en een intens verlangen om de vrouw te leren kennen die zo vriendelijk voor me geweest was, op naar haar gezicht.

Ze was mooi, buitengewoon mooi zelfs. Ze had een lang, slank figuur en fijne gelaatstrekken. Haar ogen waren donker, ze had hoge jukbeenderen en een smalle kin. Ze had dezelfde elegante houding als het Somalische fotomodel Iman en droeg een lichtbruine sjaal om haar hoofd.

Toen onze ogen elkaar ontmoetten, schrok Sahro. Ze sloeg haar hand voor haar mond. Maandenlang hadden we onder hetzelfde dak gewoond, maar dit zou de eerste en enige keer zijn dat we contact hadden. Haar ogen werden groot van schrik. Ze keek naar Yahya die achter me liep met zijn geweer en zei iets in het Somalisch, een uitdrukking van verbazing, zoiets als: 'Oh!'

Het was geen verraad, maar beslist ook geen daad van loyaliteit. Het zei me dat ze net als ik bang was voor de jongens, dat ze ondanks haar bereidheid om haar pillen met me te delen, niet gezien wilde worden als iemand die met me samenzwoer. Dat durfde ze niet.

Zonder aarzelen sloeg Yahya me van achteren met zijn vuist op mijn rug en daarna tegen mijn hoofd. Ik keek weer naar beneden naar de zoom van Sahro's jurk.

Later die dag zouden Jamal en Abdullah naar mijn kamer komen en me herhaaldelijk slaan, terwijl ik ineengedoken op mijn matras lag, en moest ik ze beloven nooit meer op te kijken. Ik zou het niet eens meer durven, maar ik was blij dat ik haar gezicht had gezien.

40

Vrouwenlessen

'Dit is misschien moeilijk voor je,' zei Romeo op een middag in juni tegen me, 'maar dit leven is niet meer dan dit.' Waarna hij met zijn vingers knipte, met andere woorden: zo voorbij. 'Maar de beloningen van het paradijs zijn voor eeuwig en altijd.'

Het was bedoeld als aanmoediging. Het idee was om vol te houden, er zouden betere tijden voor me aanbreken. Voor mijn ontvoerders was dit Gods plan dat zich ontvouwde. Voor mij was gevangenschap een moment – een lang moment – dat voorbij zou gaan. We wachtten allemaal op een ander leven, alleen zij op een leven na de dood.

We waren opnieuw verhuisd. Ver weg van Mogadishu zaten we nu, ergens in de buurt van de havenstad Kismaayo in het zuiden van Somalië, niet ver van de grens met Kenia. Het was niet de bedoeling dat ik wist waar we waren, maar ik wist het. Tijdens de autorit ernaartoe, die ongeveer twaalf uur duurde, in een SUV bestuurd door Ahmed, slingerden we over woestijnpaden, scheurden we door greppels en kropen we langs steile ravijnwanden omhoog om de snelweg van noord naar zuid te mijden. Terwijl de jongens voorin zaten – hun geweren ketsten in het donker tegen elkaar aan – lagen Nigel en ik, te bang om zelfs maar een woord tegen elkaar te zeggen, achter in de auto, met Romeo tussen ons in, en achter ons een klotsend vat met tweehonderd liter benzine. Ik had de jongens opgewonden horen mompelen over onze onbe-

368

kende nieuwe bestemming. Het leek wel alsof ze op schoolreisje waren. Zo ver van huis waren ze waarschijnlijk nog nooit geweest. Terwijl de maan met ons meereisde, keken zij reikhalzend naar buiten.

Kismaayo, zeiden ze zacht, waarmee ze zonder het te beseffen het geheim verklapten, Kismaayo, Kismaayo.

In Kismaayo proefde ik de Indische Oceaan op mijn tong: zilt. De vochtigheid zat op mijn huid, waardoor de ketting om mijn voeten begon te roesten en bruine slierten achterliet op mijn enkels. Ik kreeg de oceaan nooit te zien, maar ik wist dat hij vlakbij was, dat hij zich in oostelijke richting tot aan Australië uitstrekte en, zo stelde ik me voor, druk bevaren werd door jachten en tankers, en dat er eilanden in lagen waar mensen woonden. 's Nachts trokken er stormen over de stad en regende het.

Wekenlang hadden Romeo en Ahmed ermee gedreigd Nigel en mij aan Al-Shabaab te verkopen. Ik was ervan overtuigd dat ze ons hiernaartoe hadden gebracht voor de overdracht. Kismaayo stond erom bekend dat het een bolwerk was van Al-Shabaab. De gedachte met nieuwe ontvoerders – de meest extreme extremisten van dit land – en nieuwe regels te moeten leven, vervulde me met angst.

Na een paar dagen realiseerde ik me echter dat we alleen naar Kismaayo verhuisd waren om aan de gevechten te ontkomen. We hadden eerst twee nachten doorgebracht in een appartement op de eerste verdieping, midden in de stad, en zaten nu in een leeg kantoorgebouw buiten het drukke centrum, dat uit vijf kleine ruimtes bestond en dat we later het Strandhuis zouden noemen. Onze ontvoerders betaalden waarschijnlijk protectiegeld aan Al-Shabaab om te mogen blijven. Tijdens de rit door de woestijn hadden we ook al diverse keren moeten stoppen, omdat Skids geld moest geven aan de diverse warlords die de weg bewaakten.

Nigel zat in de kamer recht tegenover die van mij. Het was te heet voor de jongens om buiten rond te hangen, daarom hadden ze zich in de receptieruimte geïnstalleerd, niet ver van mijn deur en dichterbij dan ooit. Hun korans lagen opgestapeld op de gehavende ontvangstbalie. We deelden een badkamer met een hurk-toilet dat stonk en nog onder de spetters zat van de vorige huur-ders. Het water dat we gebruikten zat in een halfhoge stortbak waarin muskietenlarven dreven.

Romeo leek permanent bij ons ingetrokken te zijn. In die tien maanden hadden we steeds weer nieuwe gezichten gezien. Een paar ontvoerders waren helemaal verdwenen, als in rook opge-gaan. Ali, die tijdens de eerste dagen van onze gevangenschap onze hoofdbewaker was geweest en met de eer was gaan strijken dat hij ons tot de islam had bekeerd, was al na een paar weken vertrokken. Ismaël, de jongste van allemaal, die zei dat hij veer-tien was maar eruitzag als elf, en die elke keer als hij bij ons kwam er doodsbang uitzag, was ook al in de eerste maand verdwenen. Toen de winter overging in de lente zagen we Donald Trump steeds minder vaak. De jonge Yahya, wiens vrouw net een baby had gekregen, bleef een paar weken in Kismaayo en vertrok daar-na om nooit meer terug te keren. Sahro, 34 jaar, mijn stille vrou-welijke bondgenoot, was niet eens meegegaan naar het zuiden.

Ik had maar een vaag idee van wat onze ontvoerders met elkaar verbond. Ismaël had geen naaste familie om naar terug te keren. Dat wist ik omdat Abdullah in het begin van onze gevangenschap, toen Nigel en ik nog een kamer deelden, Ismaëls broekspijp een keer omhooggeschoven had om ons te laten zien dat diens kuit bij een explosie half weggeslagen was waardoor zijn onderbeen er nu uitzag als een afgekloven kippenbout. Ismaël had daarna zijn shirt omhoog gedaan en zijn bovenlijf laten zien dat onder de ro-de littekens zat, de huid was gerimpeld en getaand, een akelig ge-zicht. Abdullah had verteld dat Ismaël de enige van het gezin was die de mortieraanval had overleefd. Hij was wees, en zoals zoveel weesjongens in Mogadishu was hij opgenomen in de groep, waar hij onderdak en te eten kreeg.

Na Ismaëls vertrek had ik Romeo gevraagd wat er van de jongen geworden was. Daar moest hij toen even over nadenken, omdat hij zich de naam van de jongen niet meer kon herinneren. Uitein-delijk had hij zijn schouders opgehaald en gezegd dat Ismaël waarschijnlijk aan een nieuwe militie overgedragen was – alsof hij tussen een nieuw pak kaarten geschoven was.

Het was moeilijk om erachter te komen hoe onze groep functioneerde – wie er aan de touwtjes trok, wie de jongens rekruteerde, wie het eten kocht, en wie de beslissing genomen had om ons naar Kismaayo te brengen. Ik vroeg me af wie er het meest van profiteerde als het losgeld voor ons betaald werd? En wie de beslissing nam, als er niet betaald werd, om ons te doden of vrij te laten?

Veel later pas las ik over de operaties van Somalische piratenbendes in de Golf van Aden, die accuraat en als een bedrijf geleid werden, compleet met investeerders, accountants en gestructureerde loonlijsten gebaseerd op netto losgeldbedragen. Een journalist heeft eens een zes maanden durende gijzelingsoperatie, waarvoor een losgeld van $1,8 miljoen was betaald, onderzocht en vastgesteld dat ongeveer de helft van dat bedrag naar de financiers ging, terwijl de tussenpersonen (mannen zoals Adam, Donald Trump en Romeo) $60.000 kregen en de bewakers iets in de buurt van de $12.000. In een land waar het gemiddeld jaarinkomen $600 bedraagt, is dat heel veel geld, maar dan moet wel alles volgens plan verlopen.

Op een middag kwam Romeo mijn kamer binnen met groot nieuws: hij had zich bij een universiteit in New York City aangemeld en was toegelaten tot de studie informatietechnologie. Over een paar maanden zou hij al naar Amerika vertrekken. Hij had veel vragen voor me. Was ik al eens in New York geweest? Hoe koud was het daar nu? Zouden de mensen in Amerika zijn Engels kunnen verstaan? Hij was van plan bij familie in te trekken die daar al woonde. Zijn studie zou van mijn losgeld betaald worden, zei hij. 'Insjallah,' voegde hij eraan toe. 'Als Allah het toestaat.'

Hij had interesse gekregen voor mijn moslimlessen, nam Nigels Engelstalige koran mee naar mijn kamer en gaf lange preken over devotie en bestemming. Ik was allang blij dat ik weer een boek mocht lezen en nam de rol van vlijtige leerling aan. Als Romeo er was mocht ik rechtop zitten en praten, en voelde ik me

371

weer mens. Zijn aanwezigheid werkte ook beschermend, Abdullah en de anderen bleven weg. Soms sloeg hij de Koran open en liet hij me de regels lezen waarin de zinsnede 'slavinnen waarover zij beschikken' voorkwam, en waartoe ik ook behoorde, volgens hem. Hij en de andere leiders wisten dat ik door een aantal van de jongens in het huis misbruikt werd, maar hoewel ze het onwaardig vonden om zelf aan het misbruik mee te doen, geloofden ze toch dat ik niet mocht twijfelen aan wat de jongens deden. Het was mijn lot als gevangene. Zoals bij ieder mens op aarde stond mijn lot al in mijn ziel geschreven toen ik nog in de buik van mijn moeder zat. 'Allah besluit wanneer het voor jou voorbij is,' zei hij. En in de tussentijd zou Allah zijn plannen om naar de universiteit te gaan laten slagen, daarvan was hij heilig overtuigd.

'Waarom,' vroeg ik hem, 'wil je zo graag in het land der ongelovigen studeren?' Zo had ik hem de Verenigde Staten vaak horen noemen.

De vraag leek Romeo even van zijn stuk te brengen, alsof hij de hypocrisie ervan inzag, maar hij herstelde zich meteen en zei langzaam en kalm: 'Allah zegt dat we naar dat soort landen mogen gaan als we een doel hebben. Als we iets uit dat land kunnen halen en dat aan de islamitische gemeenschap kunnen geven, is het goed.'

Soms waagde hij het erop het gesprek een kokettere wending te geven. 'Vind jij dat Somalische mannen mooi zijn?' vroeg hij op een dag. 'Zijn ze beter dan de mannen in jouw land?' Buiten blies de wind over het golfplaten dak. Romeo zat tegenover me, de knieën gespreid en met de koran op schoot. Toen ik geen antwoord gaf probeerde hij een andere strategie. 'Zou je met een van de soldaten willen trouwen?'

Met 'soldaten' bedoelde hij de jongens. Ik zei 'nee' en dat ik met geen van de soldaten zou willen trouwen.

Hij glimlachte en trok zijn wenkbrauwen op. Zijn stem werd laag, vleiend. 'En als ik je zou vragen met mij te trouwen, zou je dat graag willen?'

Het viel me op dat hij niet vroeg of ik 'ja' zou zeggen. Ik had al zo'n gevoel dat er een aanzoek zou komen, maar toen ik het hoorde, rilde ik van angst. Als ik gedwongen werd een formeel huwelijk aan te gaan, kwam ik hier misschien nooit meer vandaan.

'Ik kan daarover geen beslissing nemen,' zei ik, terwijl ik mijn hoofd schudde om te benadrukken dat het onmogelijk was. 'Ik ben een gevangene.'

'Ah, ja,' zei Romeo, 'maar Allah heeft besloten dat je hier hoort.' Hij vouwde zijn handen in zijn schoot en keek me zakelijk aan. 'Verzet je er niet tegen, Amina.'

Voor Romeo leek het voortdurend praten over trouwen deels fantasie te zijn, een manier om de tijd te verdrijven. Zelfs hij, vermoedde ik, werd er moe van om het vierentwintig uur per dag over de Koran te hebben. Hij beschreef een soort situatie die alleen maar voordelen opleverde, waarin hij een vette winst opstreek en een bruid op de koop toe kreeg. Als het aan hem lag, zei hij, zou hij meteen met me trouwen, maar voor de groep hing alles van het losgeld af en daarom moest eerst 'het programma', zoals ook hij onze ontvoering noemde, worden afgesloten. Als dat gebeurd was, zei hij, kon ik in het huis van zijn moeder wonen in Hargeisa, ook als hij nog in New York studeerde. Hij voegde eraan toe dat ik, omdat ik blank was, waarschijnlijk wel in mijn kamer moest blijven – 'een grote kamer!' zei hij, alsof ik daarover opgetogen moest zijn – zodat ik niet lastiggevallen werd, of ontvoerd.

'Als jij de moeder van mijn kinderen was,' zei hij tegen me, 'zou je mijn zoons alles over jihad bijbrengen. Je zou ze aanmoedigen om in Somalië of in een ander land voor de jihad te vechten. Je zou ze de Koran leren opzeggen en daar zou je heel, heel goed in zijn.'

Zijn gevlei was nooit aangenaam. Op een middag boog hij zich naar me toe en wees naar een bepaald vers in de Koran. Het was een vers dat ik al heel vaak gelezen had. 'Jullie vrouwen zijn een akker voor jullie. Komt dan tot jullie akker hoe jullie willen.'

Romeo glimlachte. 'Weet je wat dat, als je mijn vrouw bent, betekent?'

De moed zonk me in de schoenen. 'Ja, maar over dat soort dingen wil ik niet praten,' zei ik.

Zijn uitdrukking voor 'seks' was 'plezier maken'. 'Insjallah, wanneer je mijn vrouw bent, maken we de hele tijd plezier,' zei Romeo die dag tegen me. 'Omdat ik de hele dag plezier wil maken.'

Ik hield mijn ogen op de vloer gericht en zei niets meer tot hij opstond en de kamer verliet.

Het enige wat ik kon doen in het Strandhuis als Romeo er niet was, was luisteren. In de receptieruimte naast mijn deur hoorde ik de jongens hoesten en spugen. Ik hoorde hoe ze zich wasten, ik hoorde ze bidden. Ik wist wanneer ze hun tanden schoonmaakten met draderige acaciastokjes, elkaar moppen vertelden, of in een algehele toestand van verveling verkeerden. Ik hoorde het wanneer een van de jongens met zijn vingers knipte om Nigel te sommeren op te staan en zich te gaan wassen.

Veel lawaai in het huis kwam van hun mobiele telefoons. Iedereen had er een. Een paar jongens hadden er zelfs twee. Dit waren dure telefoons, sommige met touchscreen, gekocht met geld dat ze eerder, voorafgaand aan onze ontvoering, met vechten verdiend hadden. Omdat we geen elektriciteit hadden, bracht iemand de telefoons 's avonds naar het marktplein om ze daar 's nachts bij een kiosk te laten opladen, in ruil voor wat kleingeld. De telefoons werden echter zelden voor telefoneren gebruikt. Jamal had soms korte, ongemakkelijke gesprekken met Hamdi. Alleen de kapitein en Romeo kregen regelmatig telefoon, vermoedelijk van de leiders die achtergebleven waren in Mogadishu.

De jongens speelden eindeloos met hun mobieltje, of veranderden de beltoon die, omdat de sharia muziek verbood, nooit van muzikale aard was. Ze kozen het getjilp van vogels, rinkelende bellen of lachende kinderen, geluiden waarvan ik stapelgek werd. Buiten het huis zetten ze *nasheeds* op hun telefoon: Arabische *chants* die de glorie van Allah of de deugden van Muhammad verheerlijkten. Soms kwamen de jongens in mijn kamer en lieten me videofilmpjes zien, gedownload van Saudi-Arabische websites. De filmpjes leken bewust gemaakt te zijn om woede op te wekken

374

en op te hitsen, ze toonden dode Palestijnen, dode Afghanen en heel veel dode kinderen. Of explosies in Irak, met beelden van de torens van het World Trade Center erdoorheen gemonteerd, die in een wolk van gele stof instortten. En gemaskerde soldaten van de moedjahedien die militaire oefeningen deden en met sprinkhaanachtige granaatwerpers schoten tegen een achtergrond van grillige bergpieken. Eén videofilmpje, met Arabische ondertiteling, toonde steeds dezelfde beelden van George W. Bush die aankondigde: 'Deze kruistocht, deze oorlog tegen het terrorisme, zal nog lang duren.' De islam lag overal ter wereld onder vuur.

Het lukte me al gauw om de stemmen van de verschillende imams die als verteller optraden in de filmpjes uit elkaar te houden, terwijl op de achtergrond het blikkerige geluid van geweervuur en schreeuwende mensen te horen was. Ik wist op een gegeven moment precies welk jihadfilmpje het meest in trek was. Videofilmpjes hoorden bij de dagelijkse routine en wisselden elkaar snel af. Ik weet nog dat ik dacht: mijn god, deze jongens kijken zo'n tien uur per dag op hun mobieltje naar mensen die doodgaan.

Door de tralies voor het badkamerraam van het Strandhuis kon ik 's avonds over de muur heen groen neonlicht in de verte zien dat, vermoedde ik, boven de ingang van een moskee hing. En ik zag af en toe de koplampen van een langsrijdende auto.

Soms struinden er verwilderde katten het huis in, op zoek naar eten. De jongens gooiden dan schoenen of afval naar ze toe om ze weg te jagen, maar de katten zagen toch kans mijn kamer te bereiken – schuwe, gammele scharminkels waren het, de meeste bijna helemaal kaal. Omdat ik niet van mijn matras kon opstaan, kon ik mezelf niet verdedigen als ze te dichtbij kwamen. Ze hingen rond terwijl ik at en vielen blazend en vechtend aan op het glibberig vette, diepe tinnen bord dat ik uiteindelijk op de vloer voor ze achterliet.

Weken verstreken. Mijn achtentwintigste verjaardag ging ongemerkt voorbij, de dagen regen zich aaneen. Ik werd wakker en ging slapen, luisterde naar het getrippel van de fregatvogels die op het dak neergestreken waren. Op een dag drong de stem van de Somalische nieuwslezer van de BBC tot mijn bewustzijn door toen de jongens in de aangrenzende ruimte om de radio heen zaten. 'Michael Jackson,' zei hij. 'Michael Jackson. Michael Jackson.' De zanger was dood, maar dat zou ik veel later pas te weten komen.

Ik begon weg te kwijnen van de honger. Elke morgen kreeg ik drie blokjes dierlijk vet, die in een slappe, olieachtige bouillon dreven. Soms kreeg ik een kopje thee. Na het avondgebed kreeg ik hetzelfde brouwsel, soms met een overrijpe banaan erbij. Af en toe zaten er twee in plaats van drie blokjes vet in de bouillon. Soms ging er een dag voorbij zonder dat ik eten kreeg. Ik schrok van mijn eigen lichaam. Mijn heupen staken uit als kippenvleugels. Al mijn ribben waren te zien. Ik had bijna geen borsten meer, mijn borstkas was vel over been.

Honger voelt als een steen in je maag, zwaar en pijnlijk. Soms voelde mijn maag aan als een opgeblazen ballon die op knappen stond en gevuld was met samengeperste droge lucht. De pijn drong zo diep door in mijn hersens dat ik met mijn hoofd tegen de muur wilde slaan om het op te laten houden.

Liggend op mijn matras zocht ik verlichting bij mijn huis in de lucht. Ik ging ernaartoe en probeerde er zolang mogelijk te blijven. In gedachten kookte ik, at ik en verzorgde ik mijn lichaam. Ik bereidde soepen, zalm; allemaal gezonde maaltijden. Ik stelde me voor dat ik verse groente uit een tuin haalde, of sinaasappels plukte van zwaarbeladen bomen zoals ik die lang geleden in Venezuela had gezien. Zo hield ik het vol. Alleen zo.

Toch moest ik meer eten binnen zien te krijgen. Ik zocht, zoals ik met andere problemen ook gedaan had, naar een oplossing in de religie van mijn ontvoerders. In de voetnoten van mijn koran had ik gelezen dat de profeet zijn volgelingen aanraadde op maandagen en donderdagen te vasten. Het was niet verplicht – zoals de ramadan –, maar een aantal jongens in het huis deden het en zeiden dat het ze puur hield. Hassam, een van de jongens die het vlijtigst vastte, had me een keer verteld dat de profeet zijn volgelingen opriep het vasten te onderbreken met brood en dadels, maar in de Somalische traditie werd het brood vervangen door samosa's.

Ik besloot het uit te testen. 'Hassam,' zei ik op een morgen, een donderdagmorgen, toen hij binnenkwam met mijn eten. 'Allah heeft gezegd dat het goed is voor moslims om te vasten. Ik wil vasten, om een betere moslim te worden, net als jij.'

Hij glimlachte breeduit omdat hij wist dat hij voor elke toename van devotie van mijn kant door Allah geloofd zou worden. 'Goed, Amina. Dat is heel goed.' Hij verliet de kamer en ik hoorde hoe hij mijn aankondiging aan de anderen overbracht.

Jamal en Yusuf staken beiden hun hoofd om de hoek van de deur om me te feliciteren met mijn besluit om te vasten. Ik zag dat ze verbaasd waren, maar mijn groei als moslim leverde hun meer punten op bij het laatste oordeel.

Mijn gok leverde het gewenste resultaat op. Het lukte me om de dag door te komen, het ontbijt af te slaan, en vlak voordat de muezzin om zes uur 's middags opriep tot het gebed, kwam Jamal dan binnen met een plastic tas, waarvan ik de inhoud al vanaf de andere kant van de kamer kon ruiken. In de tas zaten drie kleine samosa's, gefrituurde driehoekige tasjes van bladerdeeg gevuld met gekruide rijst en iets wat op sla leek. Ik vastte om te kunnen eten. Soms waren de samosa's warm en heerlijk, soms waren ze niet vers en werd ik er misselijk van. Maar dat maakte niet uit. Ze waren voedzaam.

Ik hoorde steeds vaker een nieuwe stem opklinken uit de telefoons van de jongens. Deze was kalmer dan die van de vurige preken waarnaar ze luisterden, de altstem van een man die Arabisch sprak klonk door het Strandhuis, soms uit meerdere telefoons tegelijk. Buiten hoorde ik dezelfde stem uit radio's schallen van auto's die langsreden.

Op een middag kwam Romeo binnen met zijn mobieltje en een kladblok in zijn hand. 'Amina,' zei hij bijna joviaal, 'ik heb hulp nodig om mijn Engels te verbeteren.' Hij ging op de vloer zitten

377

en gaf me het kladblok en een pen. 'Jij kunt de woorden voor me opschrijven. In het Engels. En dan oefen ik ermee. Snap je?'

Hij drukte op een toets van zijn telefoon en hield hem zo dat ik op het scherm kon kijken. Een videofilm startte: een zwart scherm met Arabische teksten ging over in de kaart van Somalië met in een hoek een foto van Osama bin Laden eroverheen gemonteerd. Hij droeg een donker gewaad met een witte katoenen sjaal over zijn hoofd en schouders gedrapeerd en hield één vinger omhoog. Het geluid volgde. Het was de stem die ik steeds gehoord had. Bin Laden had een geluidsband vrijgegeven, waarop hij de moedjahedienstrijders in Somalië toesprak en voor het eerst hun strijd in verband bracht met de grotere doelen van Al Qaida. In een paar maanden tijd was de boodschap een hit geworden. Iedereen om me heen was er opgewonden over.

'Toe,' zei Romeo, 'schrijf het Engels over.' Ik kneep mijn ogen half dicht om de kleine letters van de ondertiteling van het scherm te kunnen lezen en begon te schrijven. Aan mijn geduldige... volhardende... moslimbroeders... De video duurde elf minuten. Ik zou er bijna drie dagen over doen om de hele tekst over te schrijven, terwijl Romeo kwam en ging, en elke keer ongeveer een uur naast me zat en zijn telefoon omhooghield. Het was maanden geleden dat ik voor het laatst meer dan een paar woorden opgeschreven had. Mijn hand deed pijn van de inspanning. Bin Laden riep de islamitische soldaten op om Sheik Sharif af te zetten, de nieuwe president die het toch al niet lang meer zou volhouden. Hij prees de Somalische strijders en verklaarde dat ze in zijn ogen de frontlinie van een slagveld vormden, en dat ze hun broeders in Palestina, Irak en Afghanistan beschermden. Op gelijkmatige, vaderlijke toon voer hij uit tegen de Amerikanen, spoorde iedereen aan om de hakken in het zand te zetten en het sluiten van allianties met het Westen niet te tolereren.

Bin Laden sprak. Romeo keek toe. En ik schreef, met mijn hoofd diep over het papier gebogen, in de zwak verlichte kamer. Het filmpje liep en werd stilgezet, liep en werd stilgezet, terwijl de blaadjes van het kladblok zich vulden met woorden. Bin Laden waarschuwde zijn Somalische broeders ervoor geen prooi te worden van vredesakkoorden of diplomatie, en voor de valkuilen van het compromis: 'Hoe kunnen intelligente mensen geloven dat de vijanden van gisteren de vrienden van morgen kunnen worden op basis van religie?'

Met andere woorden: een oorlog die eenmaal begonnen was, moest tot het bittere eind aan toe gevoerd worden.

41

Alles is anders

Romeo's aanvraag voor een studentenvisum voor de Verenigde Staten was goedgekeurd. Hij was opgetogen en stelde meer vragen dan ooit. Hoelang was het vliegen naar New York? Klopte het dat de meisjes in New York zulke korte shirts droegen dat je hun buik kon zien? Telkens wanneer hij me nu les kwam geven in de islam, vroeg hij me of ik hem wilde helpen met zijn Engelse uitspraak, om de scherpe kantjes eraf te krijgen. Hij had er speciaal een schrift voor gekocht – een dun, goedkoop schrift met roze en paarse harten erop – en vroeg me de moeilijkste Engelse woorden die ik kende op te schrijven, plus uitdrukkingen die nuttig zouden kunnen zijn voor een leergierige student die intelligent wilde overkomen in het nieuwe land.

Het was augustus. Hij zou in september vertrekken om aan zijn studie te beginnen. Ik hoopte dat dit de druk zou verhogen op de onderhandelingen die met onze beide families gevoerd werden.

In de ruim drie maanden die we nu in het Strandhuis zaten, had ik Nigel maar een paar keer gezien, hoewel zijn kamerdeur twee meter van die van mij verwijderd was. Soms, wanneer hij de jongens met hun vingers hoorde knippen dat ik naar de badkamer mocht voorafgaand aan het middaggebed, kroop hij van zijn matras om de smalle gang in te kijken. Ik was elke keer geschokt als ik hem zag, zijn gezicht was smal en grauw, zijn baard ruig en verwilderd. Hij droeg een macawii en een hemd dat los om zijn kno-

380

kige schouders hing. We keken elkaar dan aan, allebei hulpeloos en door verdriet overmand.

Nigel nam op een dag nog meer risico. Hij wees naar zichzelf, toen naar mij en maakte met zijn handen de vorm van een hart. Ik *hou van je*. We zaten bijna een jaar gevangen toen.

Door het raam van de badkamer zag ik het jaargetijde opnieuw wisselen, de dagelijkse regenbuien hielden langzamerhand op en werden vervangen door de zinderende hitte van de nazomer, die de Somaliërs *hagaa* noemen. Bij de moskee had iemand het groene neonlicht vervangen door felroze.

Met de komst van de hitte steeg ook de spanning onder de jongens, een mengeling van frustratie en doelloosheid. Hassam was een paar weken ziek geweest, getroffen door malaria. Jamals huwelijk met Hamdi was voor onbepaalde tijd uitgesteld. Nu Yahya, een van mijn hoofdbewakers, vertrokken was, had de jonge Mohammed – een van de gewelddadigste leden van de groep – zijn taak met hernieuwde energie overgenomen. Het geld leek op te raken. De jongens klaagden er voortdurend over dat ze honger hadden.

Ik putte hoop uit het feit dat Romeo nog steeds over New York praatte, alsof het geld voor zijn vliegticket – ons losgeld – elk moment binnen kon komen. Bij wijze van geloofsdaad schreef ik moeilijke Engelse woorden voor hem op die hij kon leren.

Sectarian, schreef ik op. *Parsimonious. Autonomous.*

Ik zag wel dat de jongens niets liever wilden dan dat de ontvoering voorbij was, maar ik had geen idee hoe de leiders van de groep daarover dachten, of wat er thuis gebeurde. Wanneer ik Romeo vroeg of er vooruitgang was in de onderhandelingen, veinsde hij machteloosheid en gaf hij mijn moeder de schuld dat het losgeld nog niet betaald was. Mijn ontvoerders hadden er twaalf maanden van hun tijd in gestoken, ze hadden kosten gemaakt en geloofden dat alle westerlingen in het geld zwommen, en ze waren dus niet geïnteresseerd in het sluiten van compromissen. Ze waren ervan overtuigd dat mijn moeder de poortwachter naar het geld was. Ze moesten haar alleen zover krijgen dat ze zwichtte. Pas later begreep ik hoe berekenend ze waren, welke schaakpartij er gespeeld werd tussen de continenten.

Thuis had mijn familie de hoop dat de Canadese regering iets zou kunnen doen opgegeven, en zich aangesloten bij de familie Brennan die besloten had een losgeldspecialist in te huren, ene John Chase, om ons uit Somalië te krijgen. Met diplomatie en informatieverzameling was geen duidelijke vooruitgang geboekt. De families moesten geld bijeenbrengen en rechtstreeks met onze ontvoerders onderhandelen. Begin augustus ondertekenden ze het contract met AKE, het bedrijf van Chase, dat in Groot-Brittannië gevestigd was. De beide families waren het erover eens geworden dat ze de kosten zouden delen – het losgeld en het honorarium van AKE dat ongeveer tweeduizend dollar per dag bedroeg –, zelfs als mijn familie daarvoor geld moest lenen van de familie Brennan, dat ze later zouden terugbetalen. Snel begonnen ze al het geld dat ze hadden bij elkaar te leggen.

Na maandenlang haar mobiele telefoon niet opgenomen te hebben wanneer Adam belde, nam mijn moeder de rol van onderhandelaar weer op zich – deze keer begeleid door Chase en zijn collega's in Engeland en met regelmatige inbreng van telefoontjes van Nigels familie in Australië. Nigels zus Nicky stond ook in contact met Adam. Het onderduikadres van de RCMP in Sylvan Lake was opgeheven; mijn moeder huurde nu een souterrainwoning in Canmore. Ze nam de telefoongesprekken met Adam zelf op en stuurde ze door naar Chase via gecodeerde e-mail.

Adam klonk aan de telefoon strijdlustiger dan ooit. De groep was kwaad, zei hij. Ze wilden $2 miljoen, geen cent minder. Mijn moeder deed namens beide families, en op advies van AKE, telkens een tegenbod dat steeds iets hoger werd. De bedoeling daarvan was om uiteindelijk tot een deal te komen met onze ontvoerders. Chase dacht dat de zaak beklonken kon worden met ongeveer een half miljoen dollar. Op 2 augustus zei mijn moeder tegen Adam dat ze $281.000 konden betalen. Op 2 september bood ze $434.000 aan.

Geen van beide bedragen was hoog genoeg. Adam hield voet bij stuk. De telefoontjes werden driftiger van toon. Hij suggereerde dat ik niet mijn moeders eigen kind was, omdat ze zo weinig om me gaf. Mijn moeder was op een gegeven moment zijn onwil om het losgeldbedrag ook maar iets te verlagen zo beu dat ze hem ervan beschuldigde 'spelletjes te spelen'.

Dit wakkerde Adams woede nog meer aan. En leidde tot een bedreiging. 'Speel ik een spelletje?' zei hij smalend. 'Je zou die spelletjes van mij eens moeten zien.'

Toen eind augustus de volgende ramadan begon hoefde ik wat minder op mijn hoede te zijn. Het was de heilige maand, de tijd van zelfbeheersing. Seks was overdag verboden tijdens de ramadan, waardoor ik me veiliger voelde. Door mijn raam hoorde ik nasheeds uit de luidspreker van de moskee schallen.

Romeo was vertrokken, zonder te zeggen waar naartoe. De jongens leken iets vrolijker gestemd te zijn. Skids had wat geld gekregen en voor iedereen nieuwe sandalen gekocht. We aten beter – niet tussen zonsopgang en zonsondergang, maar daarna werden we beloond met verse zoete dadels om het vasten te onderbreken. Een paar jongens gingen aan het eind van de middag naar de markt om een kleverige hoop dadels te kopen en brachten mij elke dag bij zonsondergang een paar ervan, gewikkeld in een stukje Engelstalige krant die gedrukt was in Dubai en de *Khaleej Times* heette. In de tijd dat ik freelance journaliste wilde worden had ik weleens artikelen van mij naar de hoofdredacteur van deze krant gestuurd. Nu las ik alles wat onder mijn dadels schuilging grondig door, op zoek naar nieuws. Ik zag noteringen van de effectenbeurs, en zelfs een kort bericht uit Canada – over een konijnenplaag op de campus van de Universiteit van Victoria.

Dankzij het extra geld konden Jamal en Hassam nu avondmaaltijden klaarmaken, meestal een gerecht met rode bonen en rijst, dat zij *ambola* noemden. Ze kookten het 's middags en dienden het na het avondgebed op, met veel witte suiker en zout erbij voor meer smaak.

383

'Lekker?' vroeg Jamal dan aan mij, terwijl ik at, vissend naar een compliment. 'Is goed?'

's Nachts deden de jongens hun extra gebeden die *taraweeh* of restgebeden werden genoemd. Ik had erover gelezen in de Hadith. De nachtelijke gebeden tijdens de ramadan hielpen Allah om iemand zijn zonden te vergeven.

Maar opeens veranderde de sfeer. Drie van de jongens – Abdullah, Mohammed en Jamal – kwamen met een ernstig gezicht mijn kamer binnen. Abdullah blafte tegen me dat ik op moest staan. Ze meden oogcontact. Dit was serieus.

Ik moest naar het midden van de kamer lopen en plat op de grond gaan liggen, op mijn buik, met mijn voorhoofd tegen de betonnen vloer gedrukt. Abdullah pakte het blauwgebloemde laken van mijn matras, ging over me heen staan en bond met het laken mijn polsen vast op mijn rug. Een minuut later maakte hij de knoop wat losser en schoof hij het laken omhoog tot aan mijn ellebogen. Toen trok hij het strak aan. Mijn schouders werden omhoog gedrukt wat een enorme pijn veroorzaakte. Mijn hart bonsde, ik voelde paniek opkomen. Wat gebeurde er?

Ik hoorde de jongens boven me druk met elkaar overleggen in het Somalisch; het klonk alsof ze het oneens waren over iets. Na een minuut maakten ze me weer los en gebaarden ze dat ik weer op mijn matras moest gaan liggen, terwijl ze gewoon doorpraatten, alsof ik er niet bij was. Nat van het zweet ging ik weer liggen. Mohammed wees naar boven, naar een paar stukken betonijzer die uit de muur staken, alsof ze daar misschien iets aan konden ophangen. Jamal draaide en trok aan mijn blauwe laken om te testen hoe sterk het was. De drie jongens inspecteerden de kamer zorgvuldig, systematisch. Daarna verlieten ze de kamer, zonder nog een blik in mijn richting te werpen.

Ik lag op mijn matras en wist dat er iets verschrikkelijks zou gebeuren.

Ik wachtte de hele dag en de hele volgende dag.

De daaropvolgende avond kwamen ze terug, na zonsondergang, nadat het vasten onderbroken was en het eten was opgediend. Dit keer waren het Mohammed en Abdullah. Ze deden de deur achter zich dicht. Mohammed had een laken in zijn hand, het was lichtgeel van kleur. Het laken was als een touw in elkaar gedraaid. Hij legde het op de vloer neer.

Ik ging rechtop zitten. 'Is alles oké?' vroeg ik. Mijn ademhaling stokte. Het enige wat ik zag was dat gedraaide laken.

Abdullah zei: 'Ga staan.'

Ik kwam heel langzaam overeind, de ketting tussen mijn enkels ratelde. Ik keek naar hun gezicht maar dat was volkomen uitdrukkingsloos. Mijn hoofd liep om, ik zocht wanhopig naar een uitweg. 'Ik heb nog niet gebeden,' hoorde ik mezelf zeggen. 'Ik moet me wassen.'

De jongens keken elkaar aan. Met de islam viel niet te spotten. 'Snel,' zei Abdullah.

Terwijl ik schuifelend naar de badkamer liep, zag ik dat ze de deur van Nigels kamer dichtgedaan hadden.

Eenmaal in de badkamer liep ik naar het raam, keek naar het roze licht van de moskee in de verte en probeerde me te wapenen tegen wat er ging komen. Het was een inktzwarte nacht zonder sterren. Ik voelde een lichte bries. De angst die ik voelde was primitief, die van dieren die de heuvels in vluchten, kerkklokken die luiden om een dorp te doen evacueren. Ze gingen me pijn doen, dat wist ik. Volhouden, zei ik tegen mezelf. Je moet sterk blijven.

Abdullah en Mohammed wachtten buiten voor de badkamer. Ze liepen achter me aan terug naar mijn kamer, deden de deur achter zich dicht en gingen op de grond tegen de muur zitten, terwijl ik bad. Ik doorliep de gebeden zo langzaam en nauwkeurig mogelijk, in de hoop hen er zo aan te herinneren dat ik net als zij was. Nadat ik de laatste raka'ah had opgezegd, begon ik aan het bidden in stilte, een aanvulling op de reguliere gebeden, waarin je Allah honderd keer prijst. Maar ik zei in stilte een ander gebed op, zo langzaam mogelijk. *Wees sterk, wees sterk, wees sterk.* Ik zei het honderd keer.

Toen ik klaar was, en geen andere opties meer had om tijd te rekken, ging ik staan en draaide ik me om naar de jongens. Abdul-

385

lah beval me op de vloer te gaan liggen, op mijn buik, net als twee dagen geleden. Toen bond hij met het lichtgele laken mijn armen vast, net boven de ellebogen. Mijn schouders en borstkas kwamen omhoog van de vloer en ik voelde hoe ze naar achteren getrokken werden. Mijn hele bovenlichaam deed pijn. Mijn voeten werden ook omhooggetrokken, in de richting van mijn samengebonden armen. Ik voelde dat er een stoffen lap om mijn enkels gewikkeld werd, een plotselinge spanning volgde. Toen begreep ik wat ze gedaan hadden: mijn handen en voeten waren aan elkaar vastgebonden en trokken in tegengestelde richting aan elkaar. Ik kon me niet meer bewegen. Mijn lichaam was in een strakke boog getrokken. Mijn spieren begonnen meteen gillend pijn te doen. Mohammed trok mijn hoofddoek af, bond die als blinddoek voor mijn ogen en trok hem strak aan. Mijn ogen begonnen te kloppen en ik voelde een stekende pijn in de zenuwen die erachter lagen. Ik zag een wit licht. Het voelde alsof er in mijn hoofd elk moment iets kon barsten.

Ik was als een dier vastgebonden. Paniek sloeg toe. Ik kon het zo nog geen minuut volhouden. Nog geen seconde. Ik kon niet nadenken vanwege de pijn van de houding waarin ik lag, mijn rug kromgetrokken van mijn nek tot mijn achterwerk. Het gedraaide laken drukte in mijn armen en mijn enkels en kneep de bloedcirculatie af. Ik had het gevoel dat mijn longen ingedrukt werden. Ik had moeite met ademhalen en kokhalsde alsof iemand zand in mijn keel goot. 'Het zit te strak,' riep ik, mijn stem klonk schor en vreemd. 'Het zit te strak!'

Op een gegeven moment verlieten de jongens de kamer. Ze hadden de hele tijd geen woord gezegd.

Waar dachten ze aan, die eerste minuten, die eerste uren, terwijl ze daar buiten voor mijn deur zaten? Praatten ze met elkaar? Lachten ze? Ik wist het niet.

Ik was voor iedereen verloren, ondergronds gegaan, en probeerde me nu een weg terug naar boven te banen, en genoeg kracht te vinden om hierdoorheen te komen. Een brandende pijn trok door mijn schouders en rug, door mijn hele ruggengraat. Mijn hals boog zich naar de vloer, maar ik kon mijn hoofd niet op de vloer leggen om de spanning te verlichten. Mijn gedachten gingen tegen elkaar in: Ik kan dit niet verdragen. Je moet het volhouden.

Ergens midden in de nacht hoorde ik de deur opengaan, en voetstappen dichterbij komen.

Ik probeerde woorden te vormen, maar ze kwamen eruit als een gesmoord gekreun. Ik smeekte degene die daar in het duister stond om me los te maken.

Er werd iets met kracht onder op mijn rug gezet, waardoor mijn spieren nog meer verkrampten. Het was een voet. Ik wist niet van wie, maar hij trok aan het laken en gebruikte zijn blote voet om zich af te zetten. Ik voelde opnieuw spanning in mijn schouders, en mijn dijen kwamen nog hoger van de vloer. Hij was alleen gekomen om de knopen strakker aan te trekken.

Toen het ochtend werd had ik in mijn broek geplast, hoewel ik geprobeerd had dat zolang mogelijk te voorkomen. Ik hoorde stemmen in de kamer. Ik wist dat ze de urine konden ruiken. Misschien zagen ze een plasje onder mijn abaya uit komen. Ik verstond niet wat ze zeiden, maar het klonk alsof ze beledigd waren. Toen begon er iemand te lachen. Ik was er zeker van dat ze grappen maakten over wie het zou moeten opruimen.

Meer uren verstreken. Ik was klaarwakker, in mijn lichaam werd met hete naalden gestoken. Ik volgde de muezzin die op sombere toon opriep tot het gebed. De tijd had zich losgeweekt van de werkelijkheid en kwam nu in korte en lange momenten voorbij. De knopen waren opnieuw strakker aangetrokken. Iemand was de kamer binnengekomen en had een soort sjaal om mijn hals gelegd en de uiteinden vastgeknoopt aan het laken dat mijn armen en benen op hun plek hield zodat ik, telkens wanneer mijn hoofd van vermoeidheid naar beneden zakte, bijna stikte door de spanning op de sjaal. Ze hebben zich hierin verdiept, dacht ik bij mezelf. Ze hebben een of ander handboek geraadpleegd over hoe je mensen kunt laten lijden.

Ik had mezelf door een jaar van gevangenschap heen gecoacht

387

door de tijd in overleefbare perioden op te delen, bijvoorbeeld door tegen mezelf te zeggen het tot de volgende dag vol te houden. En wanneer een dag te lang was, zei ik tegen mezelf het tot de volgende bidsessie of het volgende uur vol te houden. Nu, verdwaald in de kakofonie van mijn eigen gedachten, werkte ik alleen nog toe naar de volgende ademhaling.

De pijnen in mijn lichaam vermengden zich en verzwolgen me als een wervelende, pulserende ster. Ellebogen, rug, hals, knieën – er was geen onderscheid meer tussen te maken. Ik voelde de pijn ononderbroken. Ik was me er steeds van bewust.

Maar er gebeurde nog iets. Een klein kamertje in mijn hoofd was opengegaan, een kamertje met een stok. En als ik heel stil bleef liggen, kon ik daarop uitrusten. Dan kon ik de pijn rustiger observeren. Ik voelde hem nog steeds, maar zonder die te moeten overwinnen, zonder het gevoel te hebben dat ik erin verzonk. Wanneer ik de pijn niet hoefde te overwinnen, verstreek de tijd iets gemakkelijker. Hoewel ik ontdekt had hoe ik op die stok in evenwicht kon blijven, lukte het elke keer nooit langer dan een paar minuten. De pijn in mijn lijf duwde me er altijd weer vanaf en zette mijn hersens weer schreeuwend in werking.

Af en toe onderbrak een stem mijn gedachten – dezelfde kalme stem die me altijd advies leek te geven, en tegen me zei dat alles goed zou komen. Deze keer geloofde ik de stem echter niet. Ik wou dat mijn ontvoerders me doodden, zodat ik van de pijn verlost was.

Jamal kwam op een bepaald moment binnen en verwijderde de blinddoek en de sjaal om mijn hals. Het felle licht deed pijn aan mijn ogen. Ik smeekte hem me te helpen, maar hij keek me alleen met een kille blik aan.

'Het spijt me,' zei hij uiteindelijk, zijn stem klonk mat. Het was me duidelijk dat hij niet zijn verontschuldigingen aanbood. Het speet hem alleen dat ik in deze situatie beland was.

Ze kwamen en gingen, voelden aan de touwen, deden de blinddoek om en weer af. Toen ik om hulp schreeuwde, propten ze een

388

sok in mijn mond, waardoor ik gedwongen werd door mijn neus te ademen. Ik moet bewusteloos zijn geraakt, want toen ik bijkwam zag ik Skids op handen en voeten voor me zitten en aandachtig naar mijn gezicht kijken – hij controleerde of ik nog leefde. Twee keer draaiden ze me die tweede dag op mijn rug, zodat ik op mijn vastgebonden armen en benen lag en mijn bloed naar alle ledematen kon stromen die doof waren geworden. Het was een verschrikkelijk gevoel, een aanval van stekende naalden, maar het gaf ook even verlichting. Elke keer, echter, wanneer ze me omdraaiden en ik weer op mijn buik lag, kwam de pijn nog heviger terug.

De kalme stem probeerde bemoedigende dingen tegen me te zeggen, maar ik ging er nu tegen in.

Ademhalen, zei de stem.

Dat kan ik niet.

Alles komt goed.

Nietwaar. Ik ga dood.

Je gaat niet dood. Blijf ademhalen.

Ik ga dood.

Nee, je gaat niet dood.

Het was weer middag. Dat vermoedde ik tenminste. Mohammed en Abdullah kwamen binnen en begonnen me tegen mijn ribben te trappen, terwijl ik het met de sok in mijn mond uitgilde van de pijn. Ik liet me meevoeren door de paniek, mijn geest was verlamd van uitputting. Ik wist dat ik in die kamer zou sterven. De pijn was zo intens dat hij elektriserend was, zo elektriserend als bliksemschichten op het water. Ik kon er niet aan ontkomen.

Toen voelde ik een enorme kracht door me heen gaan, als een enorme windvlaag. Het leek alsof ik vastgegrepen, opgetild en omhooggetrokken werd. De pijn was verdwenen. Wat volgde was een vreemd gevoel van opluchting. Ik was losgekomen van de aarde en zweefde nu, als de pluizige bol van een uitgebloeide paardenbloem, boven een luchtkolom. Ik was een toeschouwer geworden, een wezen zonder lichaam. Misschien was ik doodgegaan. Ik hing boven in een hoek van mijn kamer en keek naar beneden.

Ik zag twee mannen en een vrouw. De vrouw was als een dier vastgebonden en de mannen deden haar pijn, ze trapten tegen haar lichaam. Ik kende die drie mensen, maar ook weer niet. Ik herkende mezelf, maar voelde me niet meer met de vrouw verbonden dan met de twee mannen in de kamer. Ik was een drempel overgegaan. Het was zowel een intens vredig als een intens treurig gevoel.

Wat ik zag waren drie mensen die leden, de gemartelde, maar ook de martelaars.

Aan het einde van de derde dag, ongeveer achtenveertig uur nadat alles was begonnen, maakten ze me weer los. Ik weet niet wie de knopen losmaakte en ook niet of er iets gezegd werd. Ik viel voorover. De blinddoek werd van mijn hoofd getrokken. De sok kwam uit mijn mond. Iemand draaide me op mijn rug. Ze pakten me vast bij mijn armen en benen en gooiden me op de matras. De zon was ondergegaan en het was donker in het huis. Ik zag wel dat Mohammed me voortdurend schopte, maar ik voelde niets. Ze schreeuwden tegen me. Ik keek hen met een wazige blik aan. De woorden leken in slow motion uit hun mond te komen. Ik was doorweekt van het zweet. Mijn armen lagen slap langs mijn lichaam.

Jamal boog zich over me heen. Hij had een fles water in zijn hand. Ik opende mijn mond en zag een gebogen straal helder water naar me toe komen. Jamal goot de helft van de fles in mijn keel, waardoor ik begon te proesten en bijna stikte, en rechtop moest gaan zitten. Jamal gooide iets naar me toe – pen en papier. 'Oppakken, oppakken,' zei hij. Ze wilden dat ik iets opschreef. De pen viel steeds uit mijn vingers. Ik kon mijn handen niet gebruiken. Ze zagen er grauw uit in het licht van de zaklantaarns van de jongens.

Abdullah dicteerde aanwijzingen voor een telefoongesprek. 'Vandaag is alles anders geworden. Zeg dat tegen je moeder. Alles is anders geworden.' Ik begreep niet wat ze bedoelden. Ik had te veel pijn.

Er werd een telefoon binnengebracht. Ik hoorde de snerpende

toon van de luidspreker die aanstond. Skids hield de telefoon voor mijn gezicht. Mohammed schopte tegen een van mijn gevoelloze benen. De lijn kraakte en sputterde, maar het was mijn moeder die ik hoorde.

'Amanda? Hallo? Hallo? Hallo?' zei ze.

'Mammie.'

'Amanda...'

'Mammie,' zei ik, te uitgeput om iets anders te zeggen, ik had haar nog nooit zo nodig gehad als nu. 'Mammie, mammie, mammie... Mammie... Mammie... Mammie... alsjeblieft.'

42

De vogel

Uiteindelijk zei ik bijna alles wat ik van hen tegen mijn moeder moest zeggen, hoewel het me grote moeite kostte om woorden te vormen. 'Alles is anders geworden,' zei ik, zoals me opgedragen was, en dat meende ik ook. Ik vertelde haar dat ik vastgebonden op de vloer had gelegen en gemarteld was. Ik vertelde haar dat ik het geen dag langer kon uithouden.

Ze vertelde me dat ze Adam een half miljoen dollar had aangeboden, maar dat hij die niet wilde aannemen.

We huilden allebei de hele tijd aan de telefoon. Het voelde als een afscheid.

Toen het gesprek voorbij was liepen Skids en de jongens de kamer uit, en bleef ik alleen achter op mijn matras, met de halflege fles water. Abdullah keek, toen hij naar de deur liep, nog een keer achterom. 'Morgen doen we het weer,' zei hij. 'Elke dag, totdat je moeder geld betaalt doen we het weer.'

Hij verliet de kamer. De woorden kwamen aan als betonblokken. Dit was niet het einde van de marteling. Dit was alleen uitstel.

Ze zouden terugkomen en het nog een keer doen.

Een diepe somberheid daalde over me neer. Ik begreep toen wat het betekende om geen enkele hoop meer te hebben. Om te wanhopen. Om nergens meer in te geloven. Ze zouden me opnieuw vastbinden.

Ik lag verstijfd op de matras, terwijl het bloed terugstroomde naar mijn gewrichten met de intensiteit van rondzwiepende rotorbladen. Ik kon nog maar één ding denken: het zou opnieuw gebeuren. Ze zouden ermee doorgaan. Ze zouden druk blijven uitoefenen, vanwege het absurde idee dat onze families miljoenen dollars konden betalen. Ze zouden eeuwig druk blijven uitoefenen, omdat tijd voor hen geen rol speelde. De tijd hier op aarde werd alleen doorgebracht met wachten, wachten op een kans om in het paradijs te komen.

Ze hadden een manier gevonden om me te breken, zonder me af te maken. Ze lieten me in leven tot ze hun geld hadden.

Ik hoorde een geluid uit mijn longen omhoogkomen, een lange weeklagende snik, die eerder van een dier dan een mens afkomstig leek te zijn.

Was dit mijn leven? Ja.

Ik was er klaar mee.

Het zou beter zijn om te sterven.

Het was de meest rustgevende gedachte die ik in lange tijd had gehad.

Het scheermesje dat mijn ontvoerders me maanden geleden gegeven hadden om mijn schaamhaar af te scheren, was roestig geworden door de vochtige lucht, er zaten oranje spikkels op. Maar het was nog steeds scherp. Dat wist ik omdat ik het nog steeds gebruikte. Ik bewaarde het mesje in zijn papieren hoesje bij mijn toiletspullen, het kleine fort van flessen die op een rij naast mijn matras stonden. Door harder te drukken zou ik er zeker mijn polsen mee kunnen doorsnijden.

Ik lag in het donker te wachten tot ik weer gevoel had in mijn handen. Ik kromde en strekte mijn vingers en voelde hoe ze langzaam weer soepel werden. Ik dacht na over hoe ik het zou doen. Het enige wat ik hoefde te doen was zo diep in mijn polsen te snijden dat het mesje door de ader heen ging, eerst de rechterpols dan de linkerpols. Ik schatte in dat het van begin tot eind niet langer dan twintig minuten zou duren. Met enige voldoening stelde ik me voor hoe de jongens me halfdood zouden aantreffen, maar

393

niet in staat waren me te redden. Het deed me plezier als ik eraan dacht dat ze hun fortuin verloren als ik doodging.

Ik besloot het de volgende ochtend te doen.

Ik was in het afgelopen jaar vaak hard voor mezelf geweest. Ik had mezelf gestraft voor het leven dat ik had geleid, dat ik aan al mijn verlangens toegegeven had. Ik had mezelf fikse uitbranders gegeven, omdat ik zo stom was geweest om naar Somalië te gaan, omdat ik holle ambities had gehad, omdat ik geloofde dat ik onverwoestbaar was. Ik was kwaad op mezelf geweest, omdat ik nooit tegen mijn moeder had gezegd dat ik het haar vergeven had dat ik zo'n akelige jeugd had gehad. Ik had er spijt van dat ik jaren-lang zo'n hekel aan mijn lichaam had gehad en mezelf had uitge-hongerd om slank te blijven. Ik had graag nog een kans gehad om alles weer goed te maken, maar ik accepteerde het dat die kans niet zou komen.

Door die acceptatie voelde ik me anders, getroost. Vredig. Het gevoel van spijt trok zich terug als de zee bij laag tij, alleen een glinsterende rand bleef achter op het strand.

Had ik geleefd? Ja. Had ik de wereld gezien? Ja. Ik had dingen gedaan, ik had van mensen gehouden, ik had schoonheid gezien. Ik had geluk gehad. Ik was dankbaar.

Toen het eerste streepje daglicht door de kieren van de luiken naar binnen viel, had ik aan iedereen die ik zou missen gedacht, aan iedereen afzonderlijk, aan al mijn familieleden en vrienden. Ik had het meeste verdriet om Nigel, omdat ik hem alleen in So-malië zou achterlaten. In gedachten had ik hem en alle anderen om vergeving gevraagd voor het feit dat ik niet langer wilde leven. Ik had ze veel liefde toegewenst en gehoopt dat die van mijn plek hier op de matras over de oceanen en continenten heen gevoeld zou worden. Ik had een beetje gehuild, maar was er klaar voor. Het was zover.

Wat ik wilde was een snelle dood. Ik hoorde de jongens die in de receptieruimte lagen te slapen snurken en zuchten. De muezzin stapte nu waarschijnlijk uit zijn bed om daarna in de schemering naar de moskee met het roze neonlicht te lopen om zijn eerste op-

394

roep tot gebed te doen. De ochtenden waren voor mij altijd het moeilijkst geweest, dat slaperige moment, waarin droom in werkelijkheid overging en ik wakker genoeg was om me bewust te worden van de ketting om mijn enkels. Soms raakte ik hem zelfs even aan om bevestigd te krijgen dat hij er echt zat.

Ik reikte naar het scheermesje en toen het in mijn hand lag ging ik weer liggen. Een minuut verstreek.

Dit is het dan, dacht ik.

Maar vlak voordat ik de eerste snee wilde maken, voelde ik een vreemd warm gevoel door mijn hele lichaam trekken, van boven naar beneden, alsof er warme vloeistof in me gegoten werd. Ik werd er volkomen ontspannen van en kreeg het gevoel dat ik wegsmolt in mijn matras. Ik voelde geen pijn meer. Het leek alsof ik overvloeide in iets groters, een nieuwe krachtbron had gevonden. Er flitsten beelden door mijn hoofd – van stranden, bergtoppen, de straat waar ik de eerste zes jaar van mijn leven samen met mijn vader en moeder had gewoond – bijna alsof ik werd meegenomen op reis. De beelden waren haarscherp. Ik voelde een groot verlangen om alles terug te zien, om er weer deel van uit te maken.

Er bewoog zich iets in de deuropening. Het eerste zonlicht door het raam in de receptieruimte had een vierkant van bleek daglicht op de vloer van mijn donkere kamer geworpen. In het midden van het vierkant zat een bruin vogeltje, een soort spreeuw, dat over de vuile vloer heen en weer trippelde en met een schuin kopje naar de grond pikte. Het vogeltje keek op en leek de kamer en mij aandachtig op te nemen. Even later vloog het weg, terug naar de receptieruimte en fladderend het raam uit, richting de hemel.

Ik had al bijna een jaar geen vogel meer gezien. Maar ik had wel altijd in tekens geloofd – in amuletten en talismannen, in boodschappers, voortekenen en engelen – en nu, nu het er het meest toe deed, had ik een teken gekregen.

Ik zou blijven leven en naar huis gaan. Het maakte niet uit wat er hierna gebeurde en hoeveel ik nog moest dulden. Ik zou erdoorheen komen. Dat was zeker. Daarvan was ik sinds het begin van de ontvoering niet meer zo overtuigd geweest.

43

Een notitieboek en een belofte

De ramadan was afgelopen. Onze ontvoerders slachtten een geit, aten hem op, en verhuisden ons opnieuw, nu naar een huis op het platteland, ver weg van Kismaayo en de kust, terug richting Mogadishu. Ik noemde dit huis het Boshuis. Het had een groot erf, waarop in een hoek twee kapotte trucks stonden weg te roesten, en er zat een hoge muur omheen. Aan de andere kant van die muur stond een rij knoestige bomen.

Skids en de jongens waren de volgende dag niet teruggekomen om me opnieuw vast te binden. De schaafplekken op mijn ellebogen en enkels begonnen langzaam te genezen. Een paar dagen nadat ze me losgemaakt hadden, had Skids een plastic tas mijn kamer in gegooid. In de tas zaten twee nieuwe jurken, netjes opgevouwen, van dun katoen, met bloemenprint. Ze waren een geschenk, een erkenning van het feit dat ik had geleden.

Ik bespeurde een sluimerend schuldgevoel bij mijn ontvoerders over wat er gebeurd was. Hassam en Jamal meden me dagenlang. De anderen hadden alleen belangstelling voor de nieuwe jurken – ze vroegen me om de jurken aan te trekken, complimenteerden me toen ik dat deed en zeiden tegen me dat ik eruitzag als een Somalische vrouw. In werkelijkheid was de stof te dun om me er lekker in te voelen. Ik vond de jurken te doorzichtig en droeg ze nooit lang, ik hield liever mijn zware rode abaya aan. Abdullah kwam op een dag mijn kamer binnen, gaf me een plastic flesje met geparfumeerde bodylotion en vertelde er trots bij dat hij het van zijn eigen geld gekocht had. 'Uit Duitsland,' zei hij. Het leek zijn manier om zijn schuldgevoel te sussen. Ik opende het flesje, rook eraan, maar heb de lotion niet een keer op mijn lichaam gesmeerd.

Romeo was niet in het huis geweest gedurende de dagen dat ik vastgebonden was geweest. Toen ik hem vertelde wat er gebeurd was, reageerde hij verbaasd, maar ik zag aan zijn gezicht dat hij ervan wist. Het was zelfs mogelijk dat hij degene was geweest die de opdracht ertoe had gegeven. In de daaropvolgende weken was hij steeds somberder geworden. Allah, zo bleek, had toch niet gewild dat hij in New York ging studeren. De dag van vertrek ging geruisloos voorbij. Het was zijn lot om bij Nigel en mij te blijven, en bij de jongens en Skids, om te blijven wachten.

We bleven ongeveer zes weken in het Boshuis, lang genoeg om door het badkamerraam een zee van groene korenhalmen in de achtertuin te zien ontspruiten en groeien, die de twee trucks volkomen overwoekerden. Het regende weer, het begin van een nieuw jaargetijde.

Romeo leerde me vol overgave hoe ik de Koran moest opzeggen. Hij bracht Nigels koran mee en liet die 's nachts bij me, zodat ik kon oefenen. Ik begon achter in het boek, waar de hoofdstukken korter waren, en leerde de tekst uit mijn hoofd, meestal vijf of zes regels per keer, langzaam toewerkend naar langere passages, tot ik haperend dertig regels per keer kon opzeggen in het Arabisch. Ik las ook de Engelse vertaling van de tekst om beter te begrijpen wat ik opzei. 'God is het licht van de hemelen en de aarde. Zijn licht lijkt bijvoorbeeld op een nis met een lamp erin. De lamp staat in een glas. Het glas is zo schitterend als een stralende ster...'

Soms lachte Romeo om mijn uitspraak. Soms sloeg hij me als ik iets fout deed. Maar af en toe bereikte ik de gewenste standaard en was hij trots op zijn werk.

Hij riep dan de jongens naar mijn kamer, zodat ik de verzen als een bekroonde kanarie voor ze kon chanten. 'Zien jullie nu wel?' zei Romeo dan tegen de jongens, alsof hij iets wilde bewijzen. 'Amina is een goede moslimvrouw.'

Dit leek altijd ter discussie te staan.

De koran verhuisde regelmatig van Nigels kamer naar die van mij en weer terug, samen met een exemplaar van de hadith. Ik mocht tijdens het lezen rechtop zitten op mijn matras. Wanneer Romeo er niet was, gaf Hassam me les. Hij leek spijt te hebben van wat er gebeurd was en controleerde voortdurend of alles goed met me was. Hij nam ibuprofen voor me mee en bracht me af en toe stiekem een extra kopje thee. Ook mocht ik van hem een paar boeken hebben uit het verzorgingspakket dat maanden geleden was gekomen. Die smokkelde hij dan mijn kamer in, waarna ik er een paar uur in mocht lezen. Om me te helpen bij mijn Koranlessen gaf hij me een pen, een potlood en een dun notitieboekje met mintgroene kaft en het logo van UNICEF voorop.

Toen Abdullah het notitieboekje op een middag zag, trok hij het ruw uit mijn handen en zwaaide ermee in mijn gezicht. 'Weet je wat dit is?' zei hij woedend. Hij wees naar het logo – het profiel van een moeder die een jong kind vasthoudt met een wereldbol op de achtergrond.

'UNICEF?' zei ik.

Hij wees van de moeder naar het kind en keek me doordringend aan. 'Heel slecht.'

Hij nam het notitieboekje mee de kamer uit en liet me radeloos achter. Tot nu toe had ik het alleen gebruikt om er wat vragen over de Koran in op te schrijven die ik Romeo of Hassam wilde stellen, maar het boekje was belangrijk voor me geworden – de melkwitte bladzijden, de vrijheid om iets zichtbaar te maken in inkt, ook al was het maar een onbeduidende vraag. Zo'n twintig minuten later kwam Abdullah terug en gooide het notitieboekje minachtend op de vloer. Hij had een zwarte viltstift gepakt en moeder en kind met dikke strepen onzichtbaar gemaakt, omdat volgens de regels van de profeet geen van Allahs schepsels als kunstwerk getoond mocht worden. Nu mocht ik het notitieboekje wel gebruiken.

Ik zat urenlang naar dat notitieboekje te staren, en daagde mezelf uit er een echte gedachte in op te schrijven, maar ik was bang dat Romeo – de enige die Engels kon lezen – zou vragen om het boekje in te zien.

Ondertussen had ik gezien dat Nigel sommige Engelstalige verzen in zijn koran met potlood onderstreept had. Op een lege pagina achter in het boek had hij aantekeningen gemaakt – een lijstje met paginanummers die, nam ik aan, verwezen naar verzen die hij nog eens wilde lezen. Wat hij onderstreept had ging over gevangenen en gedragswetten. Het leek erop dat Nigel, net als ik, de Koran gebruikt had om voor een betere behandeling te pleiten.

Ik besloot iets te proberen. Ik bladerde door het boek en liep de Engelse tekst door, op zoek naar losse woorden, waarmee ik een boodschap kon samenstellen. Toen ik een woord gevonden had, onderstreepte ik de hele passage licht met potlood, maar onder het woord dat hij van mij moest zien, zette ik een dikkere streep, bijna als een pijl ernaartoe. Ik koos een woord uit, toen nog een, en nog een, en schreef daarna achter in het boek, naast Nigels aantekeningen, een lijstje met paginanummers waar de woorden stonden. Later die middag vertelde ik Hassam dat ik voor vandaag klaar was met het bestuderen van de Koran. Ik keek hem na, terwijl hij met het boek in zijn hand de deur uit slenterde en vertrouwde erop dat hij het naar Nigel zou brengen.

De boodschap die ik hem gestuurd had, luidde als volgt: Ik / hou / van / je / mijn / moeder / zegt / dat / ze / half / miljoen / hebben.

De volgende dag, toen ik de koran terugkreeg, wachtte ik tot ik alleen was en keek toen achter in het boek. Nigel had een nieuw rijtje paginanummers opgeschreven. Opgetogen liep ik de bladzijden langs, op zoek naar de woorden.

Hij had de code begrepen en gereageerd: Ik / wil / naar / huis / ik / verafschuw / mannen.

Tijdens de weken in het Boshuis kregen we gemengde signalen over wat er thuis gebeurde, en of er vooruitgang werd geboekt. Nigel had een paar snelle, vooraf gedicteerde telefoongesprekken mogen voeren. Ik had flarden opgevangen van een gesprek dat

Nigel met zijn zus Nicky had gehad en waarin ze hem verteld had dat de familie twee huizen en een paar auto's had verkocht.

Op een dag kwam Romeo mijn kamer binnen, op de voet gevolgd door de rest van de jongens. 'Er is één kans,' zei hij. 'Je moeder heeft vijfhonderdduizend dollar en als ze die morgen betaalt, accepteren we die.' Hij voegde eraan toe: 'Ze kan alleen voor jou betalen, niet voor Nigel. Zijn familie heeft geld. Zij is arm. Maar ze beslist vandaag of ze je wil redden.'

Even later ging zijn telefoon – het was Adam die mijn moeder aan de lijn had. 'Maak haar duidelijk dat dit je enige kans is,' zei Romeo. Hij wees naar de jongens die met hun geweer in de hand moed toonden en haalde zijn schouders op. 'Ik heb geen idee wat ze hierna met je zullen doen.'

Terwijl Romeo de telefoon voor mijn gezicht hield, herhaalde ik zijn boodschap. Ik smeekte mijn moeder om me hier weg te halen, zelfs als dat betekende dat ik de enige was die weg mocht. Ik vond het verschrikkelijk dat ik het moest zeggen. Ik wist dat Nigel gedeeltes van het gesprek kon horen. Ik hoopte dat hij doorhad dat we gemanipuleerd werden: Romeo probeerde er alleen maar achter te komen hoeveel geld mijn familie had. Maar mijn moeder was resoluut. De families werkten samen, zei ze. Ze hadden vijfhonderdduizend dollar voor ons beiden. Meer konden ze niet bieden.

Romeo verliet daarna het huis en werd een paar dagen vervangen door Ahmed, die met zijn eigen auto arriveerde, met een gladgeschoren gezicht en in stadskleding, een poloshirt met broek met ingeperste vouwen. Hij had een nieuwe vraag voor me meegekregen, waarvan het antwoord als bewijs moest dienen dat ik nog in leven was – wat is de lievelingskleur van je vader? Hij verborg zijn afkeer voor de troep waarin we leefden niet. Toen hij zag dat mijn voeten opgezwollen en met korsten bedekt waren van de muskietenbeten, gaf hij de jongens opdracht mijn klamboe boven mijn matras te hangen. Ik had hem steeds bij me gehad, maar niet mogen gebruiken sinds de dag dat we ontsnapt waren, negen maanden geleden.

Het was niet zozeer een daad van welwillendheid van Ahmed, maar eerder een, vermoedde ik, om zich ervan te verzekeren dat ik niet ziek zou worden en dood zou gaan. Skids had malaria gekregen en lag de hele dag ineengedoken op de vloer. Om bij de badkamer te komen, moest ik langs hem lopen, terwijl hij rillend van de koorts in de grootste kamer van het huis op de vloer lag te kronkelen. Hij zag er meelijwekkend uit, zijn kale hoofd glom van het zweet. Ik hoopte dat hij dood zou gaan.

'Jagergroen,' zei ik tegen Ahmed. Mijn vaders lievelingskleur.

Ik vroeg Ahmed of hij nog nieuws had over de onderhandelingen, of we gauw naar huis konden. Hij schudde heftig zijn hoofd en kwam met een beangstigende mededeling. De groep, zei hij, had de hoop opgegeven om met beide families tot een overeenkomst te komen en probeerde nu een deal te sluiten met Al-Shabaab. Al-Shabaab zou ons dan doorverkopen aan onze familie.

Hij gaf me een paar vellen papier en een pen om een verklaring op te schrijven die hij 'de Belofte' noemde. Ik moest daarin verklaren dat ik, waar ik ook terechtkwam, me zou houden aan de grondbeginselen van de islam en het geloof zou propageren. Als ik vrijkwam, moest ik hem een half miljoen dollar voor de jihad toesturen. Hij wilde dat ik precies opschreef hoe ik dat geld bij elkaar zou krijgen. Ik dacht er even over na en schreef toen op dat ik een commerciële jihad-website zou beginnen en een boek zou schrijven waarin ik vrouwen opriep zich tot de islam te bekeren. Omdat ik wist dat hij dol was op documenten gebruikte ik zoveel mogelijk officieel klinkende woorden, zoals 'aanstonds' en 'terstond', voor het geval ze hielpen om onze vrijlating te bespoedigen.

Ik ondertekende met: Amina Lindhout.

Ahmed keek alles uitgebreid door en keurde het goed. Voordat hij wegging, zei hij: 'Je situatie zal gauw beter worden, insjallah.'

Ik geloofde er geen woord van. Als ze een deal sloten met Al-Shabaab zou mijn situatie niet beter worden, maar juist verslechteren, dat stond voor mij vast.

Uiteindelijk nam ik het risico en schreef ik iets persoonlijks in het notitieboekje van UNICEF. Ik had het boekje nu ongeveer een maand in mijn bezit en kon de verleiding niet langer weerstaan. Pen en papier hebben en die dan niet gebruiken was net zoiets als een heerlijke maaltijd laten staan, hoewel je vergaat van de honger.

Dus op een dag deed ik het. Ik zat op mijn matras met het notitieboekje opengeslagen voor me, maar wel zo dat ik het ergens onder kon schuiven als er iemand binnenkwam. Ik trok de blauwe klamboe als een gordijn om me heen. Toen schreef ik een zin op, maar met piepkleine lettertjes, zodat mijn ontvoerders het niet zouden kunnen lezen als ze ernaar keken. De woorden regen zich aaneen als dunne parelsnoeren, samengepakt op de bladzijde. Het leek op het schrijfsel van een gek.

Ik schreef in briefvorm, gericht aan mijn moeder, een eenrichtingsgesprek. Ik vertelde haar hoe mijn dagen eruitzagen. Hoe ik de tijd verdreef door me in een fantasiewereld terug te trekken, dat ik, als ik naar de badkamer wilde, met een lege waterfles op de grond moest slaan om daarvoor toestemming te vragen aan mijn ontvoerders. Ik schreef dat ik honger had en eenzaam was, en over het berouw dat elke dag aan me knaagde en waarvan ik verlost wilde worden. De twee onderwerpen die ik met opzet vermeed waren het geloof en het feit dat ik verkracht en gemarteld was door mijn ontvoerders, omdat ik wist dat ik daarvoor zeker bestraft zou worden als ze dit dagboek vonden.

Schrijven voelde als een daad van verzet, het was een uitlaatklep, als een ader die zich opende. Ik bewaarde het notitieboekje onder mijn matras en schreef er bijna dagelijks in, meestal wanneer de jongens 's middags indommelden, en altijd met de koran of de Hadith opengeslagen op schoot, zodat het leek alsof ik studeerde. De schuldgevoelens kwamen los, oude herinneringen kwamen weer boven. Ik schreef hoe ik jaren geleden als beginnend journalistje in Afghanistan een grote gevangenis had bezocht, vlak bij Kabul, en daar in de vrouwenvleugel een Sudanese vrouw had ontmoet die veroordeeld was tot een gevangenisstraf van acht jaar voor heroïnesmokkel. Ze deelde haar cel met vijf andere vrouwen. Ik had gezien dat de cel schoon was en dat ze een kleine badkamer voor zichzelf hadden. En dat ik toen had gedacht: ach, dat ziet er niet eens zo slecht uit.

De Sudanese vrouw was gezet en droeg een gebloemde jurk. Ze had vlechtjes in haar haar, maar het viel me vooral op dat ze zo'n lege, bedroefde blik in haar ogen had. Ze was de enige gevangene in de cel die Engels sprak. Ze had op dringende, wanhopige toon tegen me gesproken, alsof ze hoopte vrij te komen door mij haar verhaal te doen. 'Ik heb spijt van wat ik heb gedaan,' zei ze tegen me. 'Ik wil naar huis.'

Het antwoord dat ik gaf heb ik altijd diep betreurd, het waren de woorden van een jonge vrouw die nog van niets wist, die nog niets begreep. Ik zei tegen haar: 'Ja, maar als u een misdaad begaat, moet u ervoor boeten.'

Ik had haar niet getroost, alleen maar beschaamd. Het bleef een pijnlijke herinnering.

In het dagboek aan mijn moeder schreef ik: 'Ik vraag me soms af of dit me overkomen is omdat ik zo zelfzuchtig ben geweest.' En ik deed een voorzichtige belofte. 'Als ik weer vrij ben, zou ik onderdrukte mensen willen helpen. Ik ben het anderen schuldig om iets van mijn leven te maken.'

De volgende verhuizing bracht ons naar een verlaten dorp. Ik verstond net genoeg van het gebabbel van de jongens om te weten dat we ons vlak bij Mogadishu bevonden. Skids, de jongens en Nigel verbleven in een vervallen huis, terwijl ik in een aangebouwd schuurtje zonder ramen werd ondergebracht waarin, te oordelen naar de keutels op de grond, kortgeleden nog geiten hadden gestaan.

Dat we weer dichter bij de stad zaten, zou me eigenlijk hoopvol gestemd moeten hebben, omdat het dichter bij een wereld was die ik kende. Als ik in een andere stemming was geweest, had ik me misschien het vliegveld van Mogadishu voorgesteld – waar Nigel en ik twee zomers geleden geland waren, opgewonden over

403

de eerste glimp die we opvingen van de gouden kustlijn van Somalië en de nog onontdekte stad erachter. Ik had naar het geraas van de overvliegende vliegtuigen kunnen luisteren en proberen te berekenen hoe ver we van de landingsbaan verwijderd waren, zoals Nigel en ik dat voorafgaand aan onze ontsnapping hadden gedaan. Maar ik deed het niet. Ik had te vaak hoop gekoesterd en die weer moeten opgeven. Ik kon niet meer dromen dat ik van mijn enkelketting verlost werd, over de muur om ons huis getild en in een auto die bestuurd werd door iemand die me niet vreesde of haatte naar een klaarstaand vliegtuig werd gereden.

Helaas was Skids weer helemaal hersteld van zijn malaria, hoewel het wel zijn tol had geëist. Hij zag er niet langer uit als de kapitein van een militieleger, maar eerder als een gebochelde oude vrouw. De tijd leek zwaar te drukken op de hele groep. Hassam, die altijd al tenger was geweest, zag er nu uitgemergeld uit en zwom in zijn kleren. Romeo woonde niet meer bij ons. Hij had ons voor het laatst bezocht in het Boshuis, maar over zijn plannen om te gaan studeren of te trouwen werd gezwegen. Hij had alleen nog gepraat over de ophanden zijnde deal met Al-Shabaab. Als die doorging zou zijn groep schulden kunnen aflossen en wat winst kunnen maken. Die nieuwe mannen, zei hij, stonden al te trappelen om ons over te nemen.

Volgens Romeo had Al-Shabaab genoeg geld om ons in leven te houden tot het volledige bedrag van het losgeld binnen was. Ze konden er wel tien jaar, als het niet langer was, op wachten, zei hij.

'Wij kunnen het niet langer doen, Amina,' had Romeo schouderophalend tegen me gezegd. 'Het spijt me voor jullie. Pech gehad.'

Op een avond, kort na het gebed van zes uur, vloog de deur van het schuurtje open en stonden Skids, Abdullah en Mohammed in de deuropening. Alle drie met een sjaal om hun gezicht gewikkeld. En met een geweer in de hand. Mijn hart sloeg over. Het was zover. Een dag eerder had Hassam me al, bij wijze van afscheid, een stukje papier gegeven waarop hij zijn e-mailadres had geschreven:

'Hassam123'. 'Misschien schrijf je me een keer, insjallah,' had hij gezegd.

Skids sommeerde me het huis in te gaan, waar ik een nieuwe abaya kreeg – van dik grijs satijn – om over mijn spijkerbroek te dragen, en gebaarde toen dat ik weer naar buiten moest gaan, naar een SUV die op de oprit stond. Toen ik bij de auto was aangekomen, moest ik op de grond gaan zitten. Abdullah haalde een kleine boogzaag tevoorschijn en begon de twee hangsloten die aan de ketting om mijn enkels zaten door te zagen. Hij zaagde zwijgend, eerst aan het ene hangslot, toen aan het andere, om en om, waarbij het zweet van zijn gezicht op mijn voeten druppelde en de schakels van de ketting diep in mijn huid drukten. Klaarblijkelijk waren ze de sleuteltjes kwijtgeraakt.

De zaag schaafde langs mijn enkel terwijl Abdullah doorzwoegde. Iedereen was gespannen. Ik hoorde mobieltjes afgaan. Mijn ontvoerders liepen het huis in en uit, met een plotselinge gedrevenheid die ik niet begreep. Skids keek ongeduldig naar mijn enkels en volgde Abdullahs vorderingen met de zaag. Uiteindelijk kwam Jamal naar buiten, ook met een sjaal om zijn gezicht, om Abdullah af te lossen. Hij liet me op de achterbank van de auto plaatsnemen met het portier open, zodat hij meer kracht kon zetten. Eén hangslot viel op de grond, maar mijn enkel was zo gevoelloos dat ik er niets van merkte.

Terwijl Jamal de zaag in de gleuf zette die Abdullah al in het tweede hangslot had gezaagd, kwam Nigel het huis uit en strompelde onbeholpen in mijn richting. Zijn ketting was al verwijderd. Hij droeg een schoon shirt en een nieuwe spijkerbroek en hield zijn ogen strak op de grond gericht. Op hetzelfde moment dat mijn andere voet vrij was, werd hij aan de andere kant de auto in geduwd.

Ik nam aan dat de nieuwe kleren en de verwijderde ketting pogingen waren om de handelswaar wat op te poetsen, voordat ze ons aan Al-Shabaab doorgaven, om te laten zien dat we het geld waard waren dat ze voor ons betaald hadden. Bijna alle jongens klommen in de auto en Skids ging achter het stuur zitten. Ahmed

405

reed in een andere auto voor ons uit. Zo begonnen we aan een volgende slingerende rit door de woestijn. Nigel en ik zeiden niets tegen elkaar. Ik begon stilletjes te huilen. De zon ging onder en ik herinner me nog de paarse gloed die over het land lag. En dat ik kramp in mijn maag had van angst.

Op een onbestemde plek, langs een saai zandpad, kwamen we tot stilstand. Nigel en ik werden haastig in een andere auto geduwd, waarin twee Somalische mannen zaten die we nooit eerder hadden gezien. Ahmed tikte drie keer met zijn vinger op mijn raampje, om aan te geven dat ik het naar beneden moest draaien. Toen ik dat deed, bukte hij zich zodat hij me aan kon kijken.

'Vergeet de Belofte niet,' zei hij.

Romeo volgde, met Nigels koran in zijn hand, die hij door het opengedraaide raampje aan Nigel overhandigde.

Toen reed de nieuwe wagen – met Nigel en mij en de twee zwijgende vreemdelingen erin – met een rotgang het duister in, voordat iemand nog iets kon zeggen. Nigel en ik hielden elkaars hand vast, verborgen tussen de plooien van mijn wijde nieuwe abaya. Zijn andere hand rustte op de koran die op zijn schoot lag.

We waren aan Al-Shabaab overgedragen, daarvan was ik overtuigd. Ik had het gevoel dat ik door de lucht viel, alsof ik van een wolkenkrabber was gestapt en naar beneden suisde zonder ergens houvast te vinden, zonder me aan een gedachte te kunnen vastklampen. Ik viel en viel, met zo'n enorme vaart dat alles tintelde, alles zwart werd, totdat de auto slingerend tot stilstand kwam en we uit de auto getrokken werden. Zo'n veertig gewapende mannen stonden in het donker om ons heen te schreeuwen en te gebaren, sommigen met een sjaal voor hun gezicht. Ik was uitgeput en in shock. Alles begon weer van voren af aan. Ik hield me vast aan het openstaande portier, terwijl twee mannen aan mijn benen trokken en me probeerden los te rukken. Het was tien maanden geleden dat ik voor het laatst een stap had gezet zonder een ketting om mijn enkels. Ik struikelde en viel, terwijl ze me naar weer een andere auto duwden, een suv die langs de kant van de weg stond, met brandende koplampen. De mannen riepen van alles en richtten hun geweren op ons. Ik huilde, schreeuwde en sloeg uitgestoken handen die te dicht bij me in de buurt kwamen van me af. Uiteindelijk werd ik de SUV in geduwd, op de achterbank. Nigel, die zich ook verzet had, was er al voor mij in geduwd.

'Ik kan het gewoon niet geloven,' zei ik. 'Ik kan het niet geloven.' Nigel zat naast me, met een angstige blik in zijn ogen.

De portieren werden dichtgeslagen. We waren omringd door een nieuwe groep mannen – twee voorin, een achterin. Ik snoof een lang vergeten geur op – die van sigarettenrook. Iemand in de auto rookte. Er begon me langzaam iets te dagen: een fundamentalist zou nooit roken. De mannen in de auto waren niet van Al-Shabaab.

Een grijsharige Somalische man liep naar ons raampje, met een mobieltje tegen zijn oor gedrukt. Hij bukte zich, stak zijn hoofd door het raampje naar binnen en nam ons van top tot teen op. Hij had een kortgeknipte baard, ver uiteen staande bruine ogen en leek als twee druppels water op de acteur Morgan Freeman, alsof hij zo van de filmset was weggelopen en nu naast een auto in de Somalische woestijn stond toe te kijken hoe ik huilde. Zijn gezicht was uitdrukkingsloos. 'Waarom huil je?' vroeg hij. Hij gaf me de telefoon. 'Hier, praat met je moeder.'

En toen hoorde ik haar stem, dichterbij dan ooit tevoren, mijn reddingslijn naar de buitenwereld.

'Hallo, hallo?' zei ze. 'Amanda, je bent vrij.'

44

Beginnend besef

Wat volgde voelde heel onwerkelijk aan, maar was ook heel intens. Onze ontvoerders, zo bleek, hadden ons aan een groep bemiddelaars overgedragen, die ons vervolgens overdroegen aan de man die nu naast onze auto stond, en die wij hierna Morgan Freeman zouden noemen. Hij was lid van het Somalische parlement en werd betaald door AKE, het bedrijf dat door onze families was ingehuurd. Morgan Freeman had in de afgelopen weken, via telefoongesprekken met John Chase, de directeur van AKE, geregeld dat het losgeld afgeleverd werd – een bedrag van zeshonderdduizend dollar dat eerder die dag vanuit Nairobi overgemaakt was naar een bankfiliaal in Mogadishu. De beide families was beloofd dat een ontvangstbewijs voor het geld overgedragen zou worden aan een groep stamoudsten die, in een land zonder politie, officieel leger of goed functionerende regering, nog het dichtst in de buurt kwam van een overheidsinstantie. Zodra er bevestigd was dat Nigel en ik veilig waren, zouden de stamoudsten het geld opnemen en aan de ontvoerders geven, na aftrek van eventuele terugbetalingen aan andere militiegroepen, en waarschijnlijk hielden ze ook iets voor zichzelf. Niemand deed hier iets gratis en voor niks.

Het plan was dat Nigel en ik rechtstreeks naar het vliegveld in Mogadishu gebracht zouden worden, waar een gecharterd vliegtuig en twee medewerkers van AKE – beiden voormalige soldaten van de Special Forces, de ene uit Zuid-Afrika, de andere uit Zimbabwe – stonden te wachten om ons veilig naar Kenia te brengen. Maar Morgan Freeman had een cruciale fout gemaakt door niet de vredesmacht van de Afrikaanse Unie erover in te lichten dat we die nacht naar het vliegveld zouden rijden. De soldaten die het vliegveld bewaakten openden dan ook het vuur op onze auto toen we aankwamen rijden. We werden gedwongen om te keren en in het donker terug naar de stad te rijden.

Ik had dan wel met mijn moeder gesproken, en onze ontvoerders leken allang verdwenen te zijn, maar wij zaten nog steeds in een auto, die met een paniekerig hoge snelheid over de weg scheurde. Wij waren nog steeds in Somalië, omringd door gewapende vreemdelingen. Ik geloofde er niets van dat we vrij waren. Even later kwam de auto slippend tot stilstand voor een hoog hek en werden we naar buiten geleid. 'Kom, kom,' zei Morgan Freeman, terwijl hij naar een deur in het hek wees.

Mijn benen voelden aan als stompjes, omdat ik het niet meer gewend was om normaal te lopen, laat staan rennen. Ik viel twee keer op weg naar de deur. Nigel struikelde ook. We hielden elkaar vast, liepen arm in arm. Achter de deur bevond zich een tuin met netjes getrimde struiken en een restaurant met terras waar Somalische zakenlieden onder de sterren aan plastic tafels zaten te eten. We waren in een hotel en zouden daar de nacht doorbrengen en tot de volgende morgen wachten, wanneer het veiliger zou zijn om opnieuw de rit naar het vliegveld te maken. De zakenlieden op het terras staarden ons aan toen we voorbij strompelden.

Nigel en ik werden snel via de hotellobby naar een balzaal geleid waar allemaal banken stonden. Aan de muur hingen ingelijste schilderijen van Mekka waarop islamitische teksten in sierlijke letters stonden.

'Kom, ga zitten,' zei Morgan Freeman, terwijl hij ons naar een rood tweezitsbankje in het midden van de zaal bracht. De zaal vulde zich met mannen die om ons heen kwamen staan. Sommigen wilden ons een hand geven. Een aantal van hen sprak Engels en zei dat ze in de afgelopen maanden allerlei verhalen over ons gehoord hadden – de gijzelaars die geprobeerd hadden te ontsnappen. Weer anderen stelden zich voor als functionarissen van de overgangsregering. Velen pakten hun mobieltje, waarschijnlijk om het goede nieuws verder te vertellen. 'Jullie zijn veilig,' herhaalde de hotelmanager steeds weer. 'Jullie zijn veilig.' Hij zei tegen me dat ik mijn hoofddoek wel af mocht doen, maar dat durfde ik niet. Een kelner bood ons twee gekoelde, met waterdruppels bedekte flesjes Coca-Cola aan op een dienblad. Nigel en ik staarden ernaar, maar we durfden ze er niet af te pakken. Wanneer vijftien maanden lang al je bewegingen door anderen bepaald worden en in de gaten gehouden, kan zelfstandig handelen je overrompelen.

We waren te bang om ons als westerlingen te gedragen. 'Allahu Akbar,' zeiden we tegen de mannen in de balzaal toen ze ons feliciteerden met onze vrijheid. 'Insjallah zullen we gauw weer thuis zijn.'

Uiteindelijk bracht de hotelmanager ons naar twee kamers op dezelfde gang. Hij zag de angst op ons gezicht en herhaalde een paar keer dat hij familie had in de Verenigde Staten, alsof hij daarmee onze angst hoopte weg te nemen. Hij gaf ons schone handdoeken en zeep, een tandenborstel en tandpasta. Hij overhandigde me een fris ruikende gebloemde jurk die van zijn vrouw was.

Eenmaal alleen in de kamer voelde ik me als een buitenaards wezen dat op een onbekende planeet is geland. De plafondventilator draaide in het rond. Op het tweepersoonsbed lagen twee kussens en er stond een kleine televisie. De gordijnen voor de ramen waren dichtgetrokken. Ik draaide de deur op slot en schoof er voor alle zekerheid nog een tafeltje voor. In de badkamer draaide ik de kranen van de wastafel open om te zien of er echt stromend water uit kwam. Toen trok ik de grijze jurk uit die mijn ontvoerders me nog maar een paar uur geleden gegeven hadden. Ik ging naakt voor de passpiegel staan en keek voor het eerst in vele maanden naar mezelf. Ik was vel over been. Mijn huid was wasachtig, zo bleek zelfs dat er een blauw waas over lag. Mijn haar hing in lange dunne slierten langs mijn borsten, het was langer dan ooit en donkerder van kleur nadat het maandenlang van zon verstoken

410

was geweest. Om mijn enkels zaten paarse ringen waar de ketting gezeten had. Ik had het gevoel dat ik naar een vreemde keek.

In de douche liet ik het water zo heet mogelijk stromen en boende ik me helemaal schoon. Ik deed alles gehaast, gelovend dat deze luxe me elk moment weer afgenomen kon worden. Ik hield het stuk zeep in mijn hand geklemd en voelde dat er een kleine tweestrijd in mijn hoofd gaande was.

Doe nou rustig aan, je bent veilig.

Nee, ik ben niet veilig.

Ja, je bent wel veilig.

Later zaten Nigel en ik samen op het bed in mijn kamer. Ik had geprobeerd de knopen uit mijn haar te kammen maar had het opgegeven toen er hele plukken haar uit vielen. Hij had zich ook gedoucht en had schone kleren aangetrokken. Zijn baard zag er nog steeds ruig en verwilderd uit. De overgedienstige hotelmanager bracht ons een paar sandwiches met kip. Ook deze zagen er, net als de flesjes cola, bijna te onwerkelijk uit om aan te raken. Nigel en ik hielden elkaars hand vast en praatten met elkaar, wat op zich al een wonder was. We waren verlegen in elkaars gezelschap, overmand door eigen onzekerheden, uit het veld geslagen door het surrealisme van die nacht. Gingen we echt naar huis? Waren onze ontvoerders echt weg? Toen we een muezzin tot het laatste gebed van de dag hoorden oproepen en hotelgasten door de gang hoorden lopen, overlegden we of we ons bij de mannen in de balzaal moesten voegen om een goede indruk te maken. Uiteindelijk besloten we in de kamer te blijven.

Dat we een keuze hadden gemaakt zonder ervoor gestraft te worden, voelde ook als een wonder.

Nigel en ik praatten tot diep in de nacht, we hadden allebei geen zin om te gaan slapen. Hij vroeg wat er met me gebeurd was, in hoeverre ik misbruikt was, maar ik vond het te vroeg om daarover met hem te praten. De wonden waren nog te vers. We maakten er voorzichtig grapjes over dat we nooit meer bananen zouden eten, of tonijn in blik. We wisselden informatie uit over de maan-

411

den waarin we gescheiden van elkaar waren geweest. Nigel was niet vastgebonden geweest. Hij had boeken en schrijfgerei gehad. We legden ons erbij neer dat hij als man sowieso een betere behandeling had gekregen. We zetten de tv aan en waren verbaasd toen we een nieuwsbericht over onze vrijlating zagen op Press TV, de zender waarvoor ik in Bagdad gewerkt had.

De volgende morgen vertrokken we uit Somalië, 463 dagen nadat we er aangekomen waren; we stegen op en zagen onder ons de glinsterende kustlijn die er op het eerste gezicht zo prachtig uit had gezien, en de stad die ooit zo rustig had geleken. De vlucht was kort en onrustig. Bij de landing in Nairobi werden we begroet door vertegenwoordigers van de Canadese en Australische ambassades. Ik werd in een auto van de ambassade gezet, eentje met wapperende Canadese vlaggetjes aan de zijspiegels, en Nigel werd naar zijn eigen officieel uitziende auto gebracht. Met loeiende sirenes werden we naar het academisch ziekenhuis Aga Khan gereden.

De eerste die ik daar zag was mijn moeder, die in de zon op me stond te wachten. Ze zag er wat mager uit maar ook mooi. Het viel me echt op hoe mooi ze was. Het leek alsof de tijd had stilgestaan nu we weer bij elkaar waren, alsof er nooit iets gebeurd was. Toen ze me omhelsde, huilden we allebei. Ik legde mijn hoofd in de ronding van haar hals. Zij wreef met haar ene hand over mijn schouders en hield haar andere hand stevig tegen mijn achterhoofd gedrukt. Het voelde veilig. Het voelde als thuis.

Ze zei steeds hetzelfde. 'Je bent er. Je bent er. Je bent er.'

Nigel en ik kregen ieder een kamer in een aparte vleugel van het ziekenhuis, waar we een week verbleven. Zijn moeder en zus waren uit Australië overgekomen om bij hem te zijn. Mijn vader vloog ook naar Nairobi, samen met Kelly Barker, de vriendin met wie ik gereisd had en wier haar ik jaren geleden op een aanlegsteiger aan een meer in Guatemala had geknipt. Kelly was mijn moeders grote steun en toeverlaat geweest tijdens mijn gevangenschap. Ze was regelmatig met de auto uit Calgary gekomen om mijn moeder te bezoeken en had dan eten voor haar meegenomen. Nadat AKE was ingehuurd, was Kelly officieel lid van het 'crisisteam' geworden, en had ze via Skype wekelijks gesprekken gevoerd met John Chase en de beide families.

Ik werd in mijn kamer in het ziekenhuis verzorgd door dokters, verpleegkundigen en een vrouwelijke psycholoog die gespecialiseerd was in trauma en uit Canada was overgevlogen. Ik werd behandeld voor uitdroging en ondervoeding, kreeg intraveneuze injecties, en onderging een hele reeks onderzoeken. Een tandarts onderzocht mijn afgebroken en ontstoken kiezen. Een van de eerste dingen die ik vroeg was of mijn haar geknipt kon worden, om me te bevrijden van de centimeters die er in gevangenschap bij gekomen waren.

Ik had maandenlang over eten gefantaseerd en me de dag voorgesteld waarop ik zelf mocht kiezen wat ik wilde eten, en zoveel tot ik niet meer op kon. En nu was die dag aangebroken: de zusters brachten me voor elke maaltijd een menu. De eerste paar dagen wilde ik alles in één keer. Hoewel de dokters me adviseerden het rustig aan te doen, hielden ze me niet tegen als ik me te buiten ging aan eten en drinken, omdat ze wisten dat ik op dat moment deze vorm van vrijheid nodig had. Ik bestelde kippenborst, pasta, groenten, frietjes, fruit, cake en ijstaart. Ik keek er begerig naar, maar mijn lichaam was er nog niet klaar voor. Na het eten voelde ik hevige krampen in mijn maag. Ik kon niet veel voedsel binnenhouden.

Op een middag kwam Kelly binnen met een zak vol eten dat ze in een dure supermarkt in Nairobi had gekocht – een feestmaal van gourmetkazen en Cadbury-chocola. Ik was altijd al verslaafd geweest aan kaas en chocola. Ze had me ermee geplaagd toen we samen door al die warme landen waren gereisd, waar men rijst at en dergelijk machtig eten zeldzaam was. Hier in het ziekenhuis lachten we beiden om die herinnering. Maar even later was ik in tranen. Ik wist dat ik van de lekkernijen die ze voor me meegebracht had alleen maar misselijk zou worden.

De frustratie die ik voelde kwam voort uit iets wat ik pas sinds

413

kort besefte: ik zat in een tussenfase. Ik was wel vrij maar nog niet gezond.

Die eerste week was een waas, net zoiets als langzaam uit een nachtmerrie ontwaken. Vanaf de wolk van mijn zachte bed opende ik 's morgens mijn ogen en werd overweldigd door een gevoel van ongeloof. Het kussen onder mijn hoofd, mijn moeder die vlakbij op de bank lag te slapen, de haarborstel op tafel, de vazen gevuld met bloemen van mensen die me beterschap wensten, de brede strook hemel buiten voor mijn raam. Alles leek gezichtsbedrog en zo weer te kunnen verdwijnen, wat soms heel verwarrend was. Nigel en ik zochten bescherming bij onze familie en lieten alles wat we doorgemaakt hadden langzaam op ons inwerken.

Ik kwam steeds meer te weten over hoeveel werk er verzet was om ons vrij te krijgen – de stress, de opofferingen en inspanningen door Nigels familie en vrienden in Australië en door mijn familie en vrienden thuis in Canada, maar ook door de rechercheurs, onderhandelaars en medewerkers van beide consulaten. Het totale bedrag voor onze vrijheid, inclusief de rekening van AKE, bedroeg $1,2 miljoen. De beide families hadden afgesproken om de kosten te delen, hoewel geen van beide in staat was om zelfs maar de helft daarvan op te brengen. Vrienden, verre familieleden en volkomen vreemden hadden geld gedoneerd. Mijn vader en Perry hadden een tweede hypotheek op hun huis genomen. Bevriende restauranteigenaren uit Calgary hadden geldinzamelingsacties gehouden voor ons. Mensen op beide continenten die ik nooit ontmoet had, hadden geld gedoneerd voor ons losgeldfonds, soms tien, soms twintig dollar, maar soms ook tienduizend. Ik was er stil van toen ik dat hoorde.

Al gauw kregen Nigel en ik verrassend goed nieuws: na maandenlang gedacht te hebben dat onze ontvoerders Abdi en de andere twee Somalische mannen die samen met ons ontvoerd waren, gedood hadden, hoorden we dat ze alle drie in leven waren. Half januari, ongeveer vijf maanden na de ontvoering, waren ze midden in de nacht geblinddoekt in een auto naar Mogadishu gebracht, waar ze ongedeerd op een verlaten marktplein waren vrijgelaten.

Ik weet niet wat er daarna met Mahad en Marwali is gebeurd, maar Abdi, de cameraman, bleek verhuisd te zijn naar Nairobi, waar hij als vluchteling toegelaten was na de beproevingen die hij in gevangenschap had doorstaan. Hij had zich niet meer veilig gevoeld in Mogadishu, maar zijn vrouw en kinderen had hij niet mee kunnen nemen, die waren in Somalië achtergebleven. Nadat ik ontslagen was uit het Aga Khan-ziekenhuis, logeerde ik, samen met mijn ouders, nog een paar weken in het huis van de Canadese ambassadeur in Nairobi om verder te herstellen. Op een morgen lukte het me om een afspraak met Abdi te maken in een plaatselijk hotel.

Hij was niets veranderd – slank, knap, een zachte, vriendelijke stem. We omhelsden elkaar heel lang. Hij probeerde als freelance videograaf werk te vinden in Nairobi, maar had tot nu toe weinig succes gehad. Hij liet me foto's van zijn kinderen zien en zei dat hij ze miste. Als vluchteling leven in een stad die al overspoeld is met vluchtelingen viel niet mee. De ontvoering had hem uit evenwicht gebracht, hij kon 's nachts niet slapen en werd gekweld door herinneringen aan de honger, het slaan, het opgesloten zitten in een donkere kamer. Abdi vroeg hoe ik dat ervaren had. We wisselden indrukken uit over de jongens en de leiders. Marwali, Mahad en hij hadden in die vijf maanden erg geleden. Hij kon het niet bevatten dat Nigel en ik het daarna nog tien maanden hadden uitgehouden. Hij wilde weten of ik verkracht was, en toen ik dat bevestigde, begon hij te huilen.

Abdi noemde me zijn zuster. Ik noemde hem mijn broeder. We waren met elkaar verbonden door wat we samen hadden meegemaakt, maar ook door waar we allebei naar verlangden. We wilden niet alleen vrij, maar vrij en gezond zijn.

Nigel en ik namen eind 2009 voor het laatst afscheid van elkaar in het huis van de Canadese ambassadeur in Nairobi. We waren toen een aantal weken vrij. Hij had het ziekenhuis ook verlaten en verbleef nu samen met zijn familie in een hotel tot hij voldoende aangesterkt was om de reis naar huis te kunnen maken. We zagen er nog steeds bleek, mager en gekweld uit, maar begonnen toch langzamerhand, tenminste aan de buitenkant, weer op normale mensen te lijken.

Ik had altijd gedacht dat we vrienden zouden blijven, dat we ieder onze eigen weg zouden gaan, maar de kleine intieme details van ons zielenleven zouden blijven delen, zoals we in de afgelopen maanden hadden gedaan. Ik was ervan uitgegaan dat we altijd aan ons raam zouden staan en verhalen zouden uitwisselen en manieren zouden vinden om elkaar erdoorheen te slepen. Tijdens die eerste nacht in vrijheid, in het hotel in Mogadishu, hadden we plechtig beloofd elkaar op te zoeken. We hadden ons afgevraagd hoe het zou zijn om ons oude leven weer op te pakken, niemand zou immers kunnen begrijpen wat we doorgemaakt hadden. We hadden steeds weer 'ik hou van je' tegen elkaar gezegd.

Maar zodra we Nairobi bereikt hadden, dreven de omstandigheden al gauw een wig tussen ons. Onze families stonden nog steeds op gespannen voet met elkaar over de financiële lasten die ze gedwongen samen moesten dragen. Nigel en ik zouden naar ons eigen land terugkeren en proberen zin te geven aan wat er gebeurd was en een nieuw leven beginnen. Ik denk dat we geen van beiden beseften hoe moeilijk dat zou worden.

De eerste paar maanden probeerden we via Skype en e-mail contact met elkaar te houden, maar onze gesprekken verliepen stroef en soms gespannen. Uiteindelijk verwaterde het contact helemaal. We waren niet meer dezelfde mensen als vóór de ontvoering. We vonden het moeilijk om die onderlinge verbondenheid terug te krijgen, en dat deed pijn. Nigel heeft een boek geschreven, waarin hij vertelt over zijn ervaringen in Somalië, en hij heeft zijn werk als fotograaf weer opgepakt. Ik hoop dat het goed met hem gaat en ik zal hem altijd dankbaar blijven voor zijn kracht en vriendschap in die vijftien maanden.

Ongeveer drie weken na mijn vrijlating keerde ik terug naar Canada en zag ik mijn broers en Perry, mijn grootouders, ooms en tantes, neven en nichten en vrienden terug. Ik voelde me een buitenstaander in mijn eigen leven, nog half gevangen in de wereld die ik achtergelaten had en bedroefd over de problemen die ik thuis veroorzaakt had, maar ik voelde me ook omringd door de mensen van wie ik hield. Een gevoel van pure, intense vreugde.

Epiloog

Een tijd lang hield ik nauwlettend de tel bij van mijn vrijheid. Ik telde elk uur, elke dag en elke week die me scheidden van de 459 dagen die ik als gegijzelde had doorgebracht. Het leek heel normaal om de dagen als de kralen van een telraam weg te schuiven tot een gedeelte als verleden aanvoelde en de rest het heden werd. Vrij zijn zal ik nooit meer als iets vanzelfsprekends kunnen beschouwen. Ik ben zelfs voor de kleinste dingen dankbaar – een stukje fruit, een wandeling door het bos, mijn moeder omhelzen. Ik word elke morgen wakker met een gevoel van dankbaarheid voor de hulp die mensen me gegeven hebben om Nigel en mij uit Somalië weg te krijgen en mijn leven na gevangenschap weer op de rails te krijgen.

Ik heb geprobeerd de beloften na te komen die ik als gegijzelde gedaan had. Ik kreeg in 2010 eindelijk de kans om aan het Coady International Institute van de St. Francis Xavier University in Nova Scotia een cursus internationale ontwikkeling en leiderschap te volgen. Dat de keuze op deze cursus viel, hield verband met een andere belofte aan mezelf na alle beproevingen in het Duistere Huis – namelijk, dat ik een manier zou vinden om de vrouw te eren die tijdens onze ontsnappingspoging de moskee was binnengestormd om me te helpen, de vrouw die zich letterlijk op me had geworpen en voor me gevochten had, tot ik uit haar armen werd getrokken.

419

Als ik aan Somalië denk, denk ik aan haar. Ik zie haar gezicht voor me, haar gescheurde hoofddoek, haar ogen, nat van de tranen. Haar naam ben ik nooit te weten gekomen. Ik weet niet of ze nog leeft.

Eigenlijk heb ik voor haar, zes maanden na mijn terugkeer naar Canada, de Global Enrichment Foundation opgericht, een non-profitorganisatie die onderwijs in Somalië ondersteunt. Ik had me in gevangenschap zo vaak afgevraagd of met name de jongens die me bewaakten zich anders gedragen zouden hebben – minder geobsedeerd door religieus extremisme en oorlog – als ze de gelegenheid hadden gehad om naar school te gaan, en belangrijker nog, als hun moeder en zussen daartoe in staat waren gesteld. De Global Enrichment Foundation werkt samen met andere organisaties om positieve veranderingen in Somalië tot stand te brengen – van voedselhulp tot ondersteuning van basketbalteams voor meisjes en het financieren van volledige, vierjarige studiebeurzen voor zesendertig intelligente, ambitieuze Somalische vrouwen, zodat ze een universitaire opleiding kunnen volgen. Verschillende GEF-projecten, waaronder de financiering van een basisschool en de bouw van een openbare bibliotheek, vinden plaats in het kamp van dr. Hawa Abdi, hetzelfde kamp dat Nigel en ik wilden bezoeken op de dag dat we ontvoerd werden.

Ongeveer een jaar nadat Nigel en ik vrijgelaten waren, kreeg ik een telefoontje uit Ottawa. Een medewerker van de Nationale Veiligheidsdienst deelde me mee dat in een schuurtje ergens buiten Mogadishu een notitieboekje was gevonden. Op de omslag stond het logo van UNICEF, met zwarte strepen erdoorheen. De bladzijden in het boekje waren volgeschreven, in een piepklein handschrift. Op een of andere manier was het notitieboekje via een ingewikkeld netwerk van mensen bij de Canadese autoriteiten terechtgekomen. Ik kreeg een gescande versie van de bladzijden toegestuurd. Toen ik er voor het eerst naar durfde te kijken, beefde ik over mijn hele lichaam. Zelfs nu nog als ik ernaar kijk, voel ik de onderliggende wanhoop die uit die woorden spreekt.

Er zijn dagen waarop de herinneringen aan Somalië bovenkomen en me neerslachtig maken, en dagen waarop ze zich minder op de voorgrond dringen. Ik vermoed dat het altijd zo zal blijven. In de bijna vier jaar sinds ik bevrijd ben, heb ik veel geleerd over trauma – over wat het doet met je geest en je lichaam. Op een morgen tijdens een college op de universiteit in Nova Scotia, at een studiegenoot die naast me zat een banaan, waarna ze de schil op haar tafeltje legde, niet ver van mijn aantekeningenschrift. De geur overviel me, veroorzaakte meteen paniek en bracht een herinnering in me naar boven die ik ver weggestopt had – een herinnering aan een dag in het Duistere Huis toen ik op de vloer een verrotte bananenschil vond die ik, uit wanhoop en omdat ik zo'n honger had, opgegeten had. Plotseling waren al die oude gevoelens weer terug – pijn, honger, doodsangst. Ik rende de collegezaal uit, sloot mezelf op in een wc-hokje, en had het gevoel alsof iemand me een stomp in mijn maag had gegeven.

Ik weet nu dat de wereld in wezen vol bananenschillen ligt die onbewust iets in je los kunnen maken en totaal onverwacht een vloedgolf van angst kunnen veroorzaken. Ik ben nog steeds bang in het donker, heb nog steeds nachtmerries waaruit ik 's nachts wakker schrik. In gesloten ruimtes zoals liften heb ik soms het gevoel dat ik geen adem meer krijg. Wanneer een man te dicht bij me in de buurt komt, roept een stem in mijn hoofd: *rennen!*

Het verwerken van een trauma is niet iets wat je alleen kunt doen. Ik heb een speciaal behandelingsprogramma gevolgd, waarin ik leerde omgaan met de symptomen van een posttraumatische stressstoornis. Ik heb ook hulp gezocht bij therapeuten, psychologen, psychiaters, acupuncturisten en meditatie- en voedingsdeskundigen. Allemaal hebben ze me op hun eigen manier geholpen. Ik heb ook troost gevonden in gesprekken met andere vrouwen die verkracht zijn. Toch zijn er nog steeds momenten waarop ik me erg alleen voel, niet op mijn plaats, niet opgewassen tegen het alledaagse leven. Ik heb nog genoeg wensen: studeren, nieuwe avonturen, mensen helpen, maar ook een relatie en een gezin met kinderen.

Ik blijf me concentreren op mijn genezing. Ik heb een aantal stille plekken waar ik kan nadenken, ik reis nog steeds veel om mezelf op te laden, zoals ik altijd gedaan heb – in de bergen van India, in de oerwouden van Zuid-Amerika en in Afrika, waar ik voor mijn werk voor de Global Enrichment Foundation soms naartoe moet.

Het is natuurlijk moeilijk om me neer te leggen bij het feit dat de ontvoerders van onze ontvoering hebben geprofiteerd. Sinds mijn vrijlating heb ik met bezorgdheid de verhalen gevolgd van andere gegijzelden – in Somalië, Mali, Afghanistan, Nigeria, Pakistan en elders –, ik leef met iedereen mee. Sommige regeringen betalen in stilte het losgeld. Andere kiezen voor diplomatie, of sturen gewapende commando's. Veel regeringen, zoals die van Canada en de Verenigde Staten, ondersteunen de betrokken families, maar blijven een harde lijn volgen om terroristen en gijzelnemers te ontmoedigen. Of, zoals een woordvoerder van het ministerie van Buitenlandse Zaken het uitdrukte in een interview in het *New York Times Magazine*: 'Als je buiten voor je tentje de beren blijft voeren, blijven ze naar de camping komen.'

Maar toch, probeer dat maar eens uit te leggen aan een moeder, een vader, een echtgenoot of echtgenote, die geen andere keus heeft dan machteloos toe te kijken.

Ik denk vaak aan de jongens die me gegijzeld hebben. Dat is onvermijdelijk. Mijn gevoelens voor hen kunnen niet gemeten worden, ze zijn niet vastomlijnd, vooral niet nu de tijd verstrijkt. Ze vormen een andere rij kralen in het telraam. Voor mijn eigen gemoedsrust streef ik naar vergeving en compassie, boven alle andere gevoelens die in me naar boven komen – woede, haat, verwarring, zelfmedelijden. Ik begrijp dat die jongens en zelfs de leiders van de groep een product van hun omgeving zijn – een gewelddadige, schijnbaar eindeloze oorlog die van duizenden kinderen wezen heeft gemaakt en nu al twintig jaar duurt.

Ik kies ervoor de mensen te vergeven die me van mijn vrijheid beroofd hebben en misbruikt hebben, hoewel wat ze deden absoluut verkeerd was. Ik kies er ook voor om mezelf te vergeven dat mijn beslissing om naar Somalië te gaan zo'n impact heeft gehad op mijn familie thuis. Vergeven is niet gemakkelijk. Op sommige dagen is het niet meer dan een stip aan de horizon. Ik kijk ernaar en wil ernaartoe lopen. Op sommige dagen lukt me dat, op andere niet. Toch heeft dat me het meest geholpen om verder te kunnen gaan.

Een van de projecten van de Global Enrichment Foundation was het oprichten van een school voor Somalische vrouwen die als vluchteling leven in Eastleigh, Kenia – een vervallen wijk van Nairobi die bekendstaat als Klein Mogadishu. In de winter van 2012 ben ik daar een aantal weken geweest om te regelen dat er computers en leermiddelen kwamen. Ik heb toen de onderwijzers en een aantal van de vijfenzeventig vrouwen ontmoet die zich als cursist ingeschreven hadden en ik heb geluisterd naar hun verhalen over wat ze op school hoopten te leren. De school zou computerlessen aanbieden, cursussen lezen en schrijven, bijscholingscursussen, medische workshops en informatiebijeenkomsten over de rechten van vluchtelingen. Op een middag zat ik samen met Nellius en Farhiya, de twee onderwijzers van de school en de programmadirecteur van de GEF in een kleine kamer van het wijkcentrum, die tot nu toe als schoollokaal dienst had gedaan, te brainstormen over een naam voor de school. We schreven alle opties op het grote zwarte schoolbord.

Eén naam viel op tussen alle andere, waarna een van de vrouwen die met wit krijt omcirkelde. Rajo was de naam die we voor de school gekozen hadden: het Somalische woord voor 'hoop'. En iets mooiers dan hoop is er niet, daarover waren we het allemaal eens.

Dankbetuiging

Er hebben ons zoveel mensen ondersteund terwijl we aan dit boek werkten. Niets is leuker dan hen te bedanken.

We zijn het ongelooflijk intelligente en meelevende team van Scribner en Simon & Schuster dankbaar: Daniel Burgess, Kara Watson, Brian Belfiglio, Lauren Lavelle, Leah Sikora, Greg Mortimer, Mia Crowley-Hald, Beth Thomas, Colin Harrison, Paul Whitlach, Tal Goretsky, Kevin Hanson, David Millar, Rita Silva, Elisa Rivlin, Elisa Shokoff, Roz Lippel en Susan Moldow. En niet te vergeten de onvergelijkelijke Nan Graham, vanwege haar wijsheid en enthousiasme, en haar begaafdheid als redacteur: dankjewel, Nan, voor je goede zorgen.

Bij ICM Partners hebben we veel hulp gekregen van Kristyn Keene, Heather Karpas, Liz Farrell en John DeLaney, en vooral van Sloan Harris, die meteen begreep wat we wilden en ons altijd vriendelijk en met veel enthousiasme hielp om dat doel te bereiken. Bedankt, we zijn er stil van.

Ook onze vrienden en proeflezers Caitlin Guthiel, Debra Spark, Lily King, Susan Conley, Anja Hanson, Peggy Orenstein, Beth Rashbaum, Susan Casey en Elizabeth Weil zijn we heel dankbaar, voor hun redactioneel inzicht, de peptalks en moedige besluiten. Evenals Anouar Majid en Dina Ibrahim die een kritische blik geworpen hebben op het Arabisch in het boek. Hassan Alto die het Somalisch heeft gecontroleerd. Anne Connell voor het persklaarmaken. En Tom Colligan die vol overgave het manuscript op feitelijke onjuistheden heeft gecontroleerd en gaandeweg een vriend en bondgenoot is geworden.

Dit boek is tot stand gekomen na urenlange, op band opgenomen gesprekken tussen ons tweeën en lange interviews met anderen. Dankjewel Kimberly Wasco, Emily Umhoeffer, Caitlin Allen en Annie Sutton voor de transcriptie.

We willen een aantal journalisten bedanken die bericht hebben over Somalië en de wereldwijde epidemie van ontvoeringen. Met name Jeffrey Gettleman en Mohamed Ibrahim van de New York Times die op buitengewoon intelligente wijze verslag hebben gedaan van de oorlog, politiek en cultuur in Somalië; hun artikelen leverden voortdurend behulpzame achtergrondinformatie op. De verwijzing naar de loonlijsten en boekhouding van Somalische ontvoerders in hoofdstuk 40 komt uit Jay Badahurs prachtige boek The Pirates of Somalia: Inside Their Hidden World. Robert Draper, die ons erop opmerkzaam maakte en zelf zeer inzichtelijk over Somalië heeft geschreven, kan rekenen op onze eeuwige dank en vriendschap.

Ilena Silverman moet apart genoemd worden. Als trouwe vriendin en doortastend redacteur stelde ze steeds op het juiste moment de juiste vragen. We zijn haar veel dank en respect verschuldigd.

Evenals dr. Katherine Porterfield van het Bellevue/NYU Program for Survivors of Torture, die onzelfzuchtig en vakkundig aan het hele proces heeft bijgedragen. Uit het diepst van ons hart: dankjewel.

Van Sara:
Amanda's familie in Canada heeft me met buitengewoon veel warmte en loyaliteit ontvangen. Ik ben Lorinda Stewart, Jon Lindhout en Perry Neitz dankbaar voor alle informatie die ze me verschaft hebben, en dat ze altijd bereid waren om vragen te beantwoorden. Dank aan Pascal Maître voor zijn tijd en voor de mooie beelden van Somalië, aan Ajoos Sanura en Abdifatah Elmi

voor de uren die ze met mij in Nairobi hebben doorgebracht, en aan Sasha Chanoff en de anderen van Refuge Point voor de ontroerende kennismaking met de bewoners van Eastleigh.

Ik ben alle vrienden, schrijvers, onderwijzers en buren die me gesteund en geïnspireerd hebben – de altijd stralende sterren aan mijn firmament, zo talrijk dat ik ze hier niet allemaal kan noemen – oprecht dankbaar. Mijn speciale dank gaat uit naar mijn familie: naar Dick en Marianne Paterniti, Manny Morgan, Lorraine Martin en Diane Bennekamper; naar mijn broers en hun gezin; de families Simmons, Corbett en Paterniti en bovenal naar mijn geweldige vader Chris Corbett, bij wie ik altijd terecht kon en kan. Anderen die ik dankbaar ben omdat ze me een rustige plek om te werken hebben geboden zijn: Emily en Steve Ward, Melanie en Eliot Cutler, Patty en Cyrus Hagge, Aimee en Mark Bessire. Evenals de volgende mensen die ervoor gezorgd hebben dat ik opgewekt bleef, te eten kreeg en efficiënt mijn werk kon doen: Andy Ward, Jenny Rosenstrach, Joel Lovell, Liz en Pierre Meahl, Lynn Sullivan, Derek Pierce, Andrea Hanson-Carr, Mark Bryant, Alan Liska, Kim Wasco, Ned Flint, Benjamin Busch (de marinier in het souterrain), Linda Murray, Lane en Brock Clarke, Joe Appel, Carlos Gomez, Angela Weymouth, Michael Seymour, Chris Bowe en Stuart Gerson, en niet te vergeten de altijd vrolijke groep kinderen en volwassenen van The Telling Room, die me er steeds weer aan herinneren dat de wereld oké is. En oprecht dank aan Clare Hertel, Anja Hanson, Hallie Gilman, Susan Calder, Susan Conley, Lily King, Katie Redford, Peggy Orenstein, Sara Needleman en Melissa McStay – mijn lieve vriendinnen en poolsterren.

Mijn man Mike Paterniti, die me heeft laten zien dat het leven veel leuker is als je je er onbesuisd en hartstochtelijk aan overgeeft: dankjewel voor alles, voor de kleine en de grote dingen. En onze prachtige kinderen, die alle drie al even onbesuisd en hartstochtelijk zijn: ik hou heel veel van jullie.

Als laatste wil ik Amanda bedanken – voor drie jaar geestverwantschap, voor alles wat je me geleerd hebt over sterk zijn, voor de vele geestelijke kilometers die we samen hebben afgelegd op deze reis, voor hoe onvermoeibaar je aan elke regel van dit boek hebt gewerkt, voor je openheid en je vriendschap. Ik koester het allemaal. Ik ben trots op wat we samen tot stand hebben gebracht.

Van Amanda:

Ik wil bovenal mijn moeder Lorinda Stewart en mijn twee vaders John Lindhout en Perry Neitz bedanken voor de enorme moeite die ze gedaan hebben om mij vrij te krijgen. Ik ben ontroerd door hun moed en liefde en heb diep respect voor wat ze doorgemaakt hebben en zich hebben moeten ontzeggen. Mijn broers Mark Culp en Nathaniel Lindhout, mijn grootouders en de hele familie Lindhout en Stewart waren van het begin tot het eind mijn rotsen in de branding, en ook daarna, ze hebben me liefdevol opgevangen. Tante Alison: ontzettend bedankt. Dank aan mijn peetoom en peettante Wendell en Beryl Lund voor hun goede zorgen.

Aan Zoe, Brenna, Nicola en Zahra, die me verzorgd hebben, me hun liefde hebben gegeven en me aangemoedigd hebben om te gaan spelen.

En aan mijn liefste vriendin Kelly: voor je loyaliteit, je doorzettingsvermogen, en dat je me een prachtig petekind hebt gegeven dat vol verwondering de wereld in kijkt.

Dank aan Sarah Geddes, David Singleton, Michael Going en Steve Allan in Calgary, dat jullie het voor me opgenomen hebben, zonder jullie had ik dit boek niet kunnen schrijven.

Ik word nog dagelijks herinnerd aan de gulheid en goedheid van mensen. In Red Deer, Calgary, Sylvan Lake, Rocky Mountain House, Ponoka, Nelson en in Canada en Australië hebben mensen geld gegeven om Nigel en mij vrij te krijgen. Die goedheid heeft me gesterkt. Het zijn er te veel om op te noemen, en ik wil niemand overslaan, maar jullie weten wie ik bedoel. Allan Markin, Gord Scott, Dick Smith en Bob Brown wil ik daarbij in het bijzonder noemen.

Dank aan de familie Brennan voor hun doorzettingsvermogen en vele bijdragen.

Ik ben de Canadese regering, de RCMP, DFAIT en CSIS dankbaar voor alles wat ze voor me gedaan hebben. In het bijzonder wil ik Ross Hynes en zijn lieve vrouw Vanessa bedanken, vanwege hun grote toewijding aan de zaak. Ik ben eeuwig dank verschuldigd aan Richard, Jonathan, Chris, Matt, Evelyn en hun gezin.

Onze vrijlating was niet mogelijk geweest zonder de hulp van AKE. Ik ben JC, Ed, Shaun, Alto en Derek er dankbaar voor dat ze die tot een goed einde hebben gebracht.

Ik heb veel geleerd over traumaverwerking en posttraumatische stressstoornissen en ben dankbaar voor de therapie die ik gekregen heb in Sierra Tucson. De serene omgeving en kundige therapeuten hebben me geholpen om de draad van mijn leven weer op te pakken en ook de zonnige kant van het leven te zien. Ik ben vooral dr. Mark Pirtle, Joanne Sorenson en dr. Judy Gianni dankbaar.

Nogmaals dank aan Katherine Porterfield, voor je begrip bij alle stadia van deze reis. Ik ben zo blij dat je je hand naar me hebt uitgestoken en me verder op weg hebt geholpen. Ik hou van je.

Andere deskundigen die mijn genezingsproces hebben ondersteund zijn: de dokters en verpleegkundigen van het universiteitsziekenhuis Aga Khan in Nairobi, Karen Barker, dr. Charl de Wet, Patti Mayer, dr. Tim Kearns, dr. Lizette Lourens, dr. Rick Balharry en de geweldige docenten van de Hoffman Institute Foundation in Canada.

Eckhart Tolle, jouw lessen, begeleiding, vriendschap en inzichten zijn een aanmoediging voor me en hebben mijn perspectief op het leven voorgoed veranderd.

Heather Cummings en João Teixeira de Faria hebben me laten zien dat alles mogelijk is. Dank aan de gulle weldoeners van het St. Ignatius Fund.

Dank ook aan het hele team van de Global Enrichment Foundation in Canada, Kenia en Somalië, omdat jullie zo hard werken, met een onbevooroordeelde blik en het hart op de juiste plaats. Ik ben trots op wat we bereikt hebben en benieuwd naar wat de toekomst ons zal brengen.

Nigel: zoals onze vriend Thierry eens tegen ons zei in het Baro

Hotel: 'Veel goede dingen.' Dat is wat ik je toewens, Nigel: veel goede dingen.

En tot slot Sara, mijn medeauteur, vertrouwelinge en vriendin, die vanaf het begin geloofde in dit project. Ik ben je oneindig dankbaar. Drie jaar geleden namen we de sprong in het diepe en begonnen we aan deze lange reis. We schreven dit verhaal maar beleefden hem ook op wel duizend verschillende manieren. Zonder jouw intelligentie, oneindige geduld, en precisie had het nooit verteld kunnen worden. Ik heb diepe bewondering voor je wijsheid, je betrokkenheid en je geloof in mij. Je hebt mijn leven oneindig verrijkt.